Autodesk
PRACTICE BOOK OF
BUILDING INFORMATION MODELING
Revit
ではじめる
BIM
実践入門
Autodesk Revit & Revit LT
2022/2021 対応版
山形雄次郎 Yujiro Yamagata

技術評論社

■『ご注意』ご購入・ご利用の前に必ずお読みください

本書に記載された内容は、情報の提供のみを目的としています。したがって、本書を参考にした運用は、必ずご自身の責任と判断において行ってください。本書の運用の結果につきましては、弊社および著者はいかなる責任も負いません。

本書に記載されている情報は、特に断りが無い限り、2021年5月時点での情報に基づいています。ご利用時には変更されている場合がありますので、ご注意ください。

本書は、著作権法上の保護を受けています。本書の一部あるいは全部について、いかなる方法においても無断で複写、複製することは禁じられています。

本書で掲載している操作画面は、特に断りが無い場合は、Windows 10上でAutodesk Revit 2021を使用した場合のものです。なお、Autodesk Revit 2022でも動作確認を行っています。

以上の注意事項をご承諾いただいた上で、本書をご利用していただきますようお願い申し上げます。これらの注意事項をお読みいただかずにお問い合わせいただいても、弊社および著者は対処いたしかねます。あらかじめ、ご承知おきください。

はじめに

BIM（びむ）とは、Building Information Modeling（ビルディング インフォメーション モデリング）の略で、コンピュータ上に作成した建築3Dモデルに、仕上げや工程、コストなどの様々な情報を持たせた画期的なシステムです。BIMを導入すれば、図面の不整合性が殆どなくなり、建築生産の効率が飛躍的に向上するので、建設革命とまで言われています。

まさにBIMは建築業界の美夢（びむ）ですが、その操作性のハードルの高さとか、図面表現が満足できないという理由で、BIM導入に二の足を踏んでいるユーザーや、導入しようとしたが途中で挫折された人を多く見受けます。

確かにすべてを３次元で入力していくと、例えば平面図だけ必要なときにでも、設計内容によっては高度な3D技術が必要になって、従来の2D-CADよりも作業時間がかかり、スケジュールに支障をきたすことがあります。

それではBIMを導入した意味がないと私は思い、2D-CADよりも早く思い通りの平面図を作成する手法を模索してきて、その体系的手法を「平面図からはじめるBIMの導入手法」、略して「平Ｂ式」と名付けました。

通常のマニュアルでは、BIMで作成する最初の目標は建築全体の3Dモデルの場合が多いです。そうではなく、「平Ｂ式」では「思い通りの平面図」を作成することを第一の目標とします。この「平Ｂ式」が最も現実的なBIM導入手法であり、かつ実務的なBIMによる設計の進め方ではないかと思っています。

本書の第１～９章は、BIMは全く初めてという方が『平面図を』、2D-CAD作業よりも『早く』、かつ図面表現は妥協せず『思い通りに』作成するノウハウを紹介しています。第10章では平面図以外の図面の作成方法を掲載しました。大変心苦しいのですが、紙面の都合で概要になってしまいました。詳細な手法については別の機会とさせて頂きます。Revit超初級者からヘビーユーザーまで、すべてのRevitユーザーにとって座右の書になれば幸いです。

さあ、はじめの一歩を踏み出しましょう！
本書でBIMが少しでも普及し、建築業界がより元気になり、世界が活気に満ちる一助になれば幸いです。

2021年５月
株式会社ヤマガタ設計
日本BIM普及センター
代表 山形雄次郎

目次

第3章 平面図を作成する 49

第4章 外構図を作成する 109

第5章 平面図を着色する 135

第6章 集計表と図面シートを作成する 159

第7章 ファミリを作成する 183

第10章 平面図以外の図面を作成する 261

付録 305

第 1 章

BIMツールRevitの概要を理解する

BIMの概念をツール化したRevitでは、従来の2D CADとは全く異なる設計の流れになります。ここではRevitでの作業手順と構成要素などを紹介し、まず概要をつかみます。

01 BIMツール Revitとは

BIMとは

BIMとは、Building Information Modeling（ビルディング インフォメーション モデリング）の略で、コンピュータ上に作成した建築3Dモデルに、仕上げや工程、コストなどのさまざまな情報を持たせた画期的なシステムです。

従来の2D-CADによる設計手法は、平面図、立面図、断面図などの図面を1枚1枚べつべつに作成していました。しかしBIMでは、プロジェクトを建築3Dモデルとして作成します。その一つのモデルから平面図、立面図、断面図などを生成するため、図面間の整合性がとれます。また、変更があった場合、2D-CADでは関連する図面をすべて修正しなければなりませんでしたが、BIMではモデルを変更するだけで、関連する図面もすべて自動的に変更されます。また、面積もモデルから自動集計するので、壁の位置変更に対してリアルタイムで変更されます。

BIMを導入すると、今まで大変な手間をかけていた不整合図面の修正や、面倒な面積計算がほとんどなくなり、デザインや詳細の検討など本来の設計業務に集中できます。面倒な作業はパソコンに任せましょう。

図はBIMによる設計の事例です。これらの図面は一つの3Dモデルから生成されているので、常に整合性がとれています。

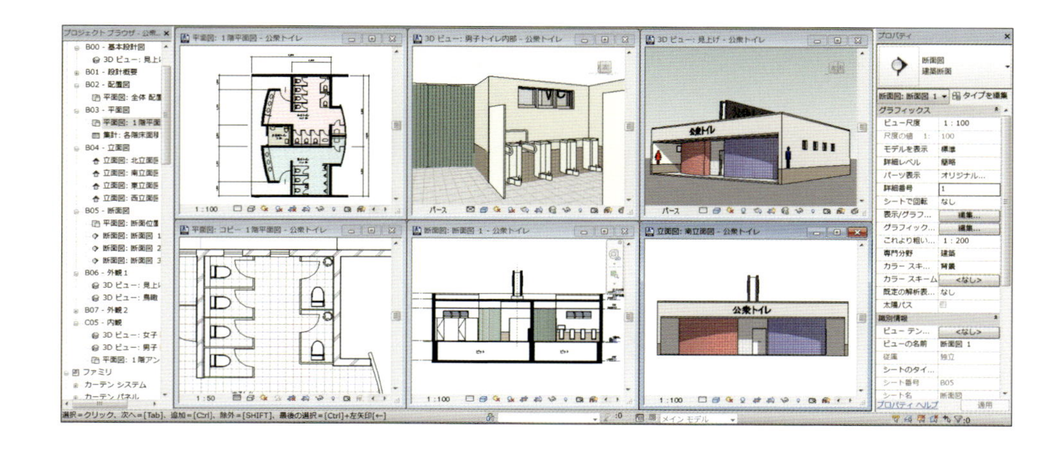

Revitとは

BIMツール（ソフト）はいくつかありますが、本書ではオートデスク社のRevitを使います。同じオートデスク社からRevit LTという一部の機能を制限した廉価版も用意されています。

Revitにできて Revit LTでできない主な機能

- ・ワークセット機能（共同作業機能）
- ・レンダリング機能（CG作成）
- ・壁以外のインプレイス機能
- ・マス機能
- ・ネットワークライセンス
- ・ビューフィルタ
- ・共有座標

大きな違いの一つは、共同作業ができるワークセット機能がついているかどうかです。Revitは1プロジェクト1ファイルで作成するのが基本です。2人以上が一つのファイルを同時に操作するような共同作業を必要とする場合には、Revit LTではなく、上位機種であるRevitを選択することをお勧めします。

体験版のダウンロード

インストール後30日間無料で試用できる体験版があります。下記のURLからダウンロードできます。

http://www.autodesk.co.jp/products/revit-family/free-trial

02 Revitでの作業の流れを確認する

Revitでの主な作業の流れは、図の通りです。

1 ファミリと呼ばれる建築要素を組み合わせてプロジェクト3Dモデルを構築します。
パソコンの中に立体的な建築模型を作るイメージです。

2 3Dモデルから配置図や平面図、立面図などの各ビューを作成します。
3Dモデルの水平断面を配置図ビューや平面図ビュー、垂直断面を立面図ビューや断面図ビューとして作成します。

3 3Dモデルに連動した面積表などの集計表を作成します。
面積表作成後に壁の位置を移動すると、自動的に数値が更新されます。

4 必要に応じて製図ビュー（2D）を作成します。
製図ビューはプロジェクトの3Dモデル空間とは関係しない2Dエリアです。

5 各ビューを図面枠の入ったシートに貼り付け、図面としてまとめます。
いわゆる設計図面で、表紙、仕上表、平面図、建具表、詳細図などを作成します。

6 各シートを出力します。
PDFファイルを作成したり、印刷したりします。

3Dモデルを作成・修正するには、作業しやすいビュー（平面図ビュー、立面図ビュー、3Dビューなど）を選んで、そこで作業します。

memo

ビュー（view：見える範囲、視界、眺め）とは、3Dモデルをある面で切断し、その面に対して垂直に見た姿です。

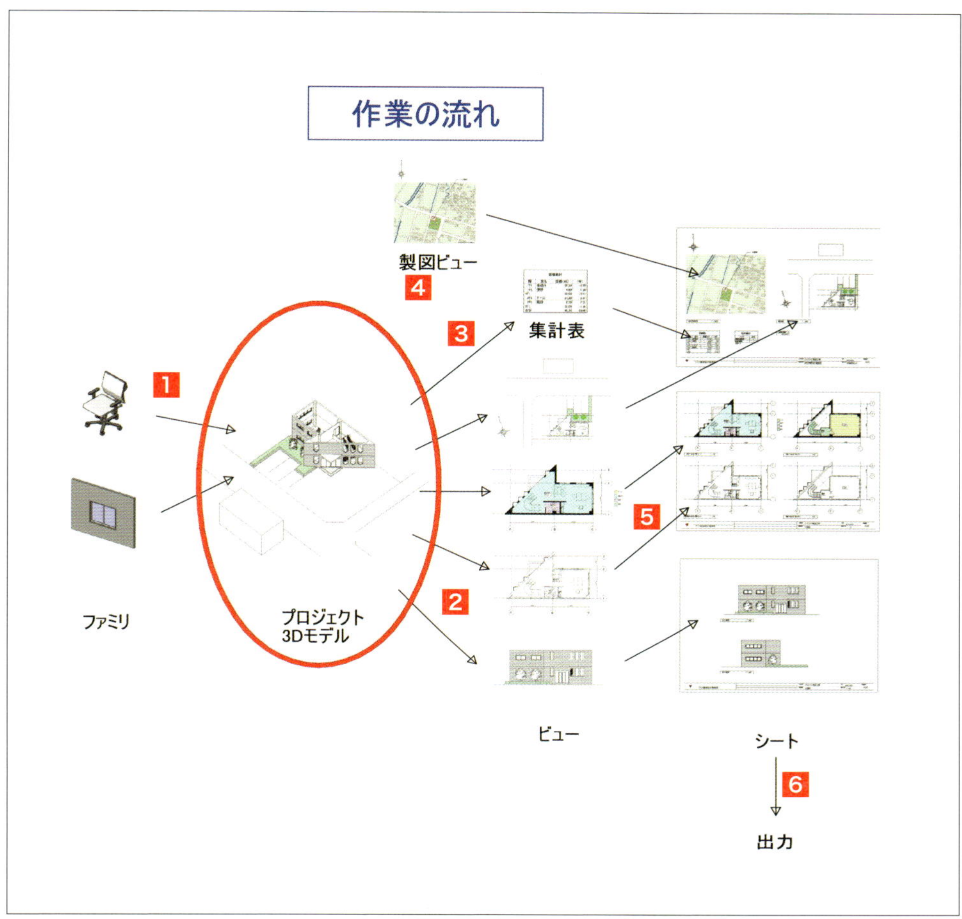
作業の流れ
製図ビュー
4
3
集計表
1
5
2
ファミリ
プロジェクト
3Dモデル
ビュー
シート
6
出力

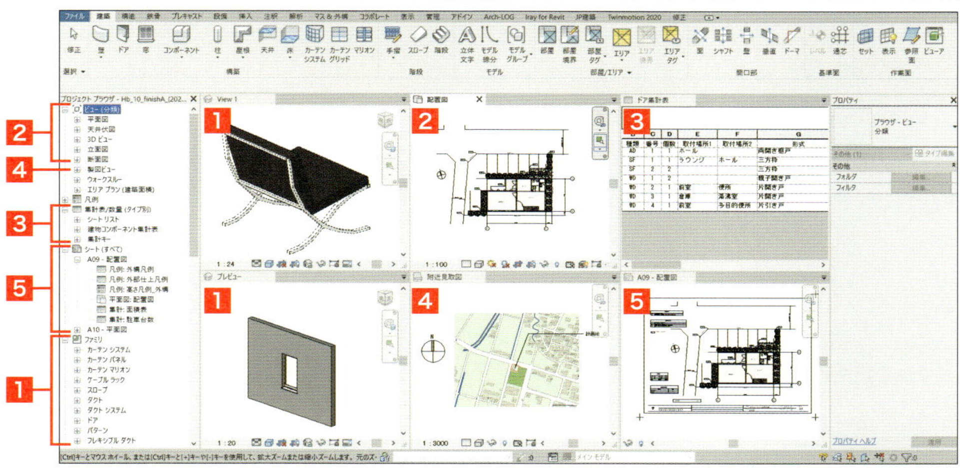
2
4
3
5
1
1
2
3
1
4
5

03 平B式の設計プロセスを知る

平面図や面積表だけが先に欲しいという状況を想定し、プロジェクト3Dモデルをすべて3Dで作成するのではなく、2Dでの作図を併用したりして、『平面図を』『早く』『思い通りに』作成する方法を、本書で紹介します。

この方法を筆者は「平面図からはじめるBIM」の方式、略して「平B式」といっています。

平B式のワークフロー

・壁の作成

3D空間の高さを作成、通り芯を作成し、壁を作成する（3-01～3-12）。

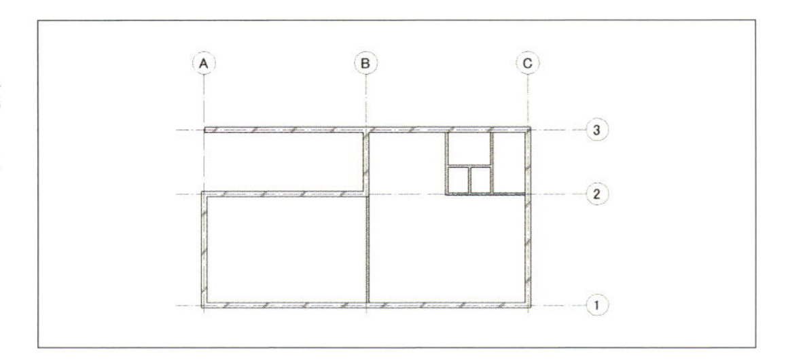

・内部の作成

建具、設備機器、家具などを配置し、壁以外のモデルを作成する（3-13～3-20）。

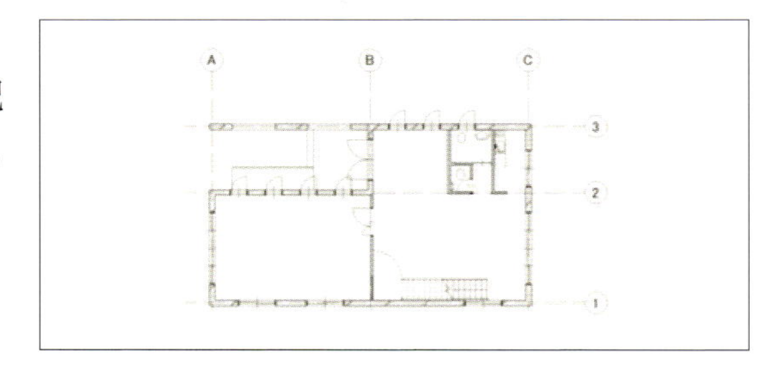

・外構部分の作成

玄関ポーチ、駐車スペース、緑地帯を作成する（4-01～4-07）。

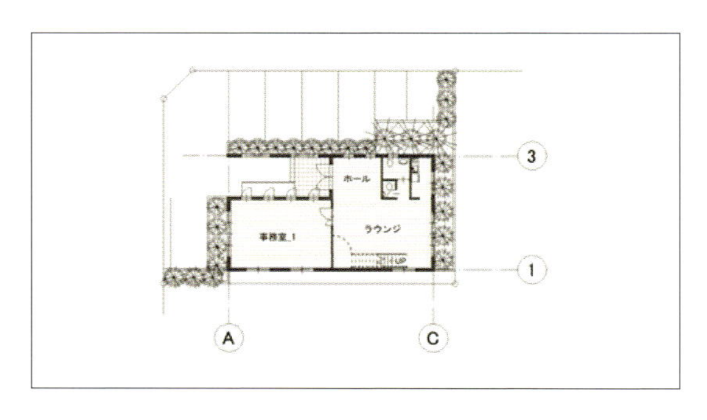

1章～9章では、次の［図面1］、［図面2］の2枚のシートを作成する手順を解説します。

［図面1］は、「A01-配置図」シートに一つのビューと三つの集計表が入っています。

［図面2］は、「A02-平面図」シートに四つのビューが入っています。

各ビューを作成

・平面図の表現を整理する

壁のハッチングや部屋の作成、着色表示を設定する。

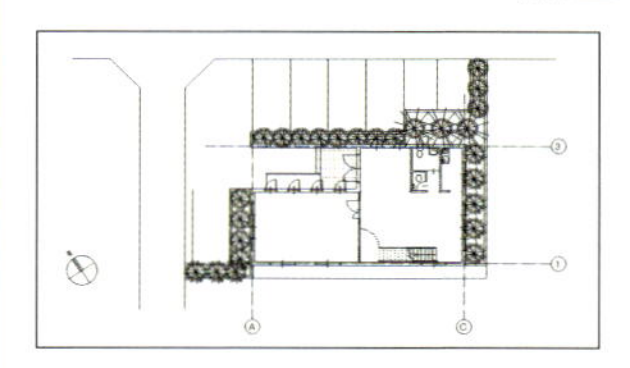

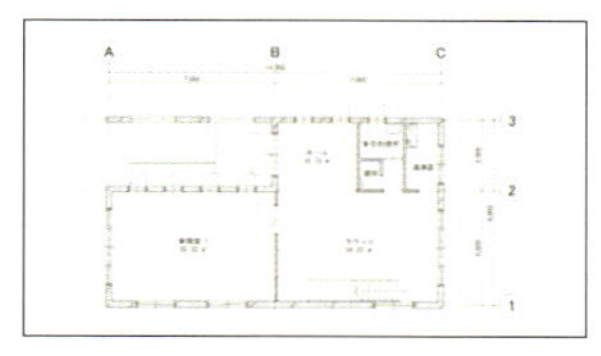

・部屋の面積を集計する

建築面積、駐車台数を集計する（5-01～6-04）。

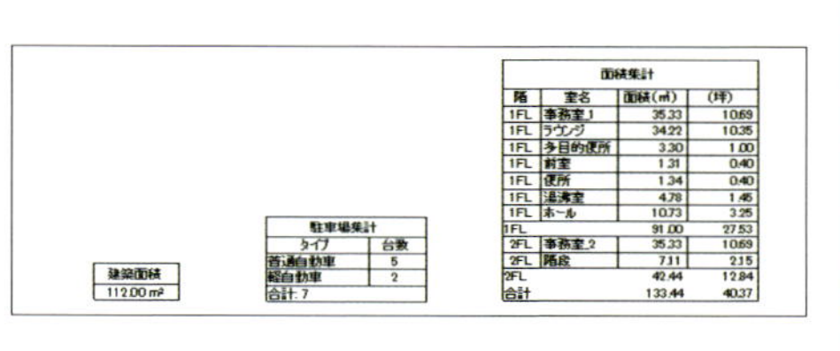

建築面積
112.00 m²

駐車場集計	
タイプ	台数
普通自動車	5
軽自動車	2
合計: 7	

面積集計			
階	室名	面積(㎡)	(坪)
1FL	事務室_1	35.33	10.69
1FL	ラウンジ	34.22	10.35
1FL	多目的便所	3.30	1.00
1FL	前室	1.31	0.40
1FL	便所	1.34	0.40
1FL	湯沸室	4.78	1.45
1FL	ホール	10.73	3.25
1FL		91.00	27.53
2FL	事務室_2	35.33	10.69
2FL	階段	7.11	2.15
2FL		42.44	12.84
合計		133.44	40.37

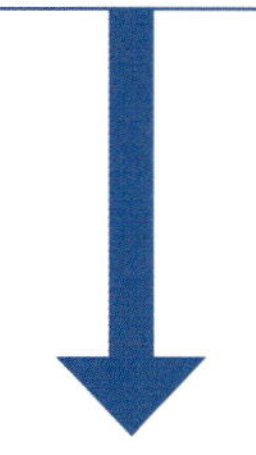

・図面シートを作成する

図面シートに各ビューを配置し図面を仕上げる（6-05～6-07）。

［図面1］

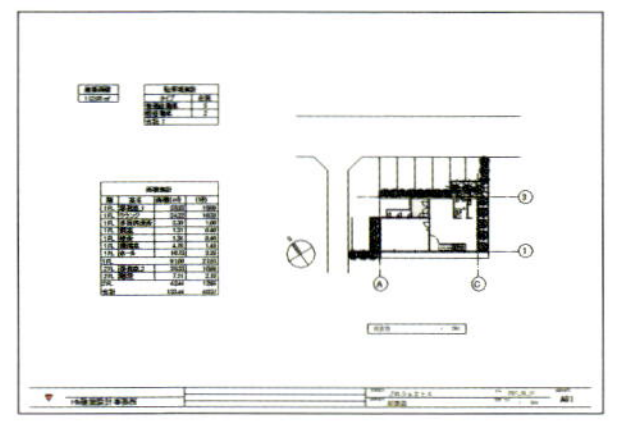

［図面2］

出力（6-08）

10章では平面図以外の図面を作成する方法の概要を紹介します。

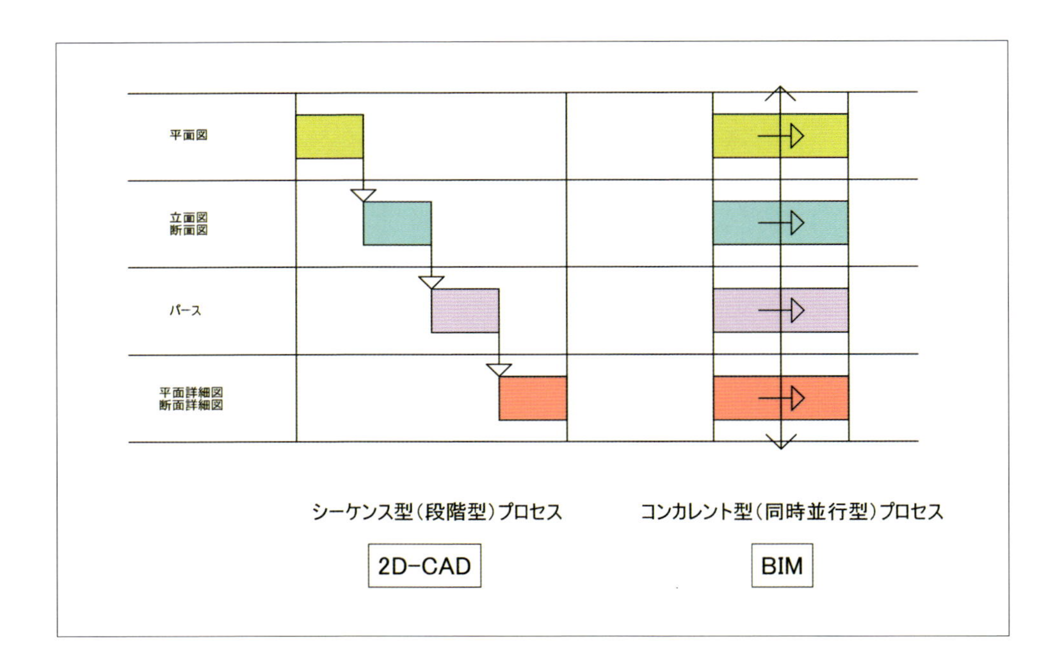

従来の設計図の進め方は、平面図を作成し、それから立面図や断面図を作成します。それからパースを作成し、さらに詳細図を作成していくという方法でした。これはシーケンス型（段階型）プロセスと呼ばれるもので、図にすると上図のようになります。

これに対して、BIMでの進め方は、平面図、立面図、断面図、パース、詳細図が同時に進行していく方法で、これはコンカレント型（同時並行型）プロセスと呼ばれます。

BIMでの進め方、コンカレント型プロセスの方が、トータルでは短い時間で設計図が完成します。

最初から設計内容が固まっている場合には、一気に作成できて作業効率がとても良いのですが、他の図面はいいので平面図だけ急ぎで欲しいというときには、条件によっては従来の方法で平面図を作成した方が早くなることがあります。また、沢山の複数案のプランが必要であったり、何度もプランが変更になったりする場合には、BIMで3Dを作成する進め方では、特に基本設計時に従来の手法よりも作業時間が増えてしまいます。

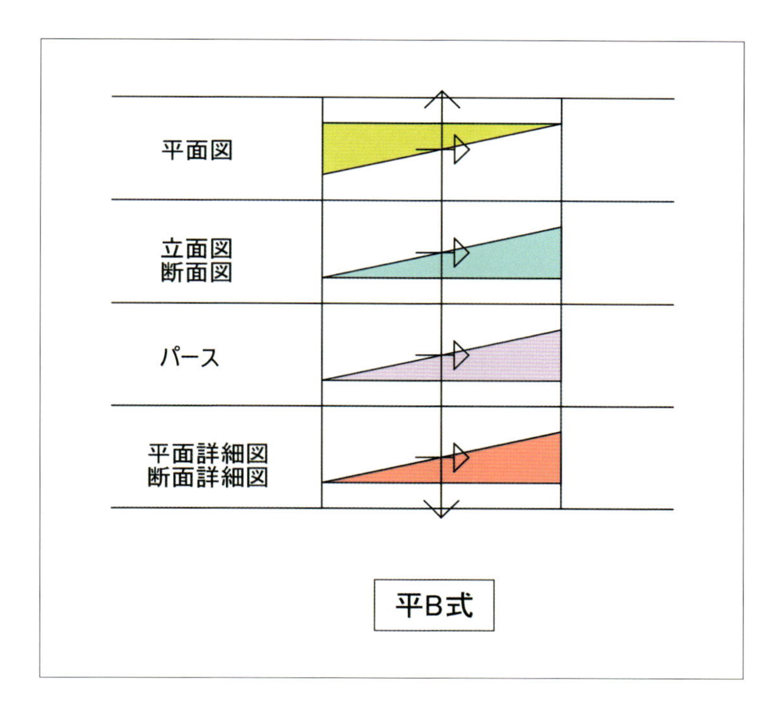

そこで、BIMでの進め方をベースにして、従来の方法よりも平面図の作成を早くできるようにする方法が、「平面図からはじめるBIM」の設計プロセスです。

図にすると上図のような進め方です。平面図を早く作成するために、当初は平面図に重きを置いて、高さの情報は最小限の入力にします。

ただし、全く高さを無視して作業性を最優先するのではなく、あとで立面図、断面図、パースなどへ展開しやすいように、ある程度は高さを意識しながら入力していきます。平面図がまとまってきた段階で、本格的な3D化を行いますが、ある程度の高さ情報が入っているので、トータルの設計時間も従来の方法よりも早くできるようになります。

04 Revitの構成要素を知る

線や文字で作図する2D CADでの設計手法とは異なり、BIMでは壁・床・屋根・窓・家具といった建築物を構成する要素を使って設計を進めます。Revitでは各建築要素を「ファミリ」と呼んでいます。ファミリは、形状だけでなく数量・材質・価格・工程などの情報を含んでいますので、形状だけの3D-CADとは異なります。

- Building：建築
- Information：情報
- Modeling：モデル（3次元のかたち）

一つのプロジェクトは原則1つのファイルに集約されており、「モデル要素」、「基準面要素（データム要素）」、「ビュー固有の要素」のファミリで構成されます。

- モデル要素：壁・床・屋根・窓・家具などの建築物を構成する3D要素。
- 基準面要素（データム要素）：通り芯やレベルなどの基準となる要素。
- ビュー固有の要素：図面化するために必要な文字・寸法・記号などの2D要素。

また、ファミリは扱われ方で「システムファミリ」「インプレイスファミリ」「読込可能ファミリ」に分類されます。

- システムファミリ：建築モデル内の壁、床、天井、通り芯など基本的な建物要素。プロジェクトファイルにて初期定義されていて、外部のファイルからロードされるものではない。
- インプレイスファミリ：プロジェクトファイルの中で新たに作成する3D要素。
- 読込可能ファミリ：建具や家具などのデータで、外部ファイルとして作成し、それをプロジェクトファイルにロードして使用する。

各要素の関係は図の通りです。

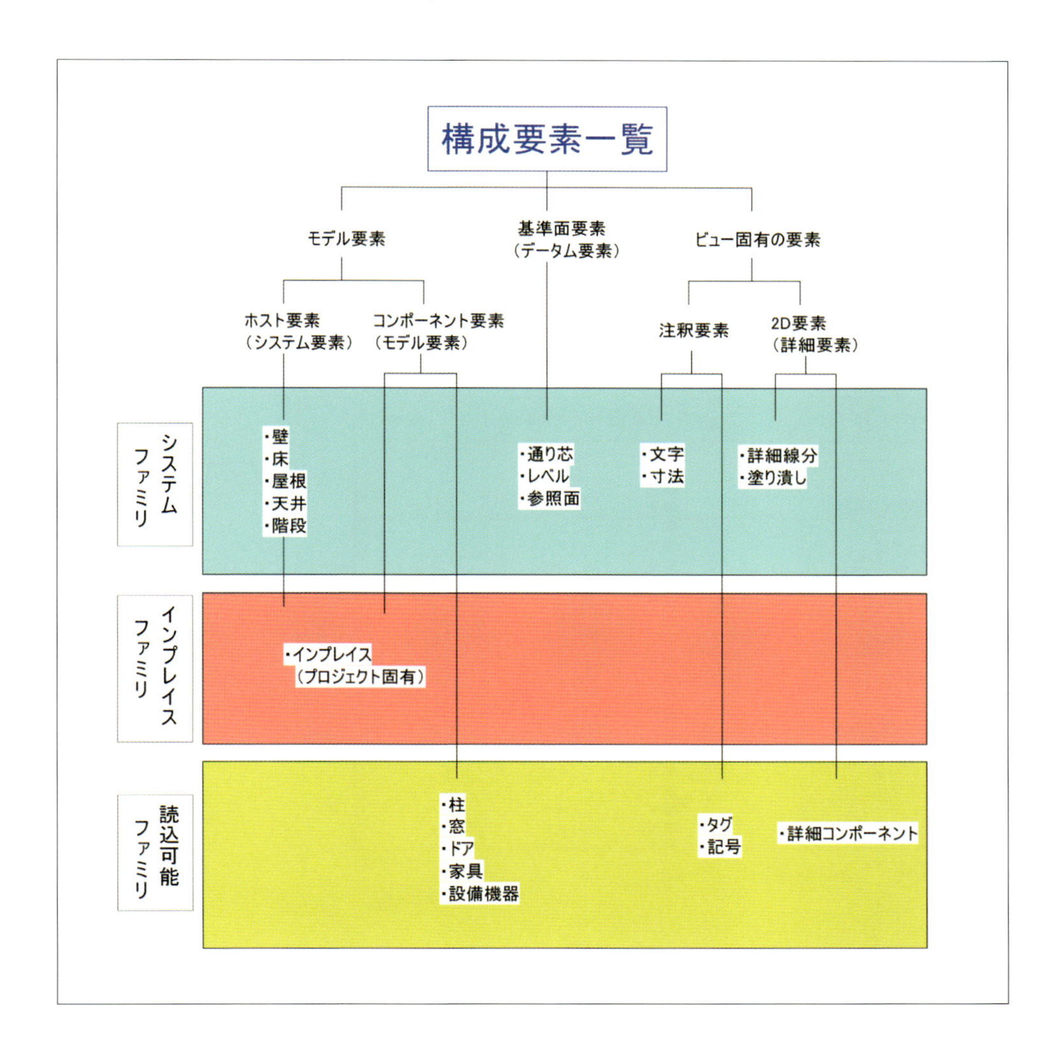

Revitのファイル構成

Revitで使用するファイルには四つの種類があり、それぞれ拡張子が異なります。

1. プロジェクトファイル（拡張子：rvt）
   物件（プロジェクト）ごとに作成されるファイル。
2. テンプレートファイル（拡張子：rte）
   物件を始めるときに最初に開くテンプレート用のファイル。
3. ファミリファイル（拡張子：rfa）
   窓や家具などのファミリのファイル。
4. ファミリテンプレートファイル（拡張子：rft）
   窓や家具などのファミリをつくるためのテンプレートファイル。

Column

●カテゴリを理解する

プロジェクトファイルの中の各要素は下図のようにドアや壁、家具、文字、寸法といったどれかの「カテゴリ」に分類されます。各カテゴリはさらに「サブカテゴリ」に再分類されています。ユーザー側でカテゴリは追加できませんが、サブカテゴリは追加できます。

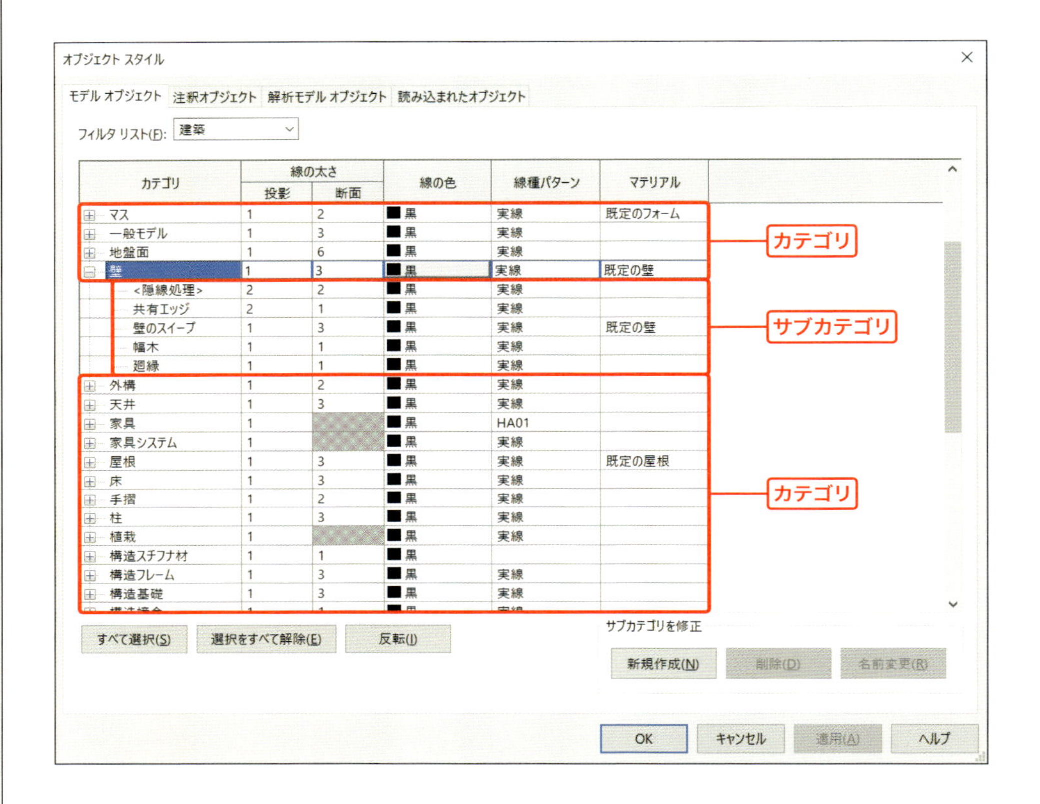

カテゴリ	線の太さ 投影	線の太さ 断面	線の色	線種パターン	マテリアル
マス	1	2	黒	実線	既定のフォーム
一般モデル	1	3	黒	実線	
地盤面	1	6	黒	実線	
壁	1	3	黒	実線	既定の壁
<隠線処理>	2	2	黒	実線	
共有エッジ	2	1	黒	実線	
壁のスイープ	1	3	黒	実線	既定の壁
幅木	1	1	黒	実線	
廻縁	1	1	黒	実線	
外構	1	2	黒	実線	
天井	1	3	黒	実線	
家具	1		黒	HA01	
家具システム	1		黒	実線	
屋根	1	3	黒	実線	既定の屋根
床	1	3	黒	実線	
手摺	1	2	黒	実線	
柱	1	3	黒	実線	
植栽	1		黒	実線	
構造スチフナ材	1	1	黒		
構造フレーム	1	3	黒	実線	
構造基礎	1	3	黒	実線	

カテゴリは、CADソフトや画像ソフトで使われるレイヤの概念に近いものですが、CADなどのレイヤと異なるのは、カテゴリによって以下のような振る舞いになる点です。

- ・そのカテゴリのオブジェクトがビュー範囲の［断面］～［上］間にあったときに表示されるかどうか。
- ・そのカテゴリのオブジェクトがビュー範囲の［断面］で切断される位置にあったときに、［断面］で表示するのか［投影］で表示するのか。
- ・そのカテゴリをインプレイスで作成可能かどうか。
- ・そのカテゴリを読み込み可能なファミリで作成可能かどうか。

第 2 章

Revitの基本操作を理解する

Revitのインターフェースやマウス操作、選択方法などを紹介します。その後、線や文字などの作成、編集の基本操作を紹介し、Revitに少しずつ慣れていきます。

Revitを起動する／終了する

Revitを起動する

Revitは次の手順で起動できます。なお、本書ではWindows10パソコンにRevit 2021をインストール済みの前提で説明します(Revit 2022でも動作確認しています)。

1 ＜スタート＞ボタンをクリックします。

2 ＜Autodesk＞→＜Revit 2021＞をクリックします。

注：スタートメニューの項目の並びに＜Revit viewer2021＞がありますが、これはモデル確認用のツールなのでデータの保存ができません。間違えてクリックしないようにします。

memo

デスクトップにRevit 2021のショートカットがあれば、それをダブルクリックしても起動できます。

3 Revit 2021 が起動します。

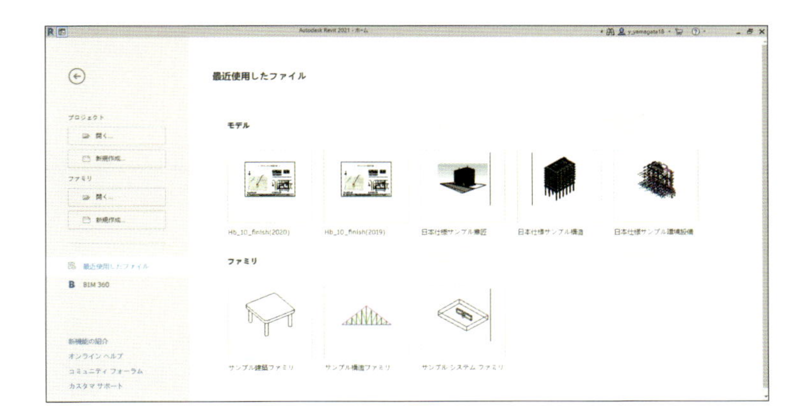

Revitを終了する

作業が終わったら、次の手順でRevitを終了します。

1 プロジェクトを開いている状態から、＜ファイル＞タブをクリックして＜Revitを終了＞をクリックします。

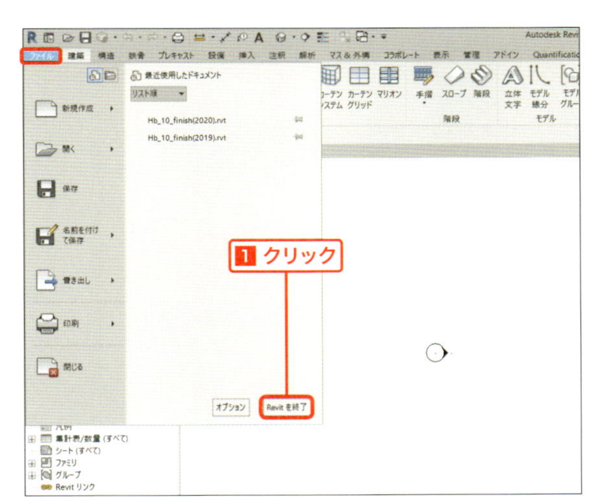

Revitをアンインストールするときは、＜スタート＞ボタン→＜Autodesk＞→＜Uninstall Tool＞をクリックし、関連するツールも一緒にアンインストールします。

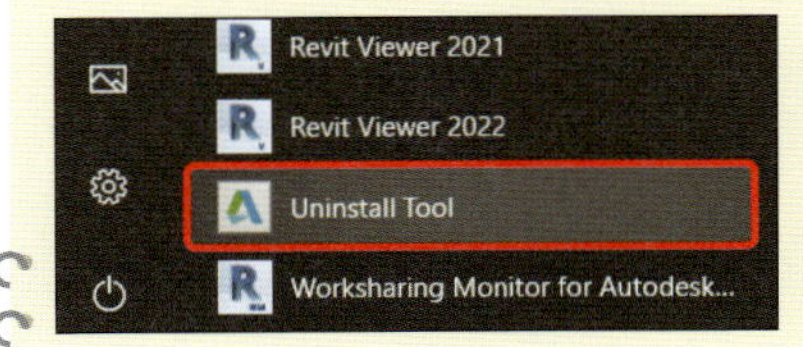

02 ファイルを開く／保存する

サンプルファイルの入手

本書で使用するデータファイルは、下記サイトで案内されています。

http://www.y-design.co.jp/books/index.php

ダウンロードしたファイルを解凍すると、次のような構成になっています。

サンプル

- Exercise(2022) フォルダー
- Exercise(2021) フォルダー

各フォルダー内

- Hb_Template.rte
- Hb_KeyboardShortcuts.xml
- Hb_方位記号.rfa
- 附近見取り図.bmp
- 敷地データ.dxf
- Hb_図面タイトル.rfa
- 外倒し窓_高窓.rfa
- 各章の教材データ

テンプレートファイルを開く

1 ホーム画面からプロジェクトの<新規作成>をクリックします。[プロジェクトの新規作成] ダイアログボックスが表示されるので<プロジェクト>を選択し、<参照>をクリックします。

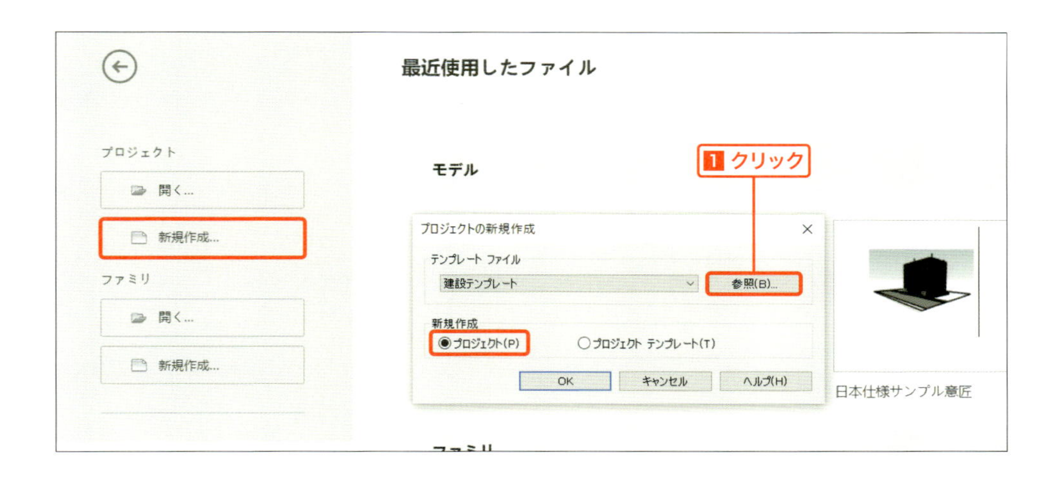

作業画面から開く場合は、＜ファイル＞タブの＜新規作成＞→＜プロジェクト＞をクリックしても同じ操作となります。

2 ［テンプレートを選択］ダイアログボックスが表示されます。テンプレートファイルを保存したフォルダーを開き、テンプレートファイル「Hb_Template(2021).rte」を選択して＜開く＞をクリックします。

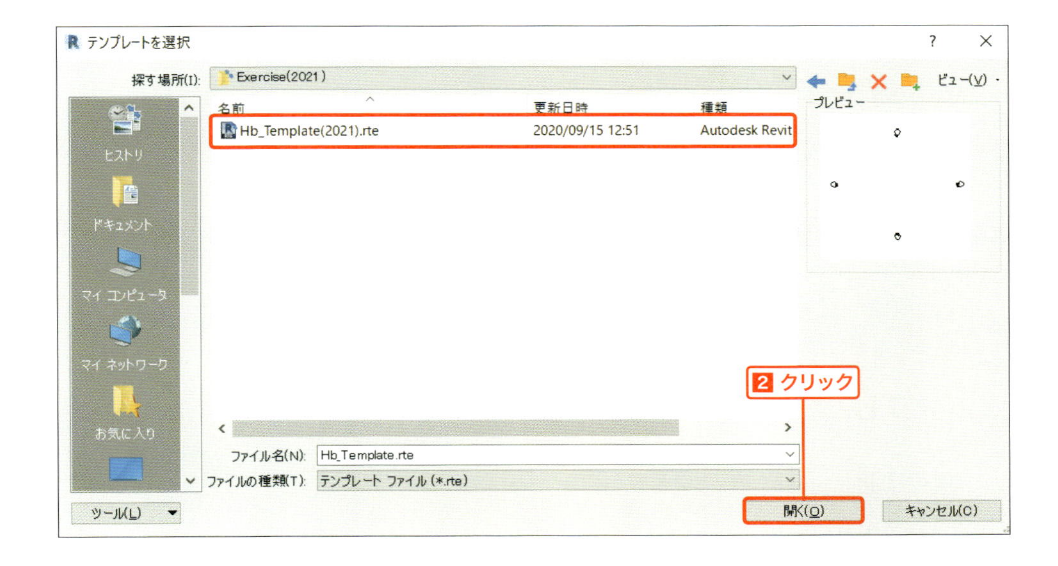

3 ［プロジェクトの新規作成］ダイアログボックスに戻るので、＜OK＞をクリックします。

データを保存する

開いたテンプレートファイルをプロジェクトファイルとして保存します。

1 ＜ファイル＞→＜名前を付けて保存＞をクリックして、＜プロジェクト＞をクリックします。

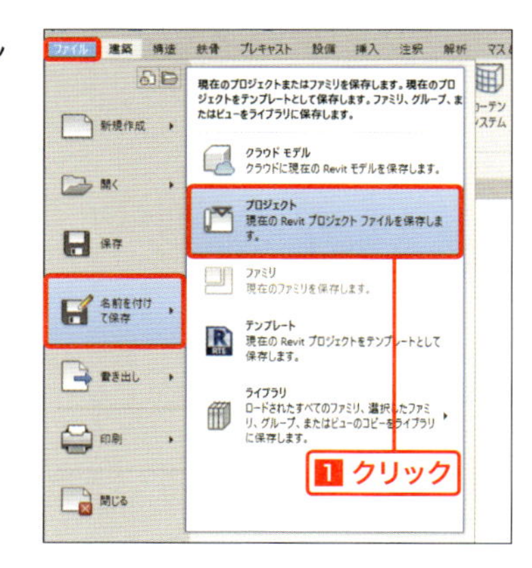

2 [名前を付けて保存] ダイアログボックスが開くので、ファイルを保存したいフォルダーに移動し、[ファイル名] 欄にファイル名を入力して＜保存＞をクリックします。

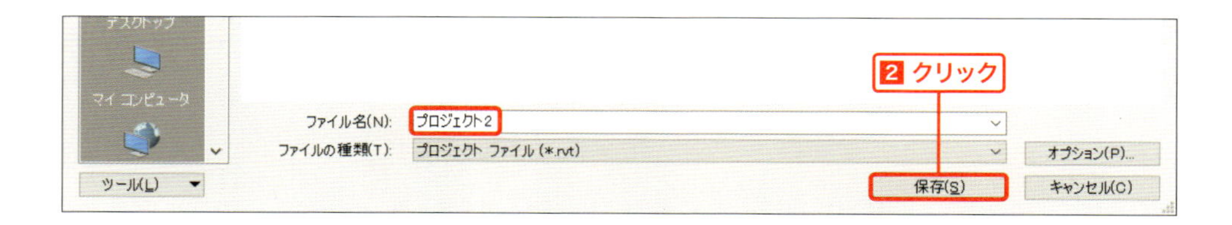

memo

Revit2021で作成したファイルは、Revit2022で開くことができます。しかし、Revit2022で作成したファイルは、Revit2021で開くことはできません。また、Revit2022でファイルを保存するときに、Revit2021形式にすることもできません。作業協力する場合は、お互いのバージョンを確認しましょう。

memo

Revitは自動時間ではバックアップされませんが、上書き保存をするたびに***001.rvt、***002.rvtというバックアップファイルが作成されます。バックアップのファイル数は＜名前を付けて保存＞の＜オプション＞で変更できます。また、一定時間ごとに保存確認のメッセージが表示されます。この間隔は＜ファイル＞タブ→＜オプション＞→＜一般＞→[通知] で変更できます。

プロジェクトファイルを開く

一度プロジェクトファイルとして保存したファイルを次回から開くときには、次の手順で開きます。

1 ホーム画面からプロジェクトの<開く>をクリックします。

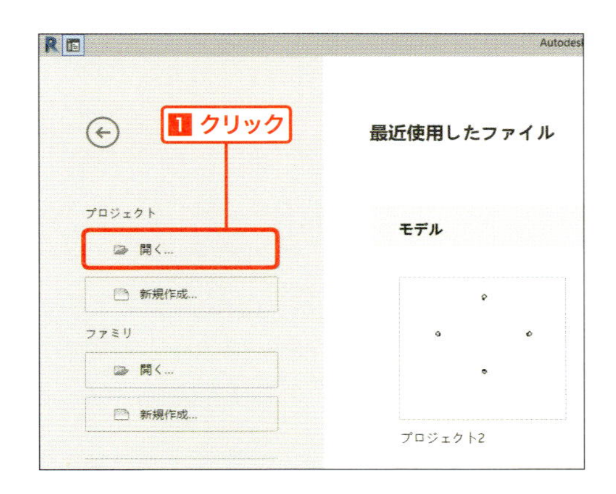

2 ファイルを選択し、<開く>をクリックします。

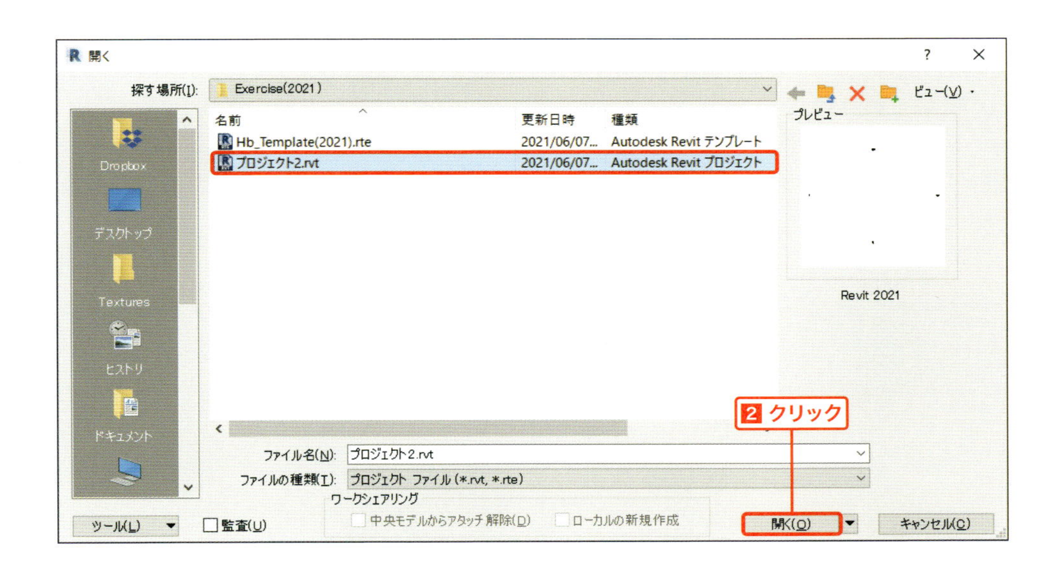

Revitを起動させてから、ファイルをRevitの画面へドラッグ＆ドロップしても開くことができます。

操作画面をレイアウトする

操作画面のレイアウト

操作画面のレイアウトを変更することにより、リボンなどを切り替えずに操作や修正を行うことが可能となり、作業効率が上がります。

1 <表示>タブの<ユーザインタフェース>をクリックして、<プロジェクトブラウザ>と<プロパティ>にチェックを付けます。

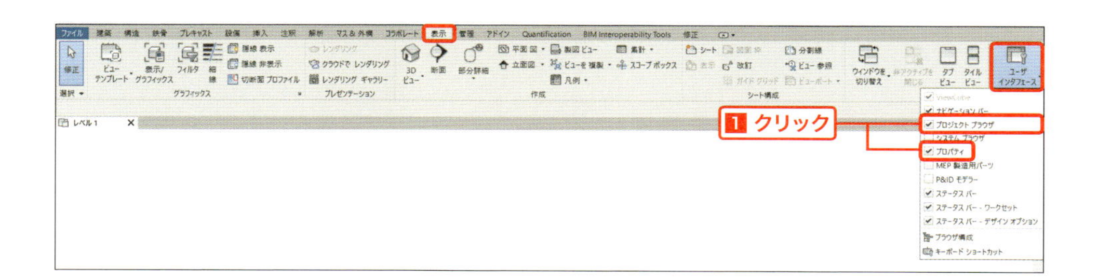

2 ［プロジェクトブラウザ］の枠上部をクリックします。そのままドラッグして画面左端にマウスポインターを移動します。

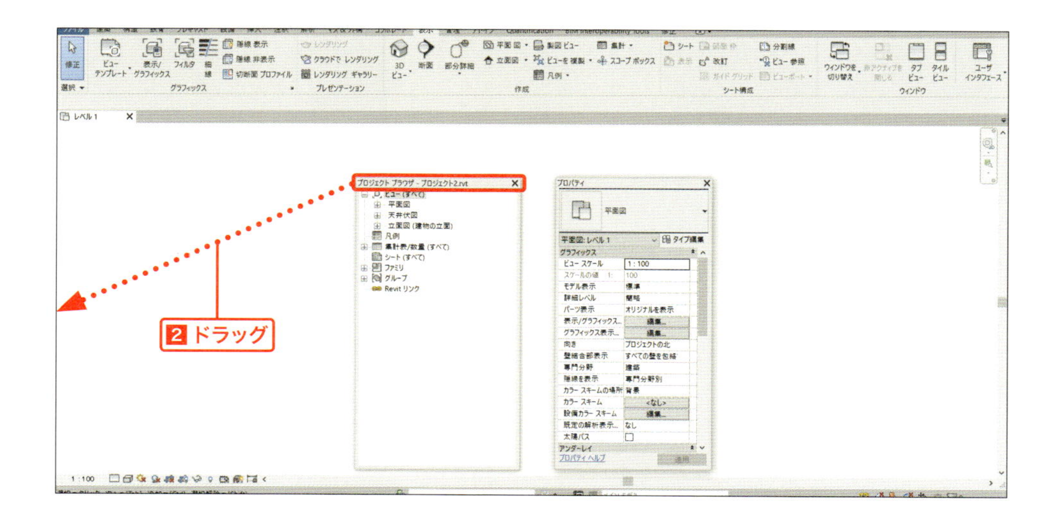

3 青い枠が現れた時にマウスを離すと配置ができます。同様に［プロパティ］も右端に配置します（この画面レイアウト設定の際はマルチディスプレイを使用しないで操作することをお勧めします）。

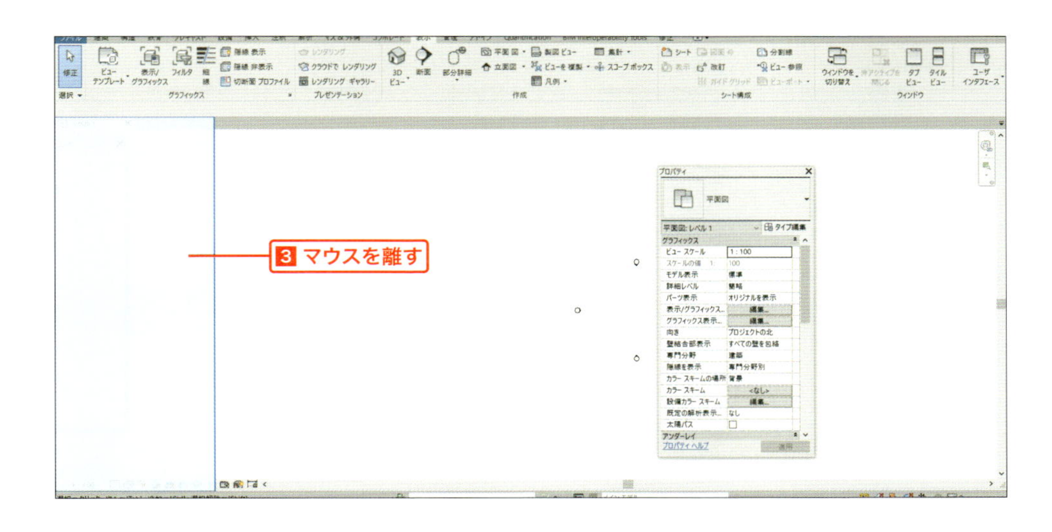

本書では、この状態で操作を説明します。

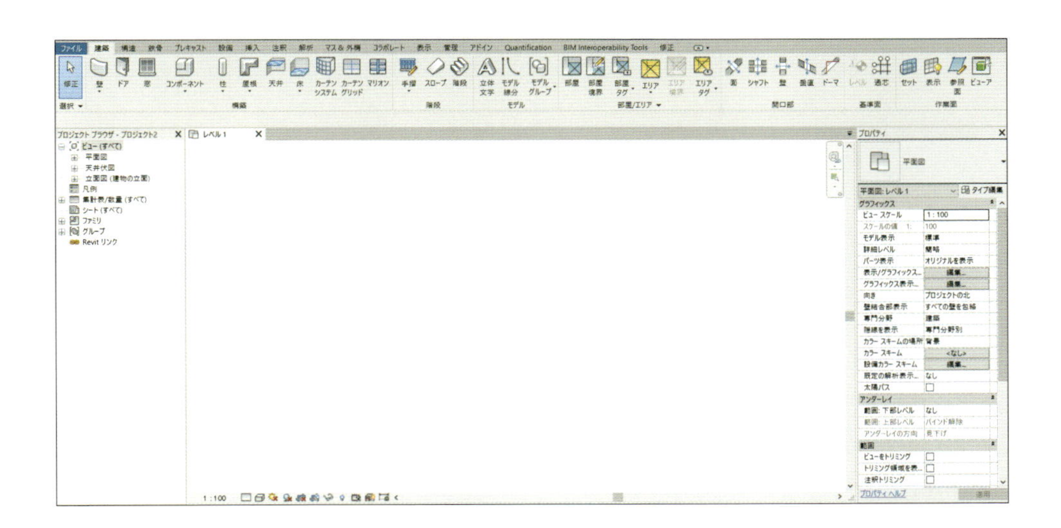

memo

プロジェクトブラウザの構成は、［プロジェクトブラウザ］の<ビュー>を右クリックして<ブラウザ構成>をクリックし、［ブラウザ構成］でビューやシートの表示の仕方や順序などを設定することができます。

操作画面（インターフェース）を知る

Revitのインターフェース

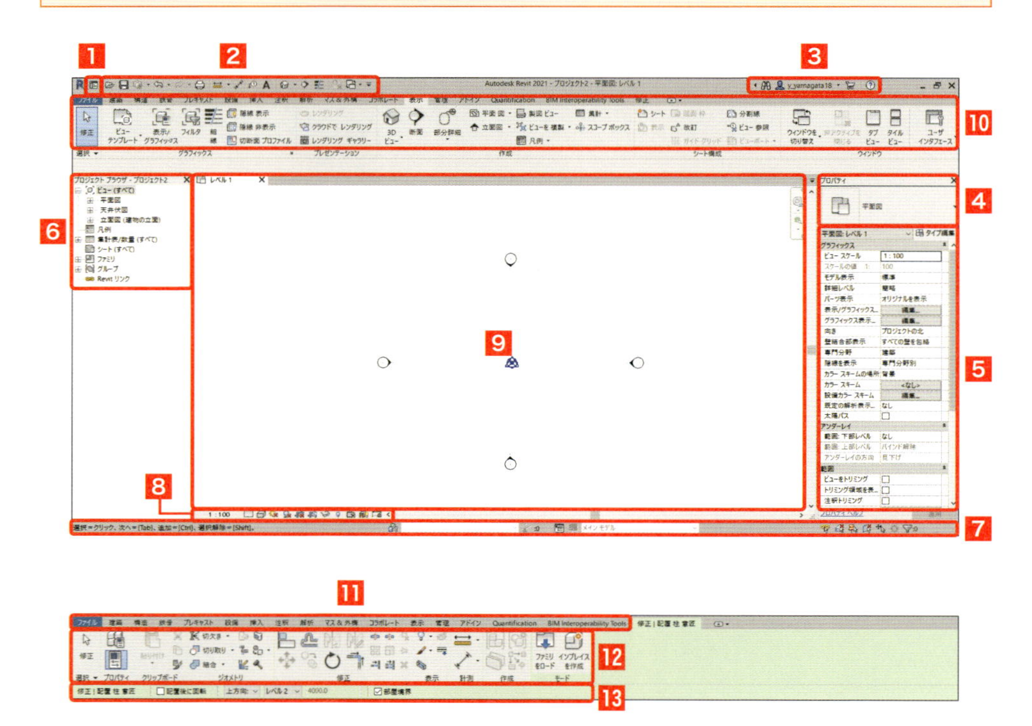

1 Revitのホーム：［新規作成］、［開く］などの基本的なファイル操作を実行する。

2 クイックアクセスツールバー：頻繁に使うコマンドを配置することができる。

3 情報センター：文字を入力してオンラインヘルプで検索できる。

4 タイプセレクタ：現在選択中の要素など、認識されているプロパティのファミリタイプ名が表示される。

5 プロパティパレット：現在表示されているビューまたはオブジェクトのプロパティが表示される。

6 プロジェクトブラウザ：プロジェクトの中のビュー、集計表、シート、ファミリ、グループ、リンクが階層表示される。

7 ステータスバー：コマンド実行時に、操作のヒントなどが表示される。

8 ビューコントロールバー：ビューの尺度や詳細レベル、表示スタイルなどが設定できる。

9 作図領域：ビューやシート、集計表が表示される。

10 リボン／**11**リボンのタブ／**12**リボンのツール／**13**オプションバー：コマンドによって詳細なオプションを指定できる。

クイックアクセスツールバーにコマンドを登録する

1 登録したいコマンド（たとえば詳細線分）の上で右クリックします。

2 ＜クイックアクセスツールバーに追加＞クリックすると、追加されます。

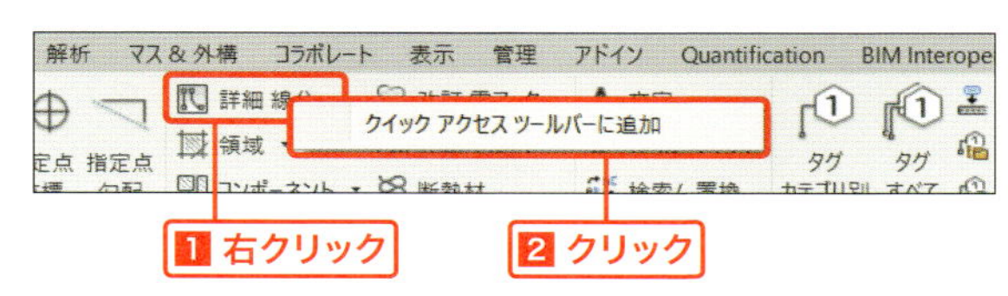

クイックアクセスツールバーをカスタマイズする

1 クイックアクセスツールバー右端の▼印をクリックして、メニューの中の＜クイックアクセスツールバーをカスタマイズ＞をクリックします。

2 ［クイックアクセスツールバーのカスタマイズ］ダイアログボックスで、順番の入れ替えや削除ができます。

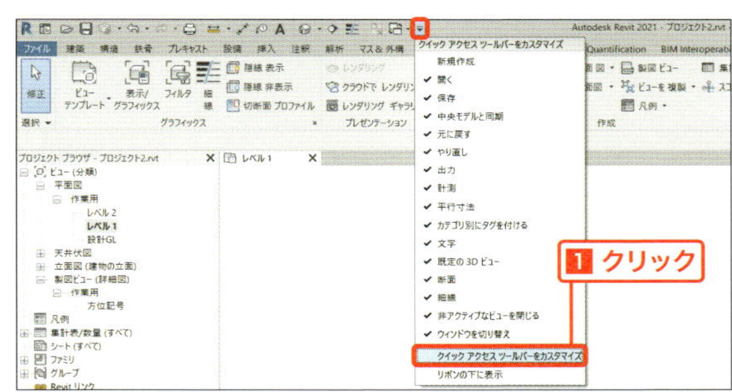

memo

画面右下の選択コマンドは基本的には図のように×の選択できない状態にしておいて、必要に応じて選択できるようにするのが安全です。特に下記の4）と5）は間違ってオブジェクトを移動させてしまうリスクを減らせるので、×にしておくことをお勧めします。この×の意味は左から次のような意味です。

1）リンクファイルを選択できない。
2）アンダーレイ要素を選択できない。
3）ピンされた（ロックがかかっている）要素を選択できない。
4）面でオブジェクトを選択できない。
5）一度選択しないとドラッグで移動できない。

線を引く

注釈ファミリは3D空間ではなく、2D CADのような2D空間です。ここでは注釈ファミリの作成を通して線の作図練習をします。まず、ファミリテンプレートを開きます。

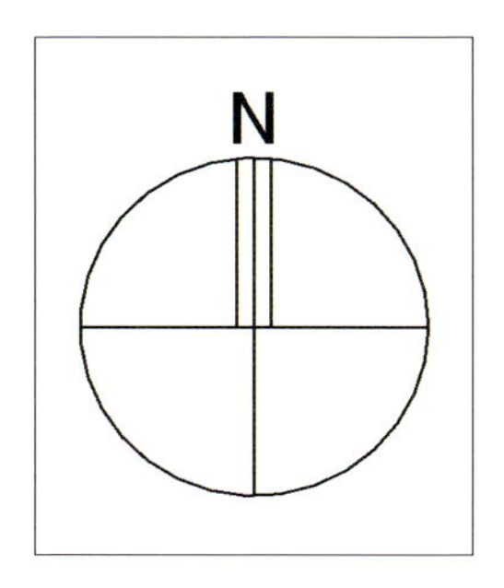

1 ホーム画面から＜新規作成＞→＜ファミリ＞→＜注釈＞フォルダー→＜一般注釈(メートル単位).rft＞を選択して＜開く＞をクリックします。作業画面からは＜ファイル＞→＜新規作成＞→＜ファミリ＞でも開くことができます。

2 ファミリエディターツールが立ち上がります。作業領域にある十字の緑色の破線は基準となる参照面です。赤い文字は不要なので、選択して Del キーを押して削除します。

3 ＜作成＞タブの＜線＞をクリックします。リボンが＜修正 | 配置線分＞に変わります。サブカテゴリは「一般注釈」、［描画］パネルの「線」、連結はチェックなし、オフセットは「0.0」になっていることを確認します。

4 作業領域にある水平の参照面の上をクリックします。

5 カーソルを右上に移動させると、図のように長さと角度が表示されます。

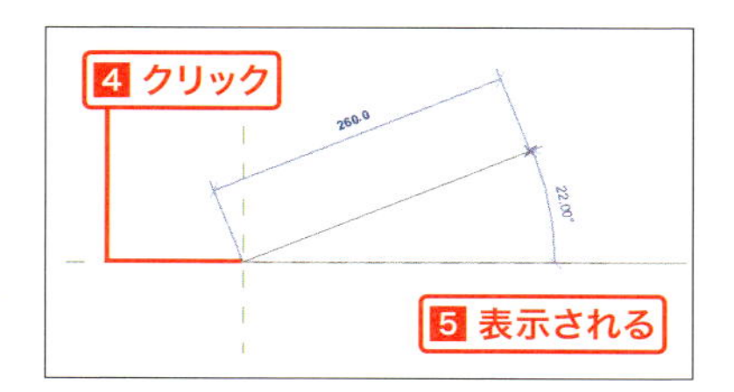

6 最初クリックしたポイントと水平な位置にカーソルを移動させると「水平と近接点」という文字が表れます。

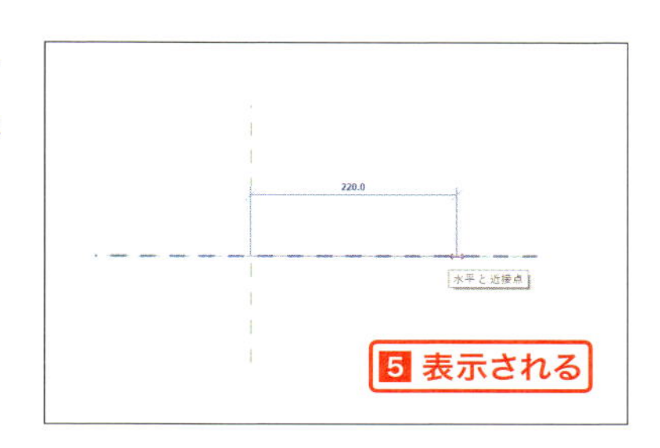

7 その状態で左クリックします。これで水平な線が引けました。青い寸法は仮寸法です。

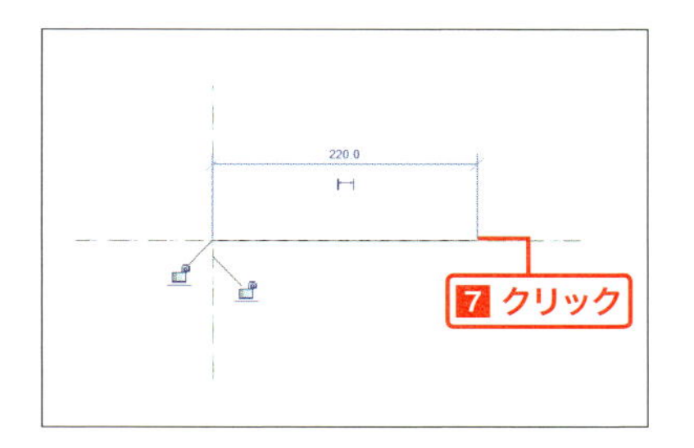

memo

「水平」という文字が表れて水平な線が引けたのは、スナップ機能が働いているからです。スナップ機能については、この章最後のコラムを参照してください。

8 Esc キーを押すと仮寸法が消え、線だけが残ります。

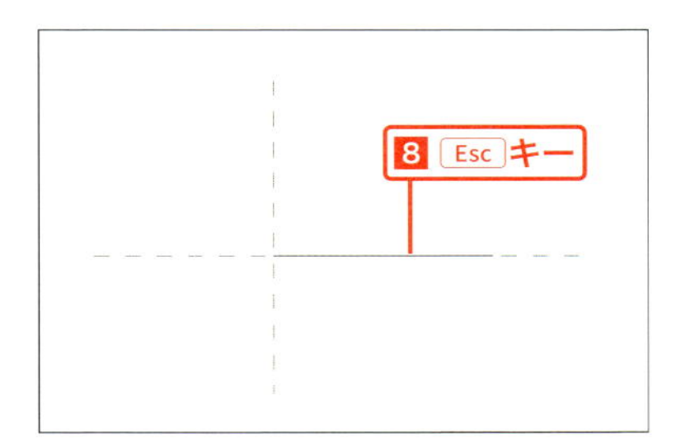

9 もう一度 Esc キーを押すと線分モードが終了し、次の作業を待つ状態になります。

memo

何か作業したあとは、Esc キーを2回押して作業を終了します。作業を終了すると、カーソルの先端の表示が矢印になり、次の作業を待つ状態になります。また、画面左上の<修正>をクリックしても同様の状態になります。新しい作業に入るときは、必ずこの状態にします。
なお、キーボードショートカットを使うと、作業が終了していなくても次の作業に入れます。

マウスの操作を理解する

マウスのスクロールボタン（中央のボタン）をスクロール（回転）すると画面が拡大、縮小します。前方に回転させると拡大、後方に回転させると縮小します。

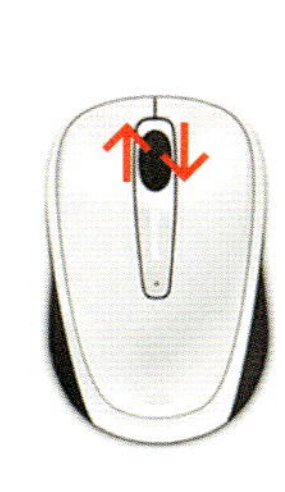

マウスのスクロールボタン（中央のボタン）をドラッグ（押したまま移動）すると作図領域の表示範囲が移動します。

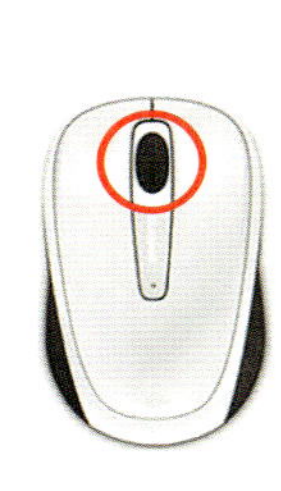

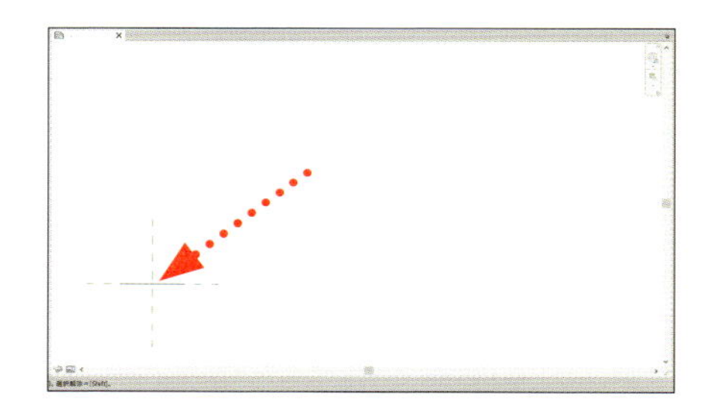

マウスのスクロールボタン（中央のボタン）をダブルクリックすると、作図領域にオブジェクト全体が表示されます。

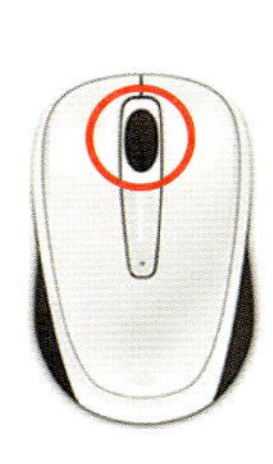

作業領域の中で線以外の空白の部分で右クリックすると、画面操作のメニューが表示されます。このメニューの＜全体表示＞をクリックしても、全体表示になります。Esc キーを押すか、空白の部分で左クリックするとメニューが消えます。

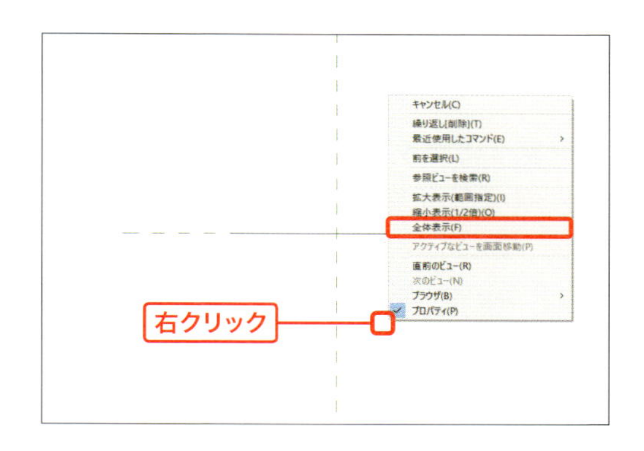

オブジェクトの選択

1 線をクリックすると線が選択され、青く表示されます。同時に右側にある［プロパティパレット］は、選択した線のプロパティを表示します。

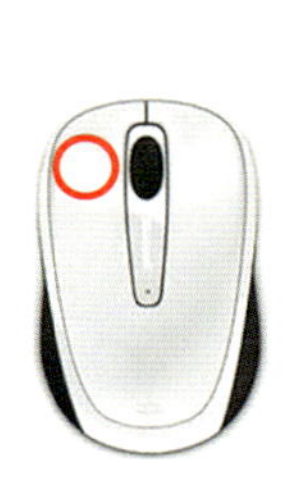

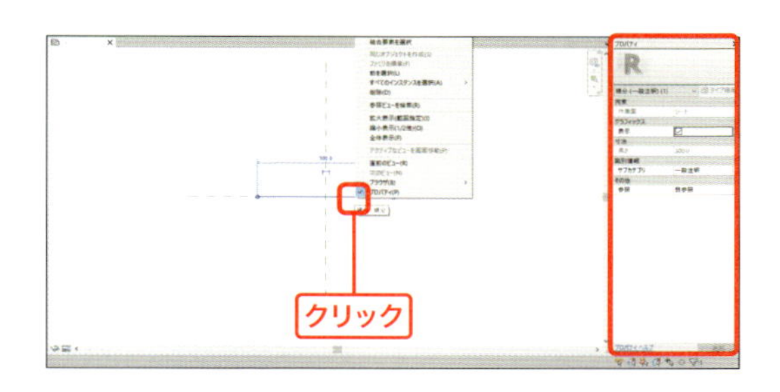

2 線を選択した状態で右クリックすると、操作のメニューが表示されます。＜修正＞をクリックするか、Esc キーを２回押して作業を終了します。

要素（線やモデル）を選択する方法を理解する

要素を選択する方法を紹介します。右図のように何本か適当に線を引きます。

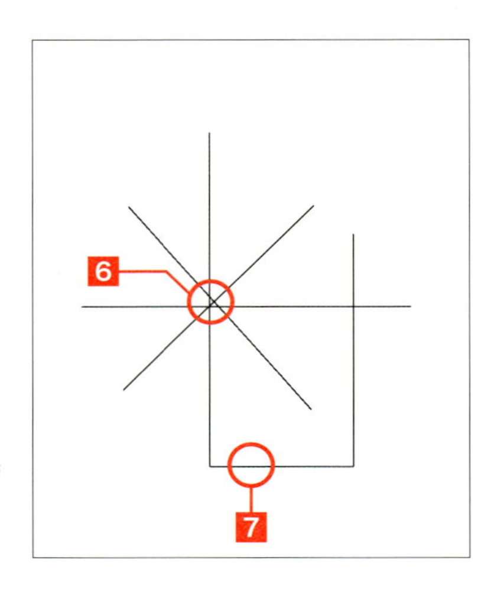

1 単一選択

要素を1つクリックします。

2 選択の追加

要素を1つクリックして選択したあと、Ctrlキーを押しながら別の要素をクリックします。この時にカーソル近くに［+］と表示されます。

3 選択の除外

選択を除外したいときはShiftキーを押しながら要素をクリックします。このとき、カーソルの近くに［-］と表示されます。

4 選択の追加／除外

Ctrl+Shiftキーを押しながら要素をクリックすると、未選択は追加に、既選択は除外されます。このとき、カーソルの近くに［+/-］と表示されます。

5 範囲選択

左から右（左上から右下、または左下から右上）に向かってドラッグすると、選択ボックスに完全に入った要素が選択されます。
右から左（右上から左下、または右下から左上）に向かってドラッグすると、選択ボックスに完全に入った要素と、選択ボックスの境界線に交差した要素が選択されます。

6 選択の循環

要素の上にカーソルを持っていきプレハイライト表示となった状態でTabキーを押すと、重なった要素やカーソル付近の要素が循環されます。

7 連結選択

要素の上にカーソルを持っていきプレハイライト表示となった状態で Tab キーを押すと、連結された要素の一括選択ができます。

8 選択の解除

Esc キーを押すと、選択が解除されます。もしくは何もないところでクリックします。

元に戻す/やり直す

操作する前の状態に戻すには Ctrl ＋ Z キーを押します。または、画面上部のクイックアクセスツールバーの＜元に戻す＞をクリックします。

元に戻したの操作をやり直すには、Ctrl ＋ Y キーを押します。または、画面上部のクイックアクセスツールバーの＜やり直し＞をクリックします。

要素を削除する

削除したい要素を選択して、Del キーを押すか、＜修正＞タブの＜削除＞をクリックします。選択後に右クリックしてメニューから＜削除＞をクリックしても削除できます。引いた線をすべて選択して、削除しておきます。

memo

マウスポインターを近づけると線の色が事前選択の色（淡い青）になり、クリックすると選択色（濃い青）に変わります。この色は＜ファイル＞→＜オプション＞→＜グラフィックス＞→＜色＞で変更できます。

memo

プロジェクトファイルでは、要素を選択して右クリックメニューの＜すべてのインスタンスを選択＞で同じタイプの要素をすべて選択することができます。

線を編集する

円を作成する

1 <作成>タブの<線>をクリックします。リボンが<修正｜配置線分>タブに変わります。[描画] は「円」、[サブカテゴリ] の [線種] は「一般注釈」、オフセットは「0.0」になっていることを確認し、<半径>にチェックを付けて「10」と入力します。

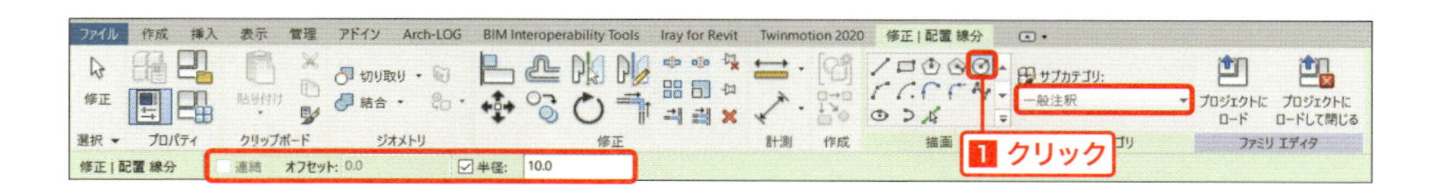

2 カーソルを参照面の中心に移動し、「交点」という文字が表れたらクリックします。

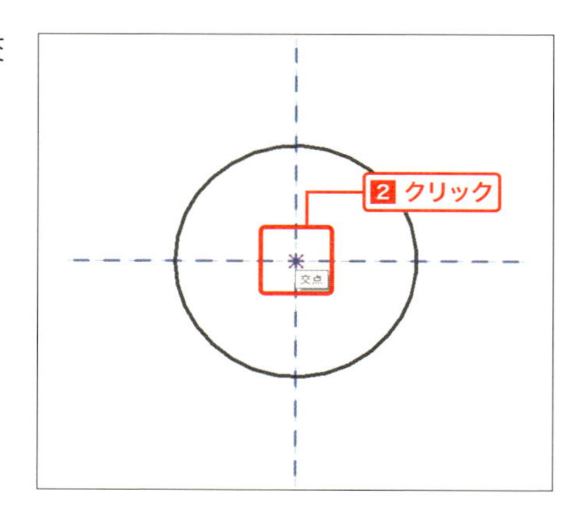

3 直径20mmの円ができます。

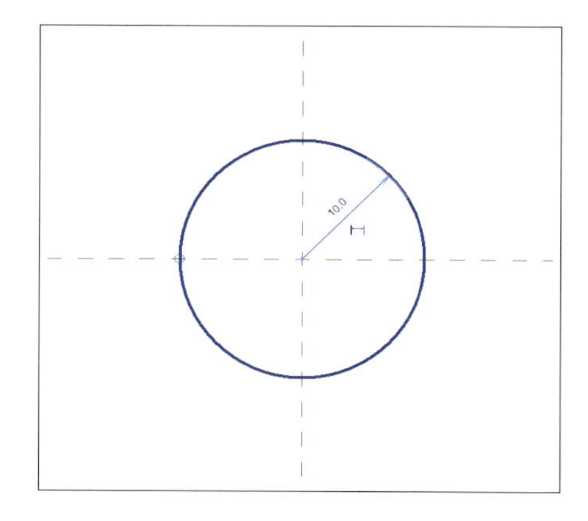

線を作成する・長さを指定する

1 通常は参照線と円の左右の交点をクリックして線を引くところですが、ここでは練習のため次の方法で線を引きます。[描画] パネルの「線」に切り替えて参照線と円の交点、左から右へ図のように線を1本引きます。

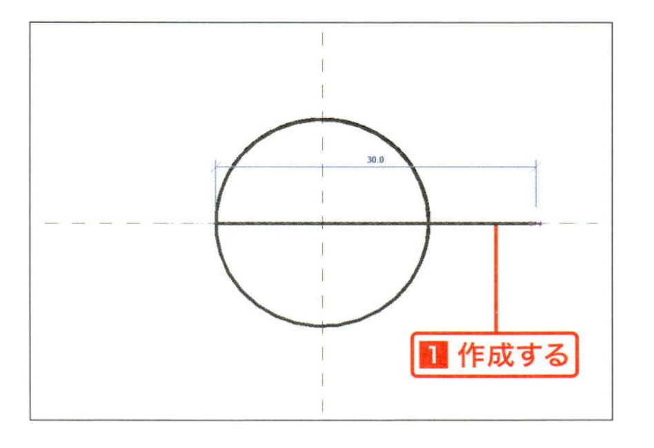

2 青い寸法を仮寸法といいます。仮寸法の数値をクリックします。

3 「20」と入力します。

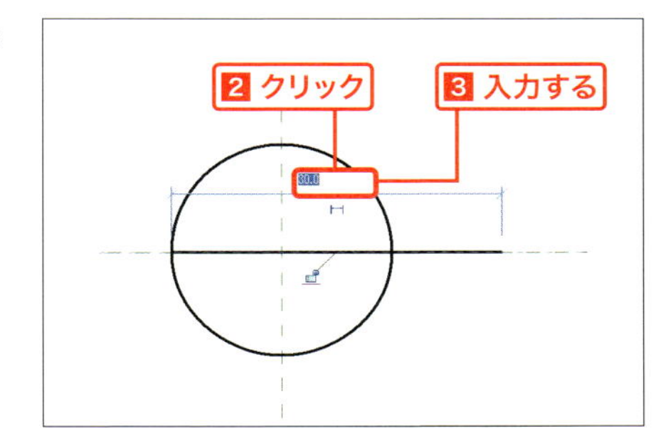

memo

仮寸法が消えてしまった場合には、線を選択すると仮寸法が表示されます。また、仮寸法の数値の文字の大きさは、<ファイル>タブ→<オプション>→<グラフィックス>→[仮寸法文字の外観] で変更できます。

4 Enter キーを押すと、長さが20mmの線分になります。

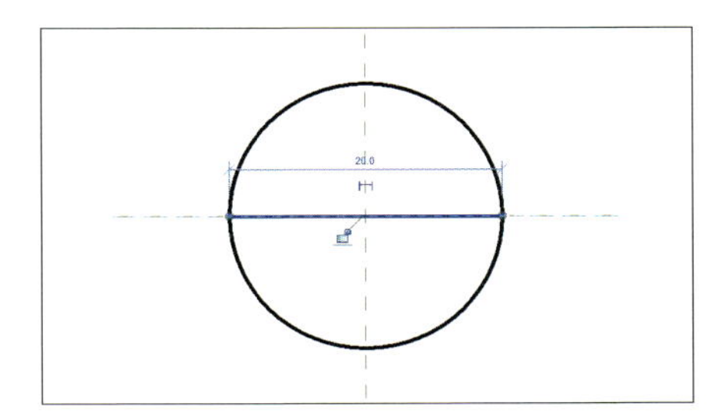

memo

終点をクリックする前に長さを指定する方法もあります。線を引くときに始点をクリックして、終点をクリックする前に「20」とを入力すると仮寸法がアクティブになり、Enter キーを押すと指定の長さで線が描画されます。

回転複写する

1 水平の中央の線を選択します。

2 <修正 | 線分>タブの<回転>をクリックします。

3 オプションバーの［コピー］にチェックを付けます。

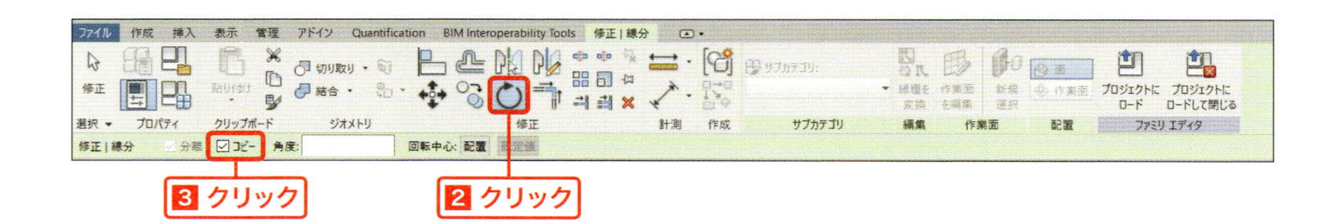

4 線の右端をクリックします。

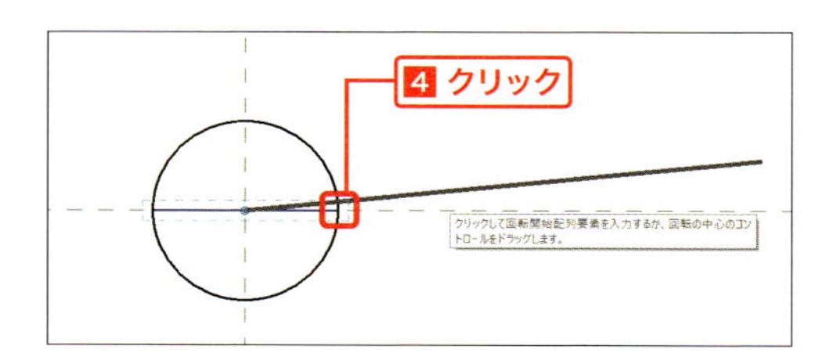

5 円の頂点にカーソルを近づけ、「四半円点」と表示されたらクリックします。

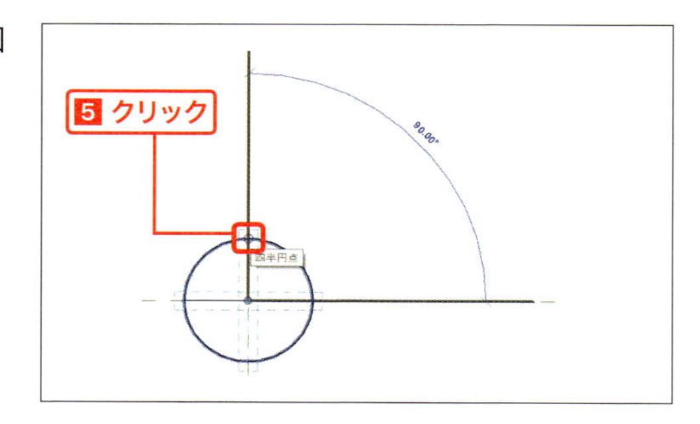

6 90°回転した線が複製されます。

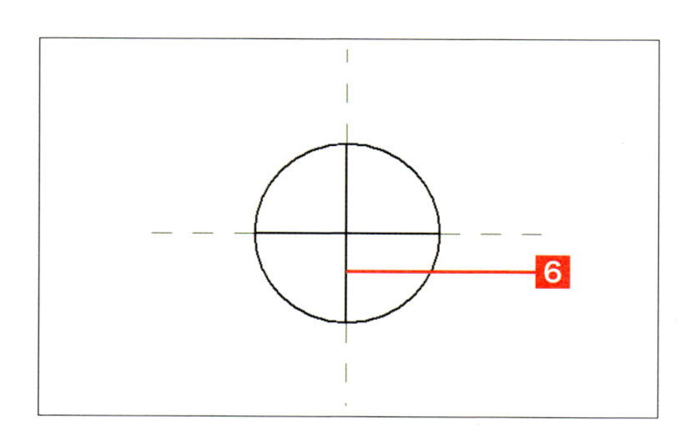

memo

回転の中心を変えたいときは、中心の青い丸をドラッグして回転の中心を移動します。

線を移動する

1 <作成>タブの<線>をクリックします。リボンが<修正｜配置線分>タブに変わります。[描画]は<線>、[サブカテゴリ]の[線種]は<一般注釈>、[オフセット]は「0.0」になっていることを確認し、右図のように任意の位置に垂直な線を引きます。

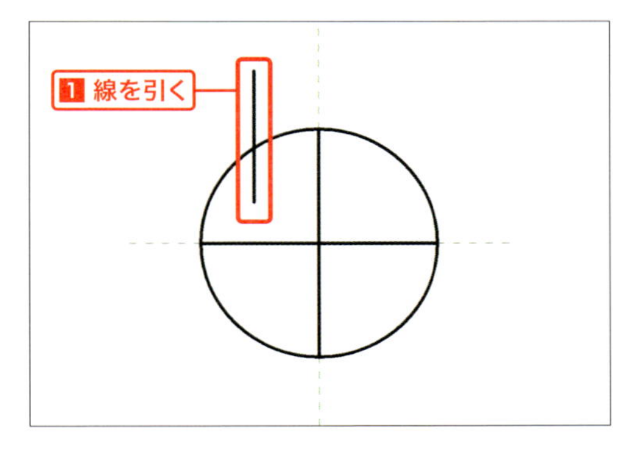

2 手順**1**で引いた線を選択します。仮寸法が今度は長さだけでなく、最寄りの線との距離も表示されます。

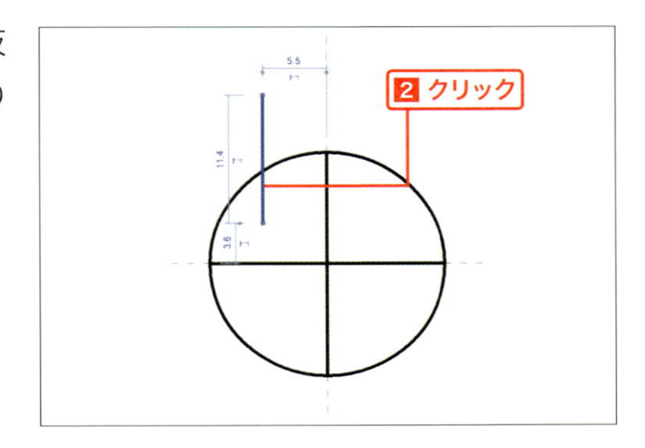

3 距離の数値をクリックし、「1」と入力して Enter キーを押します。

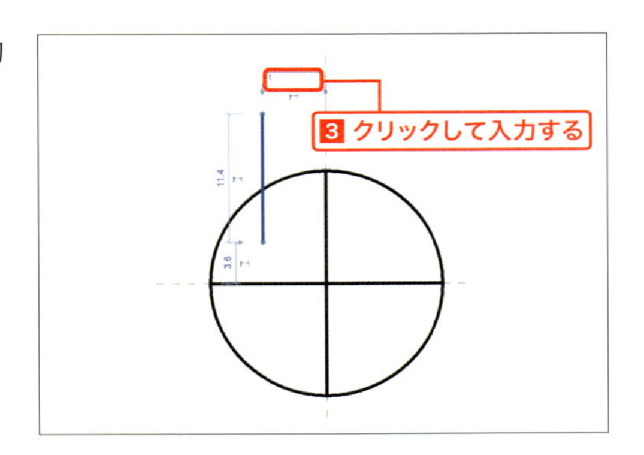

4 距離が1mmになるように線が移動しました。

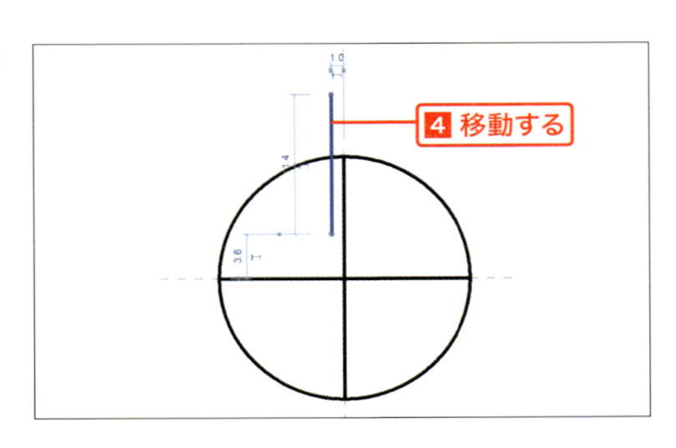

線をコピーする

今度は別の方法で右側の線を作成します。

1 中央の縦の線を選択します。

2 ＜修正｜線分＞タブの＜コピー＞をクリックします。

3 円の中心をクリックします。

4 カーソルを右に移動して、半角で「1」と入力し Enter キーを押します。

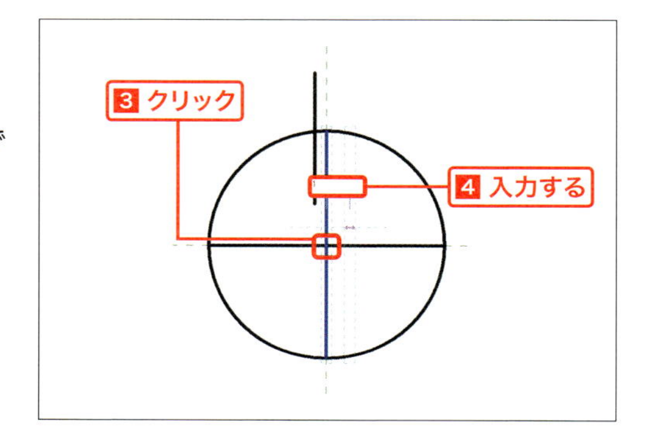

5 線が右側に1mmの距離で複写されました。

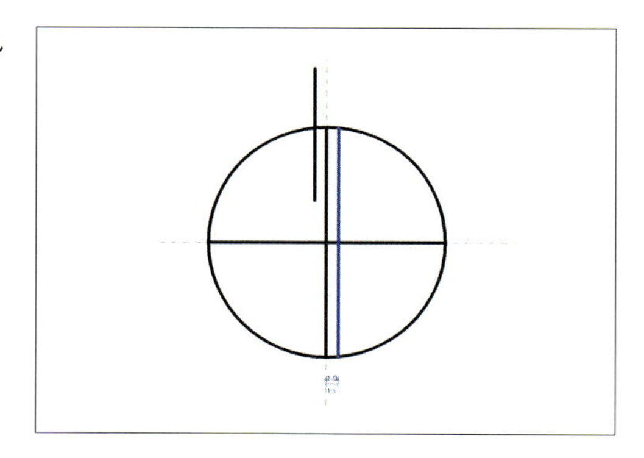

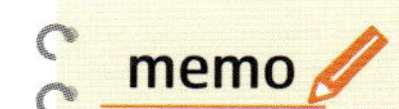

要素を選択してマウスでドラッグすると移動、Ctrl キーを押しながらドラッグするとコピーができます。

線をトリムする

1 <修正>タブの<単一要素をトリム／延長>をクリックします。

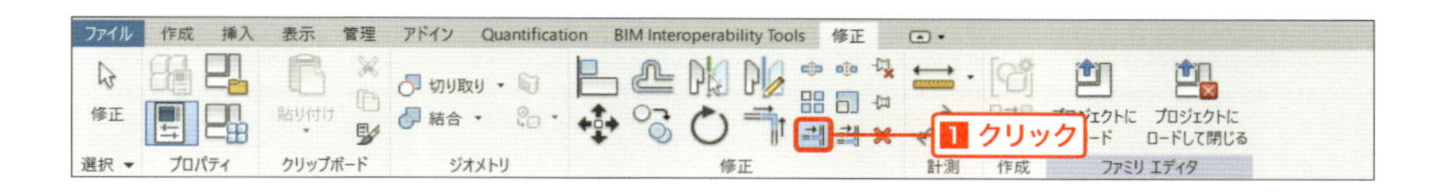

memo

トリム（trim：刈り込み、手入れ）とは、書かれている線を伸ばしたりカットしたりすることです。

2 水平な線をクリックします。

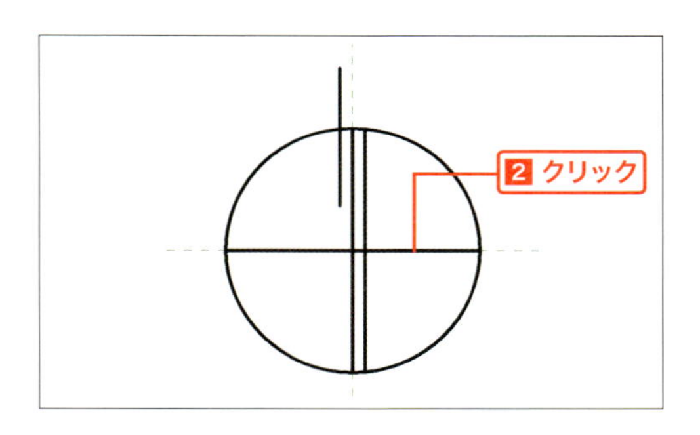

3 先に引いた左側の線をクリックします。左の垂直線が水平な線まで延長されます。

4 水平な線をクリックします。

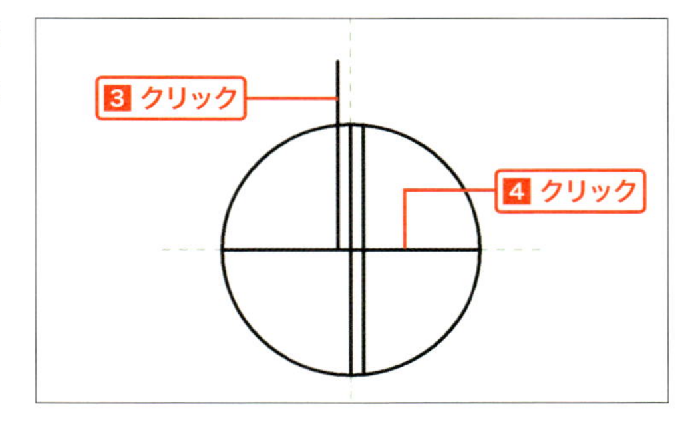

5 後でコピーした右側の線の上部をクリックします（下半分は消えてクリックした方が残ります）。

6 他の２か所もトリムします。

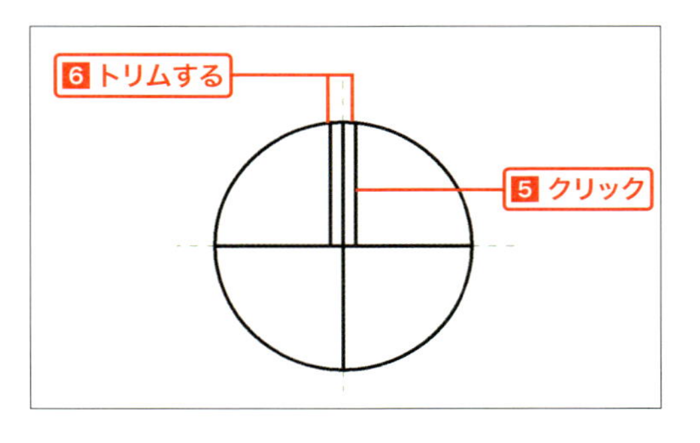

09 文字を書く

1 ＜作成＞タブの＜文字＞をクリックします。リボンが＜修正｜配置文字＞タブに変わります。

2 ［プロパティパレット］の＜タイプ編集＞をクリックします。

3 初期状態では文字サイズが4mmのタイプはありません。そこで、4mmのタイプを作成します。［タイププロパティ］ダイアログボックスの＜複製＞をクリックします。

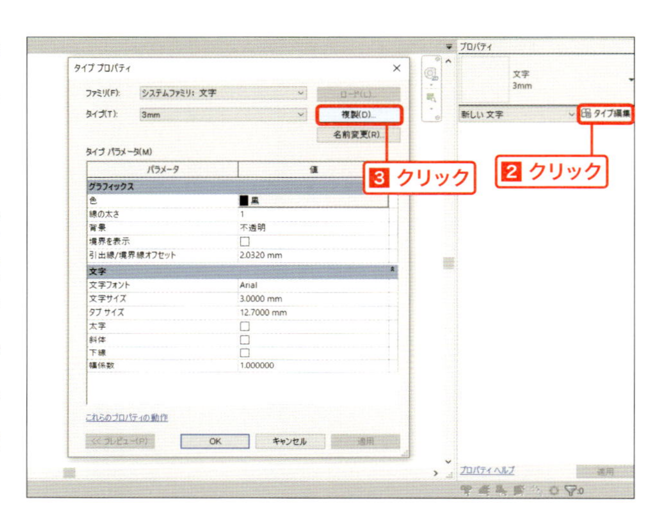

4 名前に「4 mm」と入力して＜OK＞をクリックします。

5 ［タイププロパティ］ダイアログボックスの［文字フォント］で「MSゴシック」を選択し、［文字サイズ］を「4mm」にします。

6 ＜OK＞をクリックします。

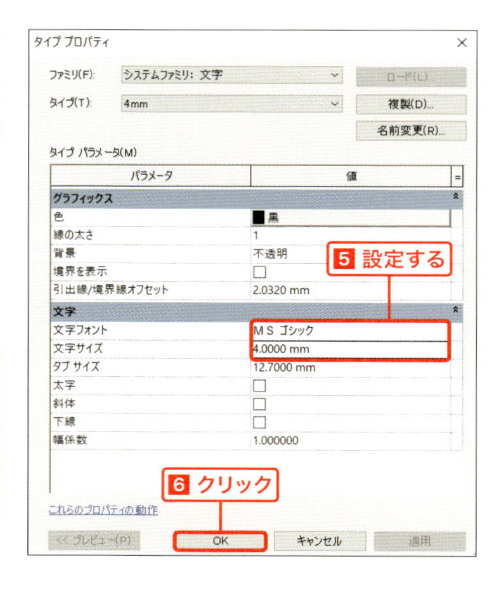

名前と実際の文字サイズはリンクしないので、注意が必要です。

7 文字を書く位置でクリックして、「N」と入力し、文字以外の部分をクリックして、文字入力を終了します。

8 Esc キーを2回押して、コマンドを終了します。入力した文字を選択し、左上の＋部分をドラッグして位置を調整します。

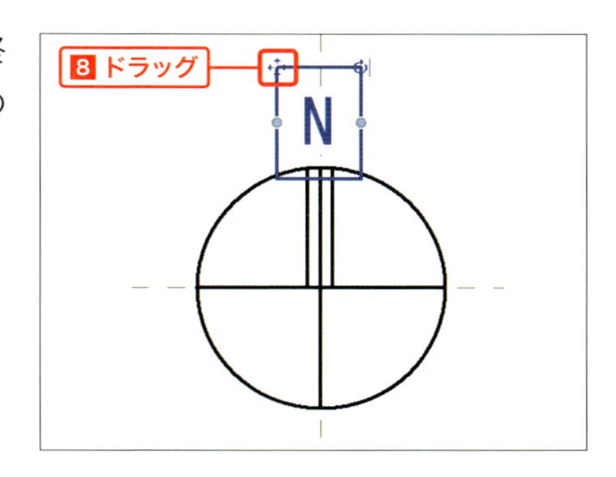

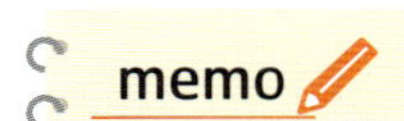

選択後、矢印キー（←↑↓→）を押すとその方向に少しずつ移動します。これをナッジといいます。また、そのときに使うキーをナッジキーといいます。Shift キー＋矢印キーを押すと、1回の動きが大きくなります。

9 <ファイル>タブから<名前を付けて保存>→<ファミリ>を選択します。

10 ［名前を付けて保存］ダイアログボックスが開くので、ファイルを保存したいフォルダーに移動し、［ファイル名］欄に「Hb_方位記号」を入力して<保存>をクリックします。

memo

作成した文字のタイプを削除するには、<管理>タブの<未使用の項目を削除>から削除します。ただし、どこかでそのタイプの文字を使っていると、ここには表示されないので削除できません。
文字のタイプを他のプロジェクトファイルに複製したいときは、両方のプロジェクトファイルを立ち上げてから、<管理>タブの<プロジェクト標準を転送>を使います。

Column

スナップ機能

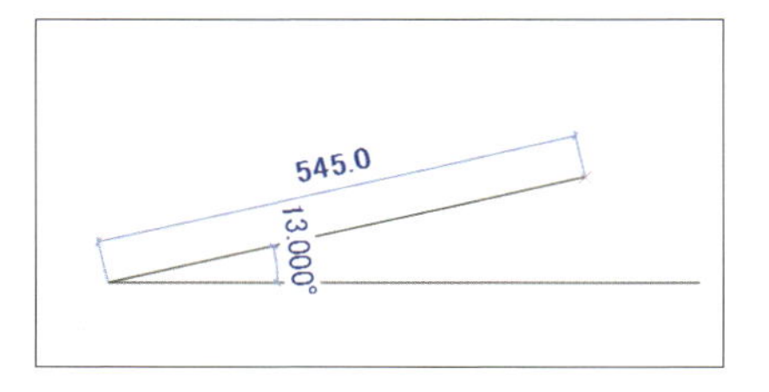

線を引くとき、右図のように数値と角度が表示されます。

マウスを動かしながらこの数値を見ていると、長さも角度も綺麗な数値で動いています。9.000°の次は10.000°になり、9.500などの中間の値にはなりません。

このように切りのよい長さや角度にする機能を「スナップ」といいます。通常は便利な機能ですが、スナップを効かせたくないときもあります。スナップ機能の設定方法を説明します。

スナップ機能をオフにする

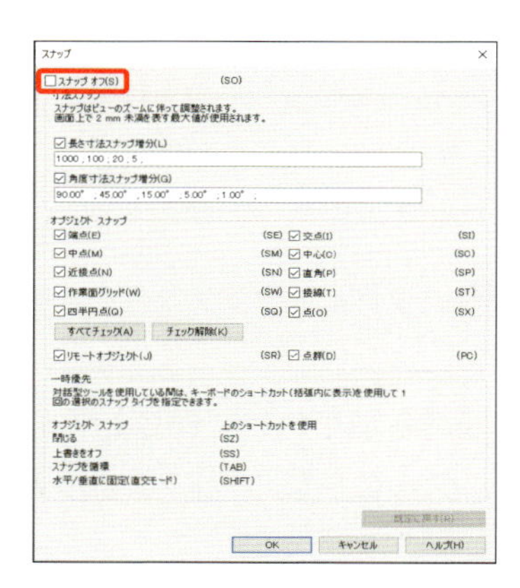

1 <管理>タブの<スナップ>をクリックすると、[スナップ] ダイアログボックスが開きます。

2 <スナップオフ>にチェックを付けて<OK>をクリックすると、スナップがオフになります。

3 先ほどと同じように線を引こうとすると、今度は細かな数値が現れ、マウスの動きもスムーズになります。

一時的にスナップ機能をオフにする

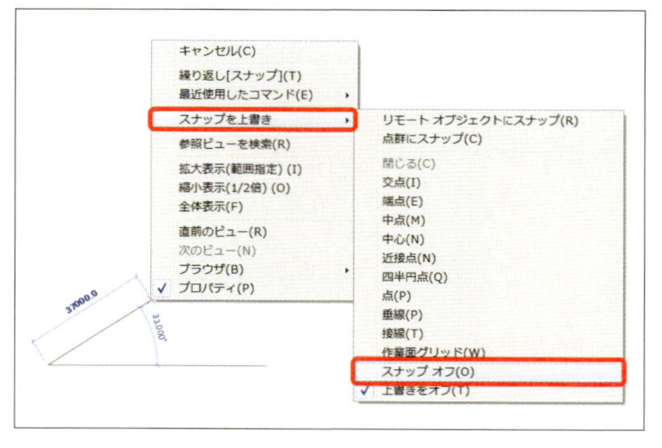

通常の作業では、「スナップオフ」にしたいときはまれなので、設定は「スナップオン」にしておき、必要な時に一回だけ「スナップオフ」にする方法を紹介します。設定を「スナップオン」に戻して、線を引く最初の点をクリックします。次の点をクリックする前に、右クリックしてコマンドメニューから<スナップを上書き>→<スナップオフ>をクリックします。次にクリックするときだけ「スナップオフ」になります。

第 3 章

平面図を作成する

ここからいよいよ3次元のモデル作成に入ります。壁、建具、家具などを配置し、平面図を作成していきます。

01 3D空間の高さを変更する

ここからは、サンプルファイル「Hb03-01.rvt」を使用します。前章までは2Dファミリの作成でしたが、ここからはプロジェクトファイルを使った3Dモデル空間に入ります。

まず、高さ関係のレベルを理解するために立面図ビューを開きます。［プロジェクトブラウザ］の＜ビュー（分類順）＞→＜立面図（立面）＞→＜作業用＞→＜西＞の順にダブルクリックします。

レベル1は設計GLから500の高さになっていることが分かります。レベル2の4,000というのは、レベル1から4,000ではなく、設計GLから4,000という意味です。レベル1は1階のFL（床高さ）、レベル2は2階のFLと考えます。ここでは、1FLの高さを設計GLから300、1～2階の階高を3,000に変更します。

1 ＜注釈＞タブの＜平行寸法＞をクリックして寸法を作成します。

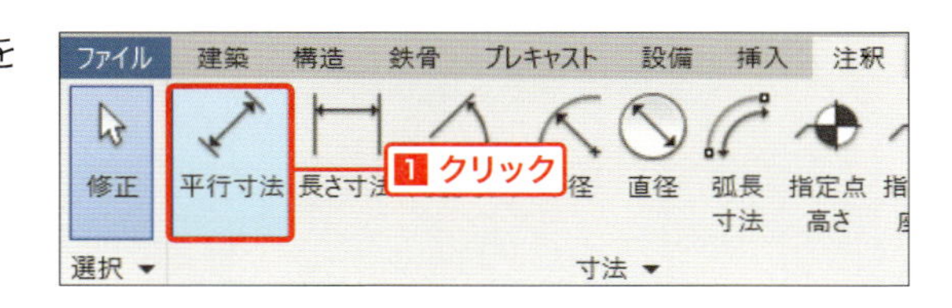

2 設計GLをクリックします。

3 レベル1をクリックします。

4 レベル2をクリックします。

5 何もないところでクリックして寸法を確定します。

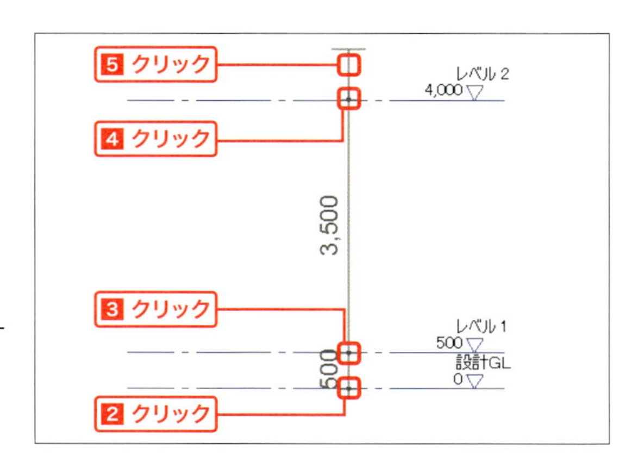

6 [Esc] キーを２回押して、レベル１の線をクリックします。

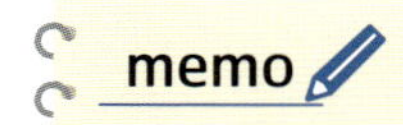

レベル線を選択する際に端のレベル記号を選択しないようにします。

7 青くなった数字の寸法500をクリックします。

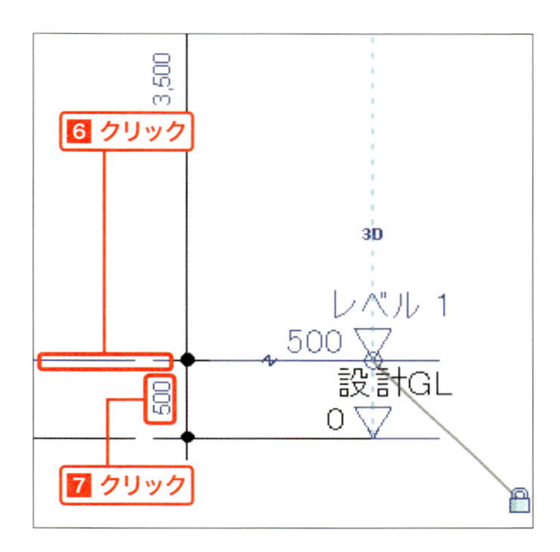

8 「300」と入力して [Enter] キーを押すと、高さが変わります。

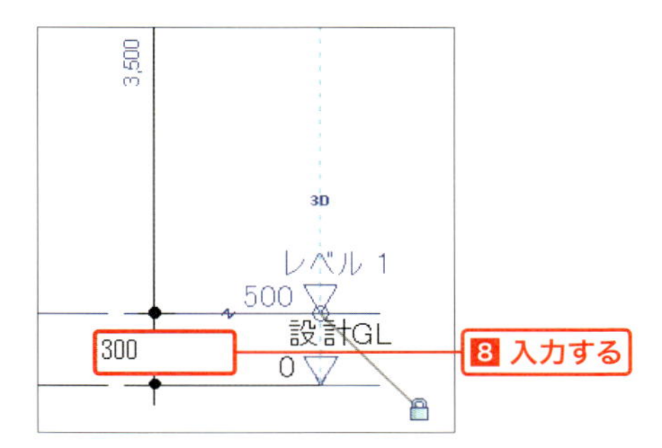

9 レベル２は移動していないので、階高は「3,500」から「3,700」に変わりました。同じ要領で、今度はレベル２の線をクリックして「3700」を「3000」に変更します。

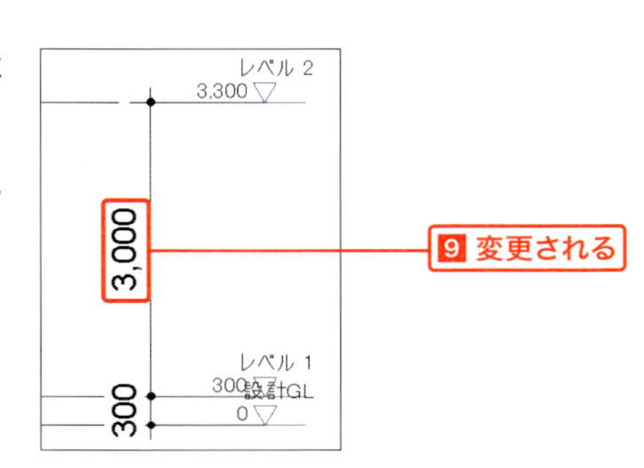

新たに高さを作成する

1 <レベル1>を2回クリックして、名前を「1FL」に変えます。

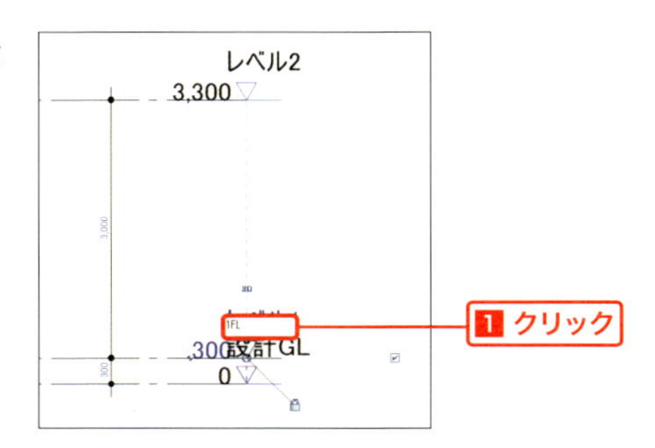

2 「対応するビューの名前を変更しますか?」と聞かれるので、<はい>をクリックします。Esc キーを押します。

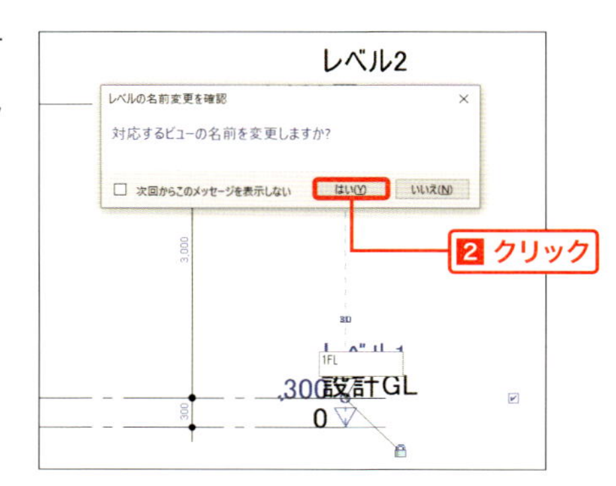

3 [プロジェクトブラウザ] の<平面図>の<作業用>の<レベル1>ビューが<1FL>ビューに変わったことが確認できます。手順**2**で<いいえ>をクリックすると、レベルの名前は変わりますが、[レベル1] ビューの名前は変わりません。

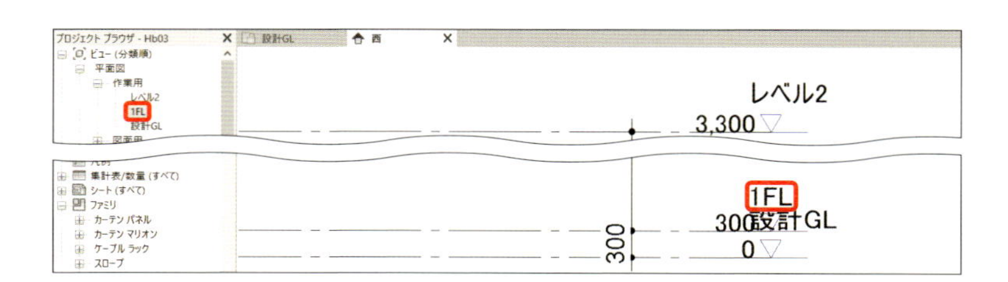

4 <レベル2>も同様に「2FL」に変更します。

memo

レベルの300や3,300という高さの基準は、レベルを選択して<タイプ編集>の [高さ基準] (初期設定では [プロジェクト基準点]) で決まります。プロジェクト基準点については4章のコラムを参照してください。

5 2FLのレベル線を選択し、<修正｜レベル線>タブの<コピー>をクリックして、オプションバーの［拘束］と［複数］にチェックを付け、2FLのレベル線をクリックします。上部にカーソルを動かして適当な所で2カ所クリックし、新しいレベルを作成し、名前を「軒高」と「最高高さ」とします。

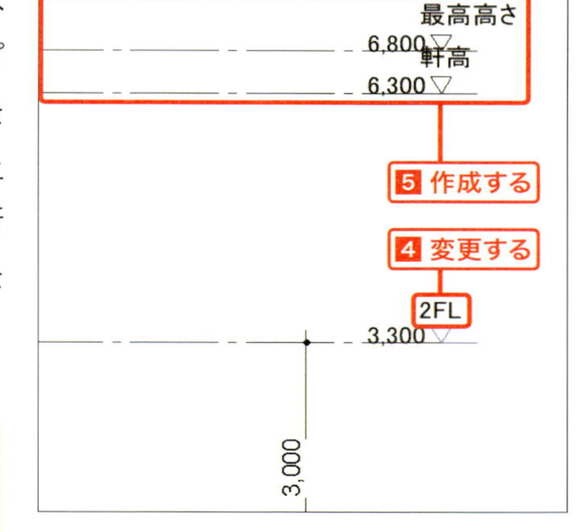

memo

<建築>タブの<レベル>で新しいレベルを作成する方法もあります。

6 2FLまでの寸法線を延長するときには、寸法線をクリックして、<寸法補助線を編集>コマンドを実行します。マウスポインターが寸法のマークになり、現在ある寸法線から線が伸び、編集モードになります。参照するレベル線をクリックします（ここでは軒高・最高の高さ）。空白の任意の場所ををクリックすると寸法が確定され表示されます。

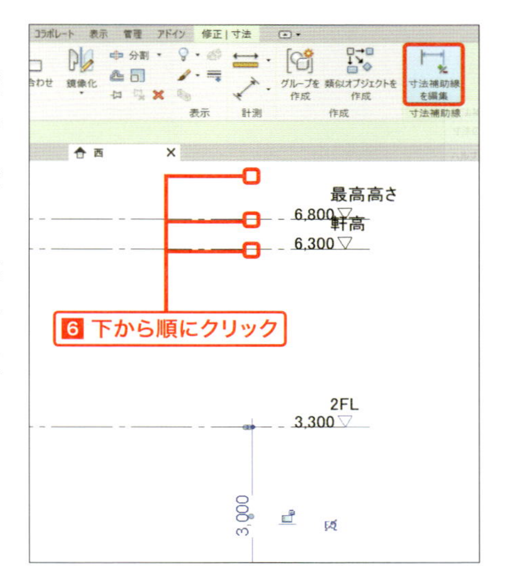

7 同様の手順で2FL～軒高間は「2,300」、軒高～最高高さ間は「2,100」とします。

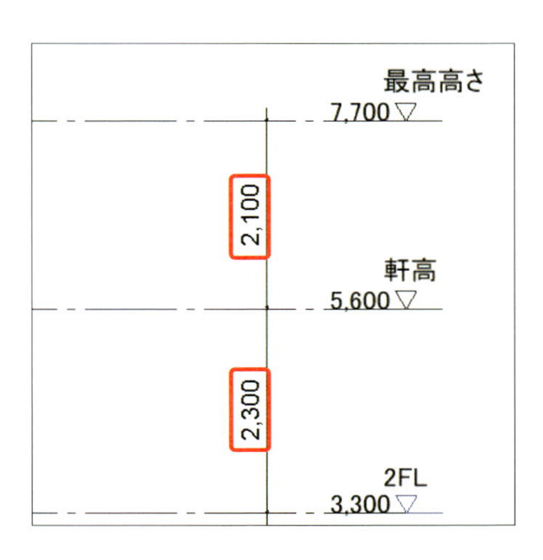

02 敷地2Dデータを読み込む

敷地境界線や周囲のデータは、2DCADデータ（DWGやDXF）で既にある場合が多いため、ここではDXFファイルの取り込み方を紹介します。

1 ［プロジェクトブラウザ］の＜ビュー（分類順）＞→＜平面図＞→＜作業用＞→＜設計GL＞の順にダブルクリックします。

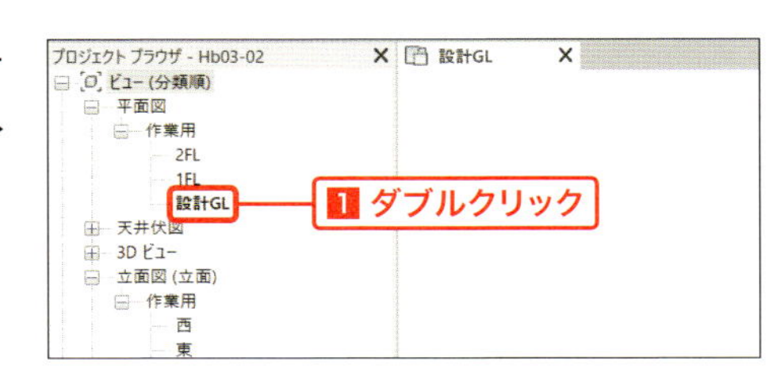

memo

ダブルクリックする代わりに左端の＋をクリックして開いていくこともできます。また、右クリックして＜開く＞をクリックしても開くことができます。
必要に応じて［プロジェクトブラウザ］で右クリックして＜すべてを展開＞＜すべてを折りたたむ＞を使います。

memo

敷地周辺の作成は、［マス＆外構］の各ツールで3Dで入力していくこともできますが、特に高低差をプレゼンする必要がないときは、3D空間の中であえて2Dで敷地周辺図を作成するのが早くてかんたんです。

2 ＜挿入＞タブの＜CAD読込＞をクリックします。

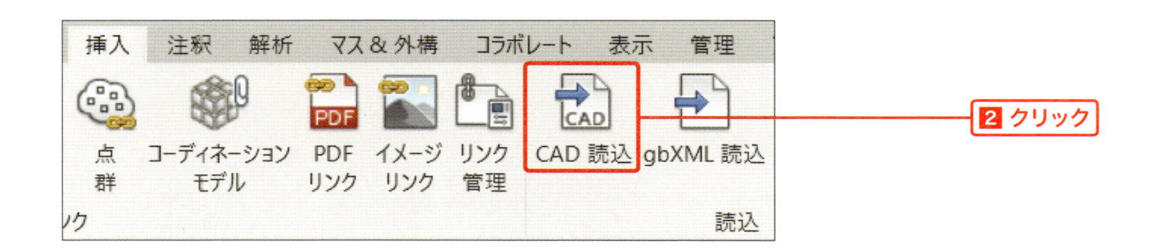

3 ［CAD読込］ダイアログボックスの<ファイルの種類>をクリックして<DXFファイル>を選択します。

4 サンプルファイル<敷地データ.dxf>を選択し、［現在のビューのみ］にチェックが付いていないことを確認します。

5 下図のように設定します。

6 ［配置］を<自動-中心合わせ>にして、<開く>をクリックします。

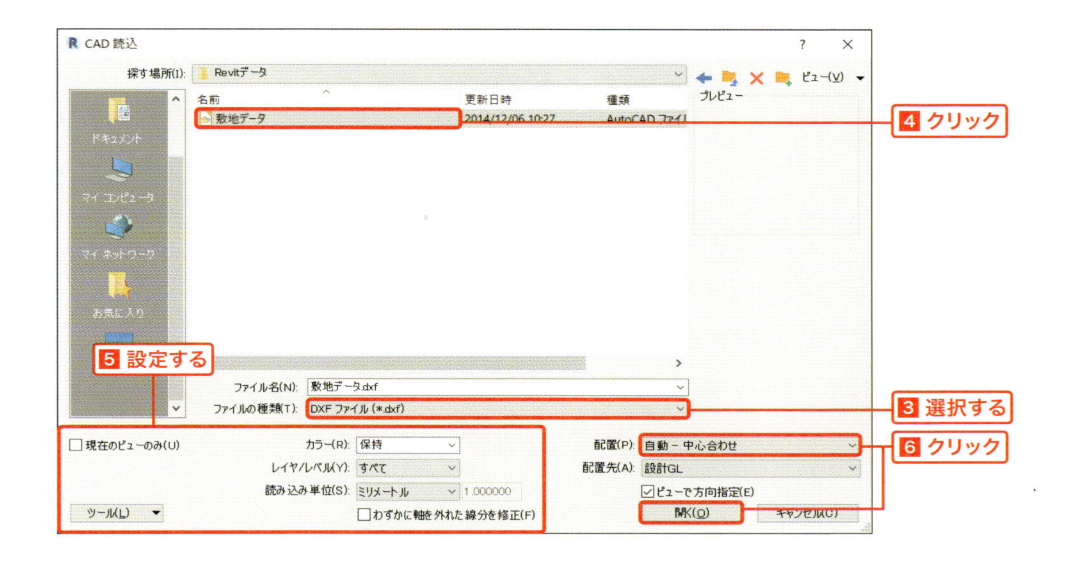

7 「敷地データ.dxf」が読み込まれました。

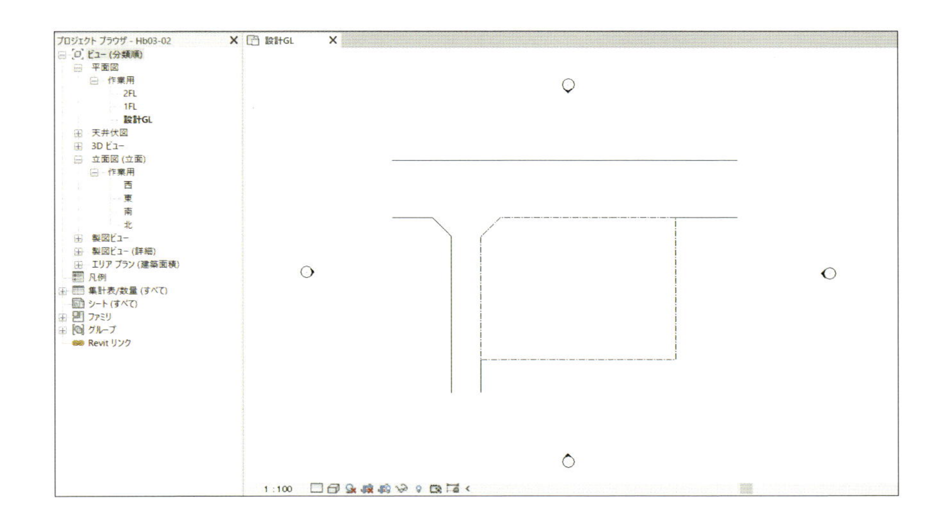

03 1階平面図ビューを作成する

1階平面図で作成する1階の壁や窓などは1FLのレベルで作成します。

1 ［プロジェクトブラウザ］の<ビュー（分類順）>→<平面図>→<作業用>→<1FL>ビューを右クリックして開きます。作業領域の高さが「設計GL」から「1FL」に変わり、先ほど読み込んだ配置データが見えなくなります。

2 図面用の1階平面図ビューを作成します。［プロジェクトブラウザ］の［1FL］ビューを右クリックし、メニューから<ビューを複製>→<詳細を含めて複製>をクリックします。

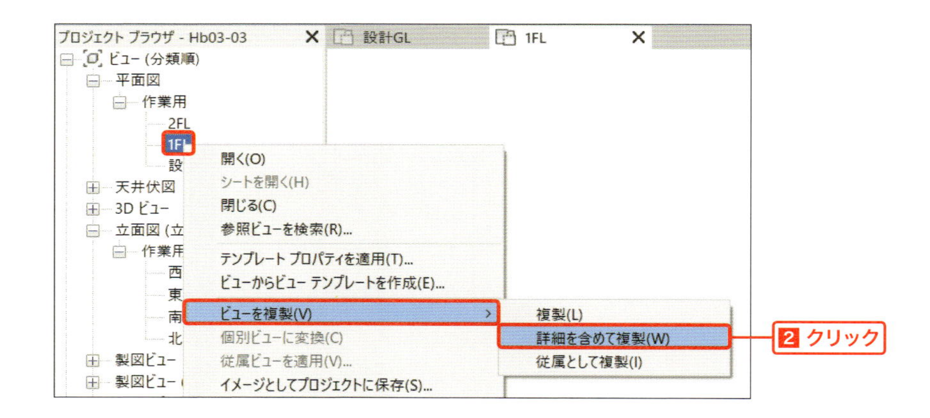

3 作成した<1FLコピー1>ビューを右クリックし、メニューの<名前変更>をクリックして名前を「1階平面図」と入力し Enter キーを押します。

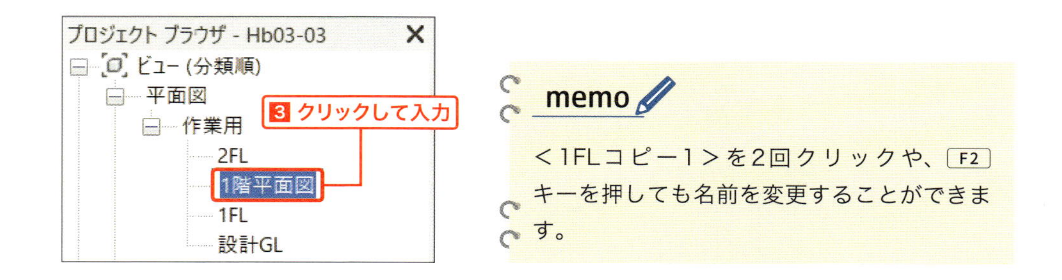

memo

<1FLコピー1>を2回クリックや、F2 キーを押しても名前を変更することができます。

4 ＜1階平面図＞ビューを選択し、［プロパティパレット］の一番下の［一般］の［分類］を「作業用」から「図面用」に変更して＜適用＞をクリックします。

5 ［プロジェクトブラウザ］の分類に「図面用」が追加され、「作業用」から「図面用」へ移ります。

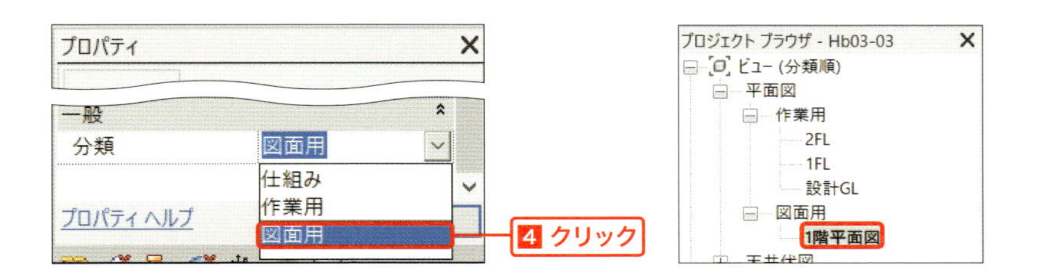

6 ［プロパティパレット］の［アンダーレイ］の［範囲:下部レベル］を「なし」から「設計GL」に変更し、＜適用＞をクリックします。今まで見えていなかった配置図のデータがハーフトーンで見えるようになり、平面図を作成しやすくなります。

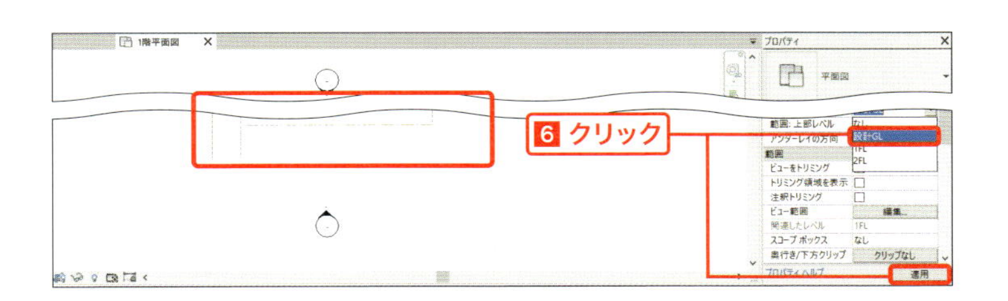

memo

アンダーレイ（underlay：下敷き）とは、作業しやすいように本来見えないレベルのデータをハーフトーン状態で見せることです。ハーフトーンの濃淡の設定は、＜管理＞タブの＜その他の設定＞→＜ハーフトーン／アンダーレイ＞でできます。

memo

＜ビューを複製＞の中の＜複製＞と＜詳細を含めて複製＞と＜従属として複製＞の違いは以下の通りです。

- 複製：モデルジオメトリ（3D要素）を複製します。
- 詳細を含めて複製：モデルジオメトリ（3D要素）と詳細ジオメトリ（2D要素）を複製します。
- 従属として複製：複製したあと従属ビューとして常に同期性を維持します。

ビューを理解する

立面図の記号を非表示にする

立面図ビューの位置を示す立面図記号を非表示にします。

1 ＜表示＞タブの＜表示/グラフィックス＞→＜注釈カテゴリ＞タブをクリックします。［表示］の＜立面図＞のチェックを外します。

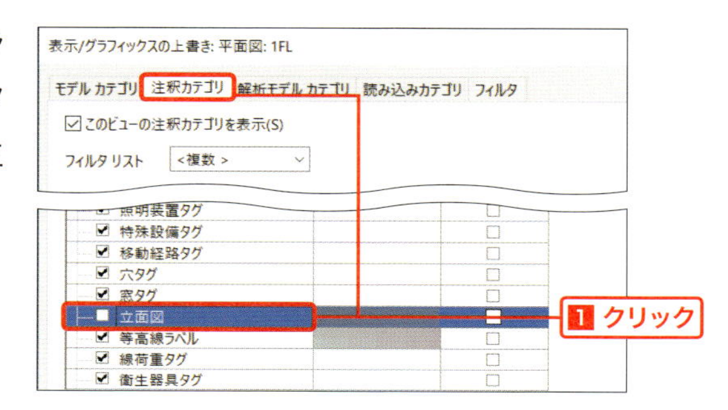

memo

立面図の記号をクリックして、＜修正 | 立面図＞タブ→表示の＜ビューで非表示▼＞の中の＜カテゴリを非表示＞を選択する方法もあります。

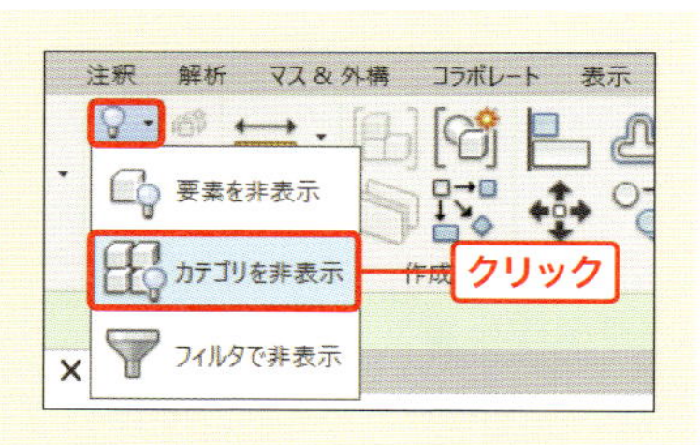

2 画面左下の［ビューコントロールバー］の＜非表示要素の一時表示＞をクリックすると、表示／非表示が反転した画面になります。もう一度＜非表示要素の一時表示を終了＞をクリックすると、元の画面に戻ります。

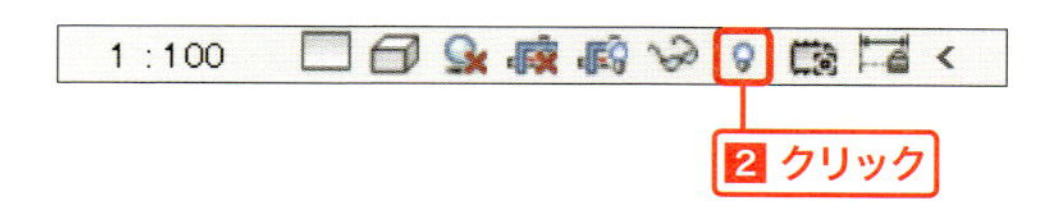

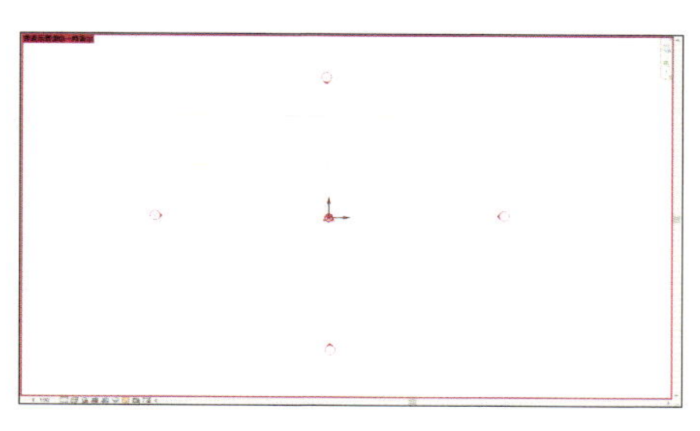

memo

非表示にしたものを再表示させるには、＜非表示要素の一時表示＞の画面で再表示したい要素の上で右クリックし、メニューから＜ビューで非表示解除＞→＜要素＞か＜カテゴリ＞のどちらかをクリックします。

2つのビューの違い

作業用の［1FL］ビューと図面用の［1階平面図］ビューの違いを理解します。［1FL］ビューには立面図記号だけ表示されています。

［1階平面図］ビューには立面図記号は非表示で、設計GLの内容がアンダーレイとしてハーフトーンで見えています。

両方とも同じ1FLでの平面ビューですが、作業用と図面用の2種類作ることにより、作業性がよくなります。図面用の方を最終成果品として仕上げていきますが、図面用には表示したくないが作業上必要な情報は、作業用の方に表示させます。作成した3D要素はどちらのビューでも表示されますが、文字や寸法などの注釈要素はそのビューでしか表示されません。

新しい壁を作成する

平面図を作成するときに、まず通り芯から作成する方法もありますが、本書では壁を先に作成する方法を紹介します。

1 ＜1階平面図＞ビューを開きます。＜建築＞タブの［壁］の下の＜▼＞をクリックし、＜壁 意匠＞をクリックします。

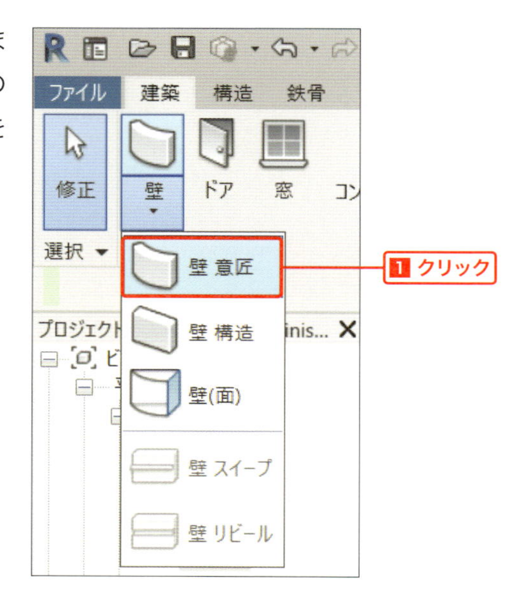

2 「外壁-メタル スタッド-レンガ」という名前の壁が用意されています。これを複製して新たな壁を作成します。［プロパティパレット］の＜タイプの編集＞をクリックします。

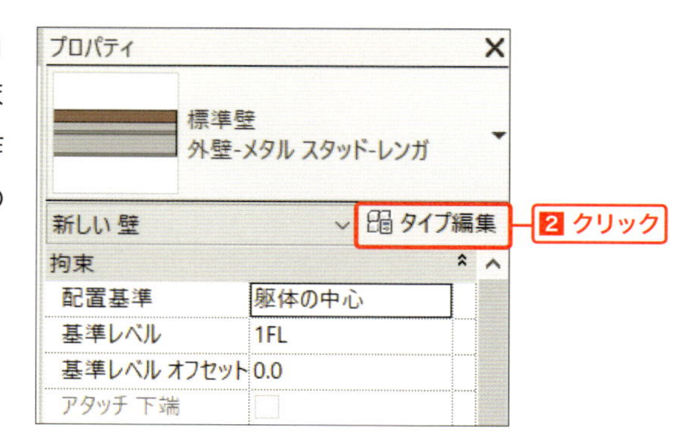

3 ［タイププロパティ］ダイアログボックスが開くので、＜複製＞をクリックします。

4 ［名前］ダイアログボックスで［名前］に「Hb_外壁RC_1F」と入力します。

5 <OK>をクリックします。

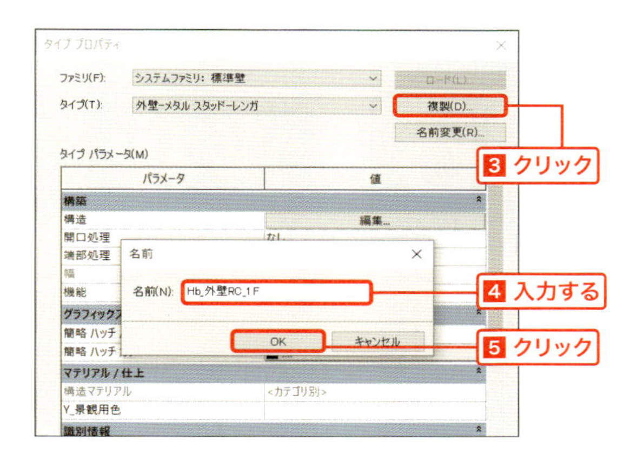

6 ［タイププロパティ］ダイアログボックスに戻ります。［構造］の<編集>をクリックします。

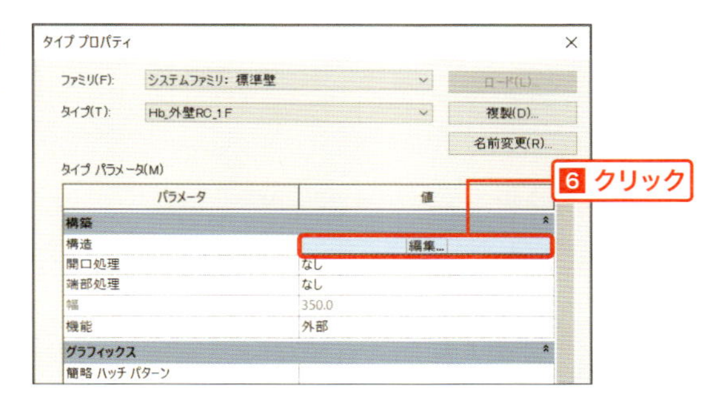

7 ［アセンブリを編集］ダイアログボックスが表示されるので、<プレビュー>をクリックします。

［アセンブリを編集］画面は、もともとあった「外壁-メタル スタッド-レンガ」という名前の壁の仕様（タイププロパティ）です。次節では、これを「Hb_外壁RC_1F」という壁の仕様に変更します。

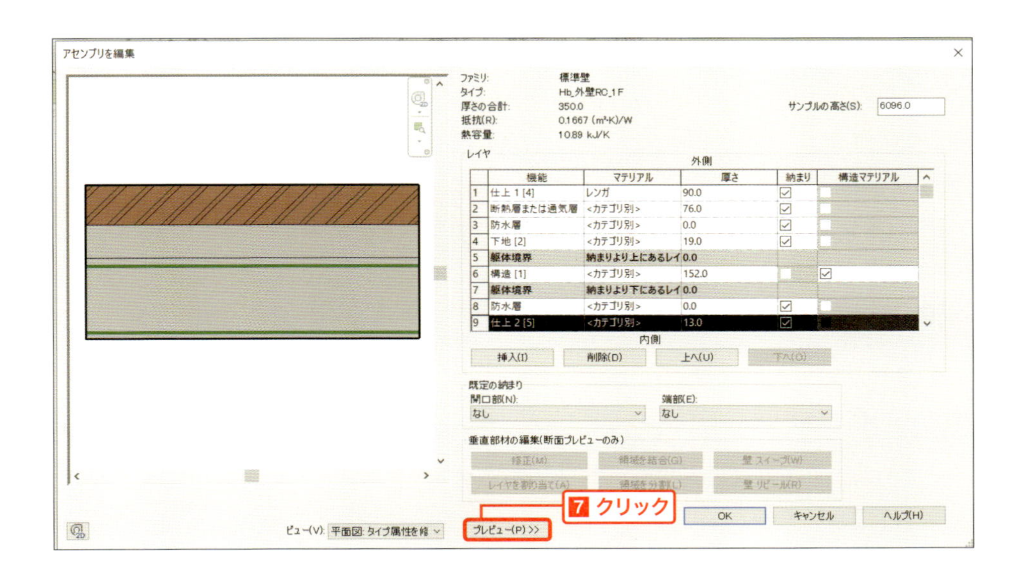

壁の仕様を編集する

1 レイヤ2の<断熱層または通気層>をクリックし、<削除>をクリックします。

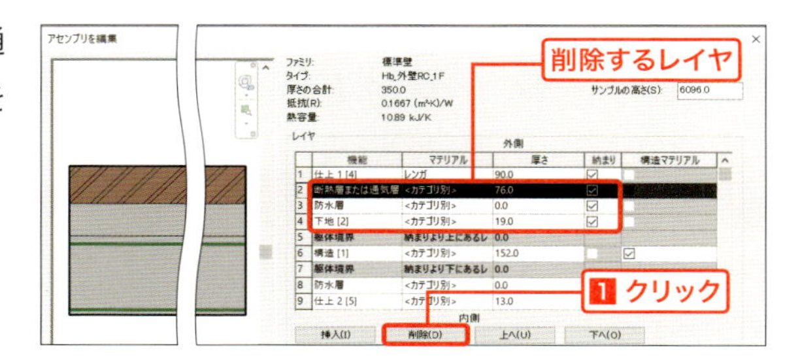

2 同様に元のレイヤ3、4も削除します。

3 新しい元のレイヤ5の<防水層>をクリックして、「断熱層または通気層」にします。

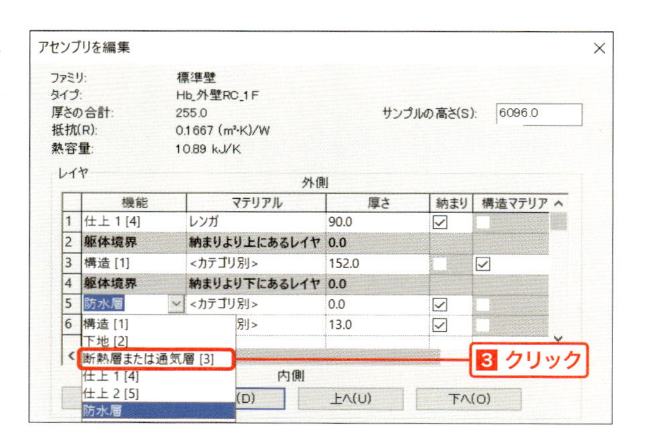

4 新しいレイヤ3、構造［1］の［マテリアル］欄の<カテゴリ別>をクリックすると欄の右側に<…>が表示されます。<…>をクリックします。

	機能	マテリアル	厚さ	納まり
1	仕上 1 [4]	レンガ	90.0	☑
2	**躯体境界**	**納まりより上にあるレイヤ**	**0.0**	
3	構造 [1]	<カテゴリ別> …	152.0	
4	**躯体境界**	**納まりより下にあるレイヤ**	**0.0**	
5	断熱層または通気層 [3]	<カテゴリ別>	0.0	☑
6	仕上 2 [5]	<カテゴリ別>	13.0	☑

4 クリック

memo

Revitで［レイヤ］と呼ばれるのはこのような壁の構成階層を指します。一般のCADで使われるレイヤとは意味が異なります。

5 ［マテリアルブラウザ］ダイアログボックスが開くので、プロジェクトマテリアルの中から＜Hb_RC＞をクリックします。

6 ＜OK＞をクリックします。

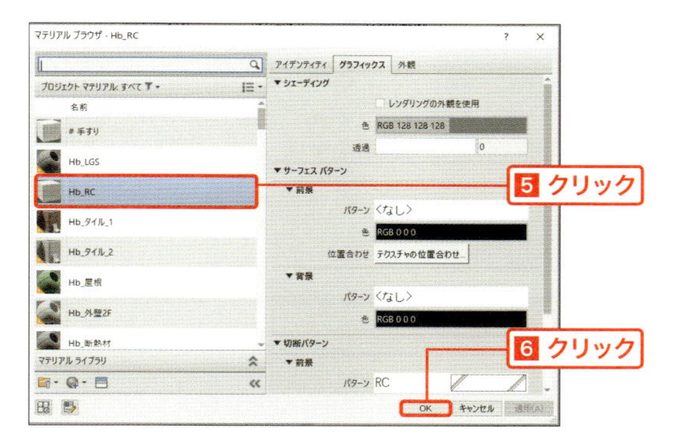

7 レイヤの［マテリアル］と［厚さ］を表のように設定します。

8 ＜OK＞をクリックします。これで新しい壁ができました。画面の上の方が外側（屋外）、下の方が内側（室内）を表します。

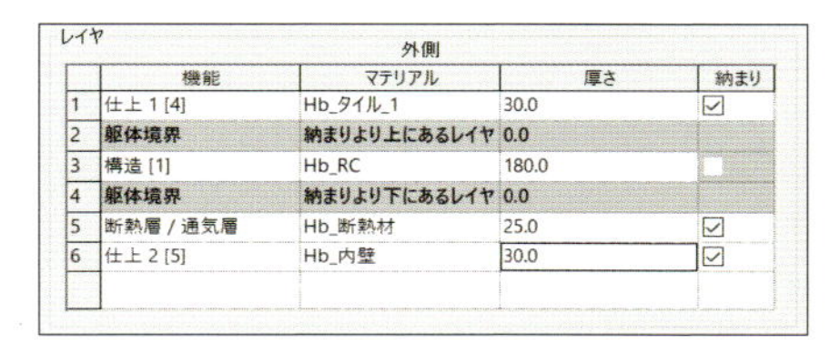

レイヤ

外側

	機能	マテリアル	厚さ	納まり
1	仕上 1 [4]	Hb_タイル_1	30.0	☑
2	躯体境界	納まりより上にあるレイヤ	0.0	
3	構造 [1]	Hb_RC	180.0	☐
4	躯体境界	納まりより下にあるレイヤ	0.0	
5	断熱層 / 通気層	Hb_断熱材	25.0	☑
6	仕上 2 [5]	Hb_内壁	30.0	☑

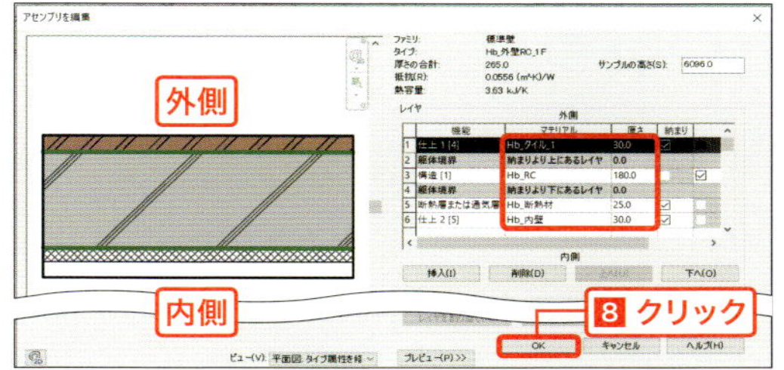

9 ［タイププロパティ］ダイアログボックスに戻るので、＜OK＞をクリックします。

10 ［プロジェクトブラウザ］の＜ファミリ＞の中の＜壁＞に「Hb_外壁RC_1F」という壁が作成されていることが確認できます。

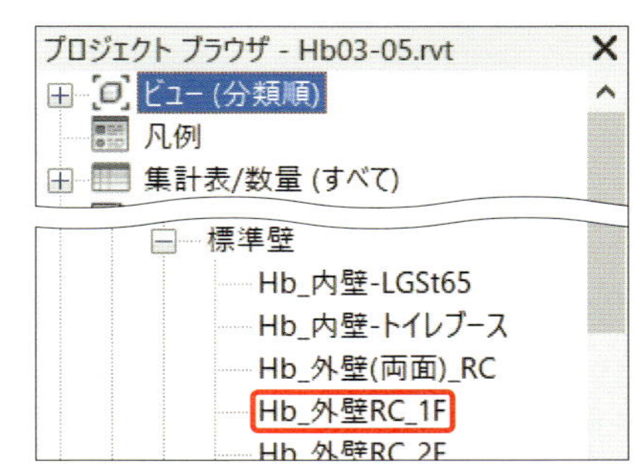

memo

作成した壁は、［壁の中心線］と［躯体の中心］が一致していません。全体の壁厚265（30+180+25+30）の中心が［壁の中心線］、躯体境界-躯体境界間のコンクリートt180の中心が［躯体の中心］になります。今後の作業の中で、どちらを選んでいるか注意する必要があります。

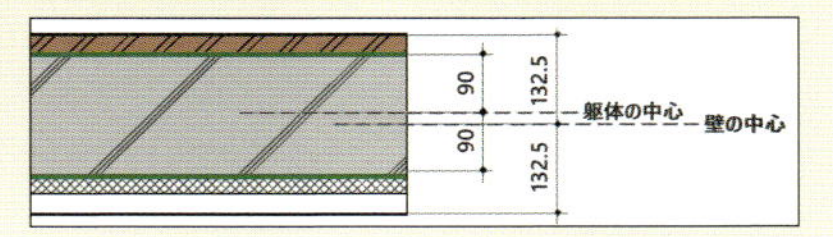

07 壁の高さを設定する

前節までに作成した壁のタイプを使って作成する前に、壁の高さを設定します。

1 ＜1階平面図＞ビューを開きます。＜建築＞タブの＜壁▼＞→＜意匠＞をクリックします。

2 ［タイプセレクタ］をクリックして「Hb_外壁RC_1F」を選択します。

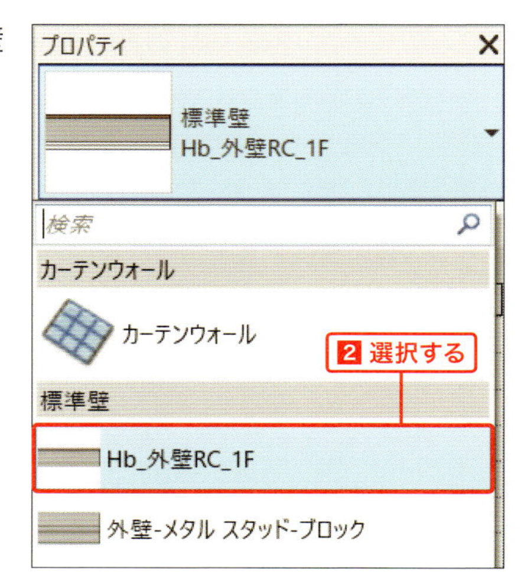

3 ［オプションバー］で配置は＜上方向＞、＜2FL＞、配置基準線は＜躯体の中心＞、［連結］はチェックなし、オフセットは「0.0」、半径はチェックなしとします。

memo

1階と2階の壁が同じ位置にあるとき、1階と2階の壁を一つの壁で作成することもできますが、その場合は階ごとの壁の長さの集計ができなくなります。

4 ［プロパティパレット］で基準レベルが＜1FL＞、上部レベルを＜上のレベルへ：2FL＞となっていることを確認します。これで、今から作成する壁は1FLから2FLまでの高さ3,000mmになります。

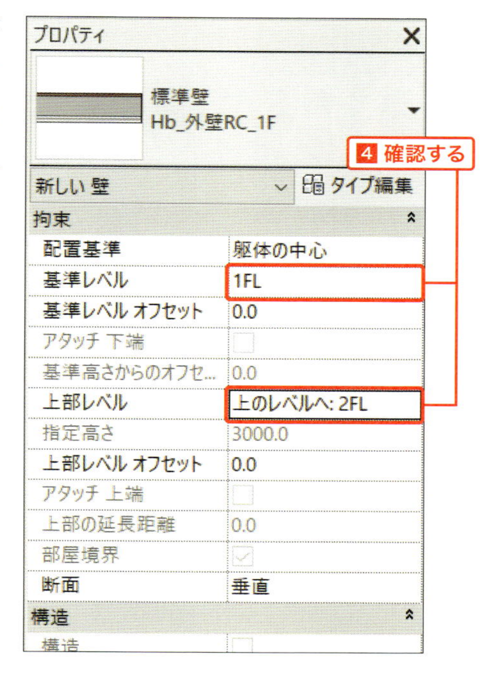

memo

［上部レベル］を「指定」にすると、その下の［指定高さ］の数値の高さの壁になります。バルコニーの手すり壁などに使います。

上部レベル	指定
指定高さ	1000.0

memo

腰壁がある場合は、上下の壁を別のタイプの［標準壁］で作成しておいて、［重ね壁］でその二つの壁を上下に重ねます。水切りなどはどちらかの壁のスイープで作成します。

外壁を作成する

壁を作成して、図のようなプランを作ります。壁の作成は2D CADの線を引く感じです。

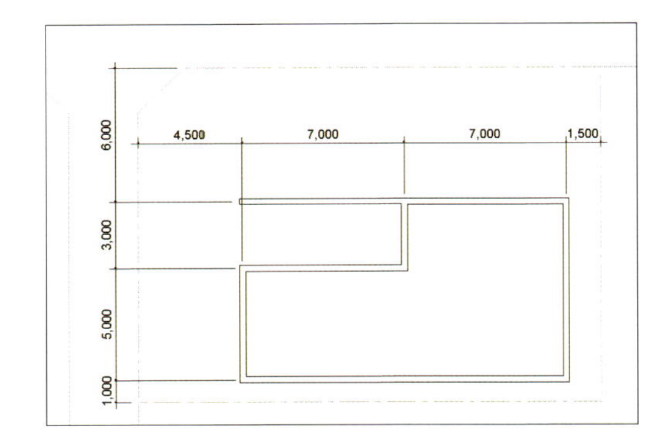

1 ＜1階平面図＞ビューにして、＜建築＞タブの＜壁▼＞をクリックして＜壁 意匠＞をクリックし、[タイプセレクタ] が「Hb_外壁RC_1F」になっているか確認します。

2 大まかでよいので図の**a**位置をクリックします。

3 カーソルを垂直になるように移動して**b**点をクリックします。これで壁が一枚できました。

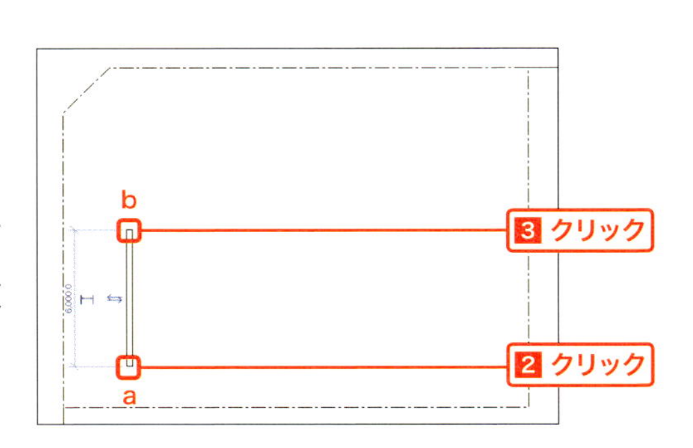

4 [オプションバー] の [連結] にチェックを付け、続けて壁を描きます。

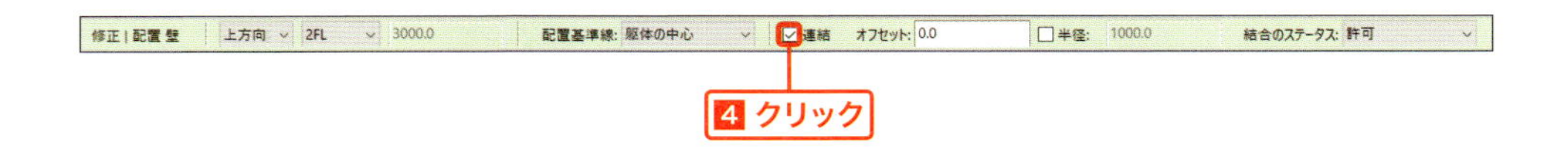

5 手順3でクリックしたb点にマウスポインターを移動し、「端点」と表示されたらクリックします。

6 続けて右側に壁を水平に適当な位置（c点）まで引いてクリックします。

7 続けて上の方向に垂直に壁を適当な位置（d点）まで引いてクリックします。

8 e点、f点、g点を水平垂直を意識しながら引いていきます。

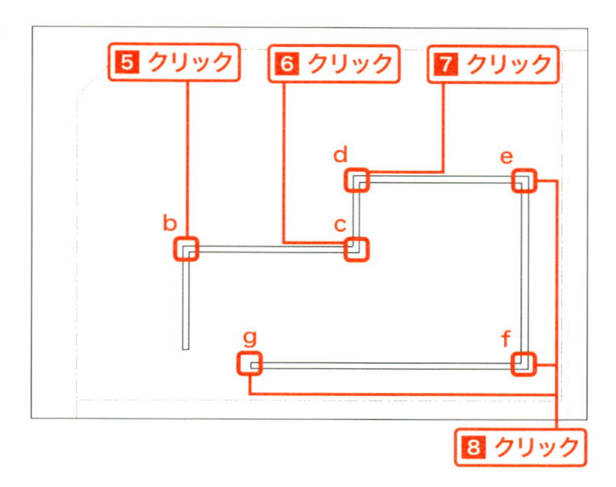

9 Esc キーを1度押して連結を解除します。Esc キーをもう1度押すと壁のモードが終了します。

10 <修正>タブの<コーナーへトリム/延長>を使い、壁をつなげます。

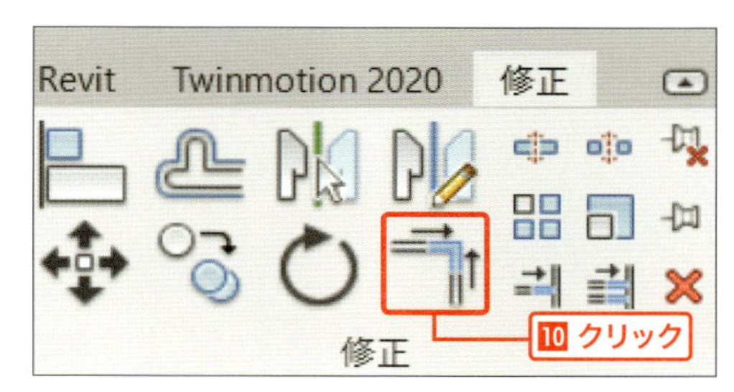

11 つなげたい壁の1点目をクリックします。

12 2点目をクリックします。

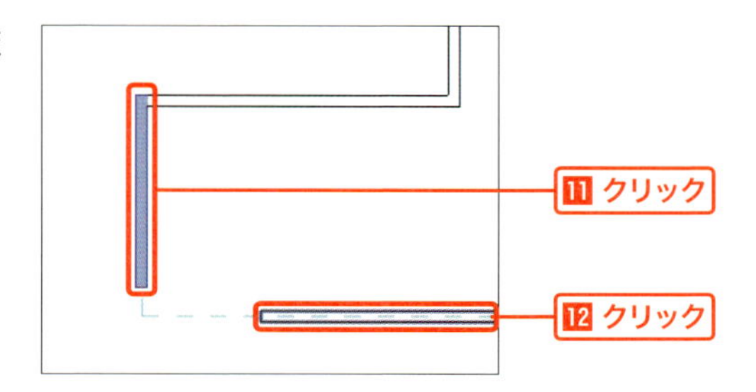

13 壁がつながります。

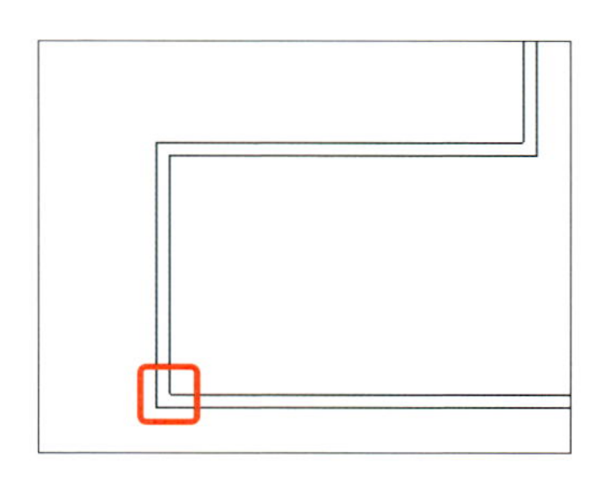

壁を移動する

寸法を引いて壁を正しい位置に動かします。

1 <注釈>タブの<平行寸法>をクリックします。

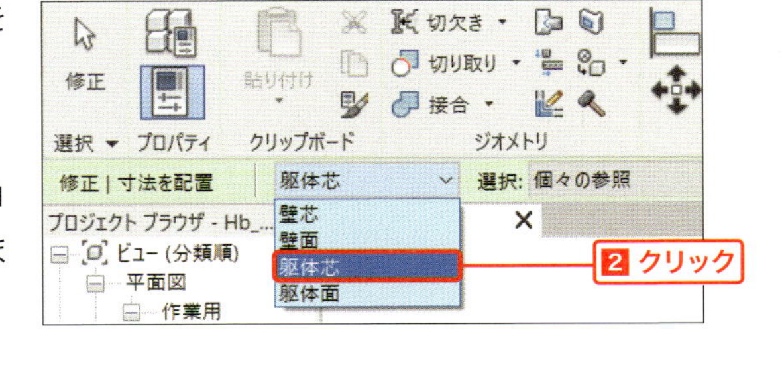

2 寸法の拾う位置として [オプションバー] で<躯体芯>を選択します。

3 a、b、c、d、eの順にクリックして、最後に空白部分をクリックして寸法を配置します。

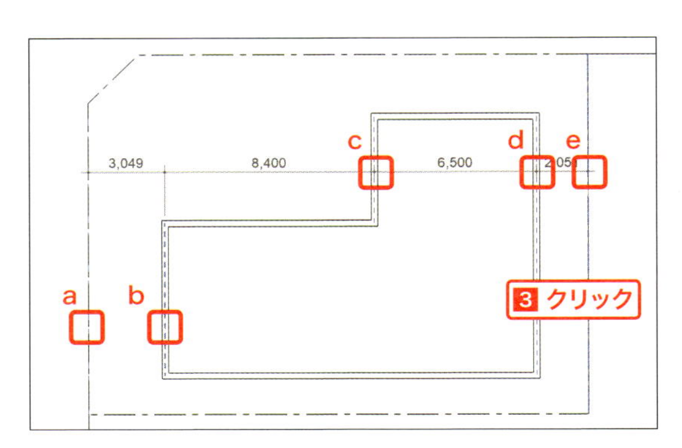

4 動かしたい壁を選択します。

5 調整したい寸法を選択し、「4500」と入力し、Enterキーを押すと壁が移動します。

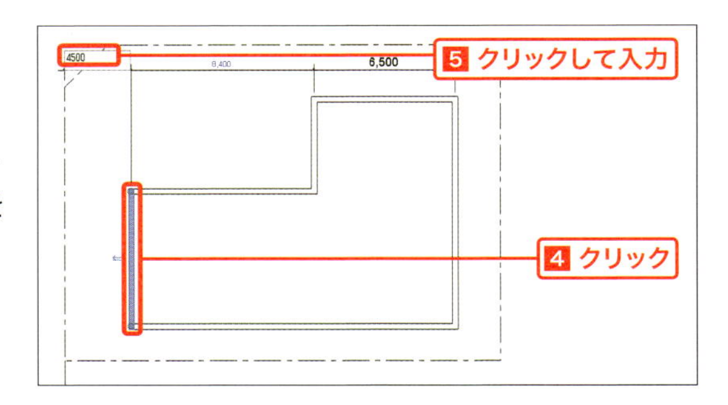

6 同様に縦方向にも寸法を入れ、右図の位置のように壁を移動します。

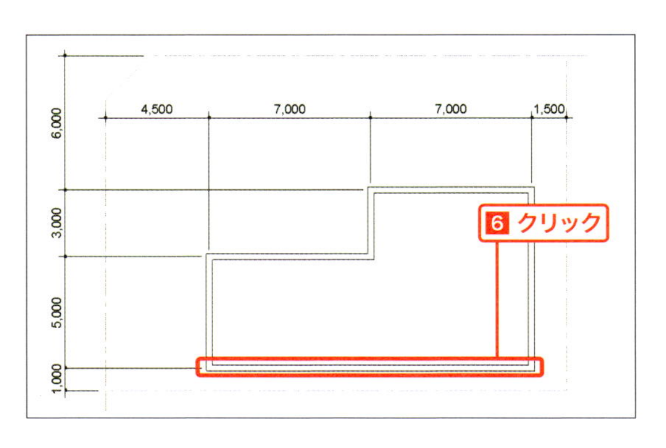

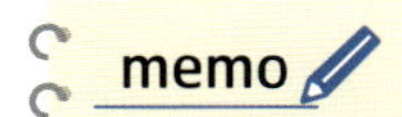

壁を選択すると、中央に両方向の矢印↓↑が表示されます。矢印がある側が外側を表しています。壁を作成する方向の左側が外壁になるので、外壁は原則右回りに作成するようにします。
矢印↓↑をクリックすると、内外が逆になります。

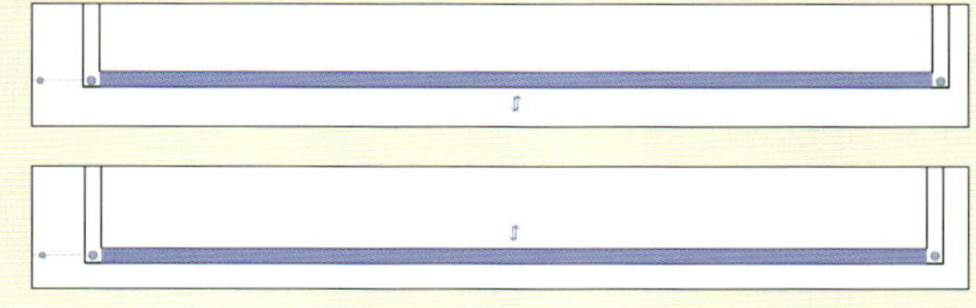

Revitでは表現の［詳細レベル］が3段階用意されています。［ビューコントロールバー］の［詳細レベル］を＜詳細＞にすると、壁の詳細な構成が表示され、どちらが外側か分かります。

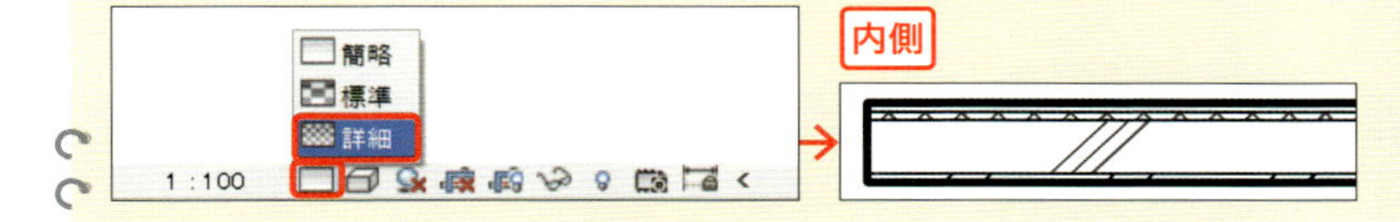

7 同じ要領で［Hb_外壁（両面）_RC］という壁を図の位置に作成します。＜位置合わせ＞を使って 壁の先端の位置を外壁の位置に合わせて作成します。

8 作図に使用した寸法を削除し、アンダーレイの［範囲:下部レベル］は＜なし＞にします。

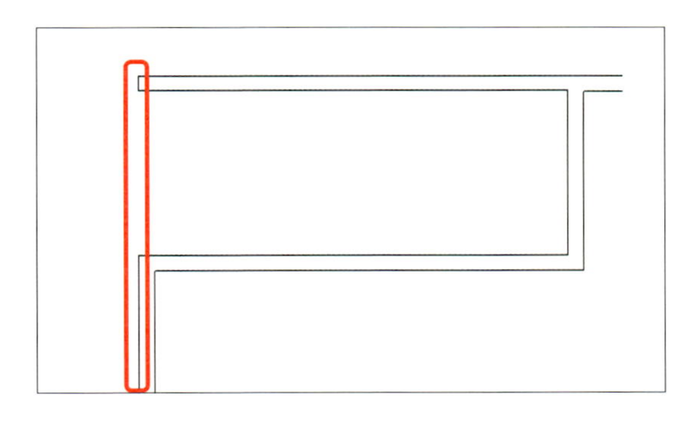

通り芯を作成する

図のような通り芯を作成します。

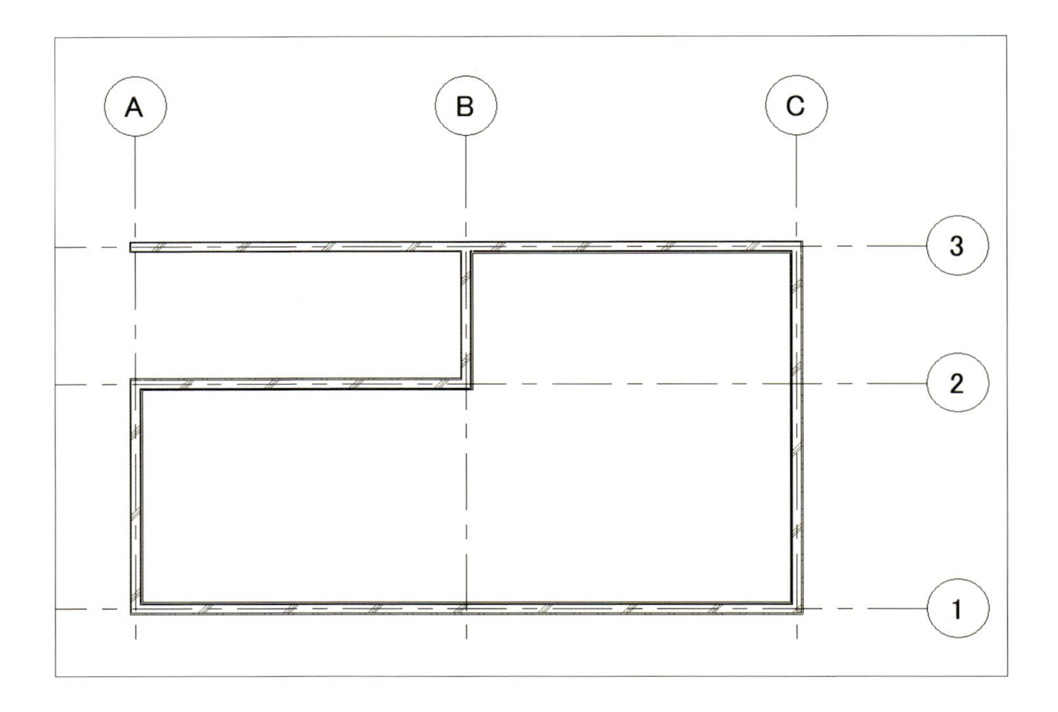

平面詳細図ビューを作成する

通り芯の位置を確認しやすくするために、ここでは平面詳細図ビューで作成します。

1 [プロジェクトブラウザ] の [ビュー] で<平面図>→<図面用>の順にクリックします。<1階平面図>ビューを右クリックし、コマンドメニューの中の<ビューを複製>→<詳細を含めて複製>をクリックします。

2 <1階平面図コピー1>ビューを右クリックし、メニューから<名前変更>をクリックします。名前を「1階平面詳細図」と入力します。

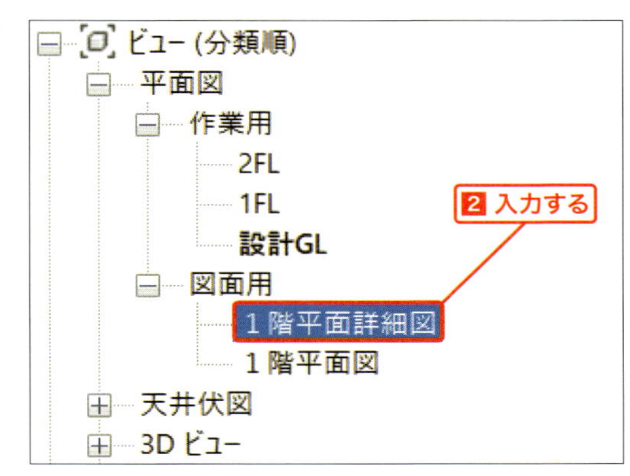

3 [ビューコントロールバー] の [詳細レベル] を「詳細」にします。

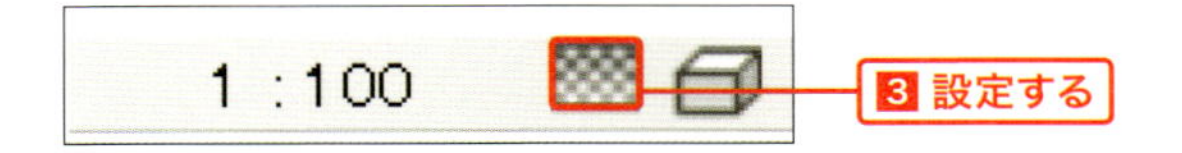

通り芯を作成する

1 1階平面詳細図ビューを開き、<建築>タブの<通り芯>をクリックします。図のように南側の任意の位置に通り芯を作成します。

2 <修正>タブ→<位置合わせ>をクリックします。オプションバーの [優先] を<躯体芯>にし、壁芯をクリックします。

3 通り芯をクリックすると、通り芯が躯体芯の位置に移動します。

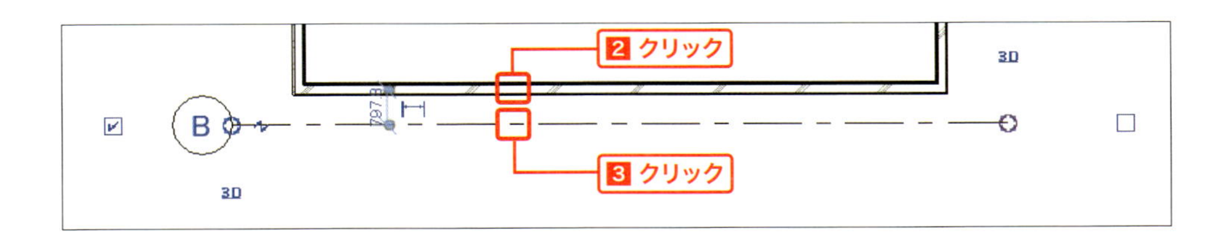

memo

各ビューをクリックして選択すると情報が [プロパティパレット] に表示されます。各ビューをダブルクリックすると作業領域が切り替わり、ビューの文字が太くなります。

4 符号を付ける位置は、通り芯を選択して<タイプ編集>の［平面図ビュー記号端点1,2(規定)］のチェックを付けることで同じタイプを使っている通り芯全てが変更されます。両端の□印は、その通り芯だけ符号の表示を変更したいときに使用します。

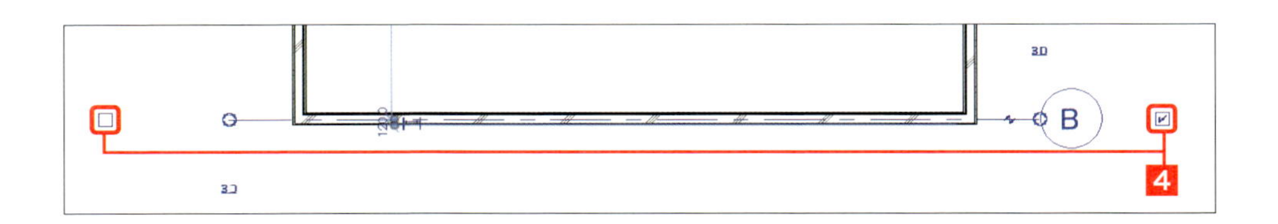

5 通り符号Ⓑの上にマウスポインターを移動し、「パラメータを編集」と表示されたらクリックして半角で「1」と入力します。

6 通り芯の両端の「○」にマウスポインターを移動し「モデル終端をドラッグしてグリッドを変更」と表示されたらクリックし、そのままドラッグして長さを調節します。

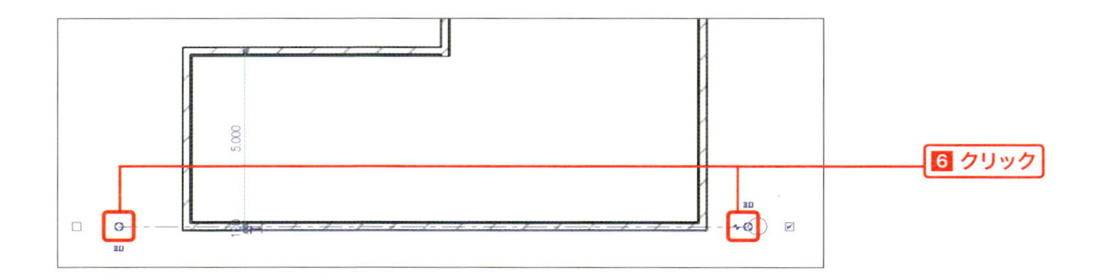

7 通り芯①をクリックし、<修正 | 通芯>タブ→<コピー>をクリック、オプションバーの［拘束］と［複数］にチェックを付けます。通り芯上をクリックして、カーソルを上部へ移動します。任意の位置を2か所クリックして配置します。通り芯①と同様に［位置合わせ］コマンドを使って通り芯を壁の躯体芯に合わせます。

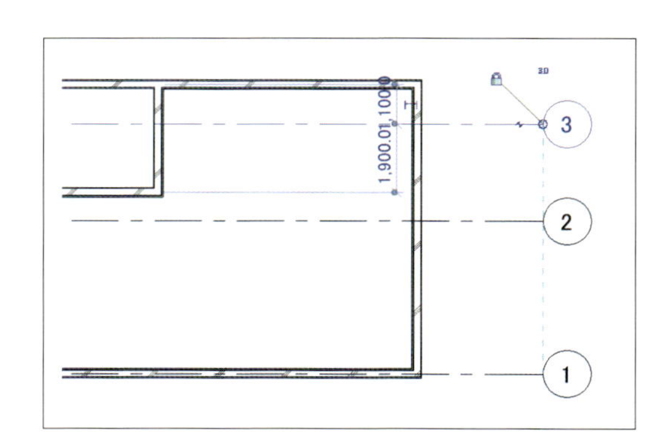

memo

通り芯を選択し、近くの3Dという青い文字をクリックすると、2Dに変わり、再度クリックすると、3Dに変わります。3Dの状態で、ビューの通り芯記号を移動させると、配置図や平面図、またこれからの2階平面図などのビューすべてで通り芯記号が移動します。2Dにして移動するとこのビューだけ変わります。

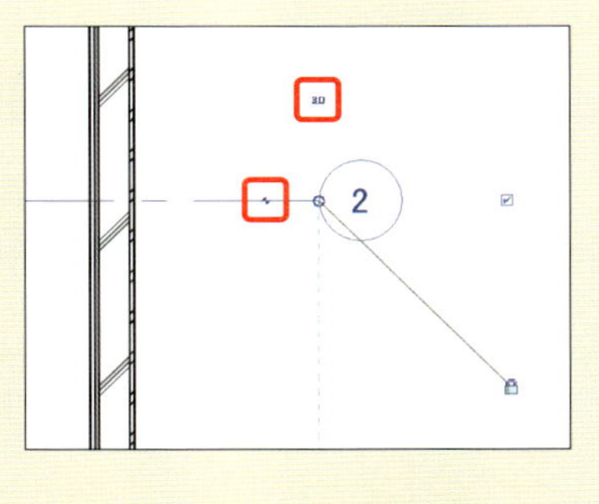

通り芯途中のエルボマークをクリックすると、エルボが追加され通り芯が折れ曲がります。通り芯同士が近接して符号が重なるようなときに使用します。戻すときには青丸を元の位置にドラッグします。

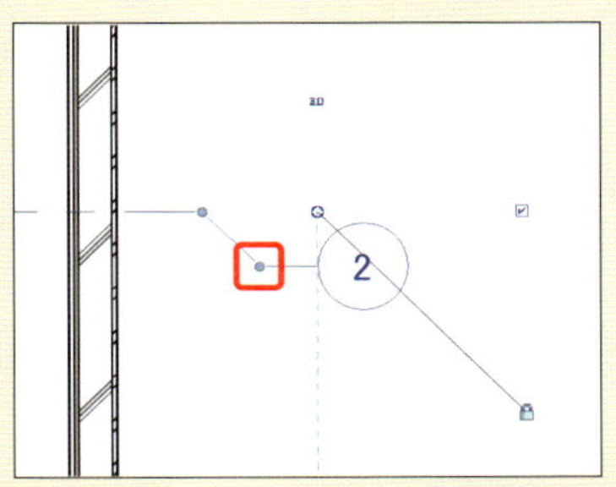

8 他の通り芯も作成します。A、B、Cの通り芯も壁の躯体芯を基準にします。

9 1階平面図ビューにして、<注釈>タブの<平行寸法>で図のように寸法を入れます。

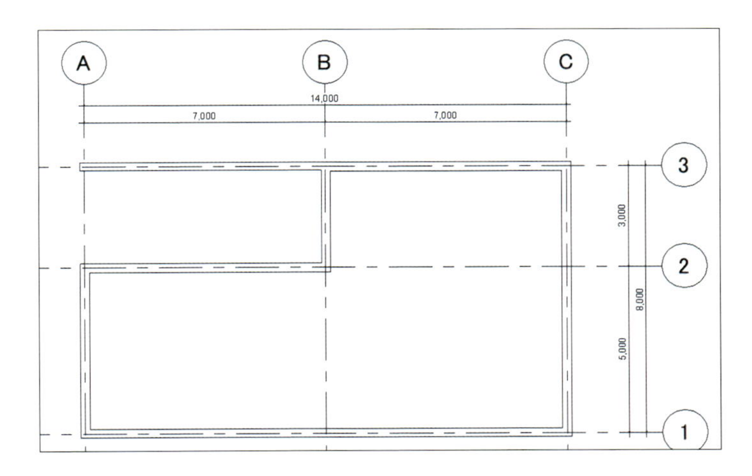

10 通り芯や通り芯記号を変更する

ここでは通り芯や通り芯記号の設定の変更方法について紹介します。

通り芯を選択して、[プロパティパレット]の<タイプを編集>をクリックします。[タイププロパティ]ダイアログボックスの[終端セグメントのパターン]の[グリッドライン]が通り芯の線種になっています。

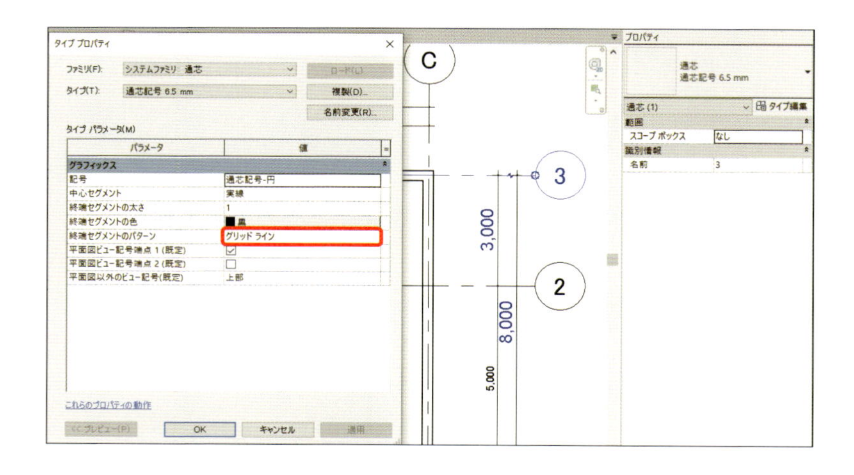

ここを変更すると、通り芯の線種が変わります。「一点鎖線」を選択します。

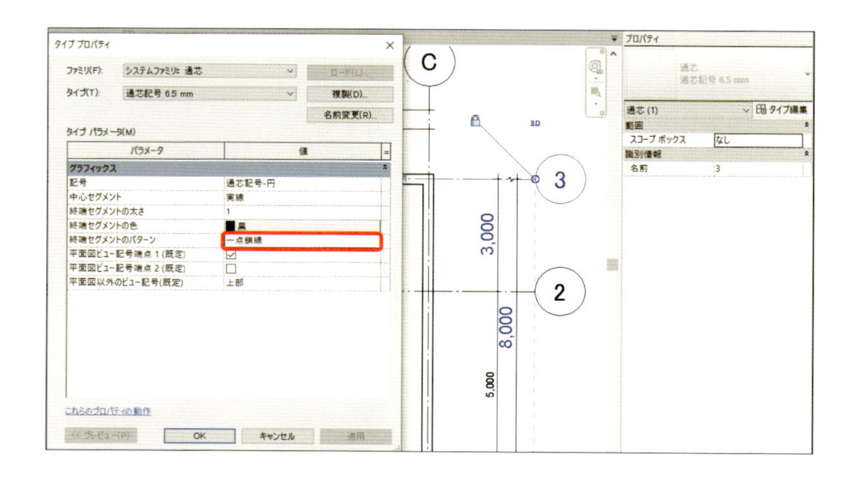

通り芯の中間を非表示にする

図面によっては通り芯が邪魔になるときがあります。その場合、通り芯をすべて非表示にする方法もありますが、両端だけ残して中央部分を非表示にする方法があります。

1 通り芯を選択して、［プロパティパレット］の＜タイプを編集＞をクリックします。

2 ［タイププロパティ］ダイアログボックスの［中心セグメント］の［実線］を「なし」に変更します。

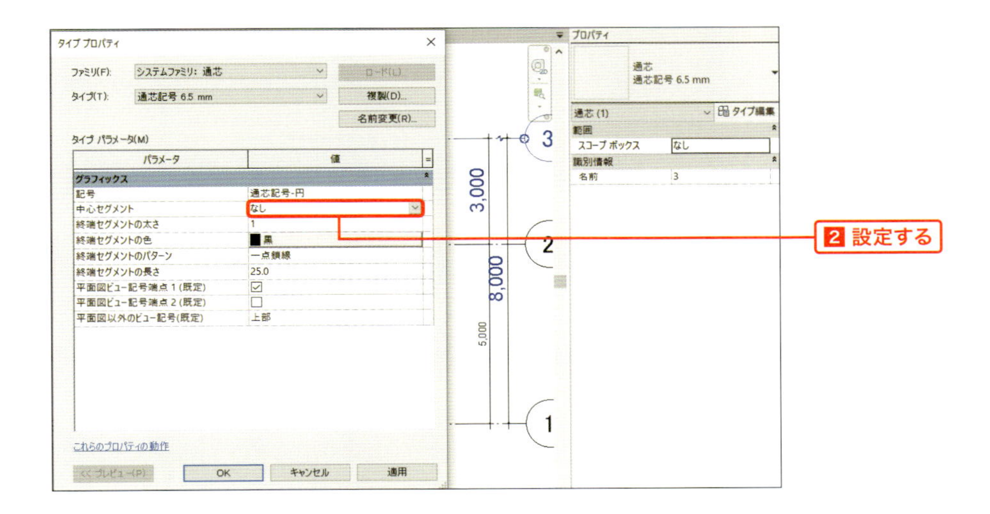

3 ＜OK＞をクリックすると、図のように通り芯の中間が非表示になりますが、［実線］にもどしておきます。

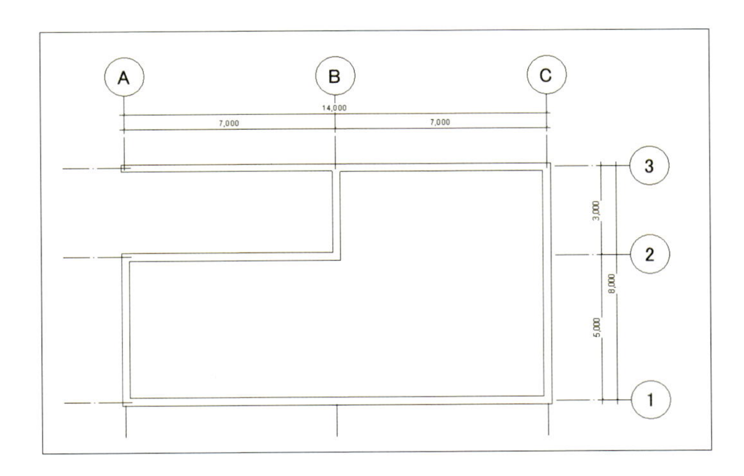

通り芯記号の円の大きさを変更する

1 ［プロジェクトブラウザ］の<ファミリ>→<注釈記号>の中の<通り芯記号-円>ファミリの下の<通り芯記号-円>というタイプ名を右クリックし、メニューから<タイププロパティ>をクリックします。

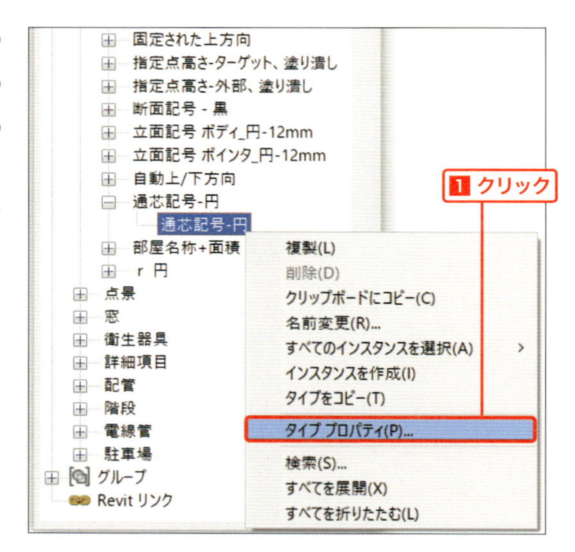

2 ［タイププロパティ］ダイアログボックスで［半径］の数値「6.5」を「5」に変えます。

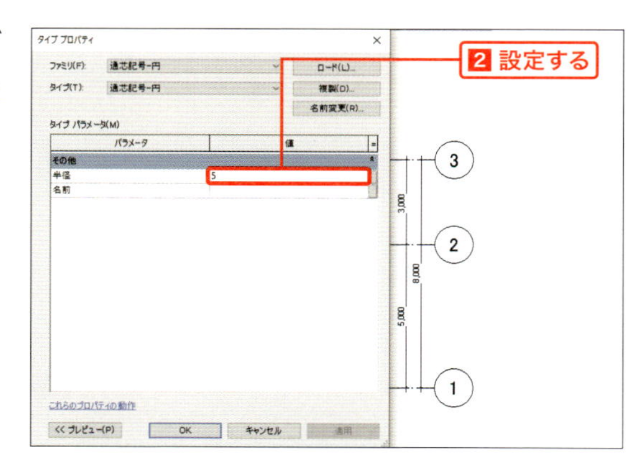

3 円が小さくなりました。

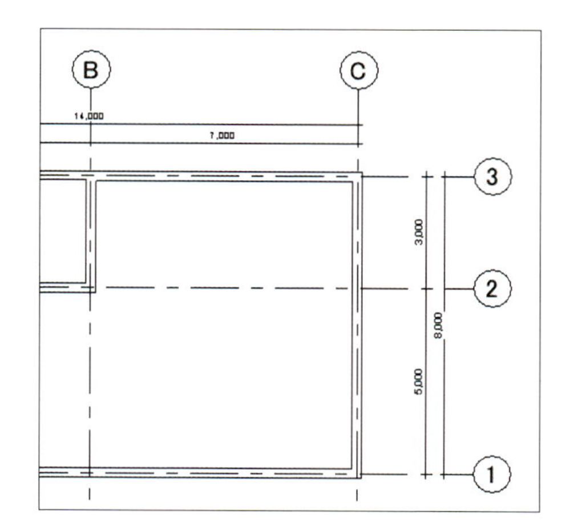

通り芯記号の文字の大きさを変更する

1 [プロジェクトブラウザ] の＜ファミリ＞→＜注釈記号＞の中の＜通り芯記号-円＞を右クリックし、メニューから＜編集＞をクリックします。

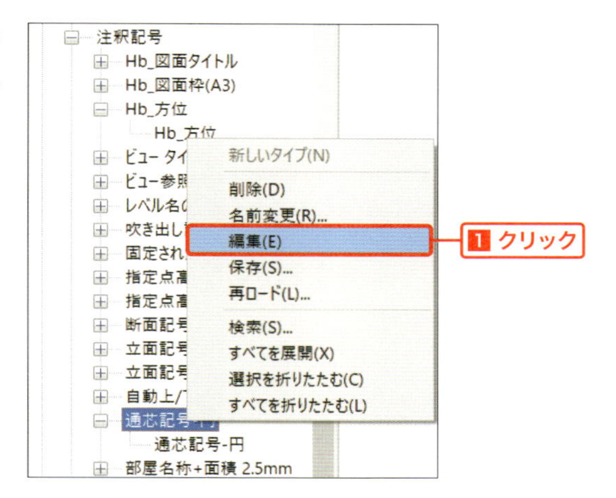

2 [通り芯記号-円] のファミリ編集画面が表示されます。「0」の文字をクリックして、[プロパティ] の＜タイプを編集＞をクリックします。

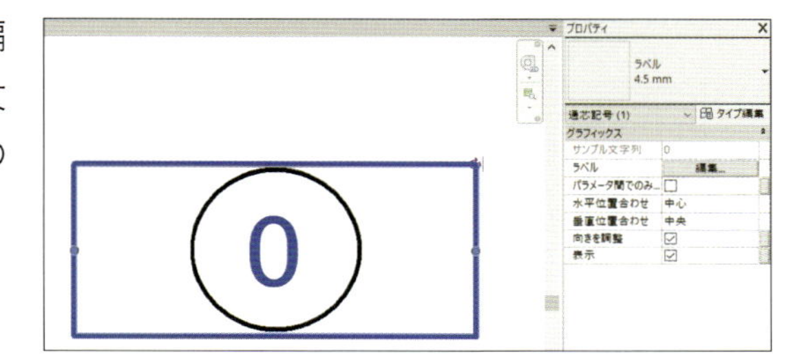

3 [タイププロパティ] ダイアログボックスの＜複製＞をクリックして、名前を「4.5mm」から「3mm」へ変更します。パラメータの文字のサイズを「3」と入力し、＜OK＞をクリックします。

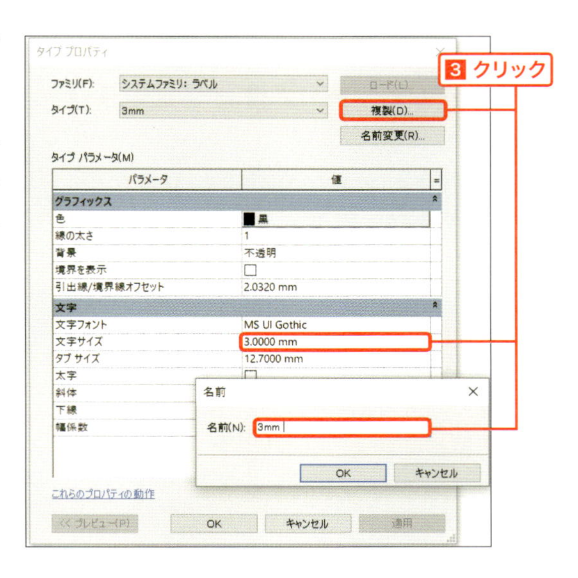

4 ＜修正 | ラベル＞タブの＜プロジェクトにロード＞をクリックして、＜既存のバージョンを上書き＞を選択すると、通り芯記号の文字の大きさが変わります。上書き方法は、この場合どちらを選択しても同じです（「7-03」参照）。

内部の壁を作成する

図のような内部の壁を作成します。＜平面図＞→＜図面用＞→＜1階平面図＞ビューを開きます。

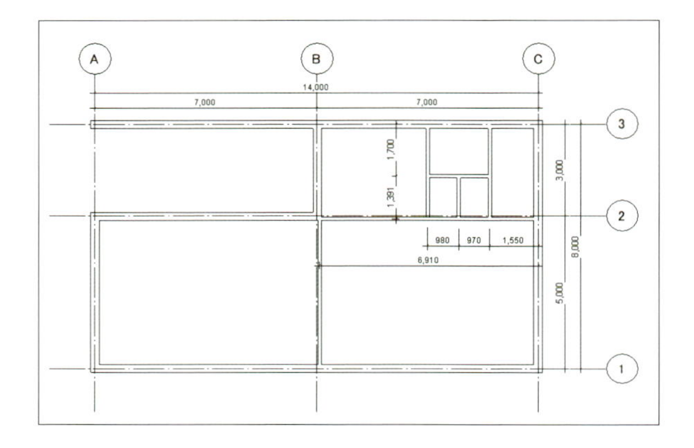

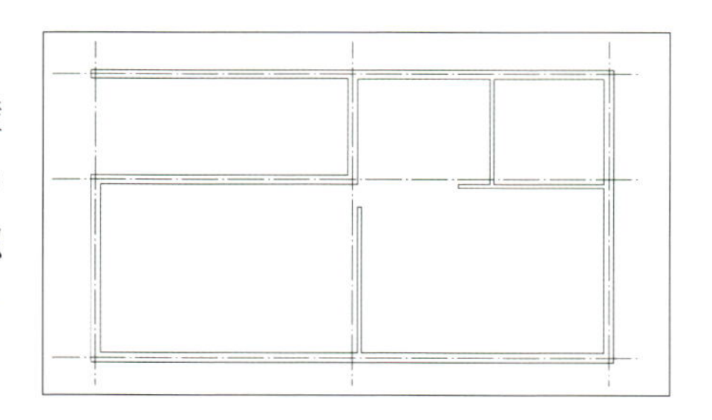

＜建築＞タブ→＜壁　意匠＞をクリックして＜タイプセレクタ▼＞で「Hb_内壁-LGSt65」を選択し、オプションバーの［連結］のチェックが外れているのを確認し、図のように内壁を仮置きで配置します。

類似オブジェクトの作成

＜類似オブジェクトを作成＞というツールは、すでにできているものと同じタイプのオブジェクトを作成するときに使用します。左側の壁を選択し、［修正｜壁］→＜類似オブジェクトを作成＞をクリックすると、「Hb_内壁- LGSt65」を作成するモードになり、右側に壁を作成します。

タイププロパティを変更する

<タイププロパティを一致させる>というツールは、すでに作成されているオブジェクトを他のタイプに合わせるときに使用します。

1 <Hb_内壁-トイレブース>を選択し、AとBの位置に配置します。

2 <修正>タブの<タイププロパティを一致させる>をクリックします。

3 C壁をクリックします。

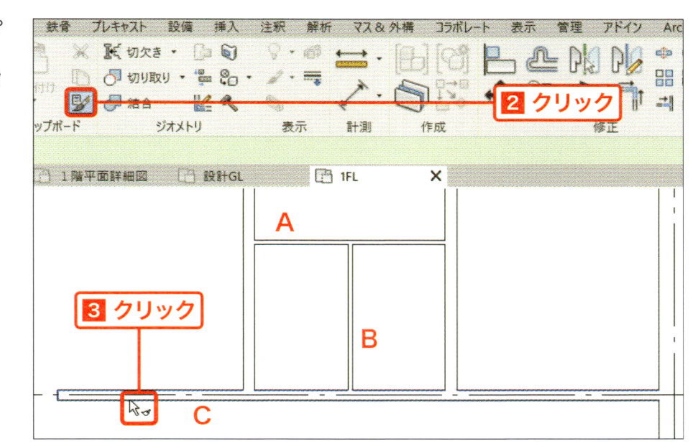

4 作成したトイレブース壁をクリックするとタイプが変更されます。

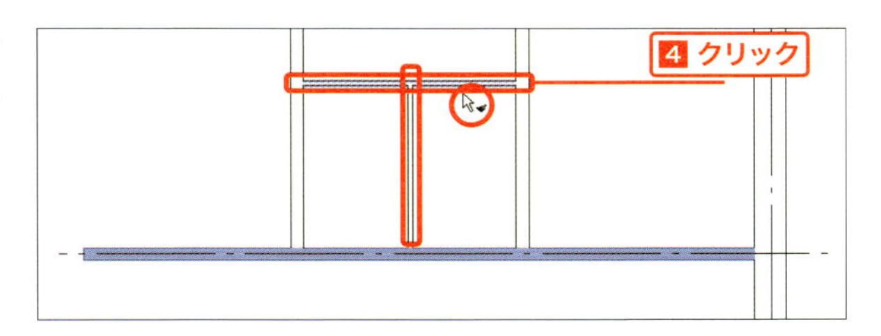

5 <平行寸法>を使って図のような位置に移動します。DとEの壁は<修正>タブ→<位置合わせ>のオプションバー<壁面>を選択して、外壁の内面と内壁の壁面が合うようにします。さらに<単一要素をトリム/延長>を使って外壁まで延長します。壁移動に使用した寸法は削除しておきます。

壁の包絡を解除する

CADで壁を作図する場合、いったん下左図のように線を引き、それからCAD機能を使って下右図のようにしていました。この処理を包絡処理と言います。今までの作業で分かるように、Revitでは壁同士は自動的に包絡処理がなされます。しかし、包絡して欲しくないという場合もありますので、包絡を解除する方法を紹介します。

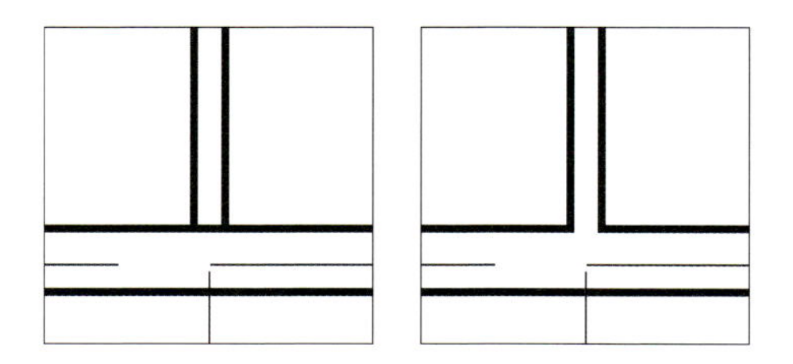

1 壁を選択します。

2 壁の端にある青い丸を右クリックします。

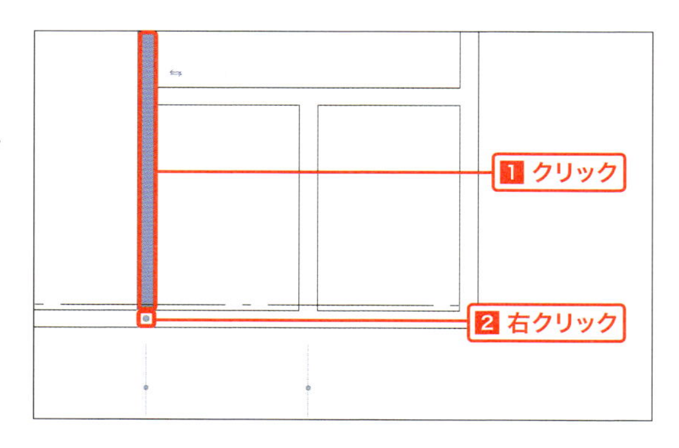

3 メニューの<結合を禁止>をクリックします。

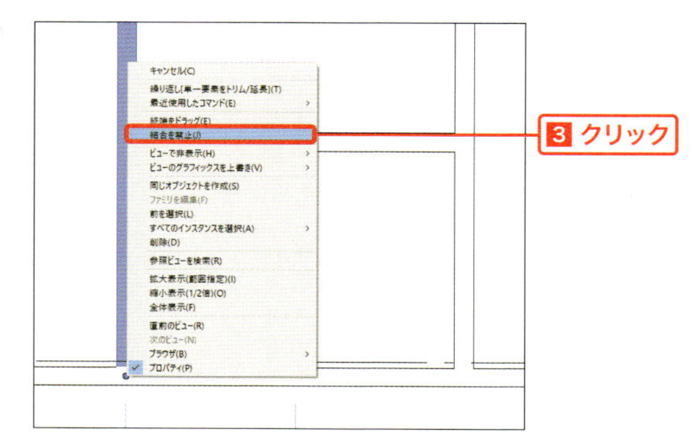

4 結合が解除されるので、＜修正＞タブの＜単一要素をトリム／延長＞をクリックし、AとBをクリックして壁の端を移動します。

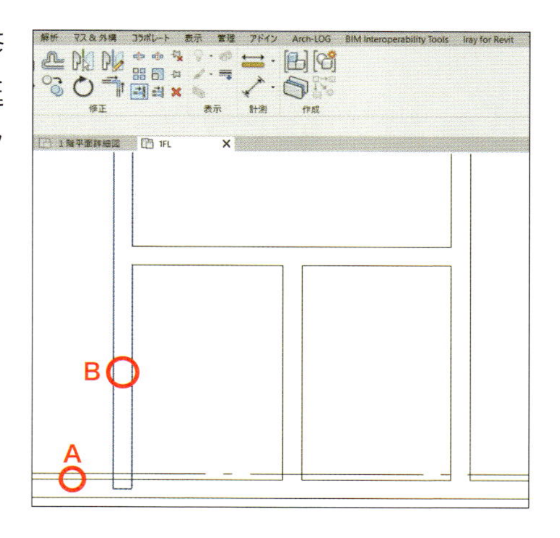

5 壁の包絡が解除されました。

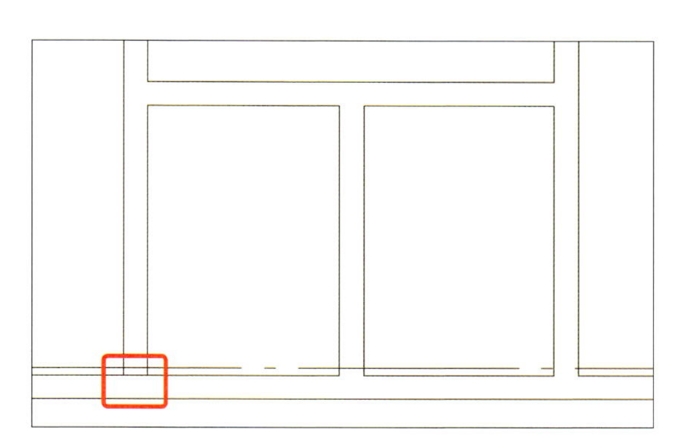

memo

［プロパティパレット］の［壁結合部表示］を「すべての壁を包絡」から「同じタイプの壁を包絡」にすると、そのビューの中のタイプが異なる壁との包絡が全て解除されます。ただし、同じコンクリートの壁でもタイプが異なると包絡されません。なお、この機能は詳細レベルが「簡略」のときだけ有効になります。

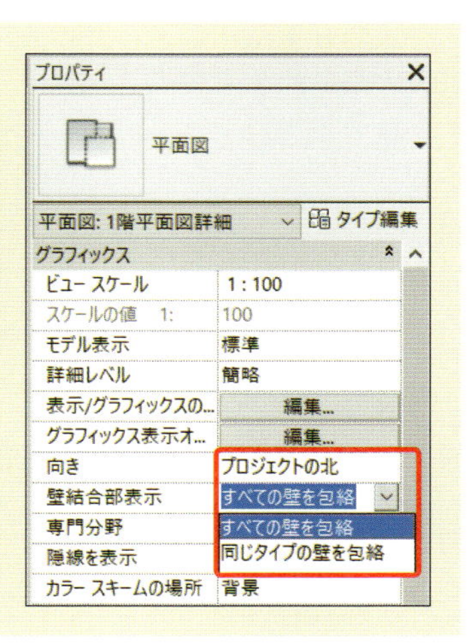

memo

壁同士以外（壁と柱など）の包絡は、＜修正＞タブの＜結合＞→＜ジオメトリの結合解除＞をクリックして、オブジェクトをクリックすると、解除できます。

13 ドアを配置する

ここからはサンプルファイル「Hb03-13.rvt」を使用します。＜平面図＞→＜作業用＞→＜1FL＞ビューを開きます。使用したいドアファミリがプロジェクトファイルの中にない場合は、外部よりロードします。ロードする方法は3つあります。

① ＜建築＞タブの＜ドア＞をクリックして＜ファミリをロード＞

② ＜建築＞タブの＜ドア＞→＜タイプ編集＞→＜ロード＞

③ ＜挿入＞タブの＜ファミリをロード＞

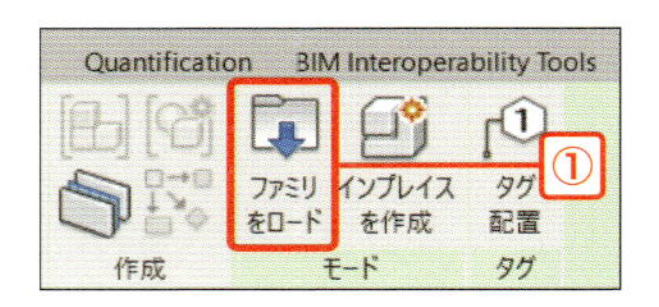

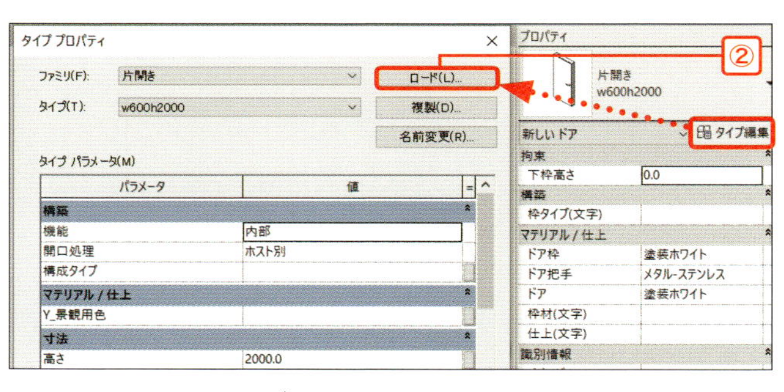

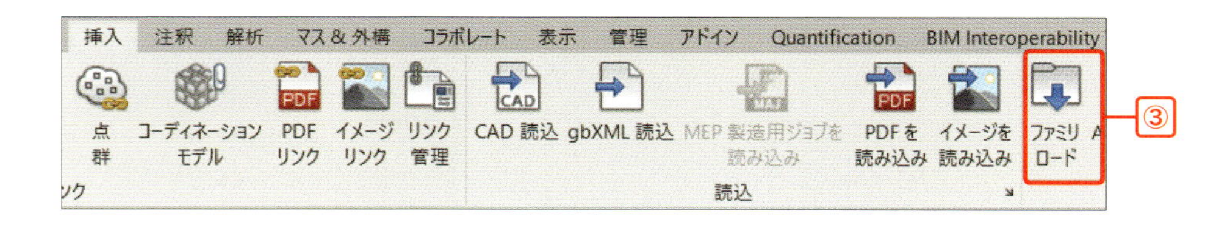

①と②はすぐ配置できますが、ドア以外のカテゴリをロードしようとするとエラーが起きます。③はどのカテゴリでも挿入できますが、配置するときに改めてコマンドを操作する必要があります。ここでは、①の方法を使ってドアを配置します。

1 ＜建築＞タブの＜ドア＞をクリックします。

2 ＜ファミリをロード＞をクリックします。

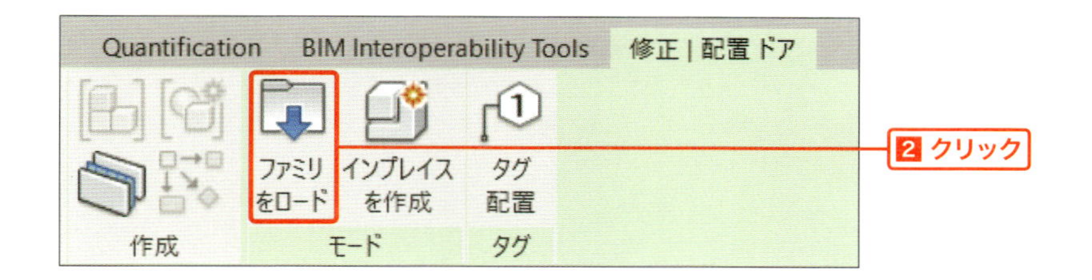

3 Autodesk社で用意されたファミリを使用します。＜ドア＞フォルダー→＜鋼製ドア＞フォルダーをダブルクリックます。

4 「片開き.rfa」を選択し、＜開く＞をクリックします。

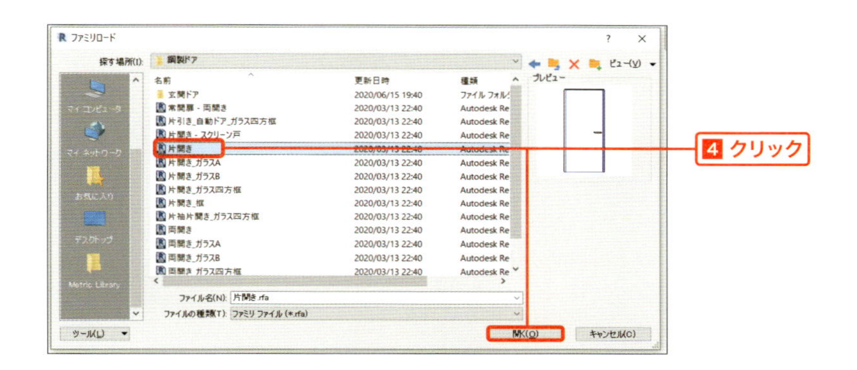

5 ［プロパティパレット］の＜タイプセレクタ＞から＜片開きw600h2000＞をクリックします。

6 マウスポインターを壁の上へ移動し、位置を確定する前に、半角モードで Space キーを押すとドアの開き勝手が回転します。配置したあとでドア近くにあるフリップコントロールをクリックすると反転します。また、ドアを選択して Space キーを押しても変わります。

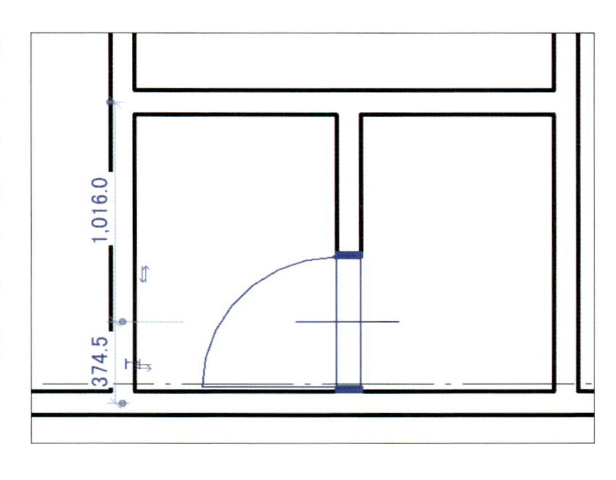

7 三方枠はすでにプロジェクトファイルの中に入っているので、［タイプセレクタ］をクリックして［三方枠］の［w800h2100］タイプを選択し、図のように配置します。

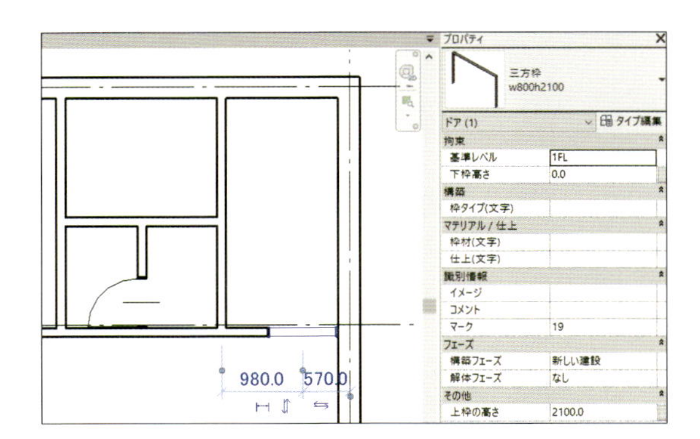

8 ドアを配置した時に表示される仮寸法は、ドアの中心を基準にしています。これを変えるには、＜管理＞タブ→＜その他の設定＞→＜仮寸法＞（2022では、＜その他の設定＞→＜注釈＞→＜仮寸法＞）をクリックして、［仮寸法プロパティ］で［ドアと窓］の中心部を＜開口部＞に変更します。

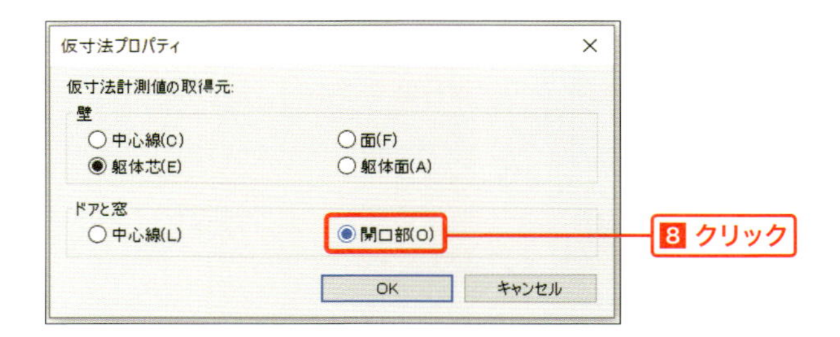

9 これで開口部の両端からも仮寸法が表示されるようになります。

10 ＜建築＞タブの＜ドア＞をクリックします。［タイプセレクタ］から「片引き_フラッシュ w800h2000」を選択して、図のように配置します。

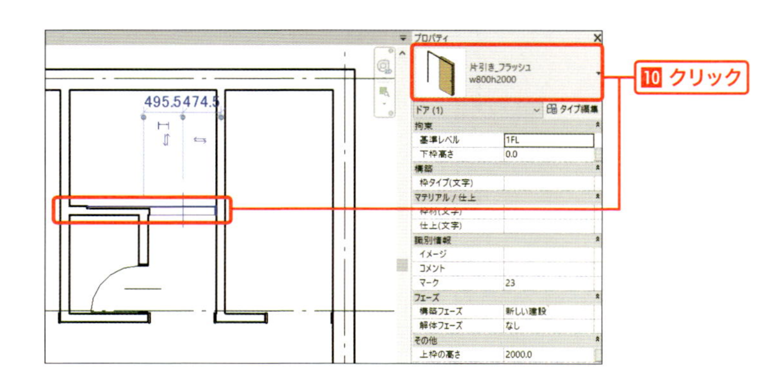

11 他のドアも図のように［タイプセレクタ］から選択して配置します。

・鋼製_大枠_両開_框.rfa w1800h2000
・鋼製_大枠_親子_框.rfa w1200h2000
・三方枠.rfa w800h2100
・三方枠.rfa w3250h2100

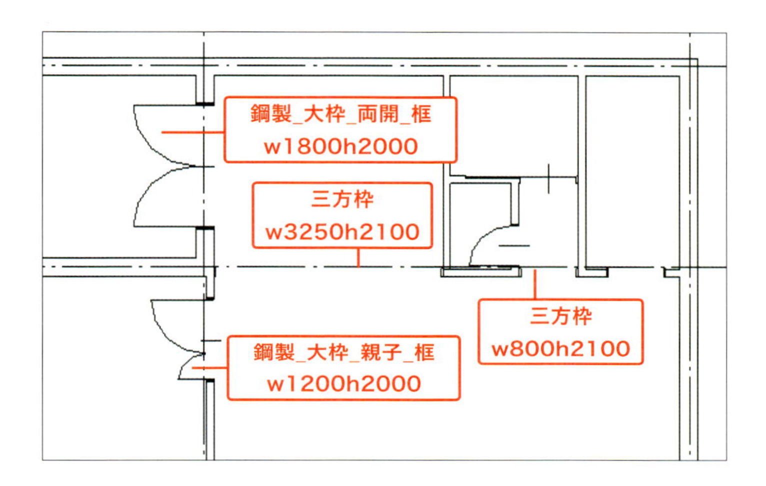

memo

Revitのインストール時に付属されているファミリ集の中に適切なものが無い場合は、どこかから探してくる方法があります。ファミリの収集サイトを紹介します。

・bim-design(RUGライブラリ)
　http://bim-design.com/rug/library/
・bimobject
　https://www.bimobject.com/en-us/product?sort=trending
・RevitCity
　https://www.revitcity.com/downloads.php
・Arch-LOG
　https://www.arch-log.com/

14 設備機器を配置する

設備機器は詳細レベルの方が配置しやすいので、1階平面詳細図ビューを開いて、設備機器を配置します。

1 ＜建築＞タブの＜コンポーネント＞をクリックします。

2 ［タイプセレクタ］から［洗面器9］を選択します。

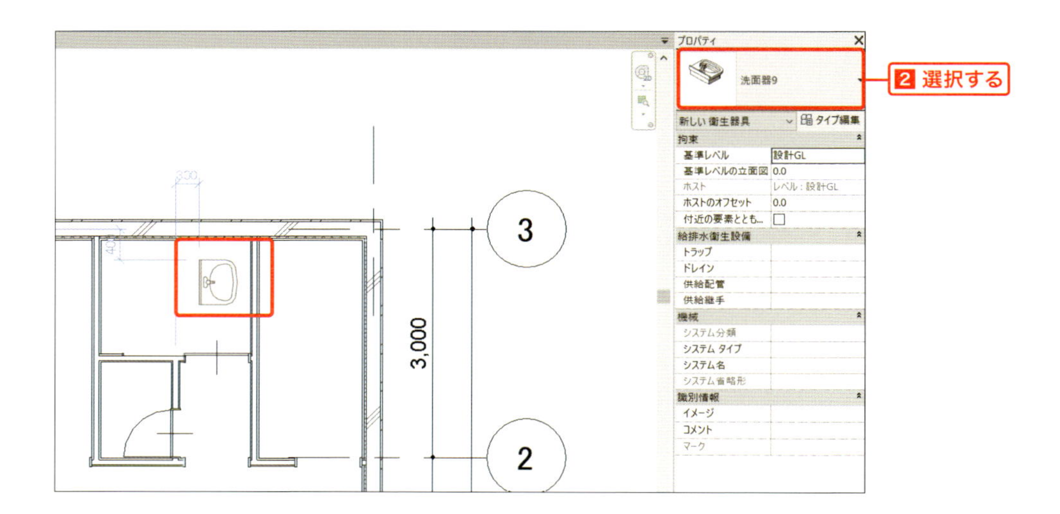

memo

設備機器ファミリは各メーカーのWebサイトからダウンロードできるところもありますが、2D CADデータのみダウンロードできるというところもあります。
その場合は、その2D CADでの平面・立面データを図のようにファミリの中に挿入して使用することができます。3Dでの表現はできませんが、平面図や展開図では従来の2D CADでの図面のような表現になります。

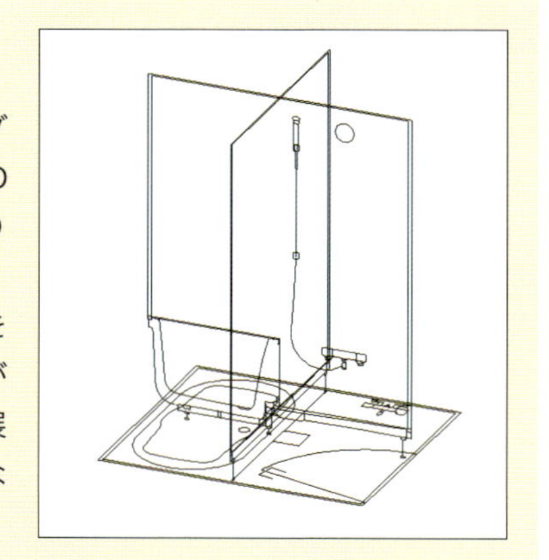

3 位置を確定する前に半角モードで Space キーを押すと90度ずつ回転します。何度か Space キーを押して回転させ、配置したい場所でクリックして位置を確定します。

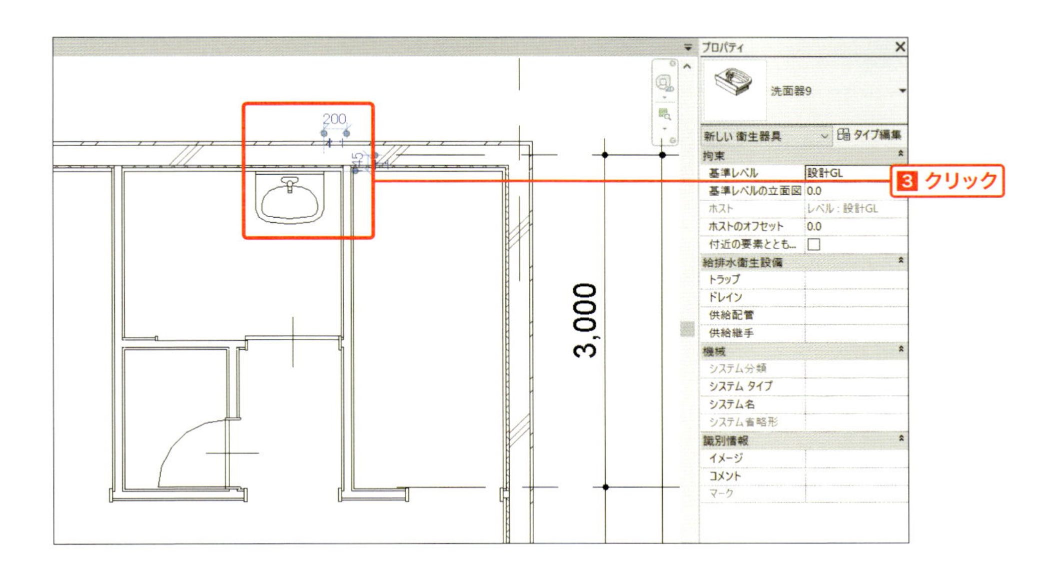

4 <建築>タブの<コンポーネント>をクリックして、トイレ周りの衛生器具を図のように配置します。

- 洋式便器8自動洗浄、ｳｫｼｭﾚｯﾄ付.rfa
- 手洗器.rfa

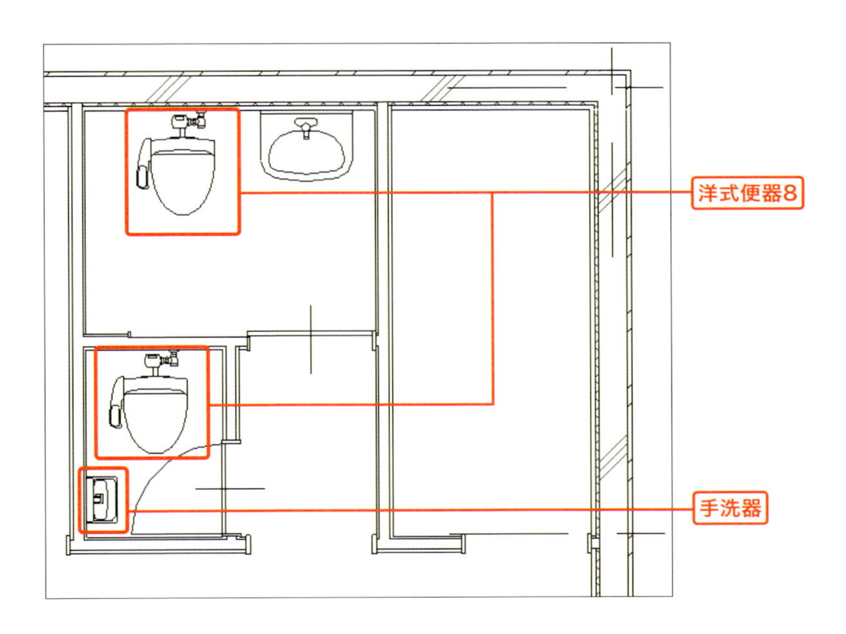

15 家具を配置する

図のように家具を配置します。

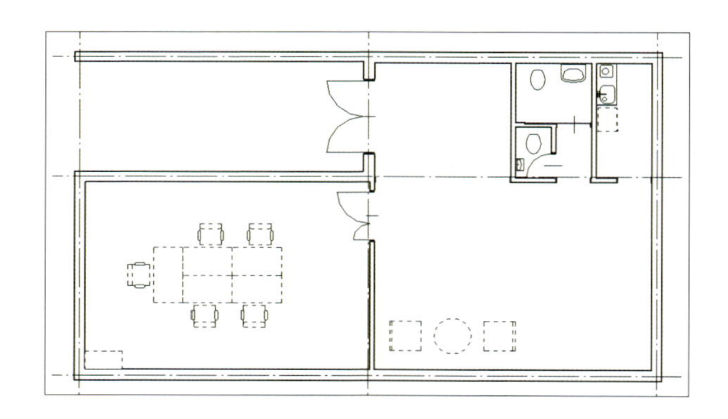

1 <図面用>→<1階平面図>ビューを開き、<建築>タブの<コンポーネント>をクリックし、[タイプセレクタ] から選択して、次のファミリを配置していきます。

- ミニキッチン.rfa
- 冷蔵庫.rfa
- デスク1.rfa
- デスク2.rfa
- 円形ガラステーブル.rfa
- バルセロナチェア.rfa
- 椅子-作業用(肘付).rfa
- キャビネット.rfa

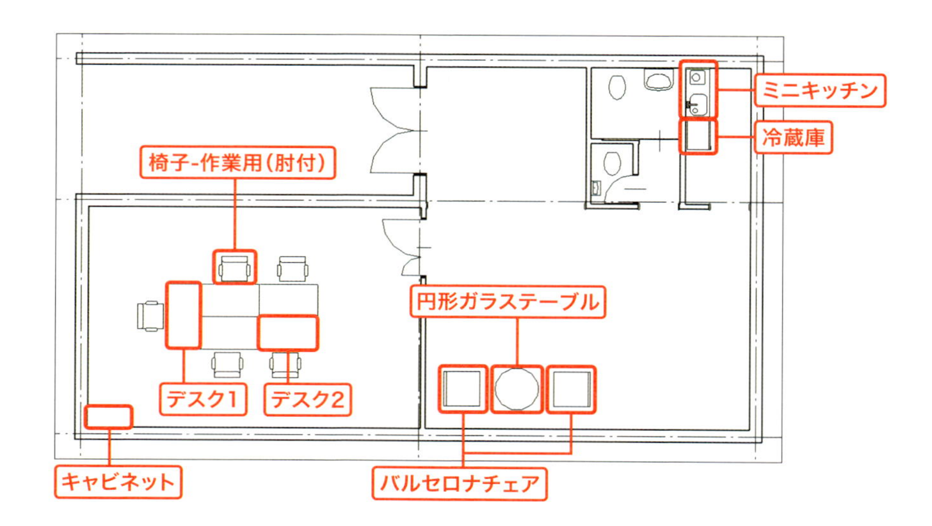

2 家具を破線で表示するようにします。＜1階平面図＞ビューの［プロパティパレット］の＜表示/グラフィックスの上書き＞の＜編集＞をクリックして、［家具］の［投影/サーフェス］の［線分］の＜優先＞をクリックします。

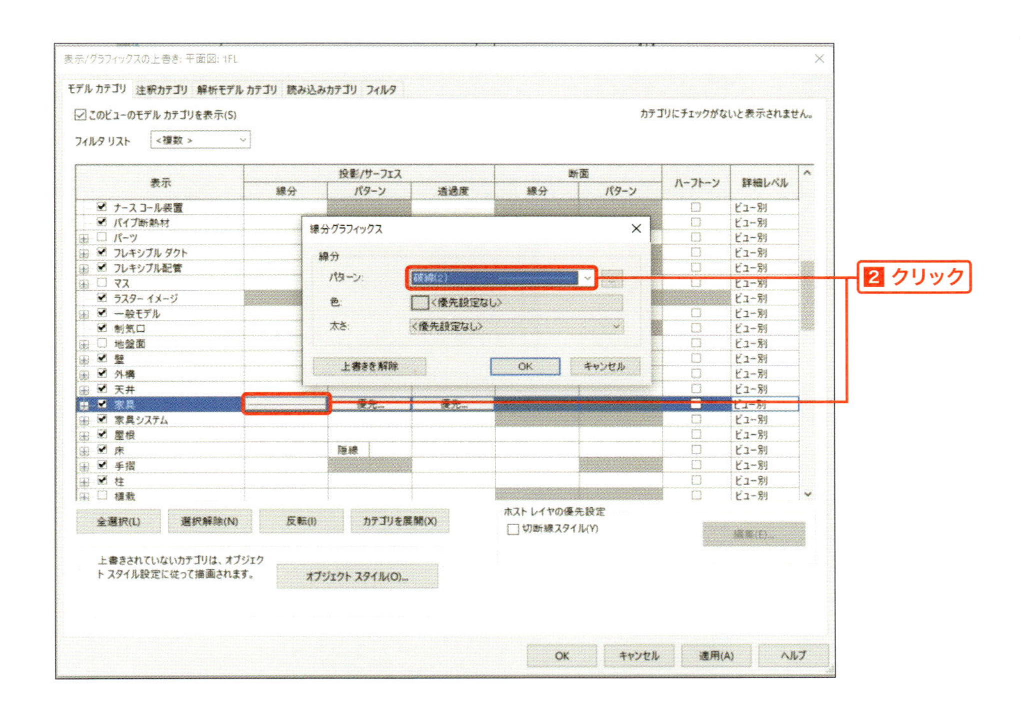

3 ［線分グラフィックス］ダイアログボックスの［パターン］で［線種］を「破線（2）」にします。
ファミリをロードした場合などは、サブカテゴリとして［オフィス家具］や［キャビネット］［キャビネット-扉］などが追加されることがあります。それらの［線種］も「破線（2）」にします。

memo

［表示/グラフィックスの上書き］の設定は、そのビューにだけ適用されます。モデルのエッジの表示についての詳細は「8-04」を参照してください。

memo

各ファミリは何らかのカテゴリで作成されています。［家具］カテゴリで作成されているファミリをロードすると、プロジェクトファイル内でも［家具］カテゴリに入ります。

16 平面図上の単線を考察する

ここでは、図のように便器後ろに高さ「1000」のライニングを作成します

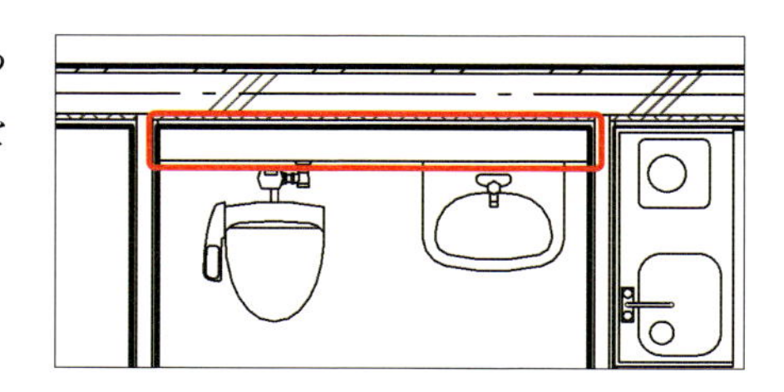

CADでは1本の単線を引くだけですが、BIMでは3Dモデルのエッジとしての線を意味します。

このライニングを作成する場合、次の3通りの方法が考えられます。

A) 図のように壁と棚板を3Dで作成する

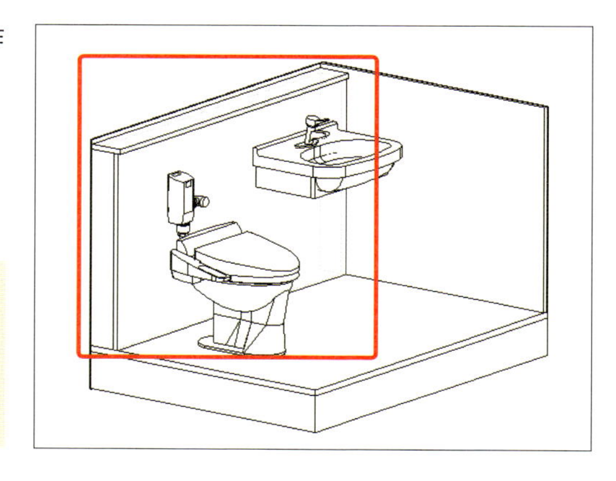

memo

このアイソメの作成方法は、「3-20」を参照してください。

B) 図のような壁を作成する。棚板までは作成しない

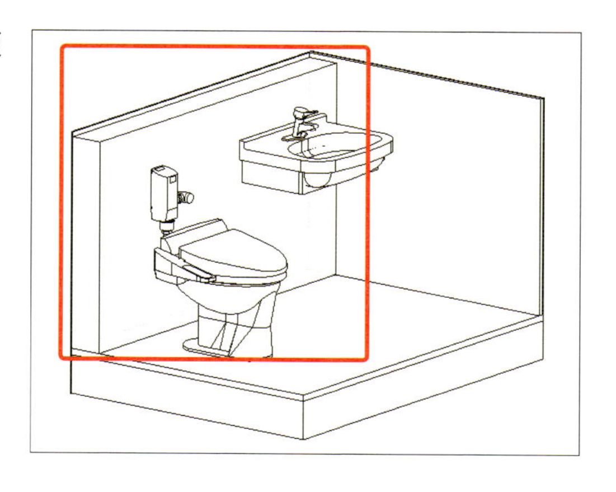

C) 床の高さに線を1本引くだけにする

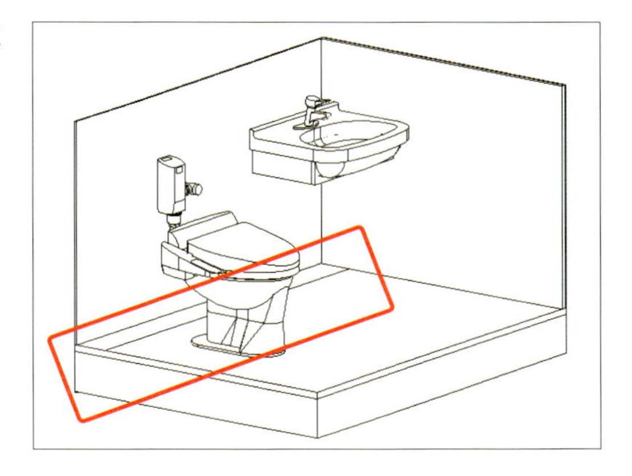

どの方法でも平面図および平面詳細図では同じ表現になります。しかし、断面図や展開図、パース（3Dビュー）では表現が異なります。

作業の目的がトイレ内のパースならば、当然A）の方法で作図します。平面図だけが必要で、早く作成したいということであれば、C）の方法で作成し、必要に応じてあとでB）やA）の方法で作り直すことになります。今回はもっとも簡単なC）の方法で作成します。

1 ＜1階平面詳細図＞ビューを開きます。

2 ＜建築＞タブの＜モデル線分＞で、［描画］パネルの＜線＞をクリックして、壁から150のところにライニングの線を引きます。

3 トイレと洗面台の位置を図のように移動します。

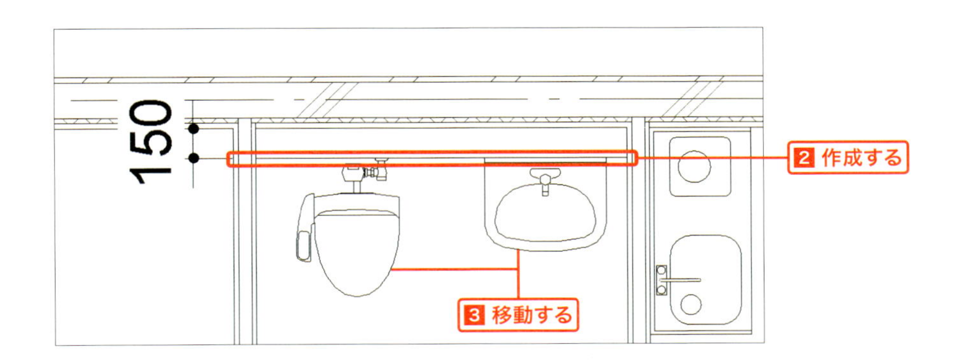

memo

モデル線分の詳細は、「8-08」を参照してください。

17 2階部分を作成する

1階で作ったデータの中から2階にもそのまま使えるものを複製します。

1 <1階平面図>ビューを開き、すべてのデータを選択（「2-07」参照）して、<修正｜複数選択>タブの<フィルタ>をクリックします。［フィルタ］ダイアログボックスで［壁］以外のチェックを外し、<OK>をクリックします。

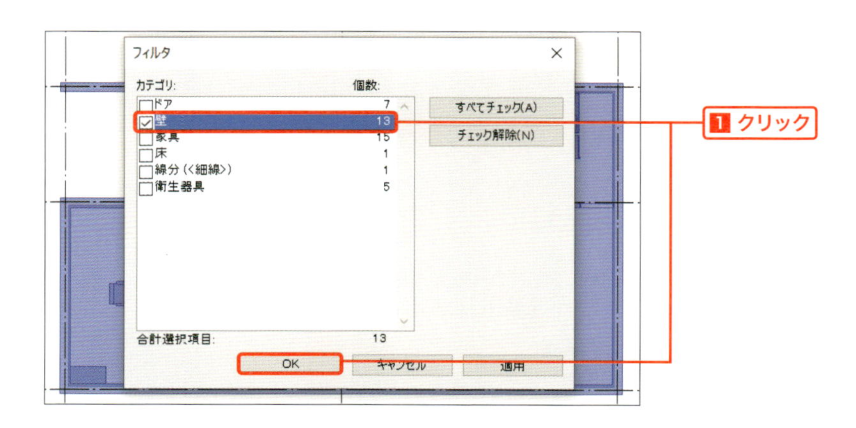

2 ［壁］だけが選択されます。

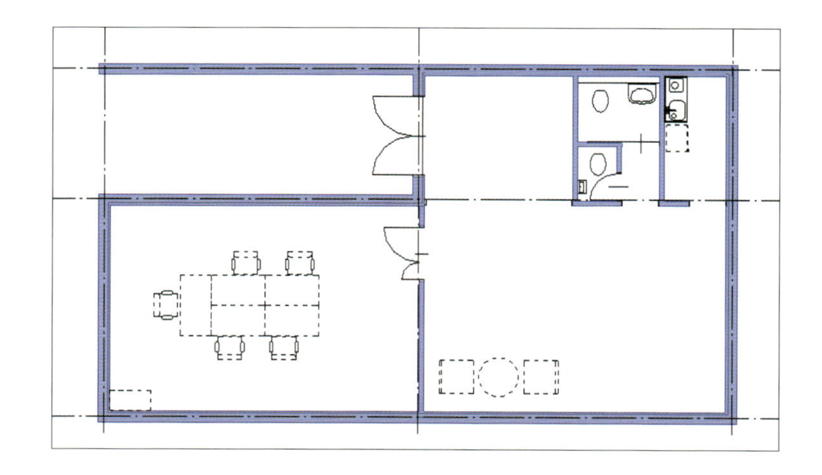

3 ［Shift］キーを押しながら、２階では使わない壁をクリックして選択を外します。

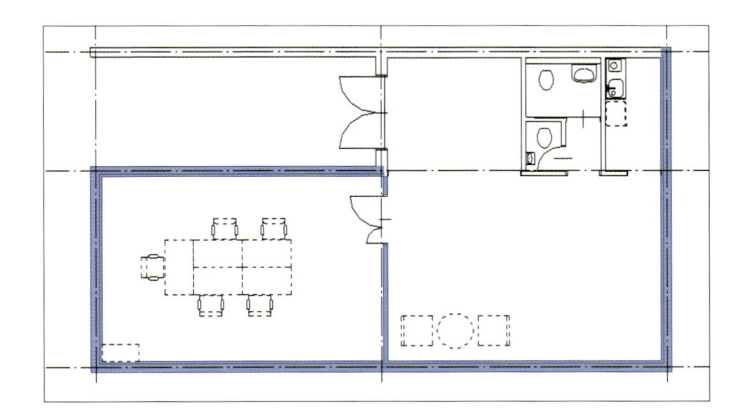

4 ＜修正｜壁＞タブの＜クリップボードにコピー＞をクリックして、＜修正｜壁＞タブの＜貼り付け▼＞→＜選択したレベルに位置合わせ＞をクリックします。

5 ［レベルを選択］ダイアログボックスが表示されるので＜2FL＞を選択して、＜OK＞をクリックします。

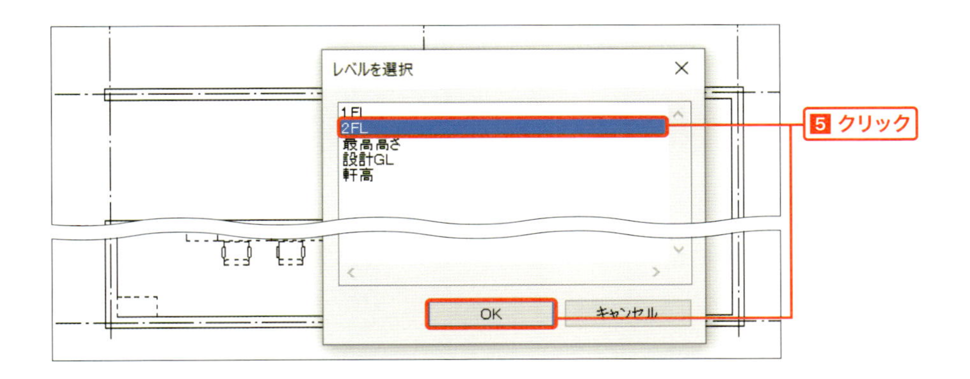

6 １階平面図ビューを作成したときと同じ方法（「3-03」参照）で、2FLビューを＜詳細を含めて複製＞をし、図面用の２階平面図を作成します。

2階平面図を作成する

＜2階平面図＞ビューを開くと、コピーされているのが分かります。壁にドアが配置されている場合には、配置されているドアも一緒にコピーされます。

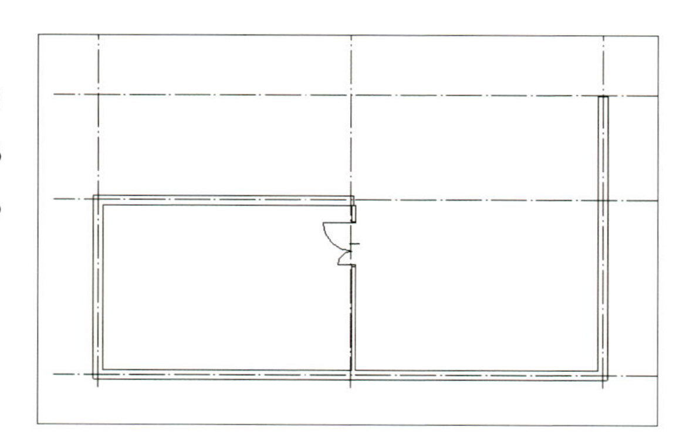

memo

壁をクリックしたときに、図のように「結合を許可」というマークが出ていると結合しないのでクリックしてマークを消し、自動的に結合されるようにします。

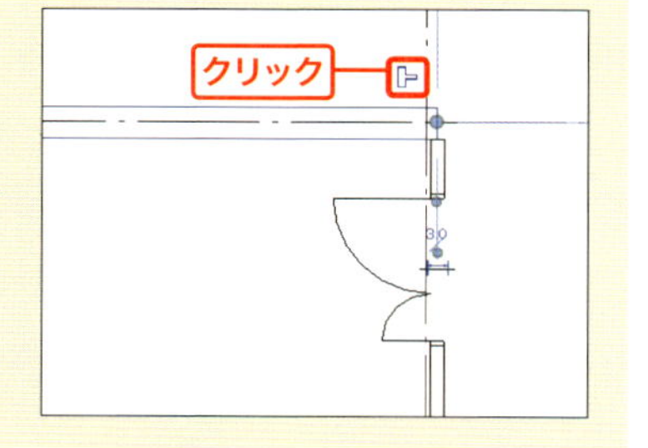

1 ＜修正＞タブの＜コーナーへトリム/延長＞で壁をつなげます。2階の壁が作成されました。

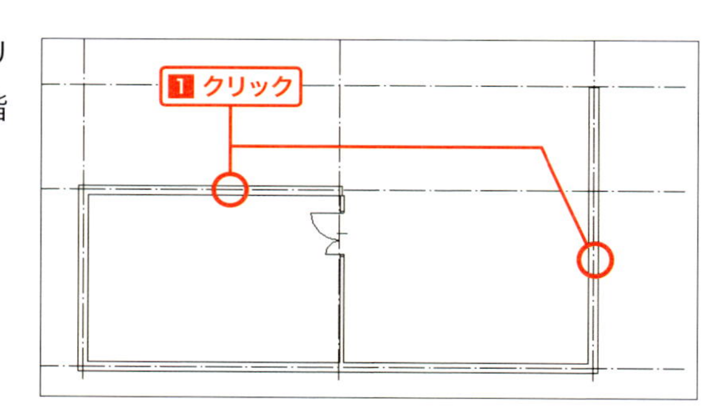

2 作成した2階の外壁を Ctrl キーを押しながら選び（フィルタで選択も可）、壁の種類を「Hb_外壁RC_2F」に変更します。

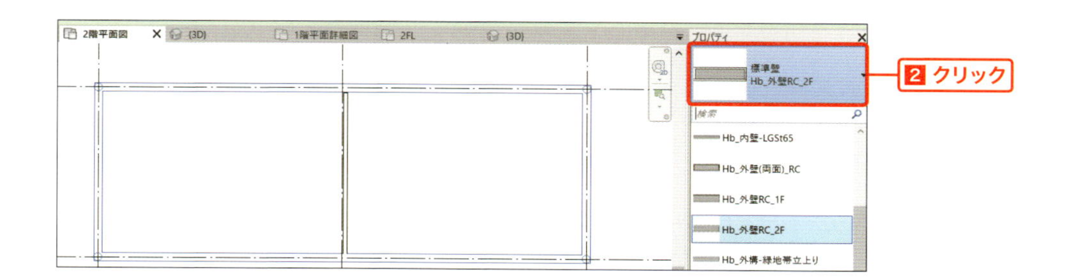

3 1階の外壁をGLまで伸ばします。<1階平面図>ビューを開き、Ctrlキーを押しながら外壁を選択し、基準レベルを「設計GL」にします。

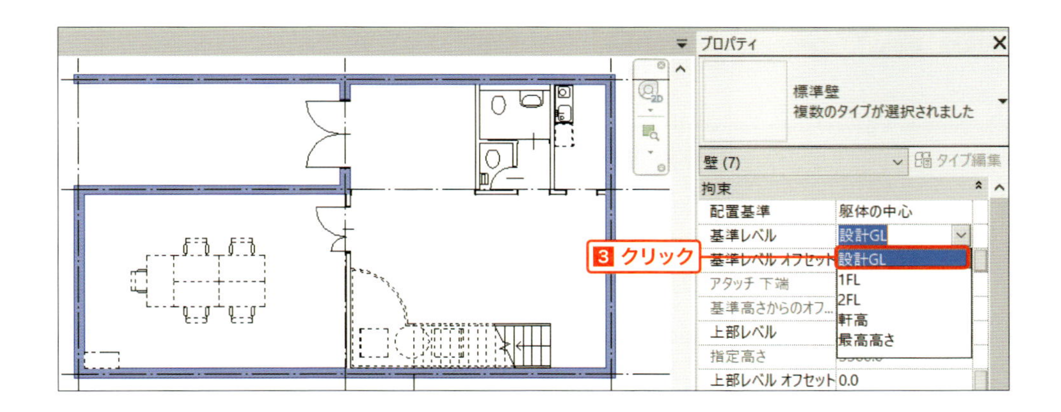

4 [プロジェクトブラウザ] の<ビュー>→<立面図(立面)>→<作業用>→<南>ビューの順に開いて、1階壁の基準レベルが設計GLになっていることを確認します。

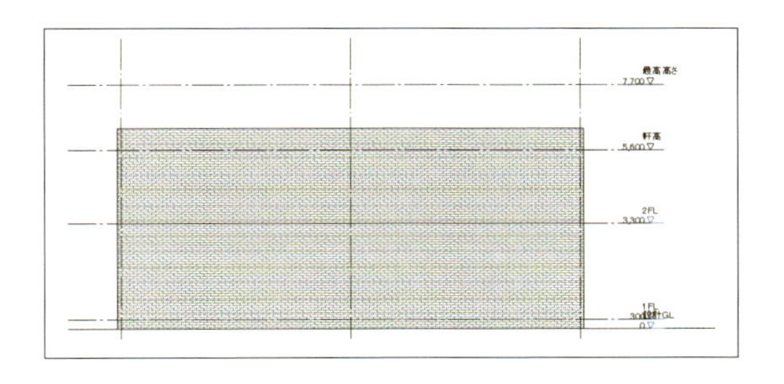

5 2階平面図を開いて、<建築>タブ→<コンポーネント>→<コンポーネント配置>で家具を図のように配置します。ドアは移動して向きも変えます。

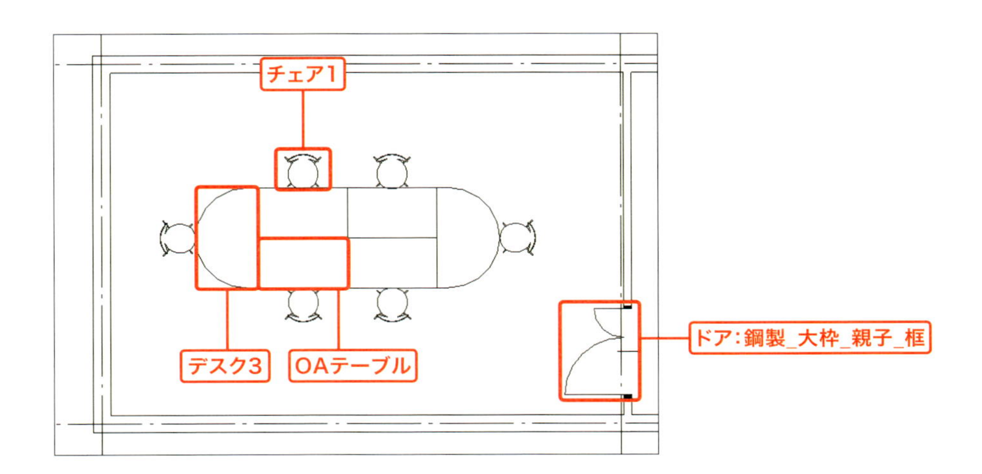

階段を作成する

ビューは1階平面図にして、任意の場所に階段を作成し、位置を合わせます。

階段を作図する

1 ＜建築＞タブの＜階段＞をクリックします。

2 ［プロパティパレット］で「現場打ち階段コンクリート」を選択します。

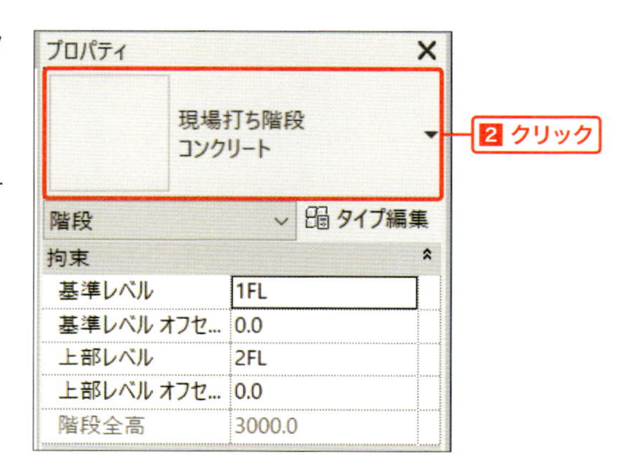

3 ［プロパティパレット］の＜タイプを編集＞をクリックして、［タイププロパティ］ダイアログボックスの［計算規則］の［蹴上げの最大高＝最大蹴上げ寸法］と［最小踏み面奥行き］［最小階段経路幅］に、法規的な数値を入力します。ここでは、「220」「210」「750」とし＜OK＞をクリックします。

4 最大値で自動計算されますので、実際の数値を入力します。［蹴上数］を変更すると、蹴上寸法が自動的に変わるので、蹴上数を増やすなどして階段の傾斜を調整します。ここでは［プロパティパレット］の［蹴上数］を「16」とします。

5 ［現在の踏面奥行］にこれから作成する踏み面奥行「240」を入力し、＜適用＞をクリックします。法的に適応しない数値を入力した場合、階段作図の際に警告が出ますが、警告を無視してそのまま続行することもできます。。

6 の［基準レベル］と［基準レベルオフセット］、［上部レベル］と［上部レベルオフセット］を確認します。ここでは、「1FL」「0.0」「2FL」「0.0」とします。

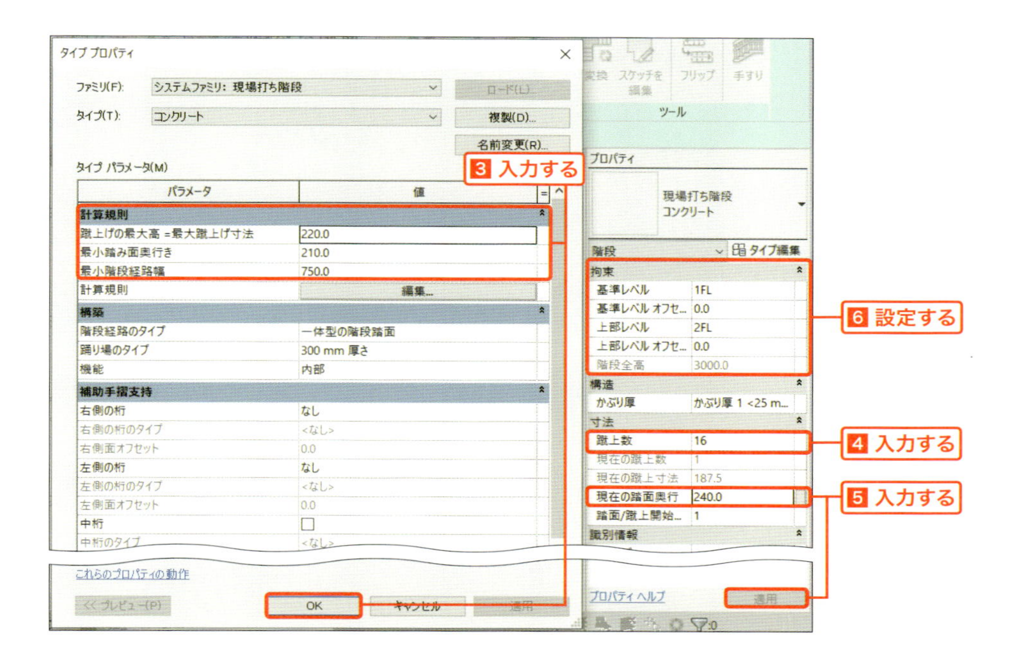

7 オプションバーの配置基準線を「経路：中心」、［実際の経路幅］を「1000」とします。

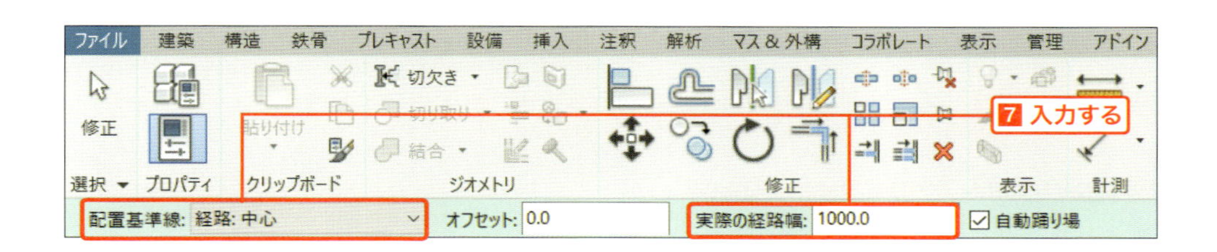

8 ［ツール］パネルの<手すり>をクリックし、「なし」にしておきます。

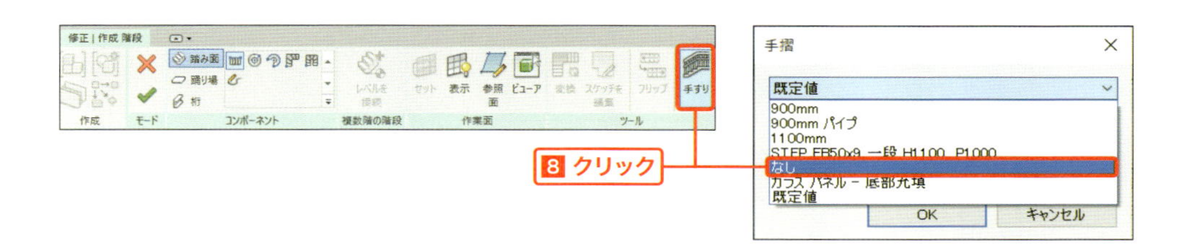

9 任意の場所をクリックして階段の始点にします。

10 カーソルを動かし、蹴上数が「16」と表示されたところで2点目をクリックします。

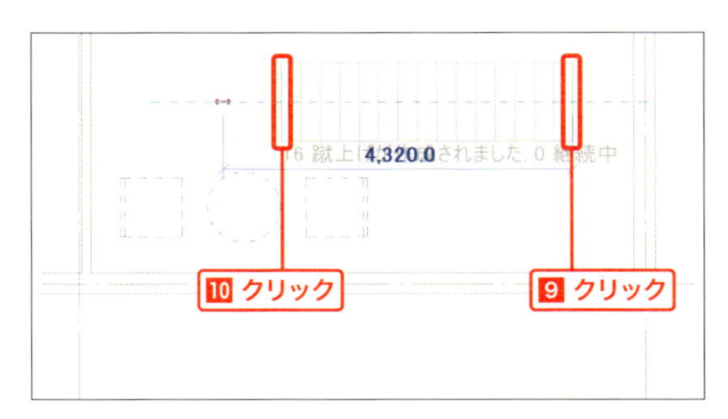

11 ＜編集モードを終了＞をクリックすると階段ができます。

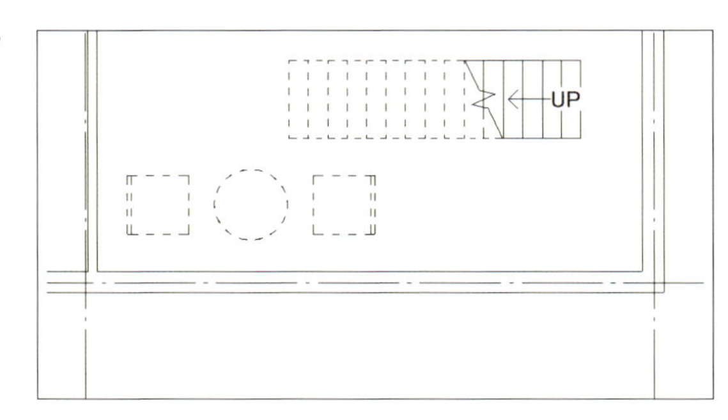

12 階段を通り芯から1800の位置に移動します。＜注釈＞タブの＜平行寸法＞で図のように寸法線を引きます。

13 階段をクリックすると寸法値が青くなります。青くなった寸法値をクリックして、半角で「1800」と入力して Enter キーを押します。

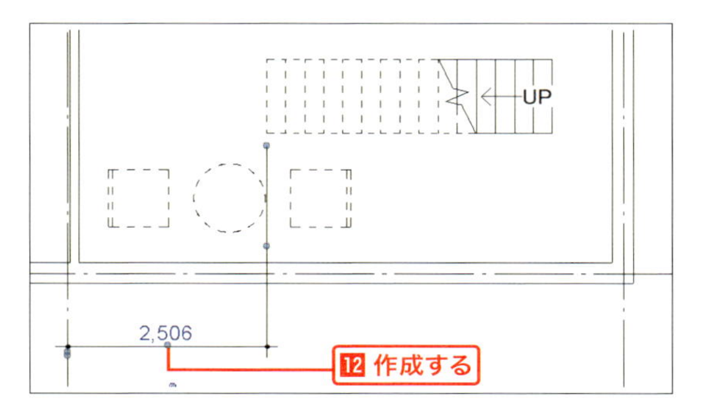

14 ＜修正＞タブの＜位置合わせ＞で、図の順番にクリックして階段を壁の内側まで移動します。

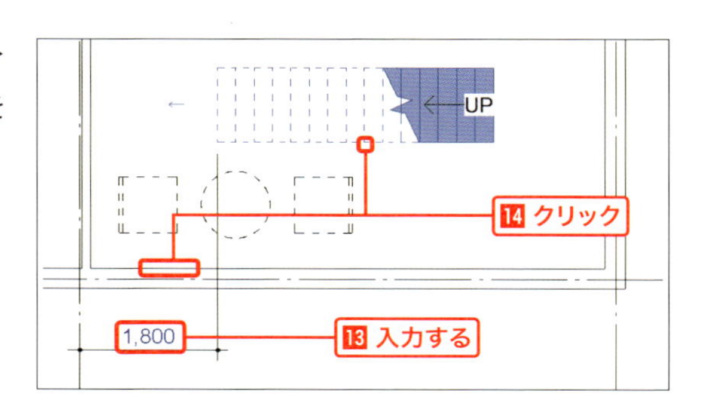

踊り場を作成する

踊り場を作成します。

1 <1階平面図>ビューを開き、階段を選択し、<修正｜階段>タブの<階段を編集>をクリックします。

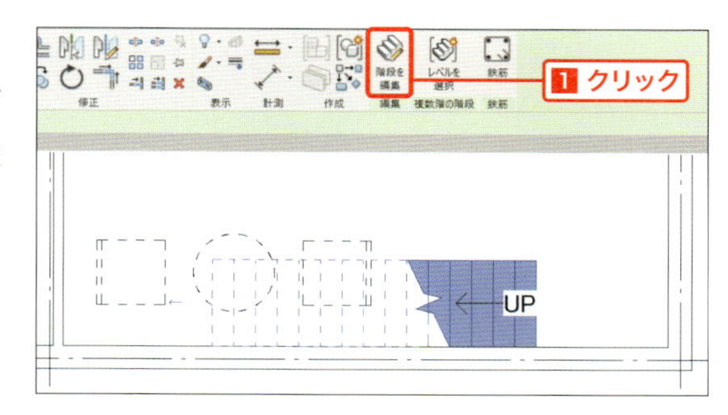

2 <修正｜作成 階段>タブの<踊り場>をクリックし、<スケッチを作成>を選択します。

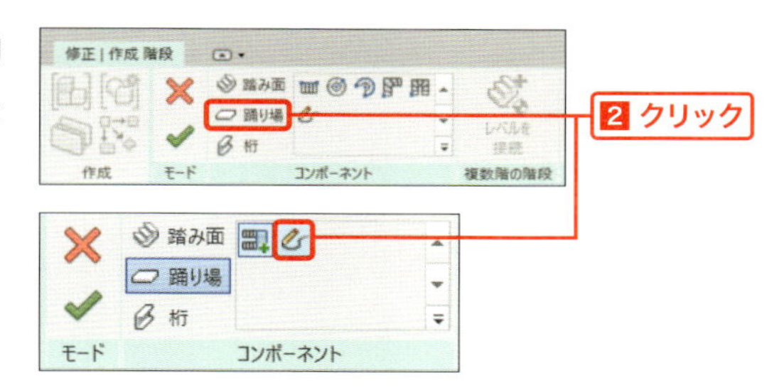

3 ［描画］パネルの<線>を選択し、階段から150離れた位置から踊り場を作成します。

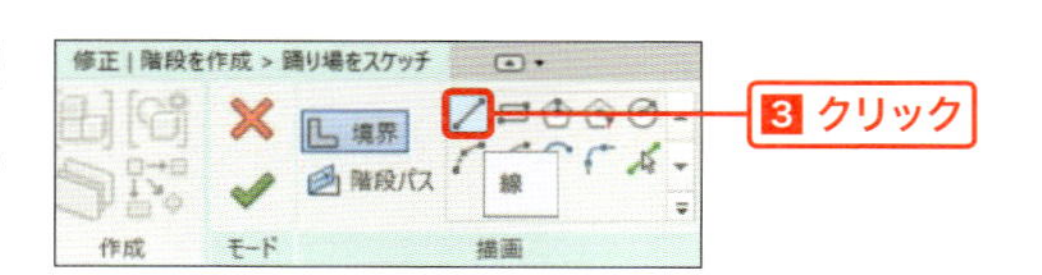

4 図のように階段の端をクリックし、左にマウスを動かして、「150」と半角で入力します。Enter キーを押して、<修正>をクリックします。

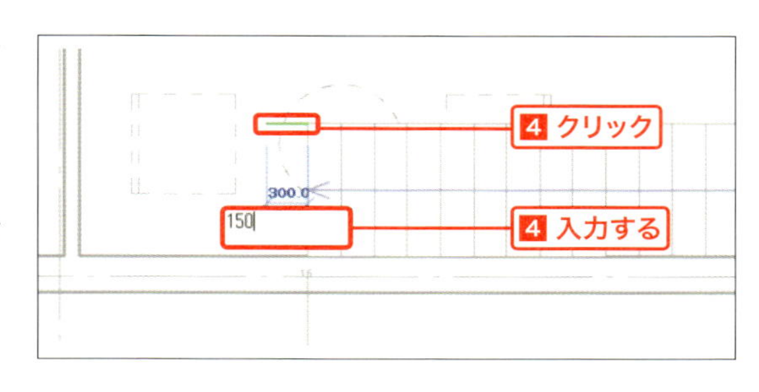

5 ［描画］パネルの<中心-両端指定による円弧>をクリックします。

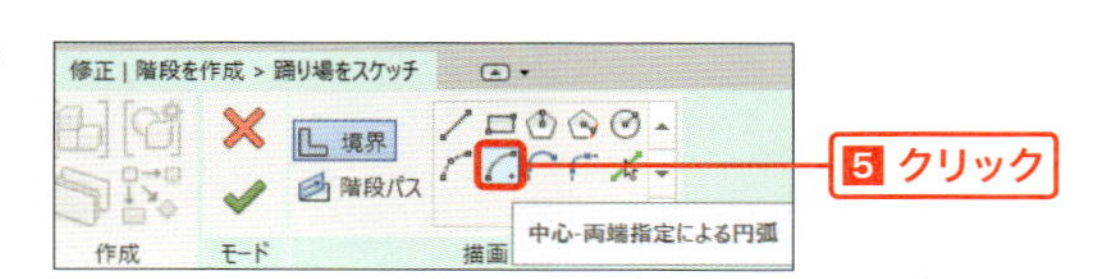

第3章 平面図を作成する

6 図のように壁にカーソルを近づけると、補助線がでてきます。スナップしたところでクリックします。

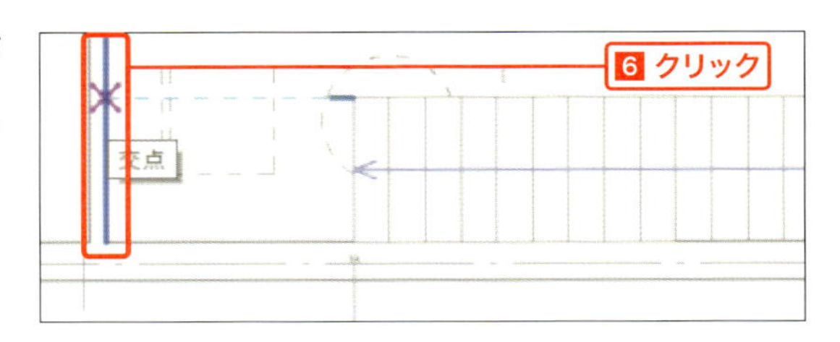

7 クリックしたところから動かすと円ができます。図のように作成した線分の先端にスナップしたところでクリックします。

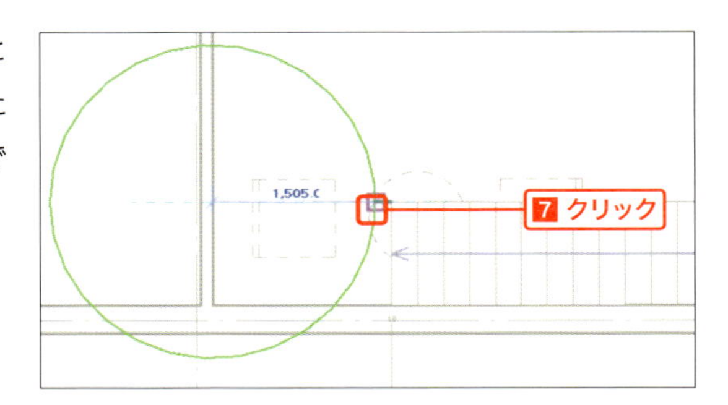

8 図のように壁に近づけていき、壁にスナップしたところでクリックします。

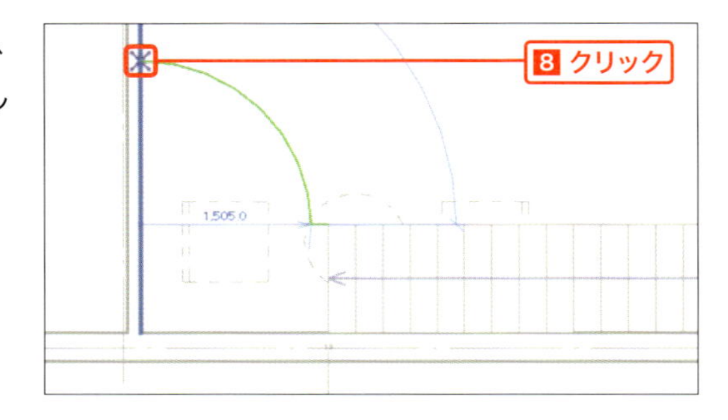

9 ［描画］ツールを使い、図のように描画します。なお、スケッチ線が閉じられていないとエラーとなります。

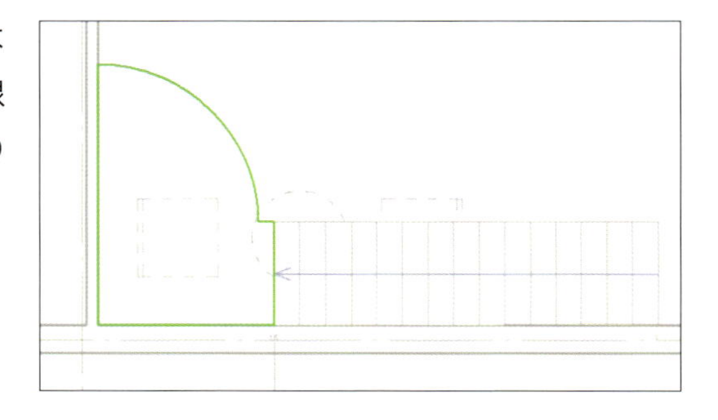

10 ＜編集モードを終了＞を2回クリックします。

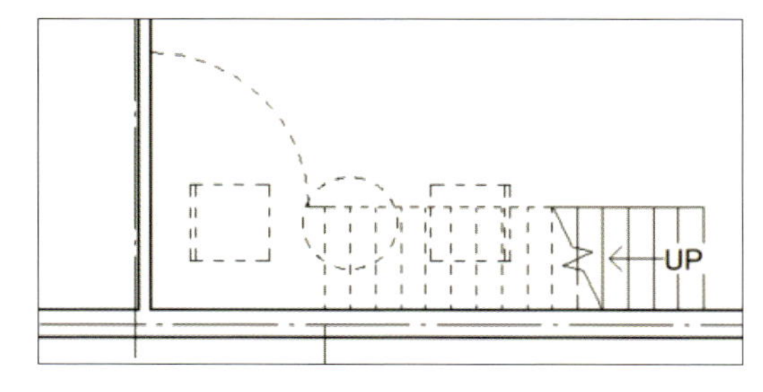

手摺を編集する

1 手すりを作成します。<建築>タブの<手摺>→<階段/スロープ上に配置>をクリックします。

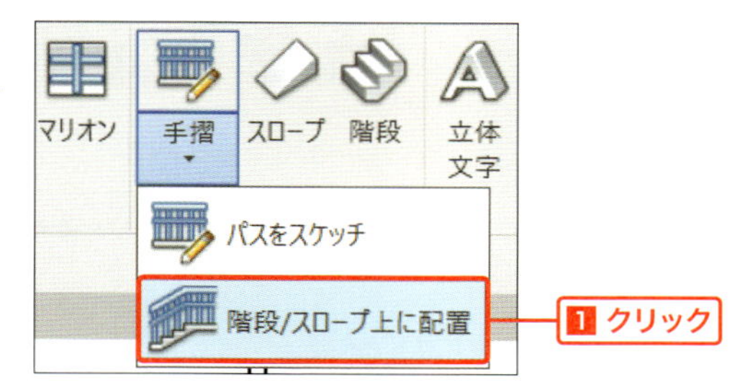

2 <踏み面>を選択し、[プロパティパレット] の [タイプセレクタ] で「STEP FB50x9　一般H1100 P1000」を選択します。

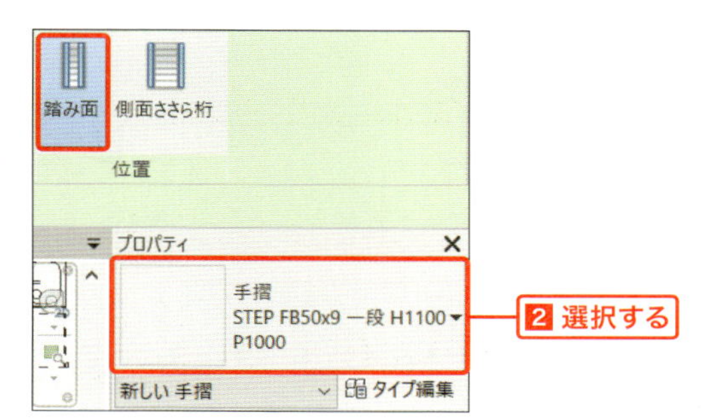

3 階段をクリックすると手摺が作成されます。<パスを編集>をクリックします。

4 不要なパスを削除します。

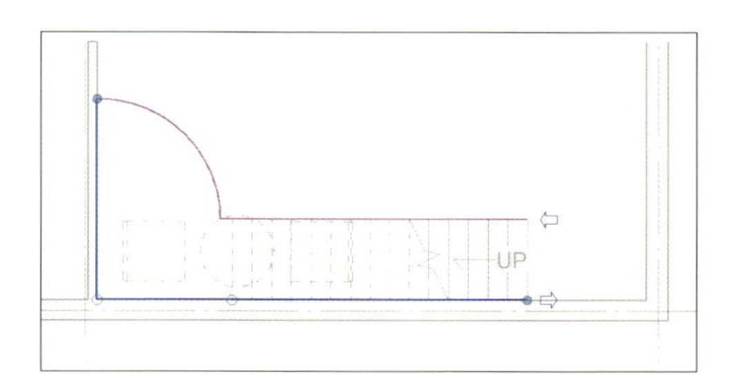

5 <編集モードを終了>をクリックします。

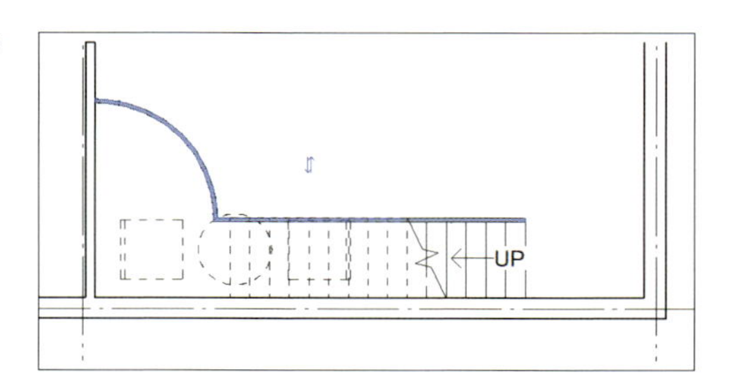

第3章 平面図を作成する

19 窓を配置する

窓を図のように配置します。

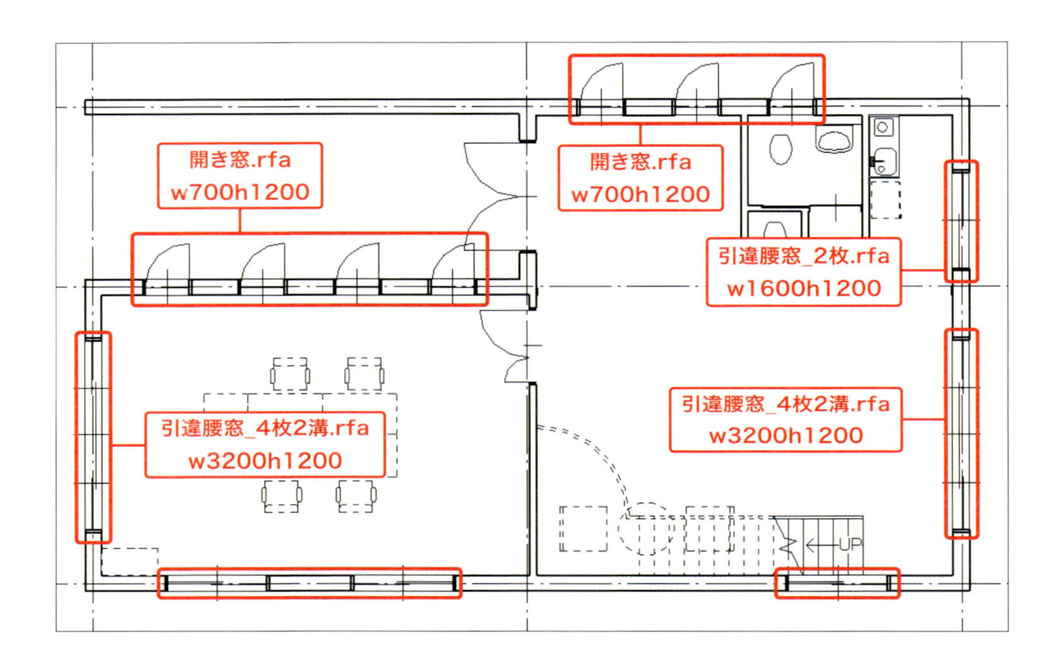

1 <建築>タブの<窓>を使い、次のファミリを配置します。[プロパティパレット] の [下枠の高さ] は全窓共通で「1000」にします。

- 引違腰窓_4枚2溝.rfa w3200h1200
- 引違腰窓_2枚.rfa w1600h1200
- 開き窓.rfa w700h1200

2 配置した窓のサイズを変更します。開き窓を選択し、[プロパティパレット] の<タイプの編集>をクリックします。

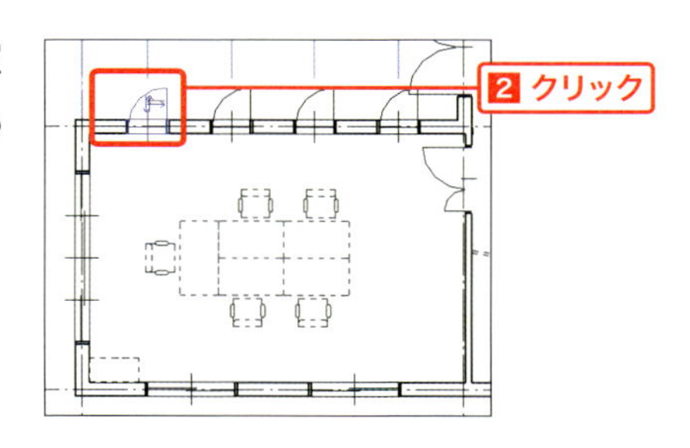

3 ＜複製＞をクリックし、「w650h1200」と名前を変更します。

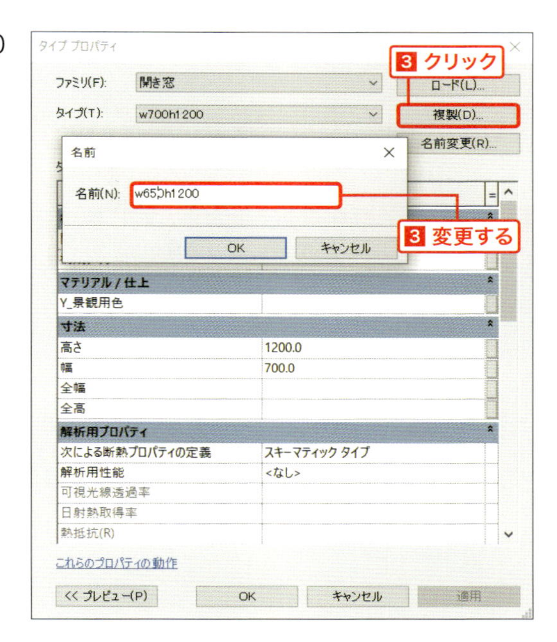

4 ［幅］を「650」に変更します。

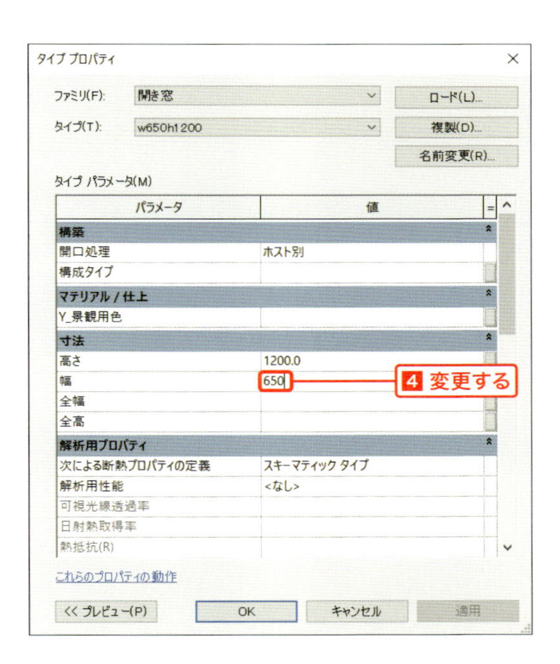

5 図のように Ctrl キーを押しながら（またはフィルタで）複数の窓を選択し、［プロパティパレット］の＜タイプセレクタ＞から「w650h1200」を選択します。

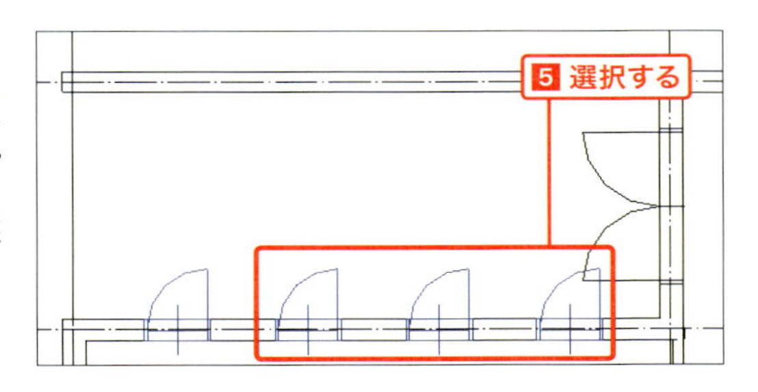

2階の窓を作成する

1階の窓をコピーして2階に配置します。

1 「3-17」で壁を選択したときと同じ要領でフィルタを使って1階の窓をすべて選択します。 Shift キーを押しながらコピーしない窓をクリックし、必要のない窓を選択から外します。

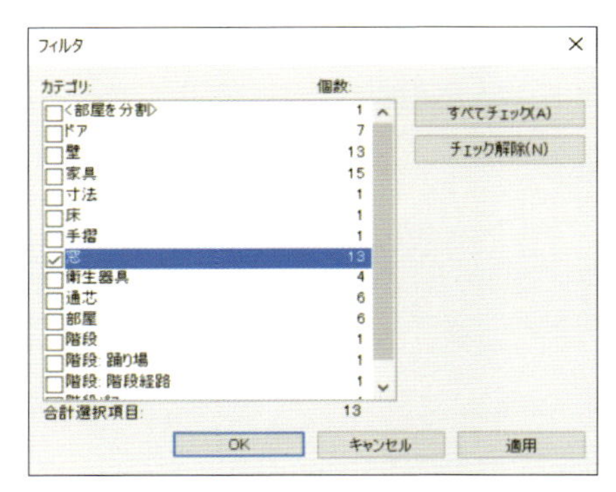

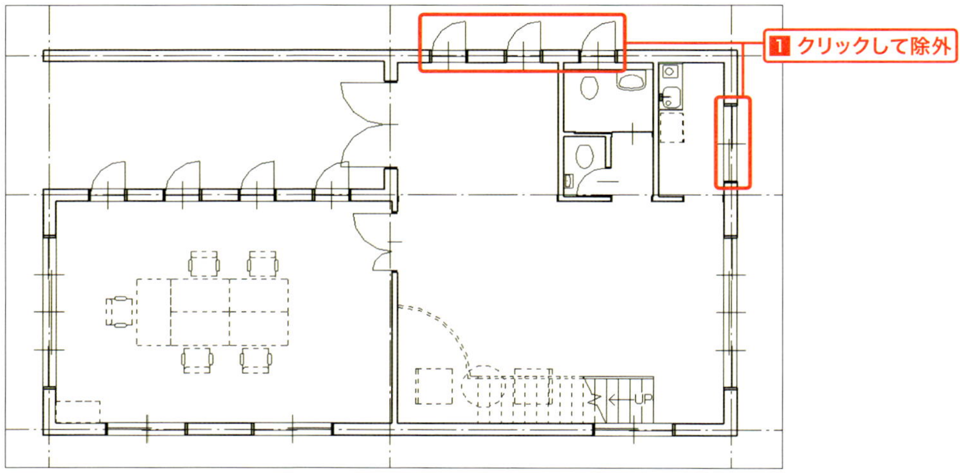

2 <修正｜窓>タブの<クリップボードにコピー>→<貼り付け▼>→<選択したレベルに位置合わせ>をクリックします。

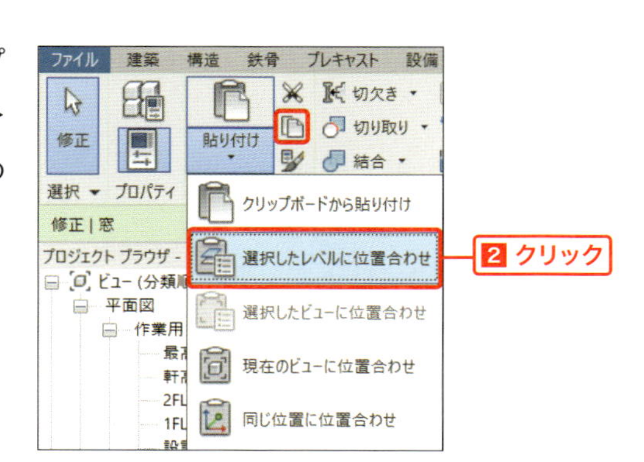

3 ［レベルを選択］ダイアログボックスが表示されるので「2FL」を選択して、＜OK＞をクリックします

4 2階平面図ビューに切り替えると、以下のように窓がコピーされています。

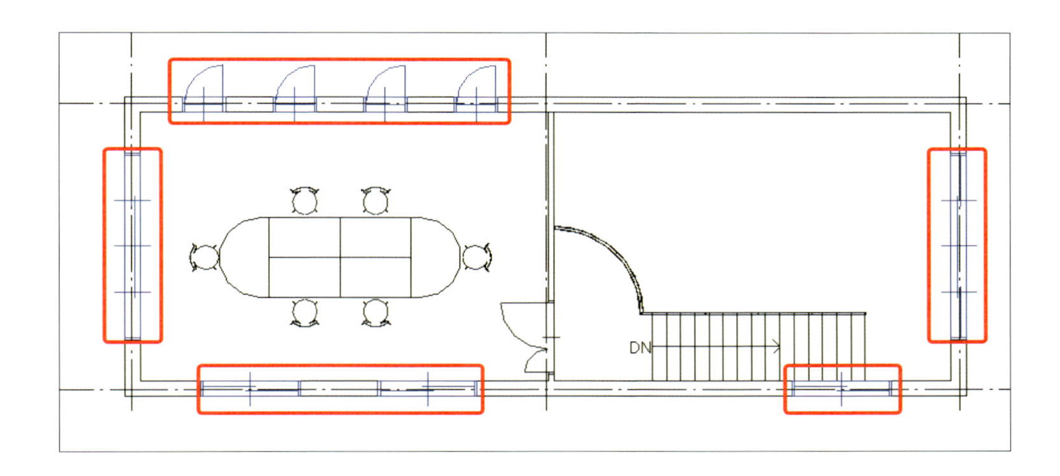

5 残りの窓はコピー元の窓を選択して＜修正|窓＞→＜コピー＞をクリックして、［オプションバー］の［拘束］にチェックを付けて配置します。

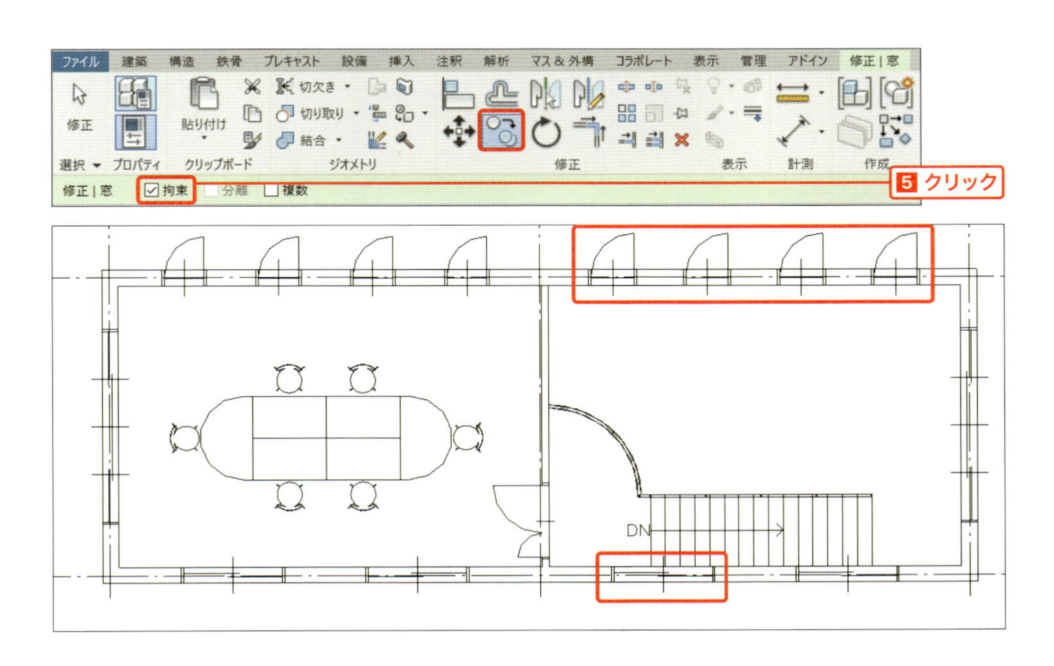

3Dで確認する

＜表示＞タブの＜3Dビュー＞→＜既定の3Dビュー＞をクリックすると3Dビューになります。［プロジェクトブラウザ］の＜3Dビュー＞→＜作業用＞→［3D］を開いても同じです。

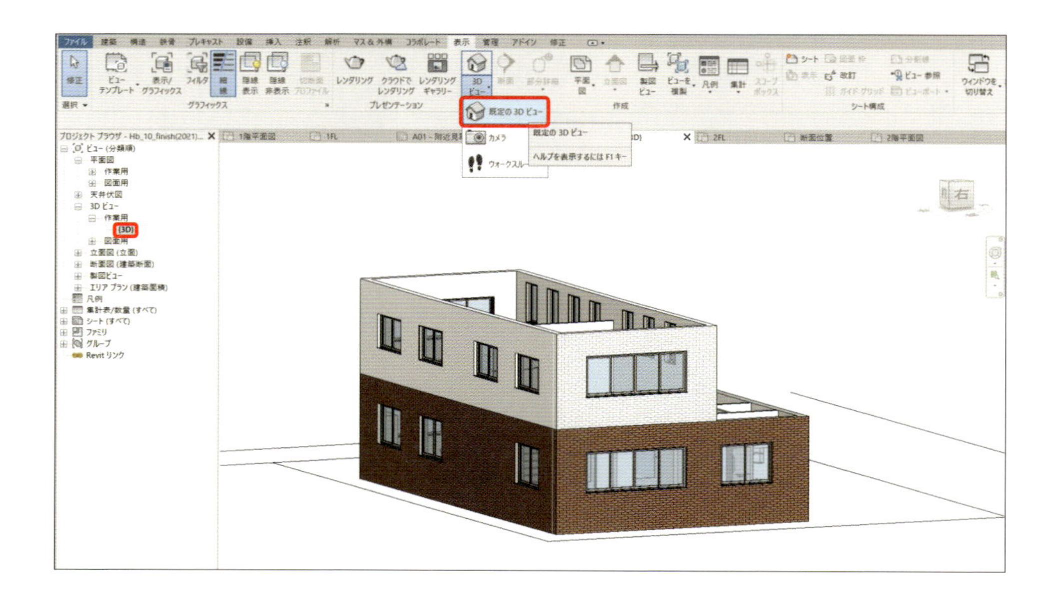

これまでのマウスの動きに加え、Shiftキー＋スクロールボタンのドラッグでモデルが回転します。この動きをオービットと言います。モデルのどれかを選択してオービットをすると、その選択されたモデルを中心に全体が回転します。

作図領域右上の立方体はViewCubeと言い、これを使ってモデルの見方を変更できます。

なお、ViewCubeの設定は、＜ファイル＞タブ→＜オプション＞→＜ViewCube＞でできます。

1 ［プロジェクトブラウザ］の<ビュー>→<3Dビュー>→<作業用>→［3D］を右クリックし、コマンドメニューから<ビューを複製>→<詳細を含めて複製>で「部分3D」という名前で新しくビューをクリックします。名前を「部分3D」にし、［プロパティパレット］の［範囲］の［切断ボックス］にチェックを付けます。

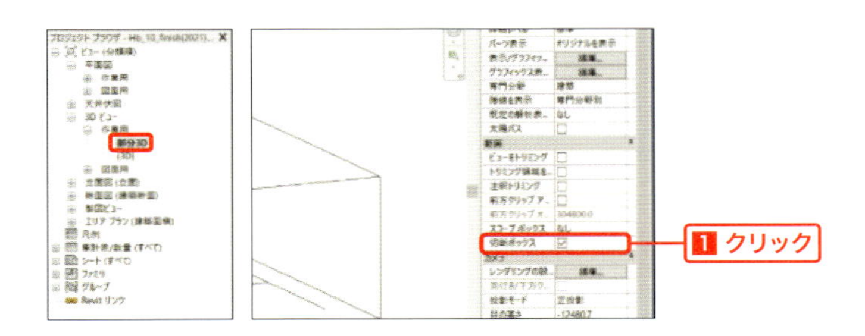

2 切断ボックスをクリックし、各矢印をドラッグしてボックスを小さくしていきます。見せたい大きさになったところで、切断ボックスをクリックし、<表示 | 切断ボックス>→<ビューで非表示>→<要素を非表示>をクリックします。

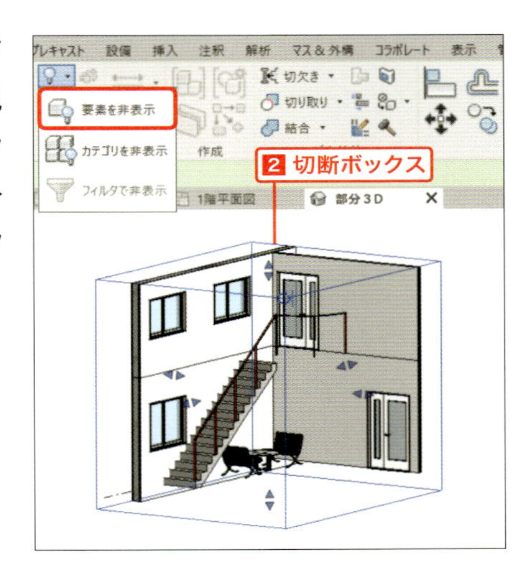

3 必要に応じて縮尺や［詳細レベル］、［表示スタイル］を設定します。

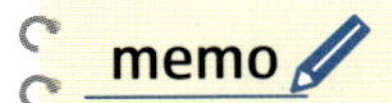

memo

<選択ボックス>をクリックすると、選択したモデルだけの部分アイソメが作成されます。簡易表示での3Dビューの断面の色は、<タイプ編集>の［簡略時のポシェマテリアル］の「値」で変更できます。

Column

●寸法の操作

仮寸法を寸法に変更する

仮寸法を寸法に確定するには、図の仮寸法の記号をクリックします。

なお、仮寸法の青丸をドラッグして測定位置を移動することができます。

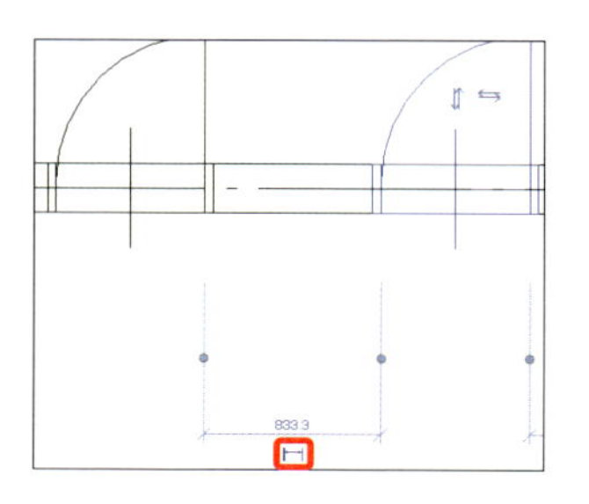

単位の形式を変更する

4000を4,000という表示にプロジェクト全体を変えたいときなどは、＜管理＞タブ→＜プロジェクトで使う単位＞にて［長さ］の［形式］欄で設定します。個別に変えたいときは、寸法のタイプを複製し［単位書式］で［プロジェクト設定を使用］のチェックを外して設定します。

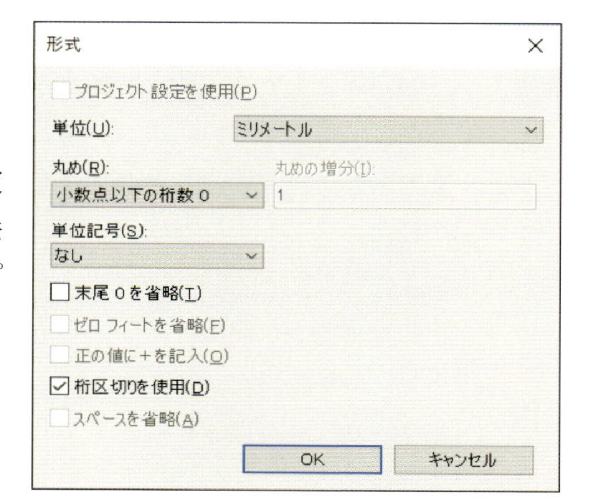

詳細部の寸法を作成する

寸法線を引くときに近くに線があったりなどで、別の線が選択された場合は、Tab キーを押します。Tab キーを押すたびに選択する線が変わるので、目的の線でクリックします。

また、図のように狭いところの寸法は、数値の下の青い丸をドラッグすると引き出し線付きになり移動できます。

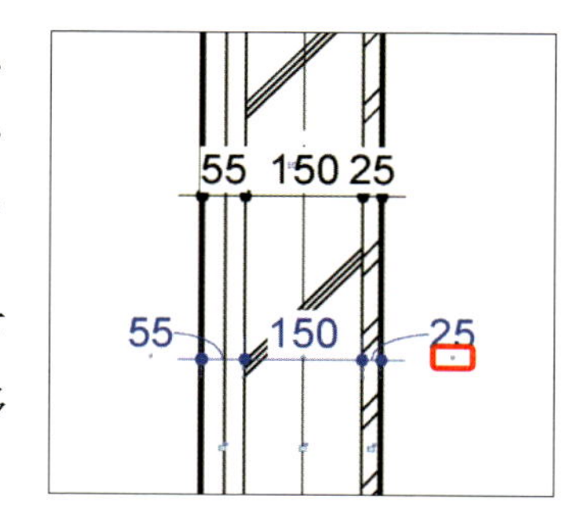

第 4 章

外構図を作成する

この章では、玄関ポーチ・駐車スペース・緑地帯などを作成し、外構を作成していきます。

01 玄関ポーチを作成する

ここからは、サンプルファイル「Hb04-01.rvt」を使用します。

1 「3-09」の要領で［作業用］→［設計GL］ビューを複製して、［図面用］→［配置図］ビューを作成します。［表示/グラフィックス］で家具、立面図を非表示にします。

2 配置図ビューにして、<建築>タブの<コンポーネント>の下の<▼>→<インプレイスを作成>をクリックし、カテゴリを「床」にします。

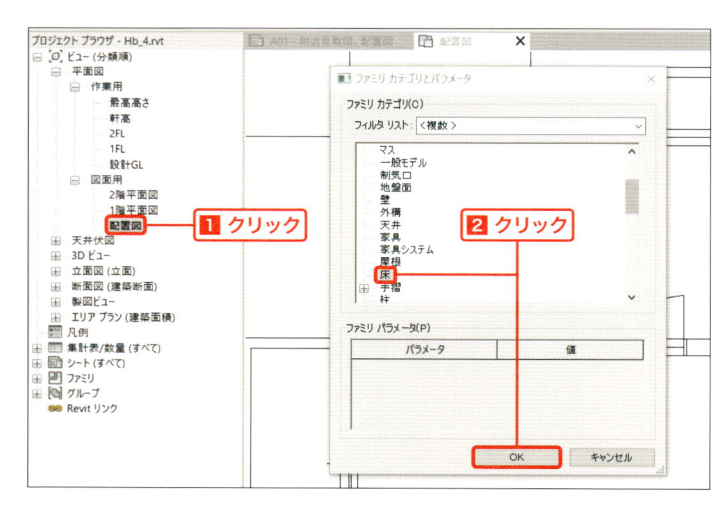

memo

インプレイスは、プロジェクトファイルの中で固有のモデルを作成する機能です。

memo

Revit LTの場合は、インプレイスでは壁以外は作成できません。インプレイスのコマンドは、<建築>タブの<壁>の中にあります。Revit LTでこの玄関ポーチを作成する場合は、<建築>→<床>で2段の床を作成するか、ファミリで制作してロードするか、あるいは壁のカテゴリでインプレイスを作成するかになります。

3 名前は「玄関ポーチ」とします。

4 ＜作成＞タブの＜押し出し＞をクリックします。[描画]→＜長方形＞をクリックし右図のような形状を作成し、[押出始端]を「0」、[押出終端]を「300」とします。

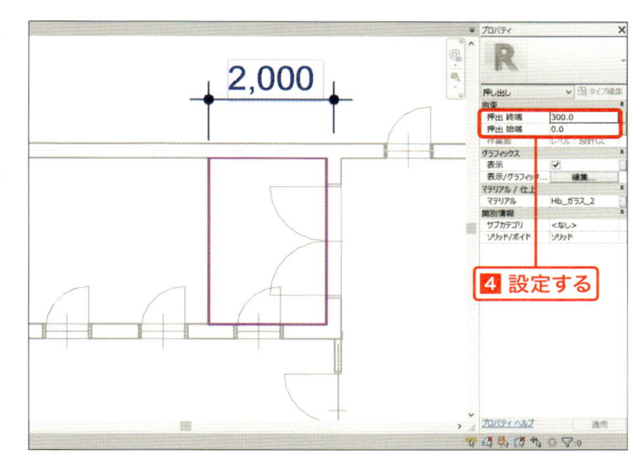

5 上の段ができたら[押し出し]モードを終了します。

6 インプレイスのモードは終了しない状態で、下の段を作成します。＜作成＞タブの＜押し出し＞をクリックして、踏み面を「300」で作成します。

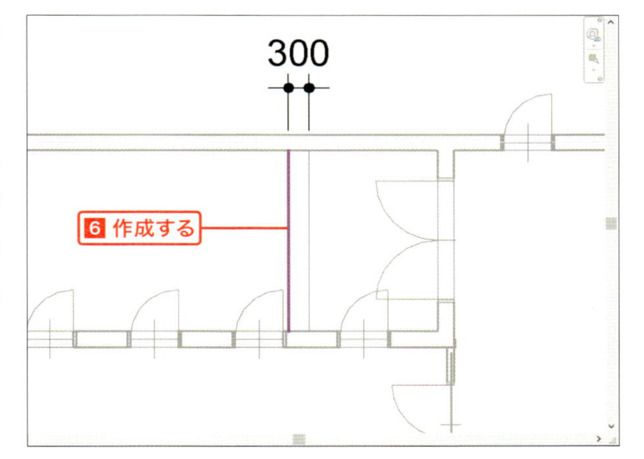

7 幅は外壁より1000内側までとして作成します。[押出始端]を「0」、[押出終端]を「150」とし、[押し出し]モードを終了します。

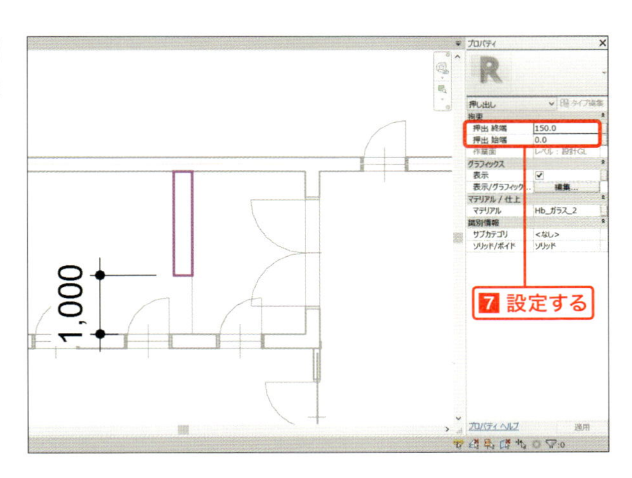

8 インプレイスのモードは終了しない状態で2段とも選択して［プロパティパレット］のマテリアルの＜カテゴリ別＞をクリックし、さらに横の＜…＞をクリックします。

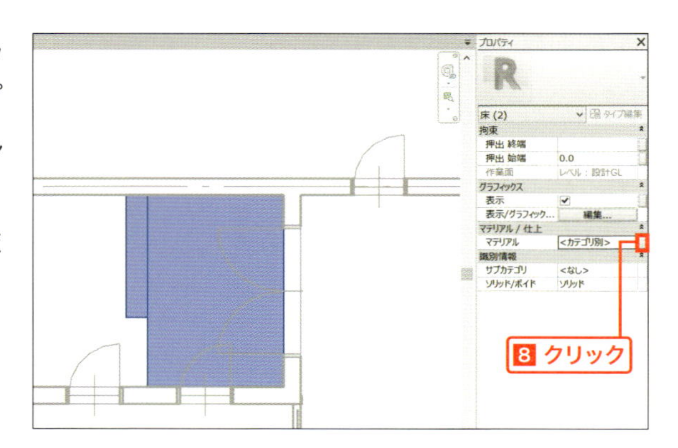

9 ［マテリアル ブラウザ］ダイアログボックスで、＜新しいマテリアルを作成＞をクリックします。

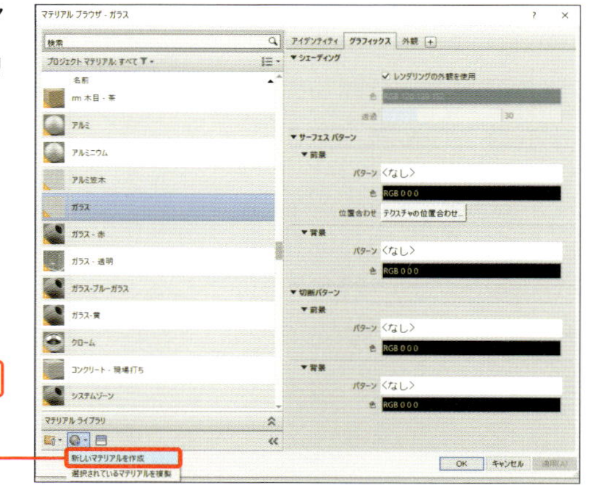

10 新しくできたマテリアル［既定「新規マテリアル」］を右クリックし、コマンドメニューから＜名前変更＞をクリックします。名前を「タイル貼り」とします。

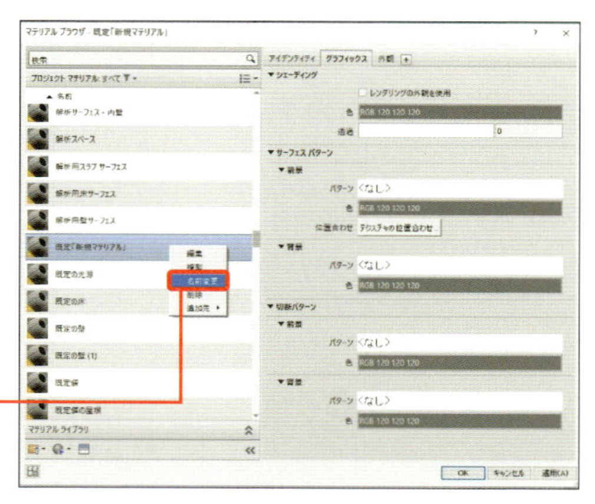

11 右側の［グラフィックス］［シェーディング］の＜色＞をクリックし、淡い茶色（RGB 207 189 167）に変更して、＜OK＞をクリックします。

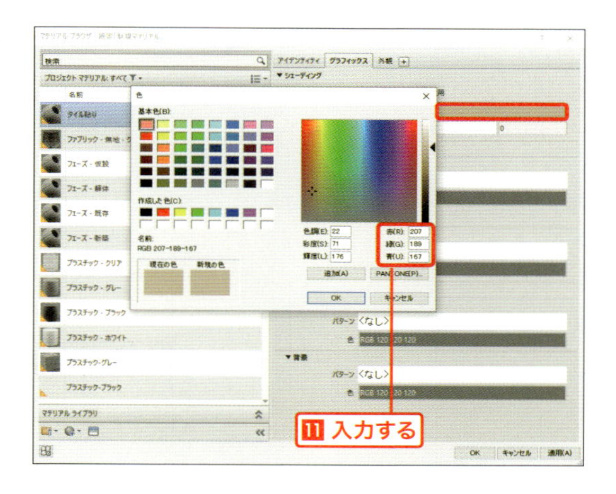

12 ［サーフェスパターン］の［前景］の＜パターン＞をクリックして、［塗り潰しパターン］ダイアログボックスで［パターンタイプ］を＜モデル＞にチェックを付け、＜新しい塗り潰しパターン＞をクリックします。

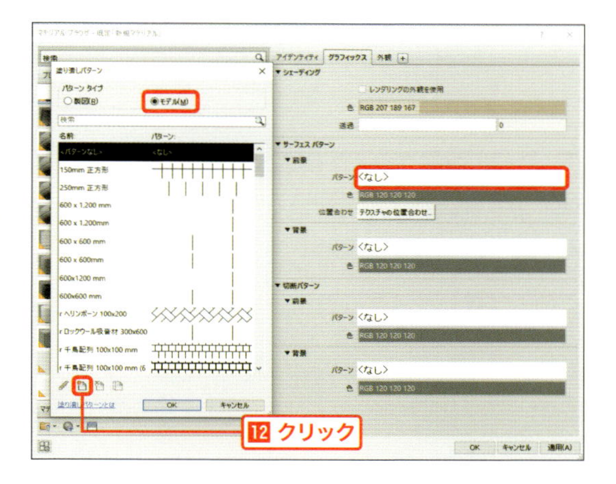

13 ［サーフェス パターンを追加］ダイアログボックスが表示されるので、図のように各項目を書き込み、＜OK＞をクリックします。

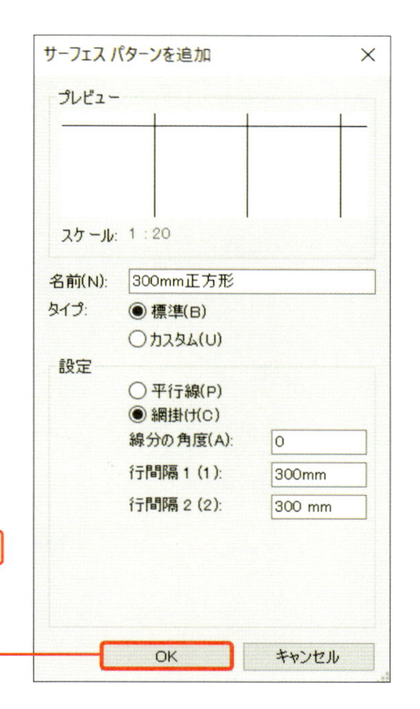

14 新しく300mm角のタイル模様ができました。<OK>をクリックします。

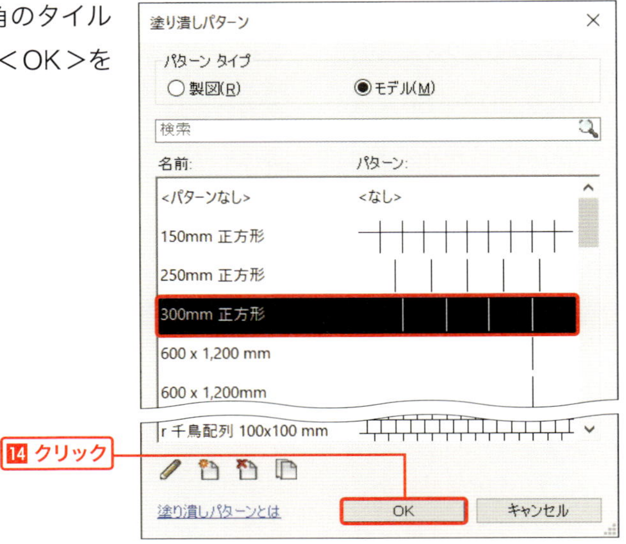

15 ［サーフェスパターン］の［前景］の［色］を濃い茶色（RGB 91 65 40）にします。<OK>をクリックします。

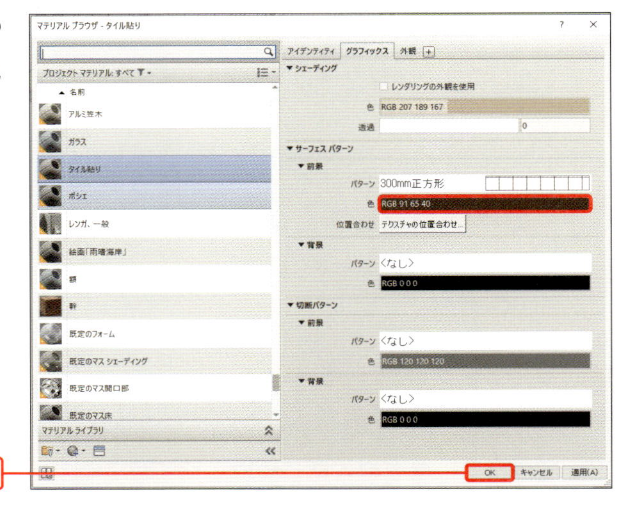

16 インプレイスの<モデル終了>をクリックすると、図のようになります。［ビューコントロールバー］の［表示スタイル］が<隠線処理>の場合、［シェーディング］の「色」は表示されません。

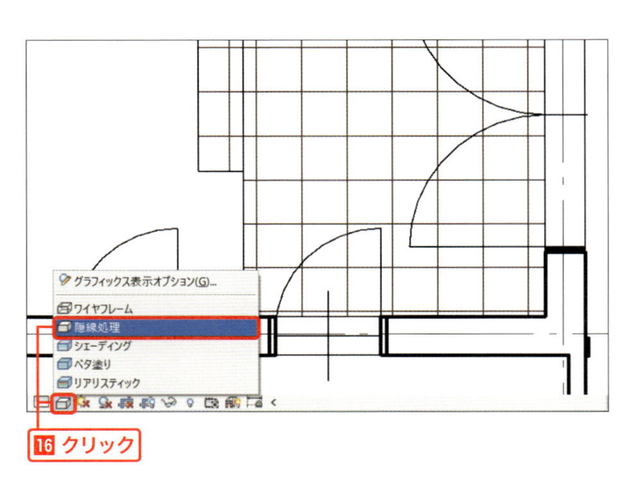

表示スタイルの違い

［表示スタイル］を＜シェーディング＞にすると、［シェーディング］の「色」＋［サーフェスパターン］が表示されます。

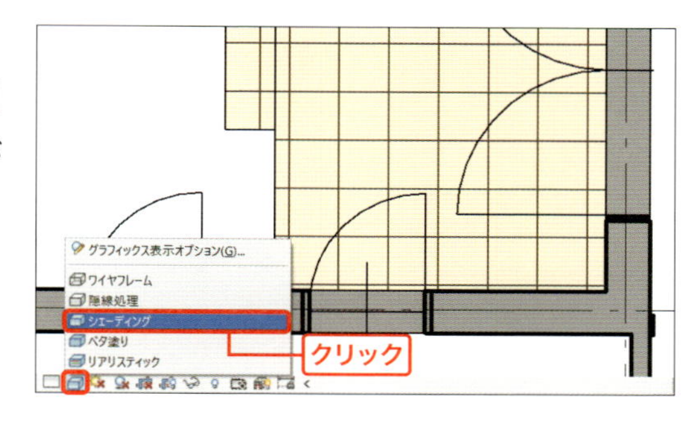

［表示スタイル］を＜ベタ塗り＞にすると、［シェーディング］の「色」＋［サーフェスパターン］の「色」がそのまま表示されます（＜シェーディング＞との違いは付録03参照）。

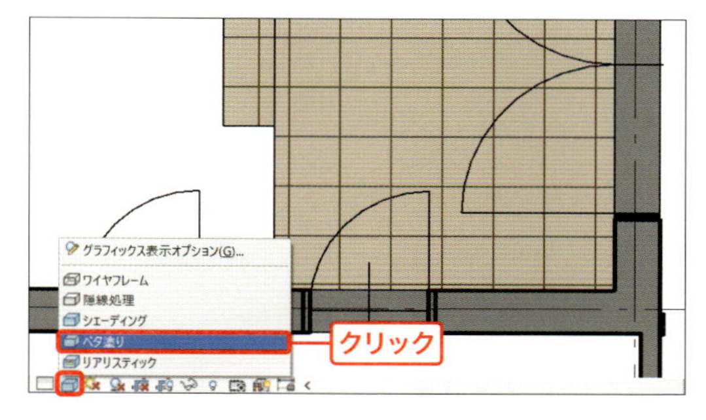

［表示スタイル］を＜リアリスティック＞にすると、［シェーディング］の「色」や［サーフェスパターン］は無視され、マテリアルの「外観」が適用されます。

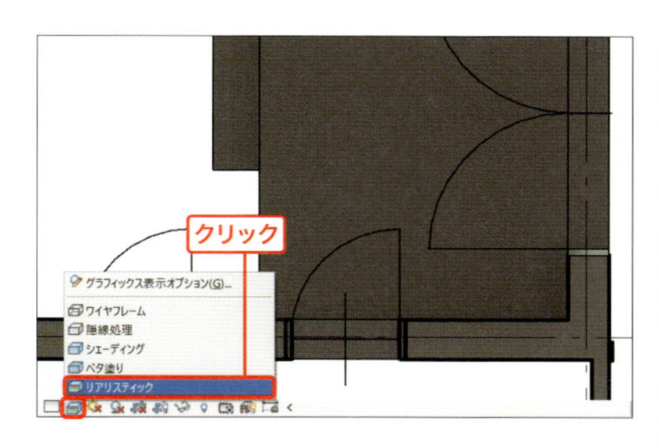

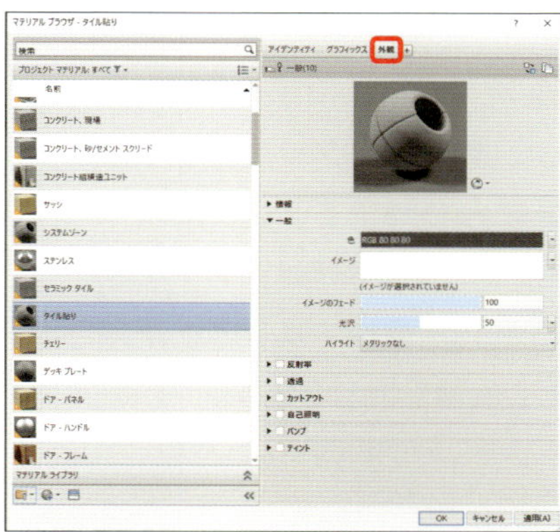

memo

［表示スタイル］が＜シェーディング＞のとき、照明の設定によっては明るくて色が反映されにくいときがあります。その場合は、ビューの＜プロパティ＞-＜グラフィックス表示オプション＞-＜照明＞で照明の設定を変更します。

割り付けを調整する

タイルの割り付けを調整します。

1 玄関ポーチを選択して、<インプレイス編集>をクリックします。

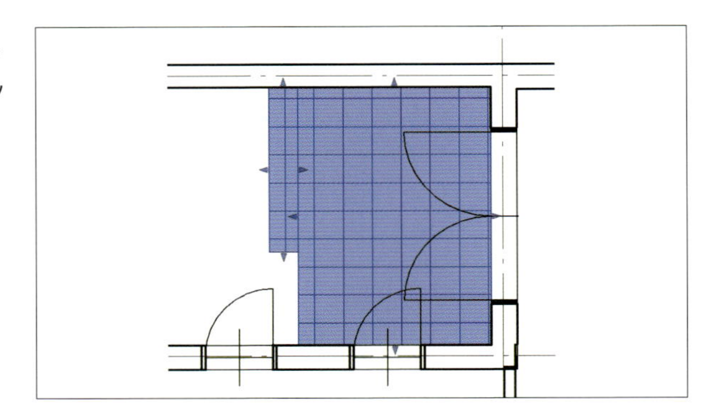

2 <位置合わせ>を実行し、A、Bの順にクリックし、下の段の左面（段鼻）にタイル目地を合わせます。

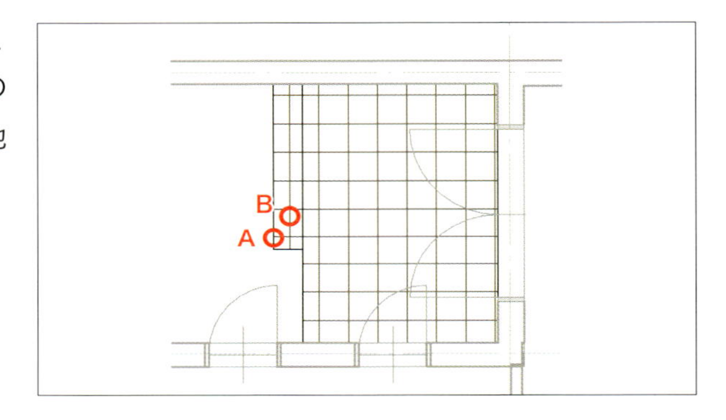

3 次にC、Dの順にクリックし、上の段のタイル目地も段鼻に合わせます。さらに水平方向の割り付けは、ドアの中央が基準になるように上下段とも位置合わせします。

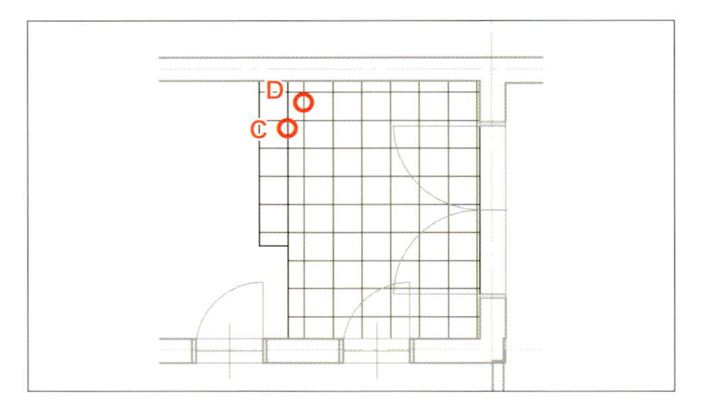

memo

床で作成する場合は、蹴上部分にはマテリアルはつきません。<修正>タブの<ペイント>でタイル貼りのマテリアルを選択して設定することで蹴上部分にもマテリアルをつけることができます。

スロープを作成する

1 <建築>タブの<スロープ>をクリックします。[プロパティパレット]の<タイプ編集>をクリックして、[タイププロパティ]ダイアログボックスを表示します。[最大勾配(1/x)]を「12」にして、<OK>をクリックします。

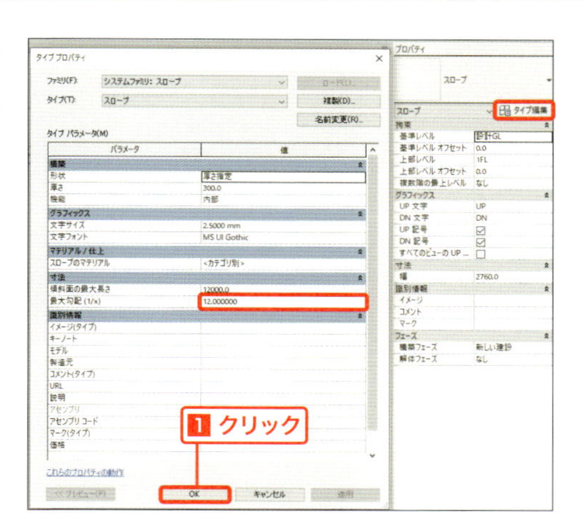

2 [プロパティパレット]の[基準レベル]を「設計GL」、[上部レベル]を「1FL」に設定します。[基準レベル オフセット][上部レベル オフセット]の数値が「0」になっていることを確認します。[幅]を「1000」にします。

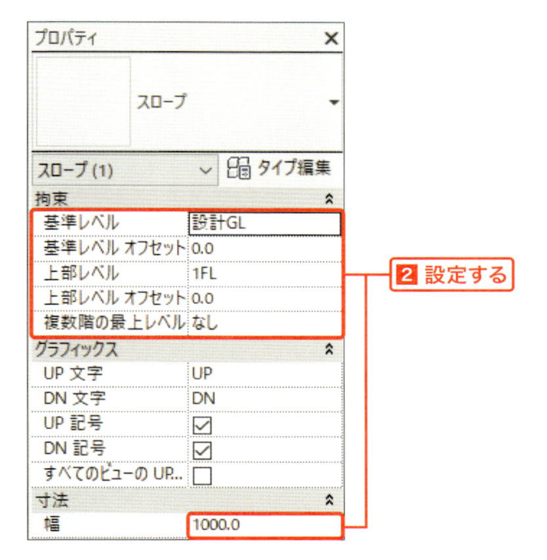

3 スロープを設置したい箇所にいったん仮置きします。1点目はスロープの左端に当たる箇所をクリックします。右側にドラッグし、スロープの右端を越えた地点で2点目をクリックします。<修正>タブの<編集モードを終了>をクリックします。

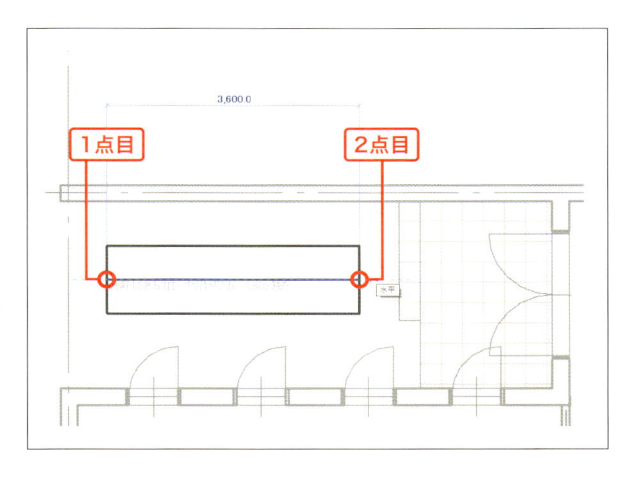

4 作成されたスロープを画面左下のステータスバーを確認しながら選択し、＜修正｜スロープ＞タブの［表示］パネル→＜選択ボックス＞をクリックすると、選択された要素部分を切断ボックスで表示する3Dビューに移動します。

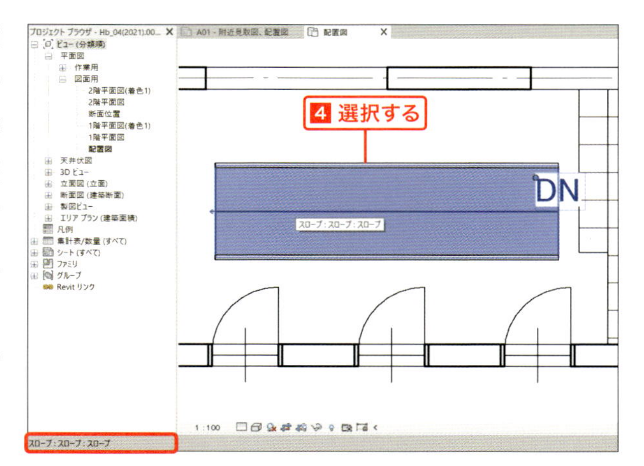

5 壁（建物側）の手摺を選択し、右クリックして＜削除＞で片方の手摺を削除します。

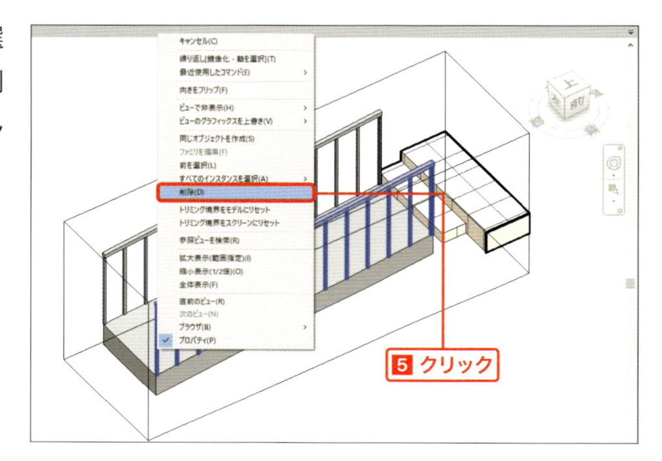

6 残った方の手摺を選択し、［プロパティパレット］の＜タイプセレクタ▼＞から［STEP FB50x9　一段H1100　P1000］を選択し、手摺のタイプを変更します。

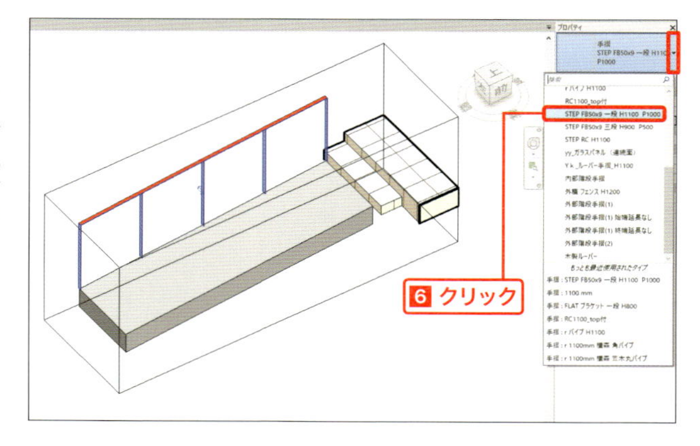

memo

選択ボックスをクリックして3Dビューに移動した際に手摺全体が把握できない場合は、切断ボックスの範囲を広げて調整します。

7 配置図ビューにして、<修正>タブの<位置合わせ>をクリックします。

8 外壁面Aをクリック、スロープの側面Bを順にクリックしてスロープを壁の外側に移動します。

9 ポーチの前面Cをクリック、スロープのDを順にクリックしてスロープを移動します。

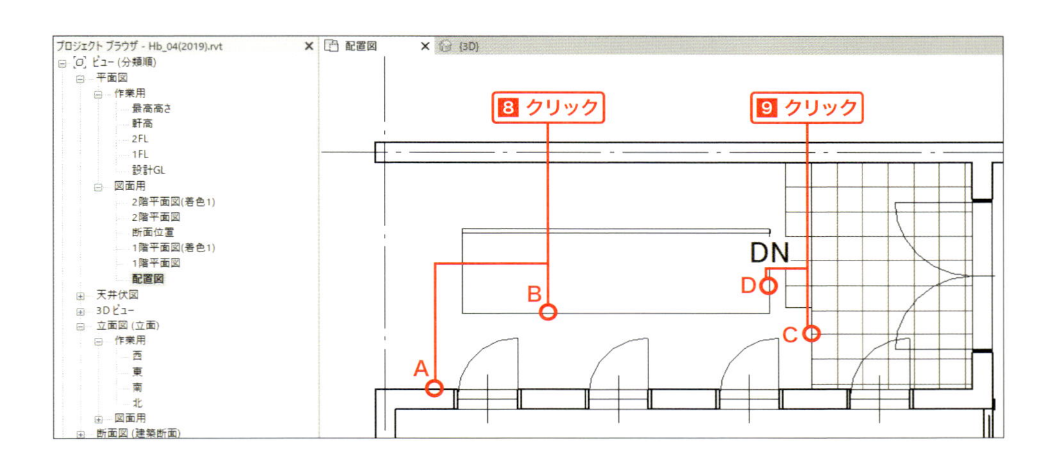

memo

タイププロパティ［形状］を<既製スロープ>に変えると図の様な形状になります。

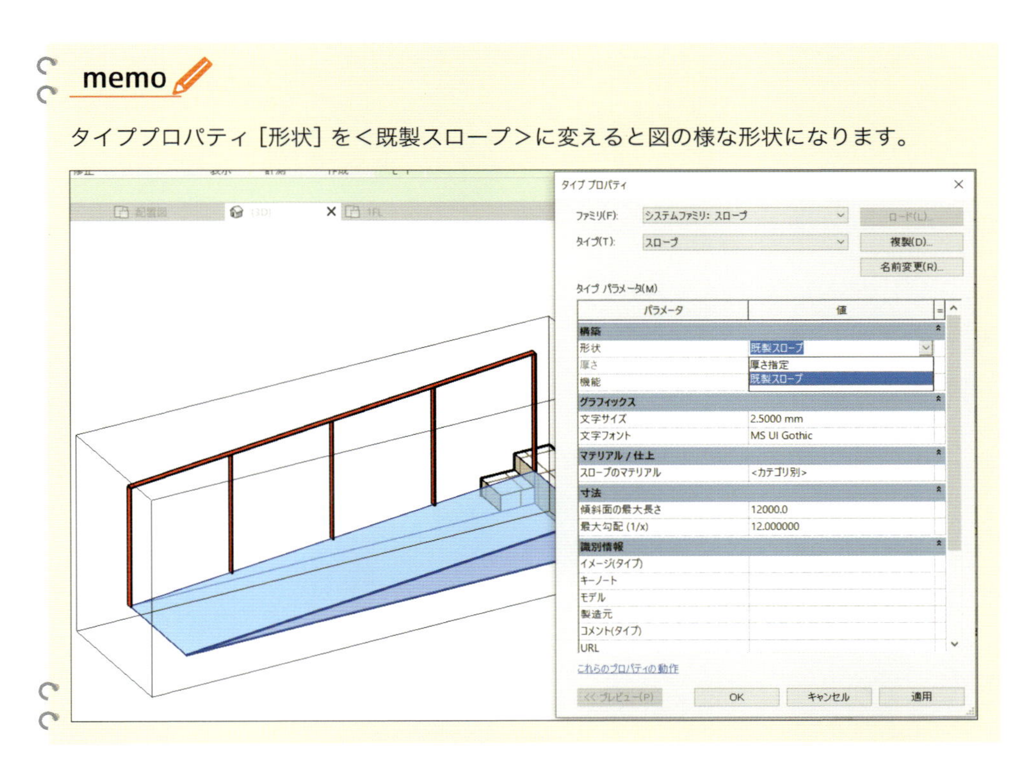

壁に開口を作成する

1 ビューを［立面図］の［作業用］の「北」にします。開口を開ける1Fの壁を選択します。<修正|壁>タブの［モード］パネルの<プロファイルを編集>をクリックします。

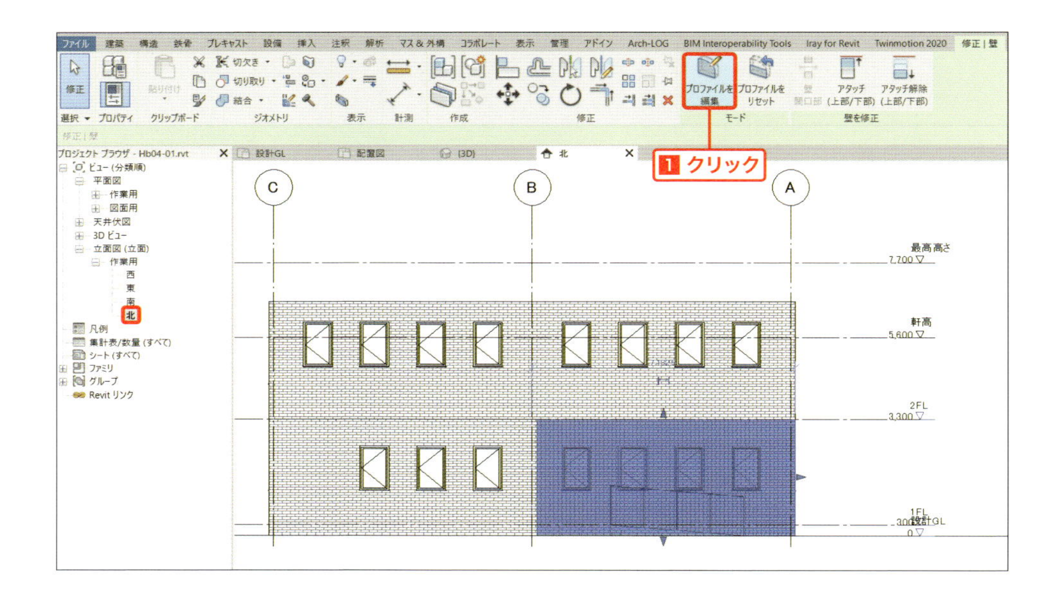

2 ［描画］パネルの<円>を選択し、下図の位置に開口の形状を作成します。<編集モードを終了>をクリックします。

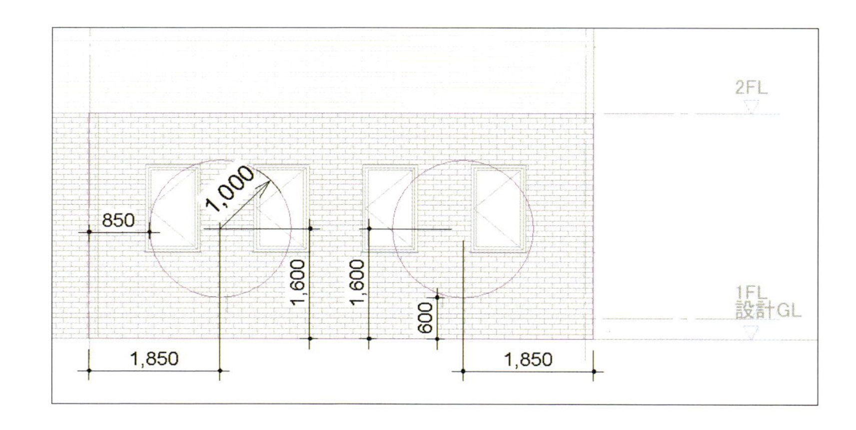

3 3Dビューに移動します。開口部分のマテリアルが表示スタイルがリアリスティックの場合は表示されますが、シェーディングの場合は表示されません。

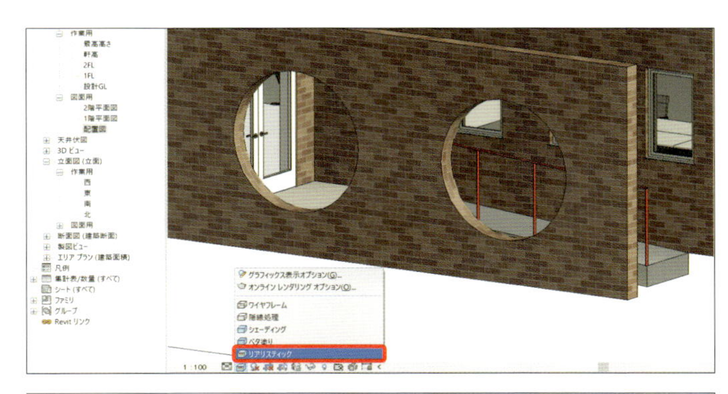

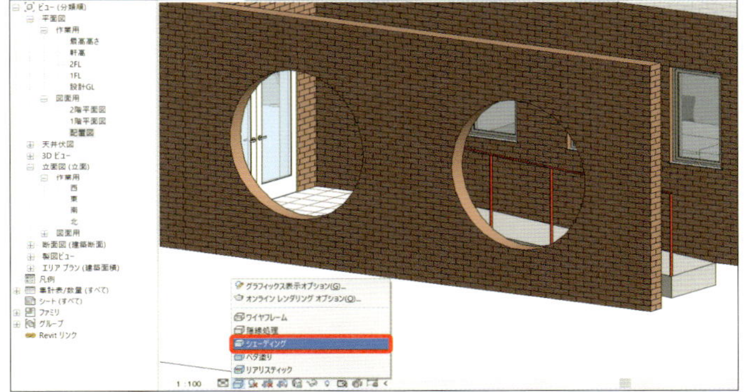

4 開口の断面部分のタイルの方向を下図の様にするには、元の画像データを90度回転したものを用意して、そのマテリアルを作成しておきます。ここでは作成しておいた「Hb_タイル_1_縦」を使用します。

<修正>タブの<ペイント>をクリックし、「Hb_タイル_1_縦」のマテリアルを選び、開口の断面をクリックします。

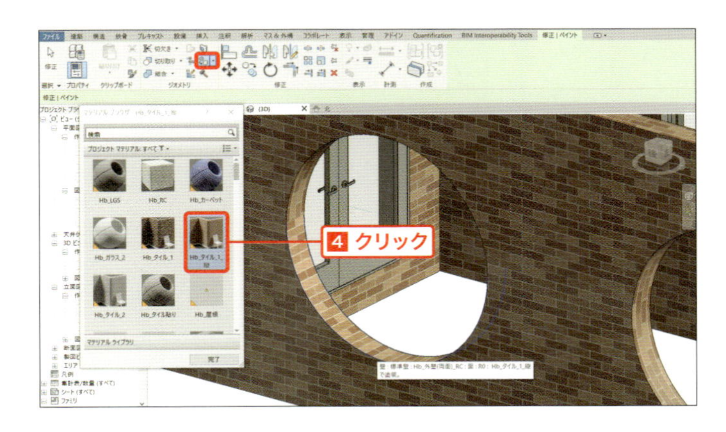

03 駐車スペースを配置する

読み込み可能なファミリをロードするには、<コンポーネント>からファミリをロードして配置する方法もありますが、ここでは先にファミリをロードし、プロジェクトブラウザからドラッグして配置する方法を紹介します。

1 <配置図>ビューにして、<挿入>タブの<ファミリロード>をクリックし、サンプルフォルダーから「Hb_駐車スペース.rfa」をロードします。

2 [プロジェクトブラウザ]の[ファミリ]を開くと、一番下に[駐車場]→[Hb_駐車スペース]が取り込まれているのが分かります。

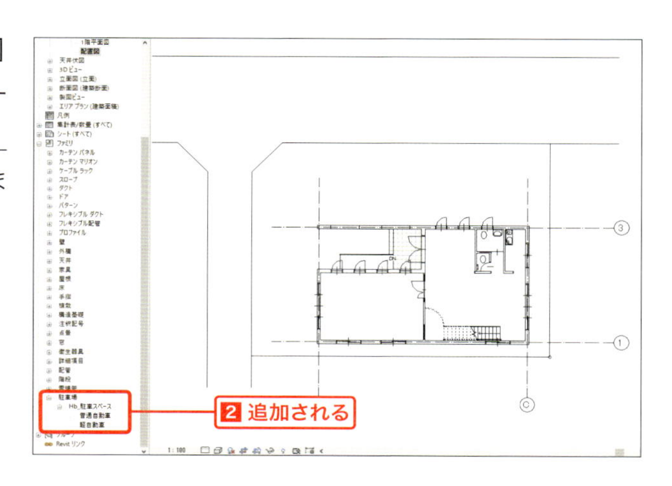

3 <配置図>ビューを開いたときに1階のプランが見えていないようであれば、[プロパティパレット]の[ビュー範囲]の<編集>をクリックして、[断面]の[オフセット]を「1800」とします。

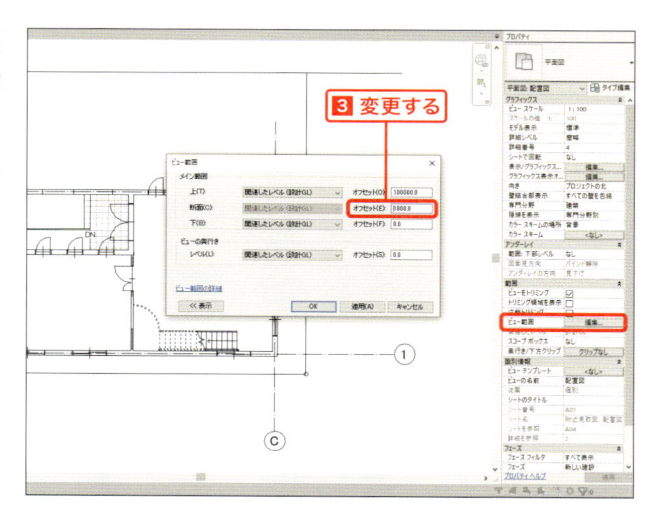

4 ［プロジェクトブラウザ］のファミリの中から［Hb_駐車スペース］（ファミリ名）の下の＜普通自動車＞（タイプ名）を作業領域にドラッグして配置します。普通自動車の左上角を道路境界と通り芯Aに合わせて移動します。

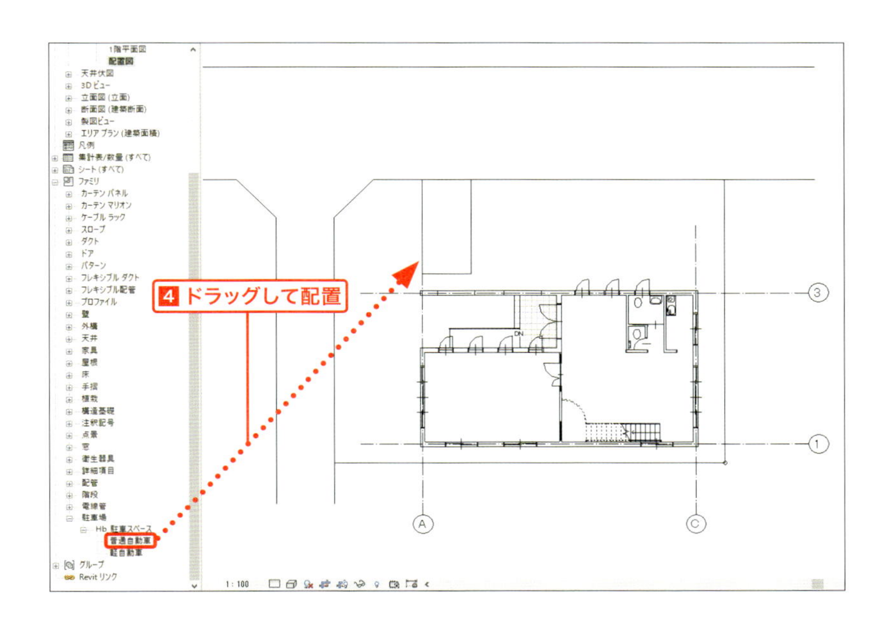

5 4台分配置したあとで、次に＜普通自動車＞右下角を通り芯①上で、通り芯Aより1500左に配置します。次に＜軽自動車＞を作業領域にドラッグして2台分を図のように配置します。

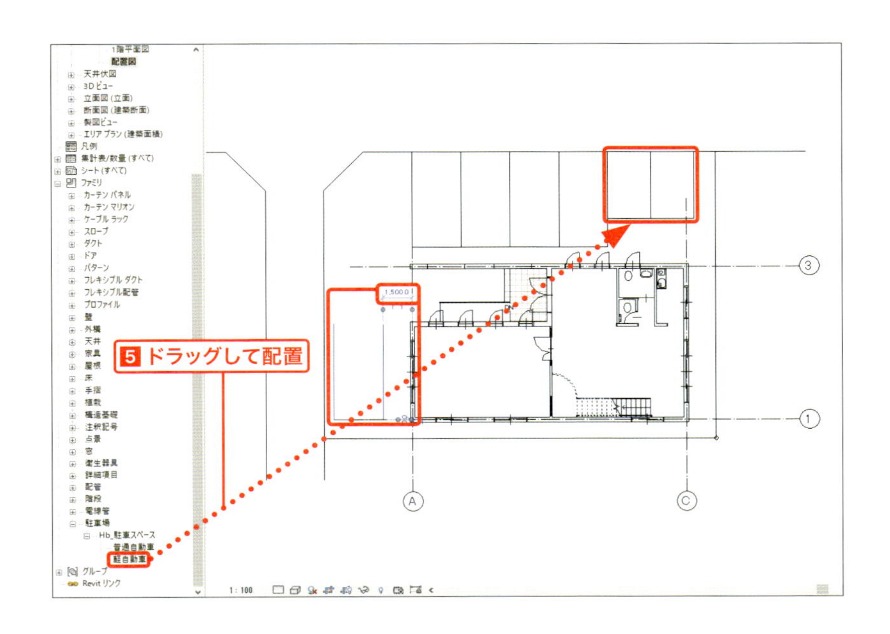

04 緑地帯立上りを作成する

緑地帯の立上りは壁で作成します。

1 ＜建築＞タブの＜壁 意匠＞で＜内壁-トイレブース＞を複製し、[名前] を「外構-緑地帯立上り」として、＜OK＞をクリックします。

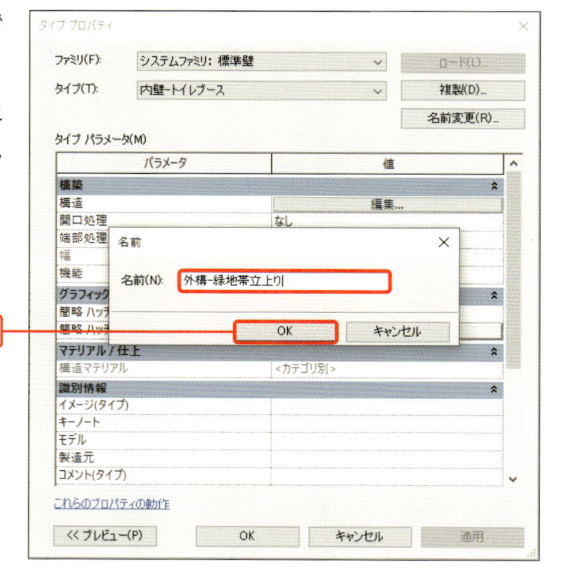

2 [構造] の＜編集＞をクリックし、壁の厚さを「150」にして＜OK＞をクリックします。[タイププロパティ] も＜OK＞をクリックします。

3 [配置基準] を「仕上面 外部」、[連結] にチェックを付けて [基準レベル] を「設計GL」、[上部レベル] を「指定」、[指定高さ] を「150」として、駐車場ラインに沿って作成します。

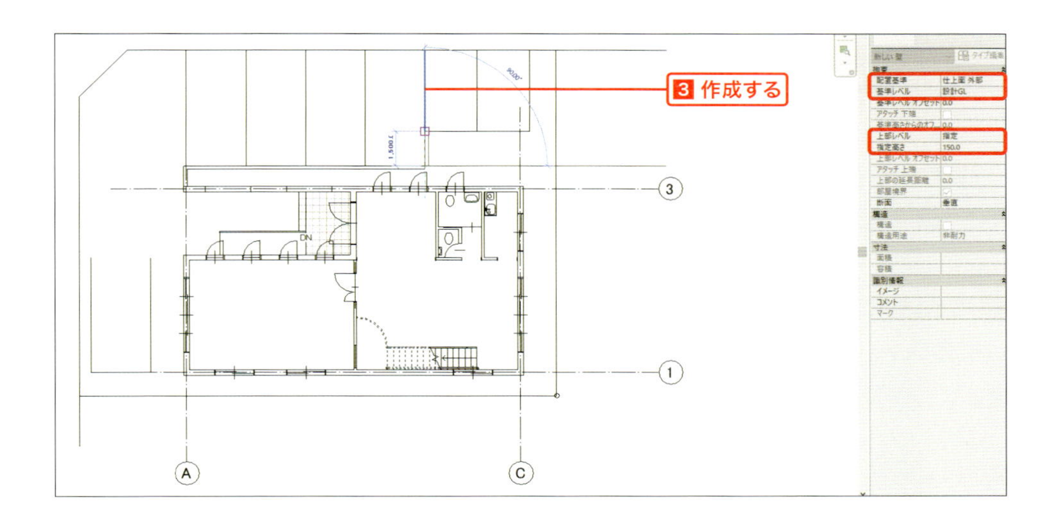

4 図のA～Iは位置基準を「仕上げ面 外部」、J～Pは位置基準を「仕上げ面 内部」で作成します（外壁と面合わせ部分は [位置合わせ] で調整）。

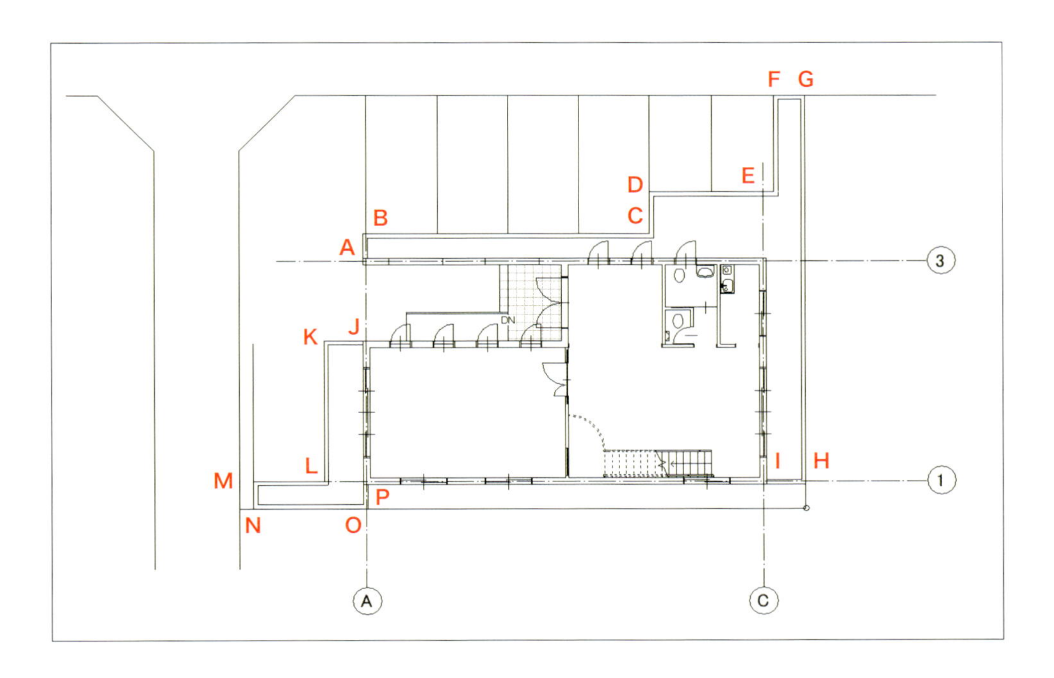

05 緑地帯を作成する

緑地帯はインプレイスで作成します(Revit LTでは外構のインプレイスは作成できないので、床で作成します)。

1 ＜インプレイスを作成＞でカテゴリは＜外構＞、名前は「緑地帯」とします。

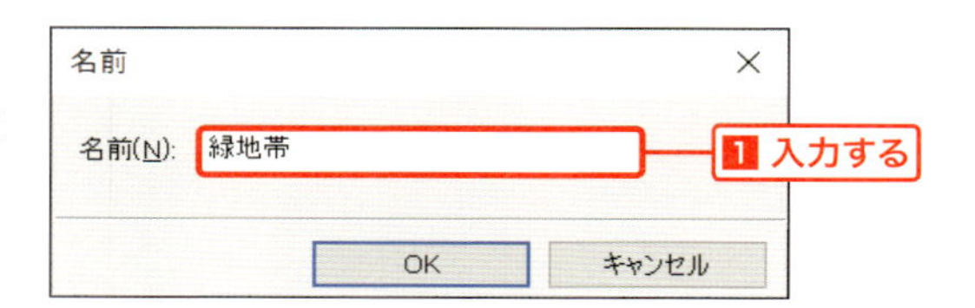

2 ＜押し出し＞をクリックし、[押出 終端]は「100」、[押出 始端]は「0」、[描画]パネルは＜選択＞にします。緑地帯の立上り壁の内側をクリックします。

3 手順**2**を参考に、図のようにすべて囲み、必要に応じてトリムなどを使って閉じた外形線にし、最後に＜編集モードを終了＞をクリックします。

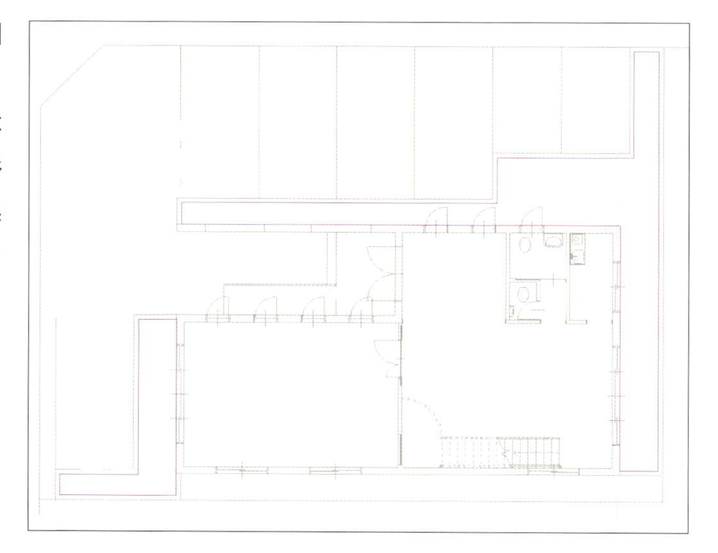

4 ［プロパティパレット］の［マテリアル］の<カテゴリ別>の横の<…>をクリックします。［マテリアルブラウザ］ダイアログボックスで「土」を選択し、<OK>をクリックします。

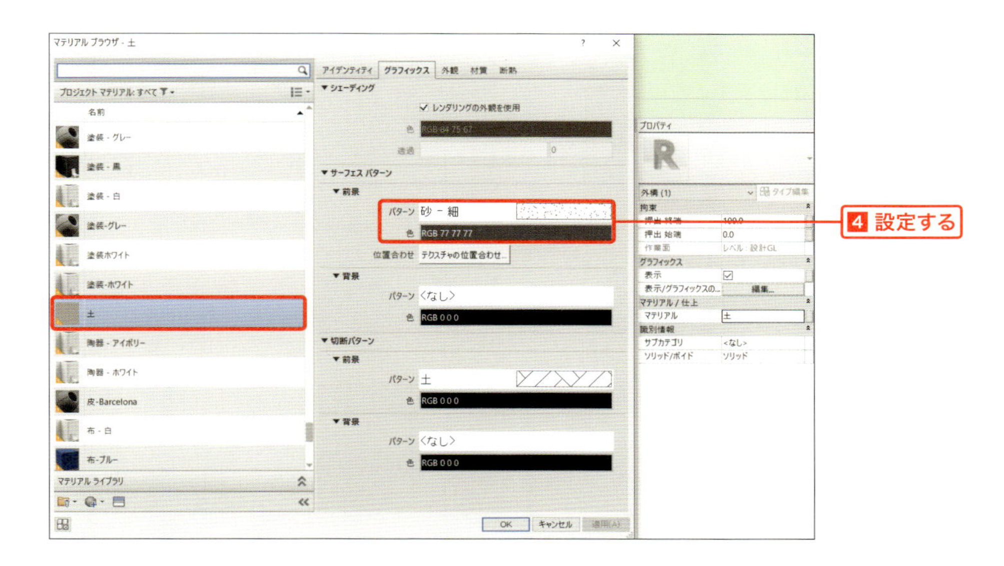

5 <モデルを終了>をクリックすると、インプレイスのモードが終了します。

6 <建築>タブの<コンポーネント>を実行します。［プロパティパレット］の<タイプセレクタ▼>から［RPC低木］の「ライラック-3.0メートル」を選択します。［基準レベル］を「設計GL」、［基準レベルの立面図］を「0」として下図のように配置します。

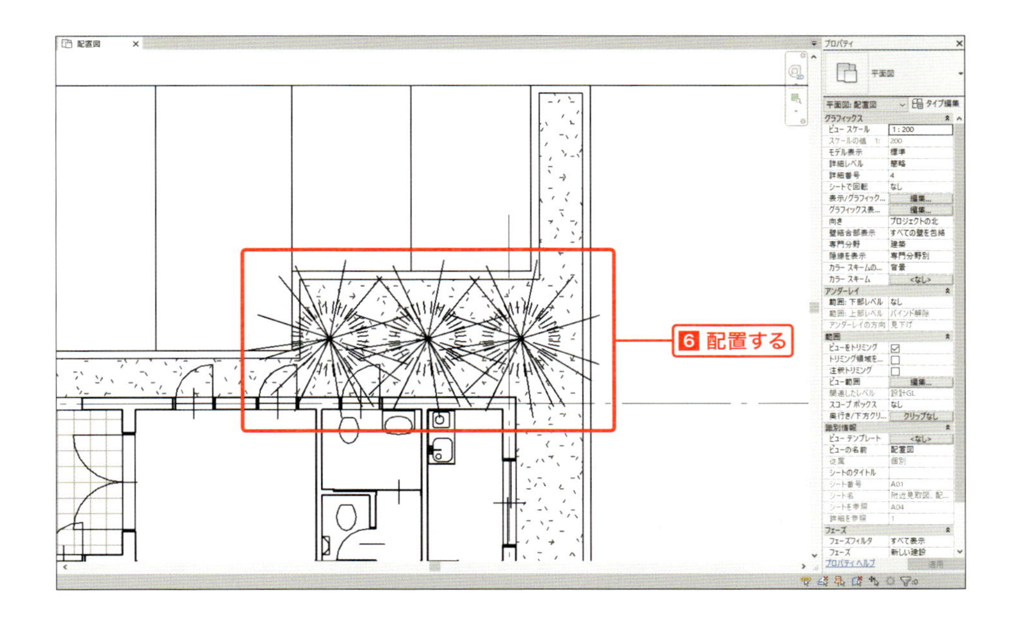

7 同じくプロパティから[RPC低木]の「テベチア-1.2メートル」を選択し、[基準レベル]を「設計GL」、[基準レベルの立面図]を「0」として図のように配置します。

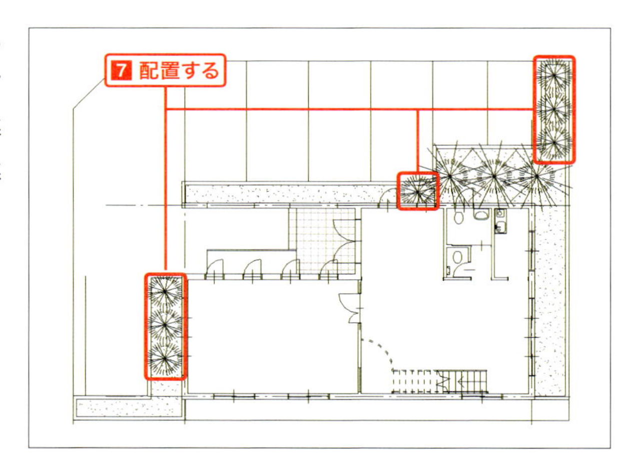

8 次にプロパティから[RPC低木]の「テベチア-1.68メートル」を選択し、[基準レベル]を「設計GL」、[基準レベルの立面図]を「0」として図のように配置します。

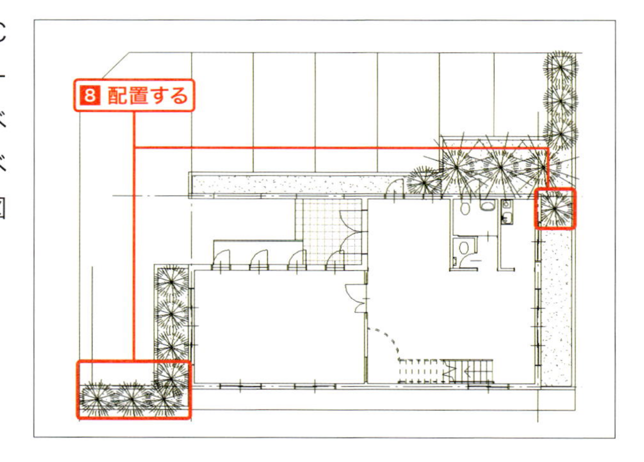

9 手順7で配置した「テベチア-1.2メートル」を選択し、<修正 | 植栽>タブの<配列>をクリックします。

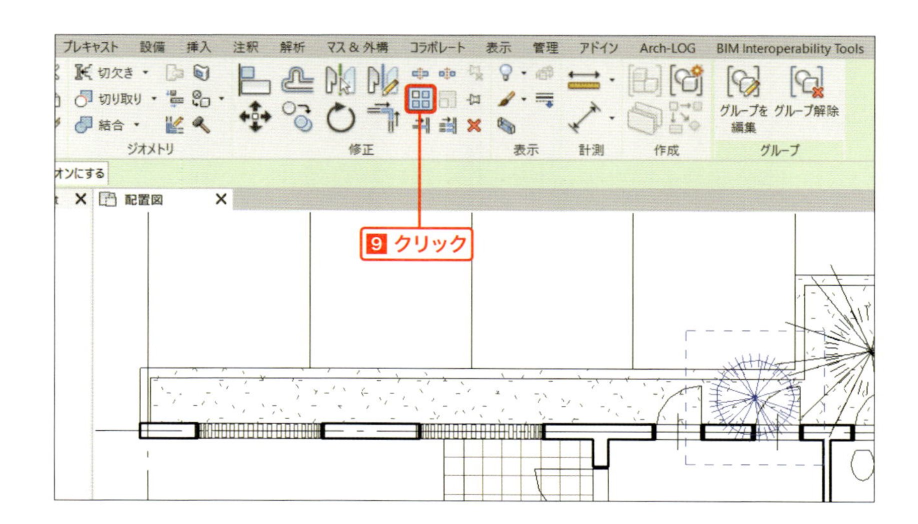

10 オプションバーの［指定］を「終端間」にし、1点目は選択している植栽の中心あたりをクリックします。2点目はそのまま左へドラッグして終端位置をクリックします。

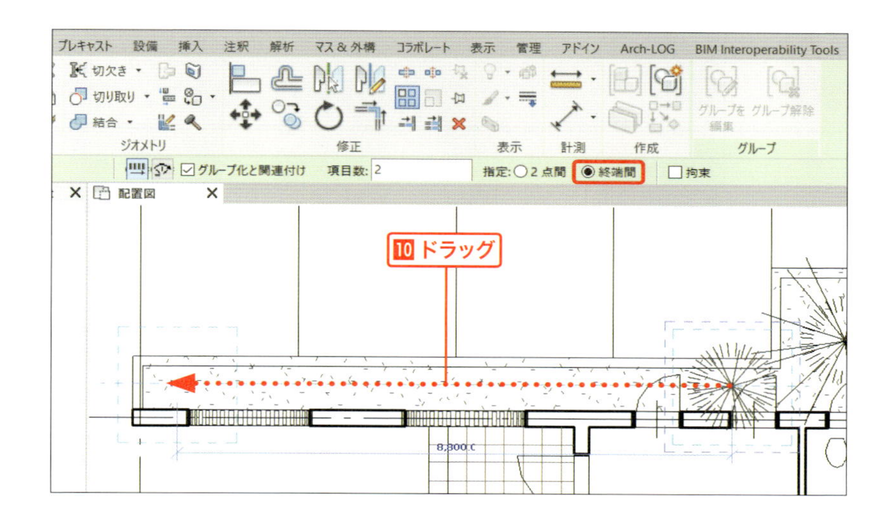

11 指定した終端間に配置する数を「8」と入力し、Enter キーを押します。

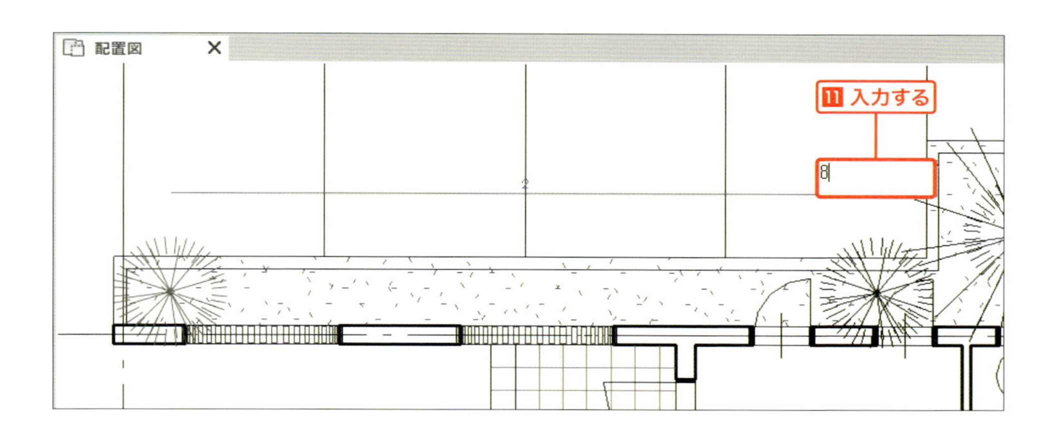

12 図のように右側の植栽も配列コピーして配置します。

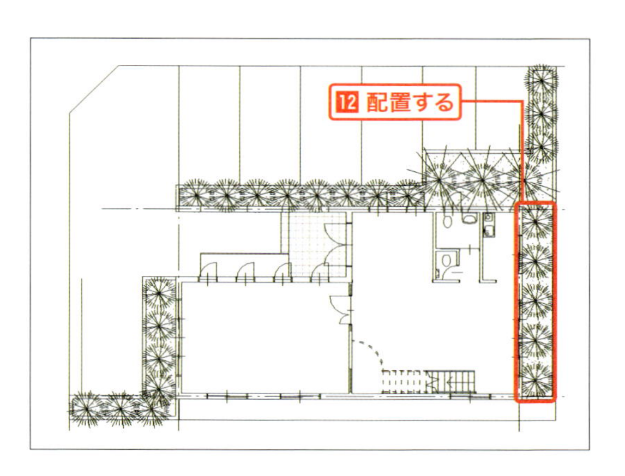

方位記号を配置する

1 第2章で作成した「Hb_方位記号.rfa」を読み込みます。方位記号を作成していない場合は、<注釈>タブの<記号>をクリックし、<ファミリをロード>をクリックしてサンプルフォルダーからロードします。

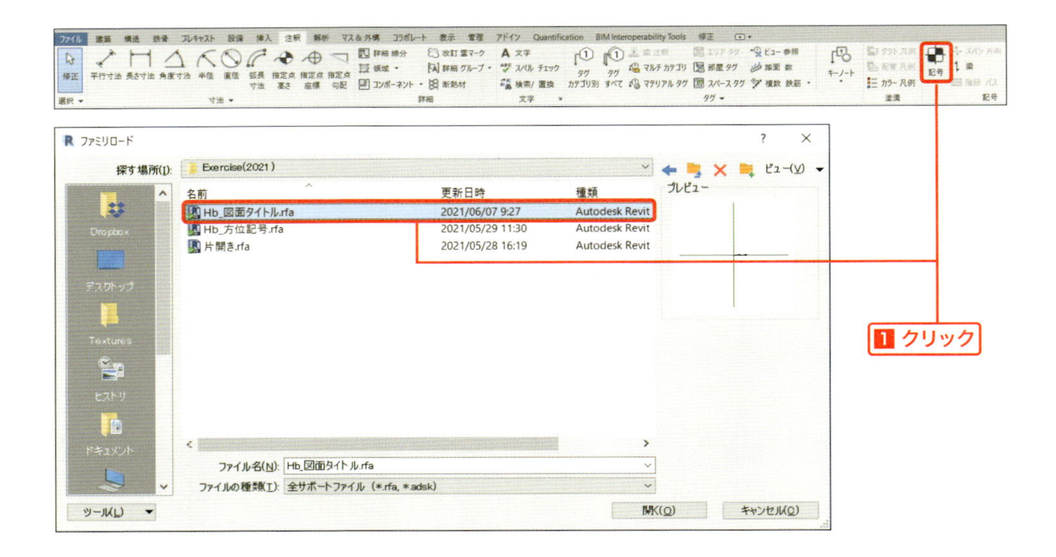

2 配置図ビューの任意の場所に方位記号を配置します。

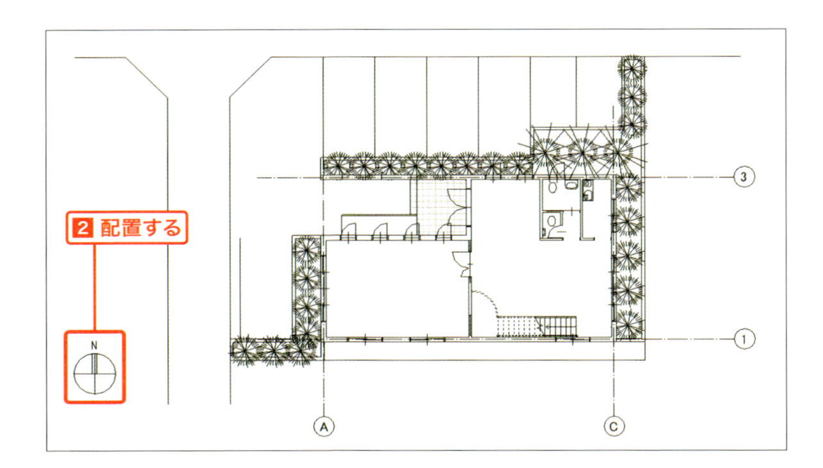

3 ＜注釈＞タブの＜詳細線分＞をクリックして、真北方向の線を方位記号の中心から引きます。

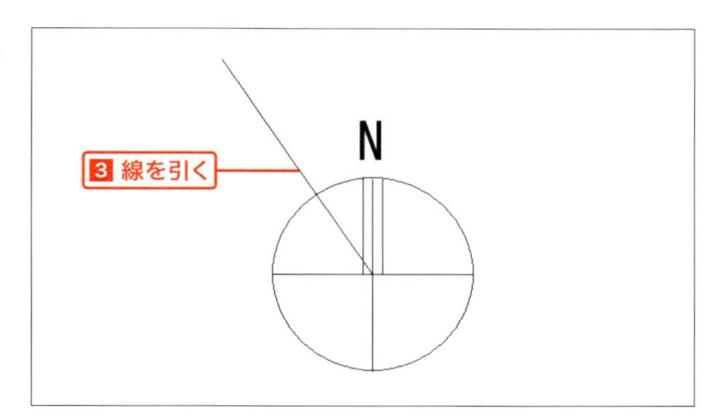

4 方位記号を選択し、＜修正＞タブの＜回転＞をクリックします。

5 方位記号の北方向をクリックします。回転の中心が方位記号の中心にない場合は、青丸を中心にドラッグします。

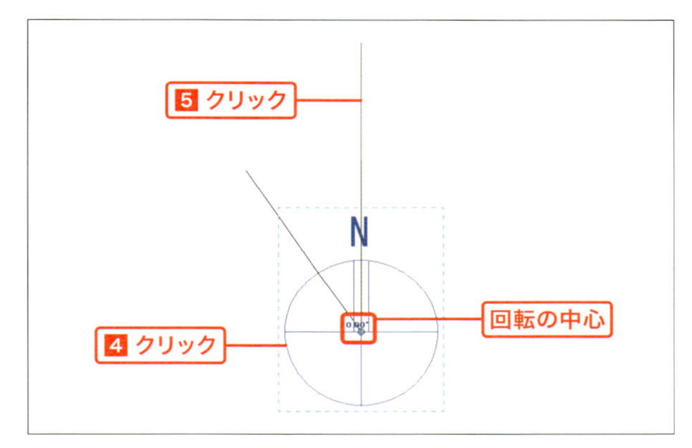

6 真北方向をクリックして、方位記号を真北に回転します。

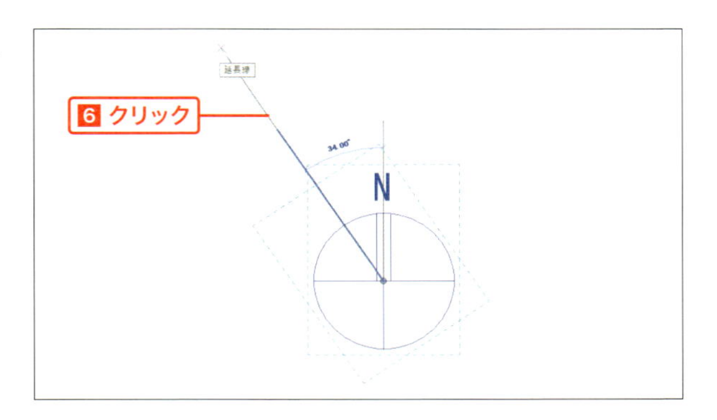

7 手順**3**で引いた線を削除します。

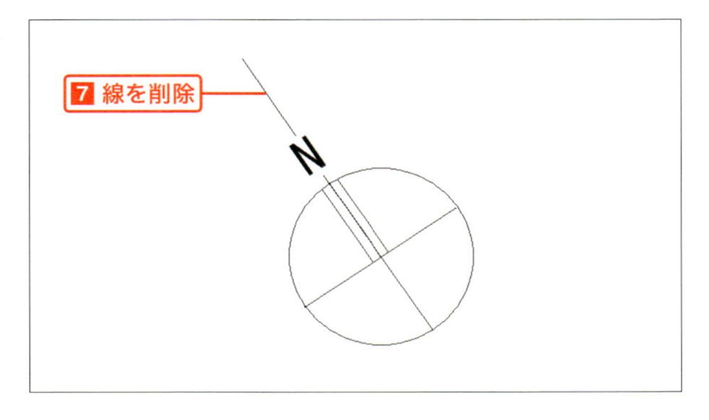

07 真北を設定する

平面図や立面図などの図面を書くだけであれば、単に方位を記号として書きますが、日影や日照の検討をするときには、モデリングの情報として真北を設定する必要があります。ここでは、モデルとしての真北の向きを設定する方法を説明します。

1 ［プロパティパレット］の［向き］を「プロジェクトの北」から「真北」に変更します。

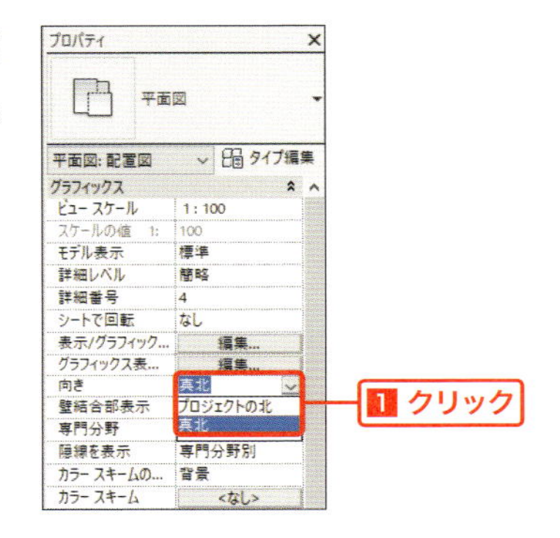

2 <管理>タブの<位置>コマンドの<真北を回転>をクリックします。

3 回転の中心を方位記号の中心にドラッグします。

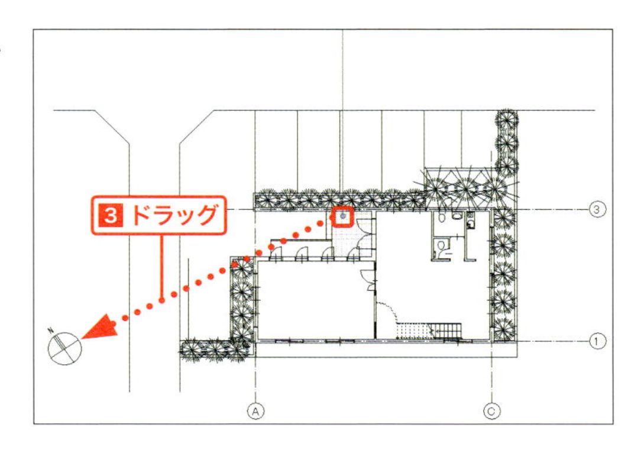

4 真北方向をクリックします。

5 図面の真上方向をクリックすると、真上が真北になるようにモデルが回転します。これで方位記号の通りに真北が設定されました。

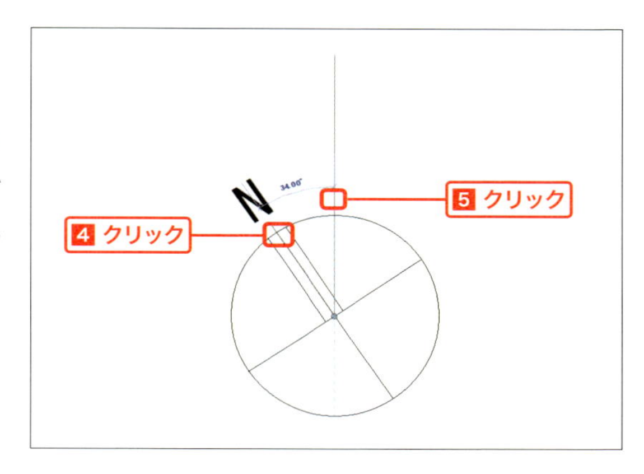

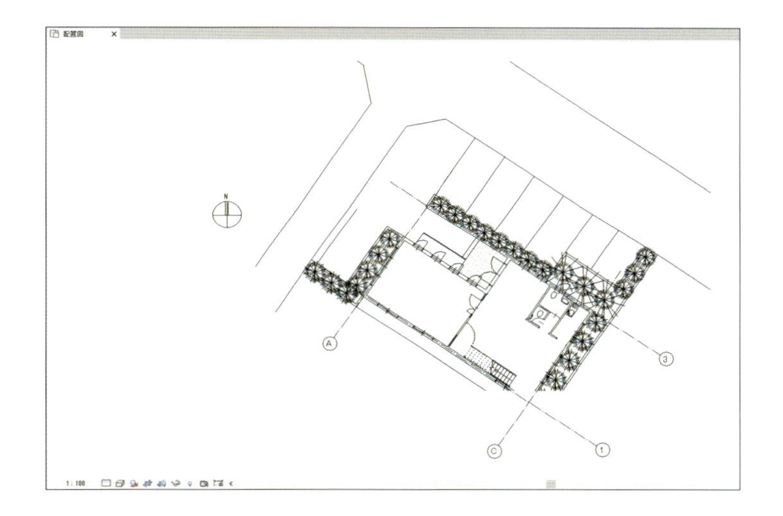

6 ［プロパティパレット］の［向き］を「真北」から「プロジェクトの北」に戻すと、本来の図面の向きになります。「プロジェクトの北」は、図面としての上方向という意味です。

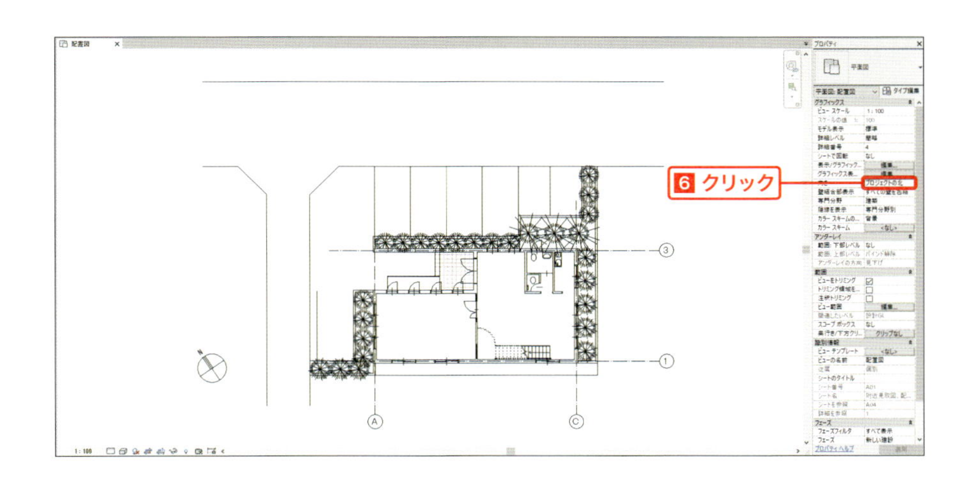

Column

座標系を理解する

Revitの座標系には、内部原点、測量点、プロジェクト基準点の3つの原点を基準とした座標系が別々に存在しており、いずれも外構カテゴリに属しています。

初期設定ではこの3つの位置は一致しています。

- [x] 外構
  - [ ] <隠線処理>
  - [ ] ストライプ
  - [x] プロジェクト基準点
  - [ ] ユーティリティ
  - [ ] 乗り物
  - [x] 内部原点
  - [ ] 周辺
  - [ ] 敷地境界線
  - [ ] 横
  - [x] 測量点
  - [ ] 舗装
  - [ ] 道路

内部原点(Internal Origin)

基準点、内部基準点とも言われ、モデル内のすべての要素の位置の基準で、移動することはできません。ファイル間でのコピー＆ペースト時の基準でもあり、[プロジェクトを鏡像化]の基準でもあります。バージョン2020.2から表示させることができるようになりました。

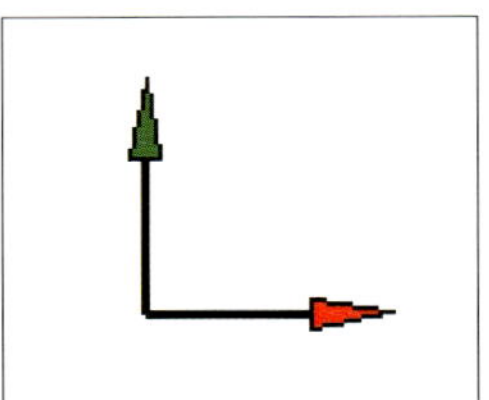

測量点(Survey Point)

地理空間内の既知のポイントとして、測量標や敷地境界線の交点などに設定されることが多いです。この北が真北として設定されます。リンクされたRevitまたはCADファイル間で[共有座標（共有外構）]システムを作成するときに使用されます。

プロジェクト基準点(Project Base Point)

プロジェクト原点、基点とも言われ、プロジェクトの基準になる点で、一番端の通り芯の交点に設定されることが多いです。この北が[プロジェクトの北]として設定されます。

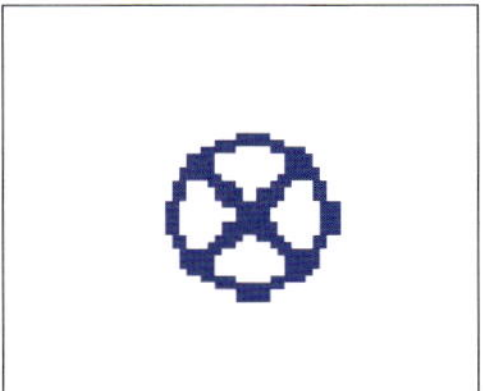

第 5 章

平面図を着色する

平面図にさまざまな表現を加えていきます。壁の塗り潰しやハッチング表示、部屋の着色などの方法を紹介します。

01 平面図の表現を整理する

ここからの作業は、サンプルファイル「Hb05-01.rvt」を使用します。サンプルファイルは一通りの平面図に関係するモデル入力が終った状態で、ここから平面図の表現を整理します。

1階平面図をダブルクリックすると、下図のように樹木が見えます。これは、1階平面図でのビュー範囲が1FL+0までになっており、その高さ以上に樹木のデータがあるからです。設計GL～1FL+0間にある駐車場や緑地帯立上りなどは表示されていません。そこで、樹木を非表示にします。また、タイル目地も非表示にして平面図を見やすくします。

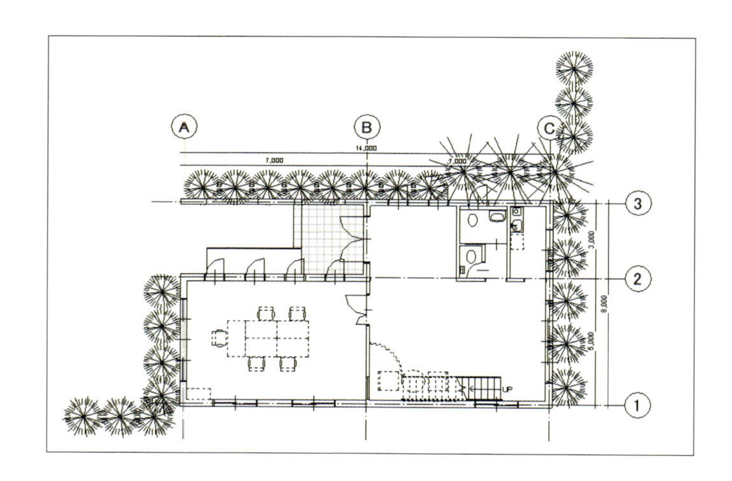

1 ＜表示＞タブの＜表示／グラフィックス＞をクリックして、［表示］の［植栽］のチェックを外して非表示にします。

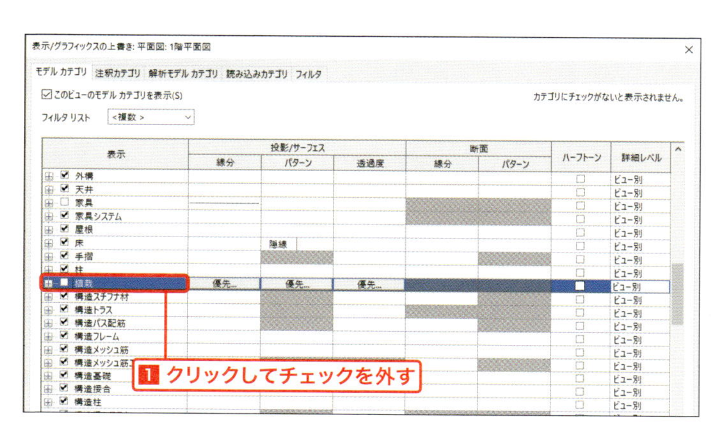

2 ポーチのタイル目地を非表示にします。[床] の [投影／サーフェス] の [パターン] の<優先>をクリックして、[前景] の<表示>のチェックを外して<OK>をクリックします。

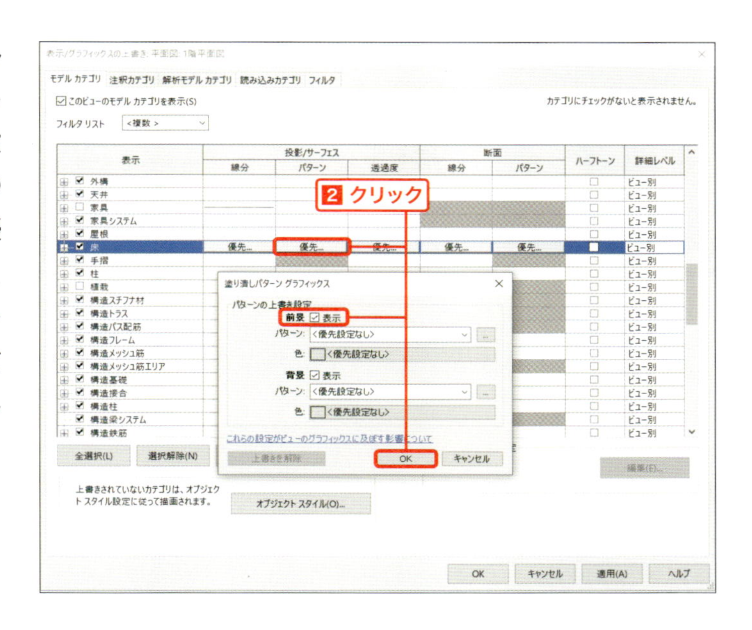

3 [投影／サーフェス] の [パターン] の左半分が「隠線」と表示されます。<OK>をクリックします。

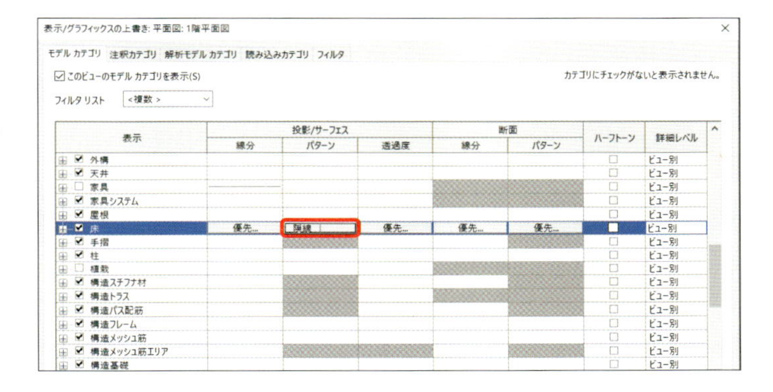

4 樹木やタイル目地が非表示になり、図のようになります。

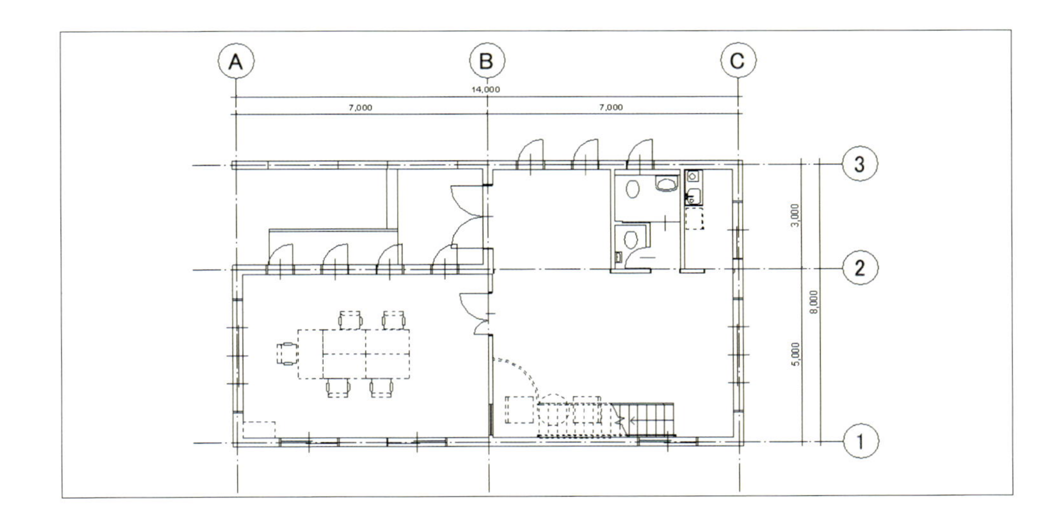

壁を塗り潰し表現にする

新たなビューを作成し、壁をべた塗りの表現にします。まず、1階平面図（着色1）ビュー作成します。

1 <1階平面図>ビューを右クリックし、<ビューを複製>→<詳細を含めて複製>をクリックします。

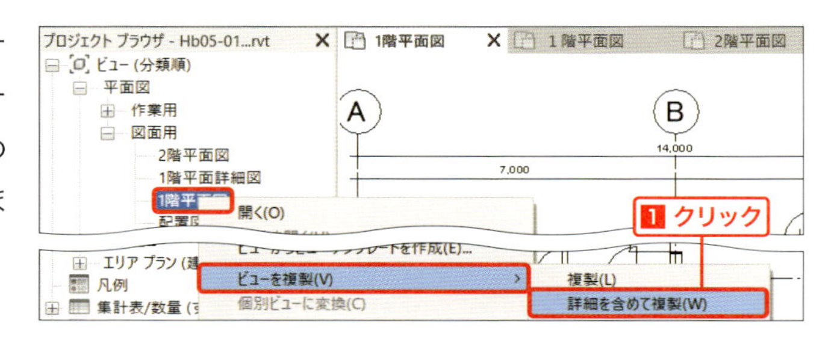

2 コピーしたビューを右クリックし、<名前変更>をクリックします。名前は「1階平面図（着色1）」とします。
同様に、「1階平面図（着色2）」「2階平面図（着色1）」「2階平面図（着色2）」ビューを作成します。

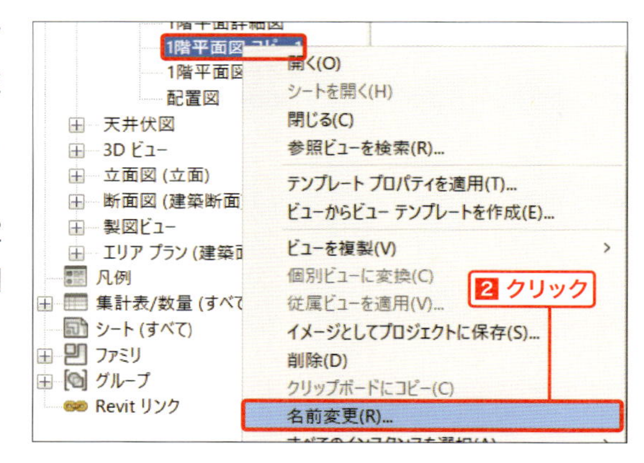

3 <表示>タブの<表示／グラフィックス>をクリックします。［表示］の壁をクリックし、［断面］の［パターン］の<優先>をクリックして、背景の［パターン］を「塗り潰し」、［色］を「黒」にし、<OK>をクリックします。

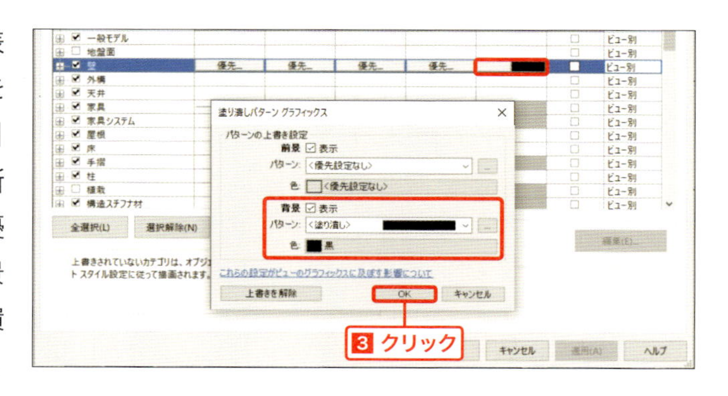

4 ＜OK＞をクリックすると、図のように壁が黒くべた塗りされます。

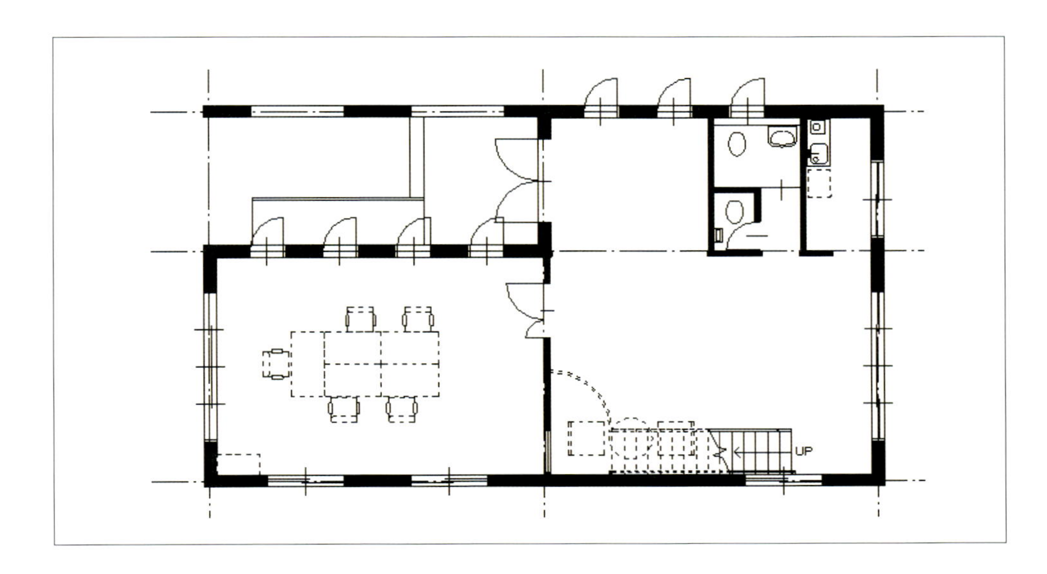

memo

塗り潰しパターンとして［前景］と［背景］の二つを設定することができます。下図は［前景］にRC(CUT)、［背景］にグレーの塗り潰しとしたもので、前景のRC(CUT)が手前にきて表示されます。

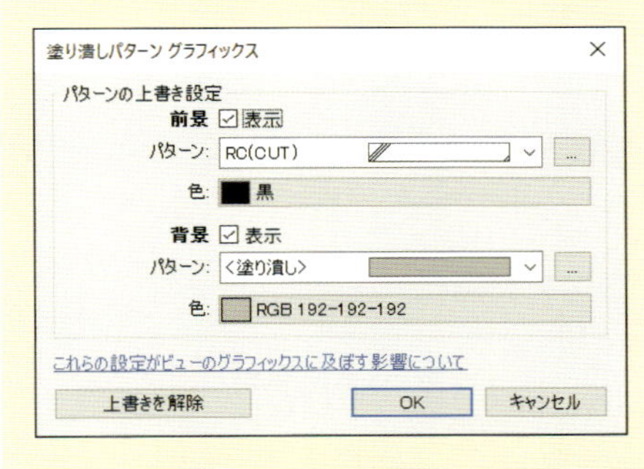

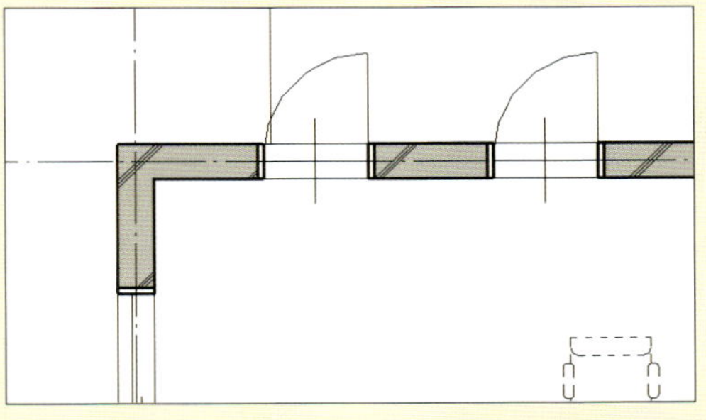

下図は［前景］と［背景］を入れ替えたもので、前景となった塗り潰しのために背景のRC(CUT)が見えなくなります。このように背景よりも前景が優先されて表示されます。

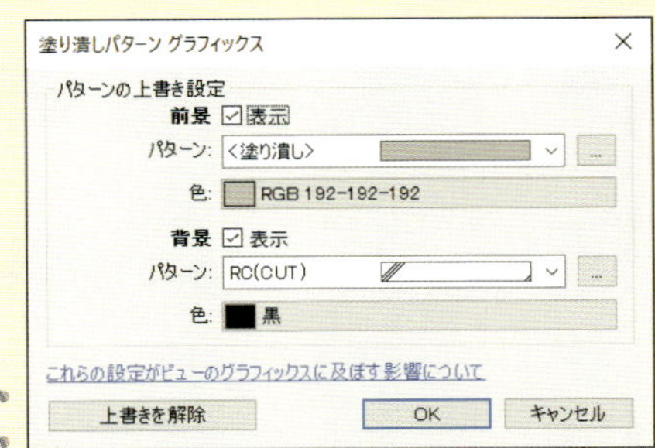

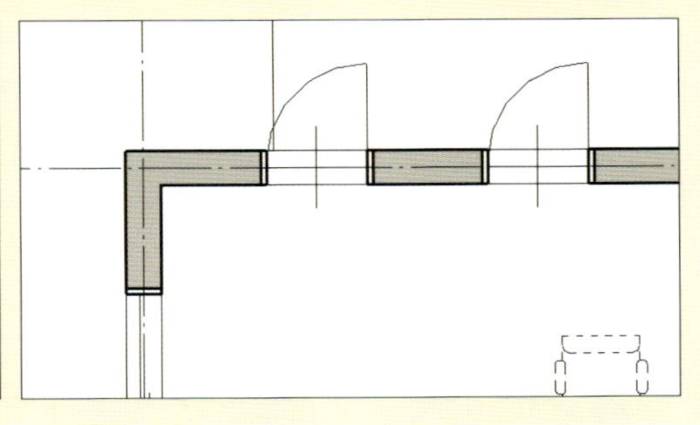

部屋を着色する

2パターンの表現を用いた平面図を作成します。
・「平面図(着色1)」：カラースキームを使い部屋ごとに配色する。
・「平面図(着色2)」：ハッチング表現をする。

部屋を作成する

1 ＜1階平面図（着色1）＞ビューを開きます。

2 ＜建築＞タブの＜部屋＞をクリックし、＜修正 | 配置　部屋＞タブの＜タグ配置＞が選択されていることを確認します。

3 タイプセレクターの［部屋名+面積2.5mm］のファミリの中の［部屋名称+面積］を選択します（タグのロード方法は「3-13」を参照）。

4 各部屋の中央辺りをクリックして、部屋を配置します。

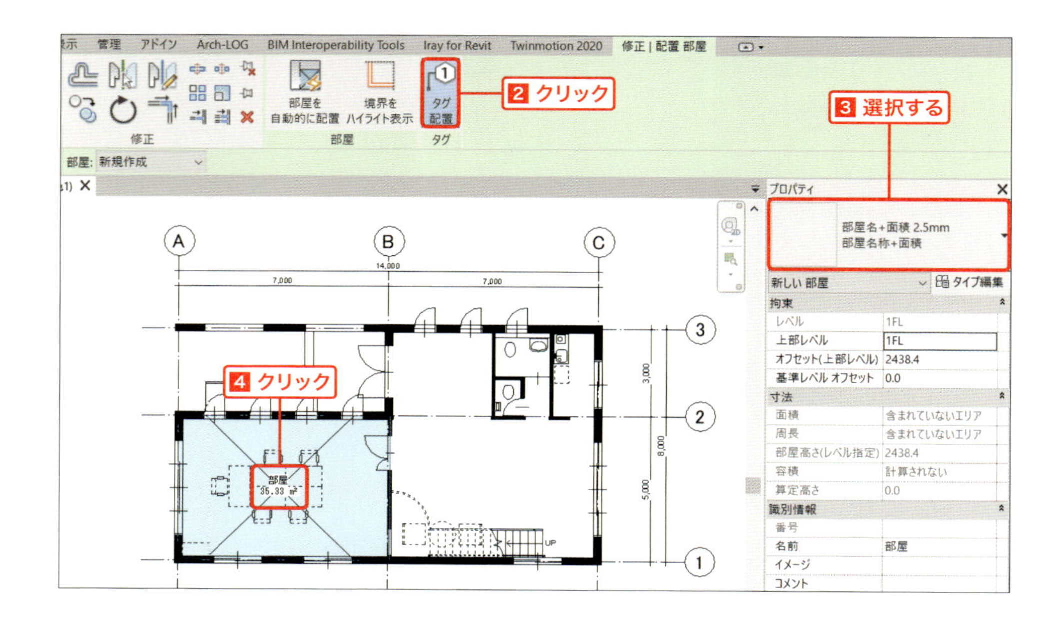

部屋に名前を入力する

部屋タグに部屋名を入力すると部屋の名前が変わります。

1 部屋タグをクリックし、「パラメータを編集」と表示されたらもう一度クリックすると部屋名の入力ができます。図のように「事務室_1」「ラウンジ」「ホール」「多目的便所」「便所」「前室」「湯沸室」と部屋の名前をそれぞれ入力します。<2階平面図(着色1)>ビューも同様に、部屋を配置し、部屋名を「事務室_2」と入力します。

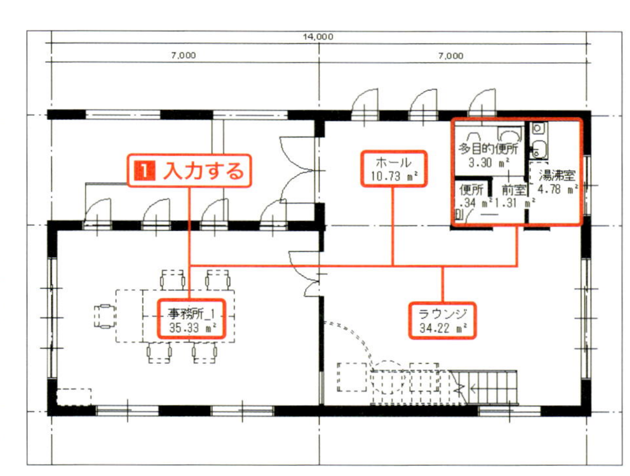

2 マウスオーバーして「部屋タグ」と表示されたら、<ラウンジ>をクリックします。図のように部屋の面積の範囲が表示されます。

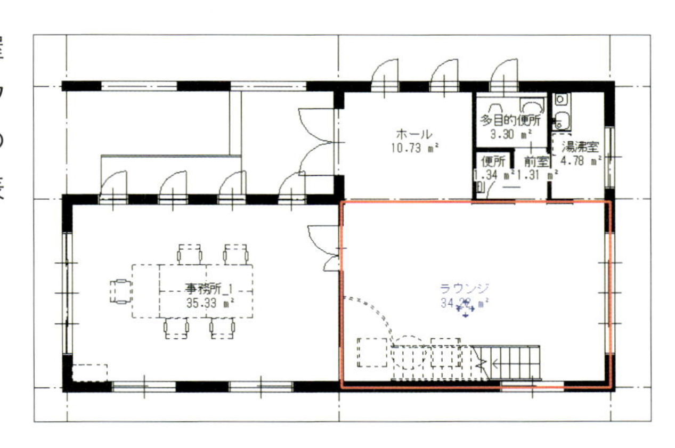

memo

面積の計測が躯体芯になっていますが、仕上げ面に変更するには、<建築>タブの<部屋/エリア▼>をクリックして<面積と容積の計算>を選択します。

[面積と容積の計算] ダイアログボックスが表示され、ここで部屋面積の計算基準を変更できます。
この設定はプロジェクト全体に反映されます。部屋ごとやビューごとに設定することはできません。

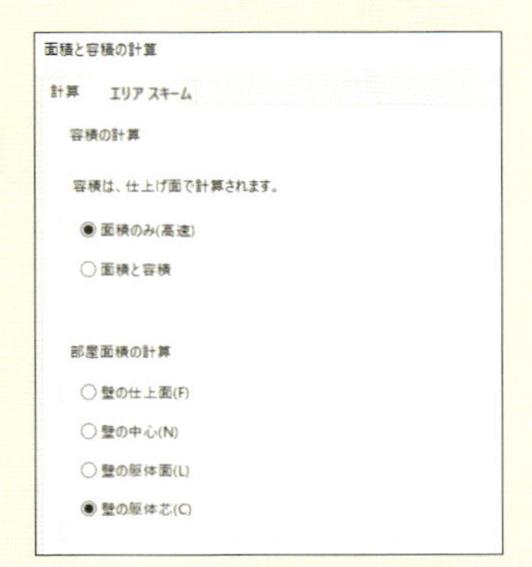

第5章 平面図を着色する

壁が無いところで面積を分ける

＜部屋 境界＞を使用すると、壁が存在しない空間を分割することができます。２階平面図ビューを開いて操作します。部屋の分割線を表示にしておきます。＜表示/グラフィックス＞の＜線分＞を展開して、＜部屋を分割＞のチェックを付けます。

1 階段は壁を使わずに作成したので、＜部屋 境界＞で範囲を指定して部屋を作成します。＜建築＞タブの＜部屋 境界＞→［描画］パネルの＜選択＞をクリックして階段の周囲をクリックし部屋の境界を引きます。

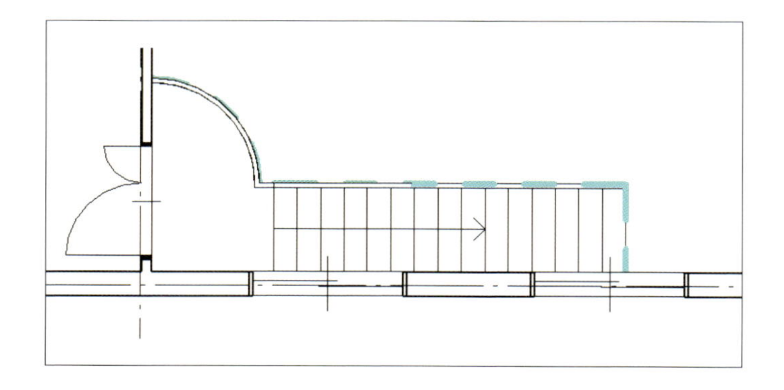

2 ＜建築＞タブの＜部屋＞をクリックして、分割された階段スペースに部屋を作成します。

3 部屋の名前を「階段」に変更します。

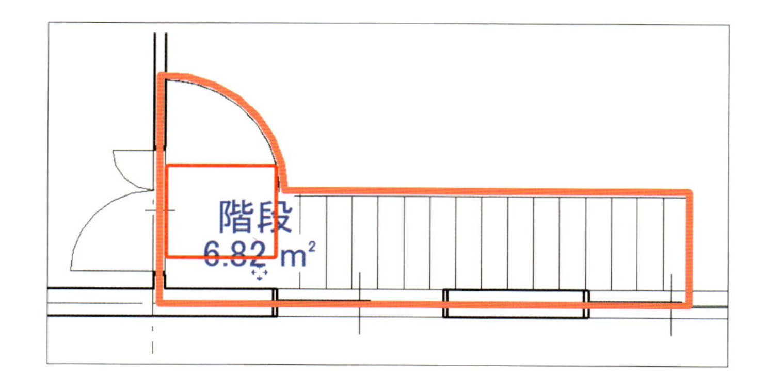

4 ＜表示/グラフィックス＞の＜線分＞を展開して、＜部屋を分割＞のチェックを外します。

memo

部屋を入れることにより面積が計算されます。壁を作成した時点でその壁は部屋の境界として設定され、面積を計算するときの参照要素となります。その壁を部屋の境界とするかしないかを切り替えることができます。たとえばトイレブースなど面積計算のしない壁の場合、その壁を選択し、[プロパティパレット] の [部屋境界] のチェックを外すことにより部屋の境界がなくなります。

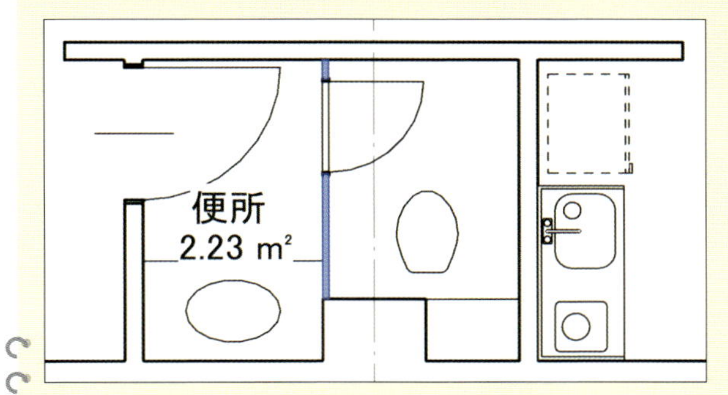

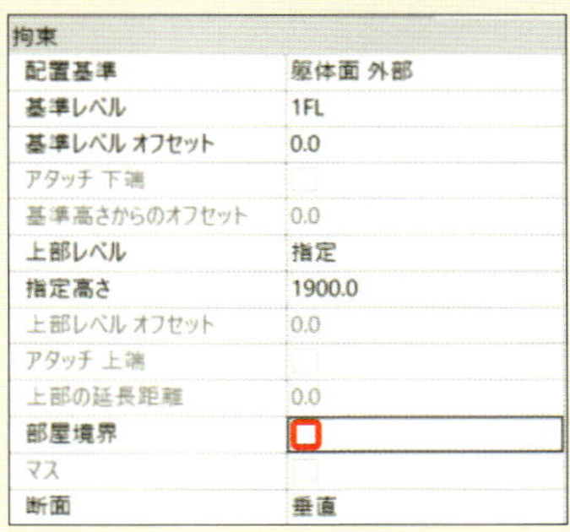

memo

部屋境界は、[線分] のカテゴリの中の [部屋を分割] というサブカテゴリの線種で表現されます。

基本設定は、＜管理＞タブ→＜その他設定▼＞→＜線種＞でします。他の要素のように [オブジェクトスタイル] ではありません。各ビューでの設定は [表示/グラフィックスの上書き] →＜モデルカテゴリ＞タブ→ [線分] でします。

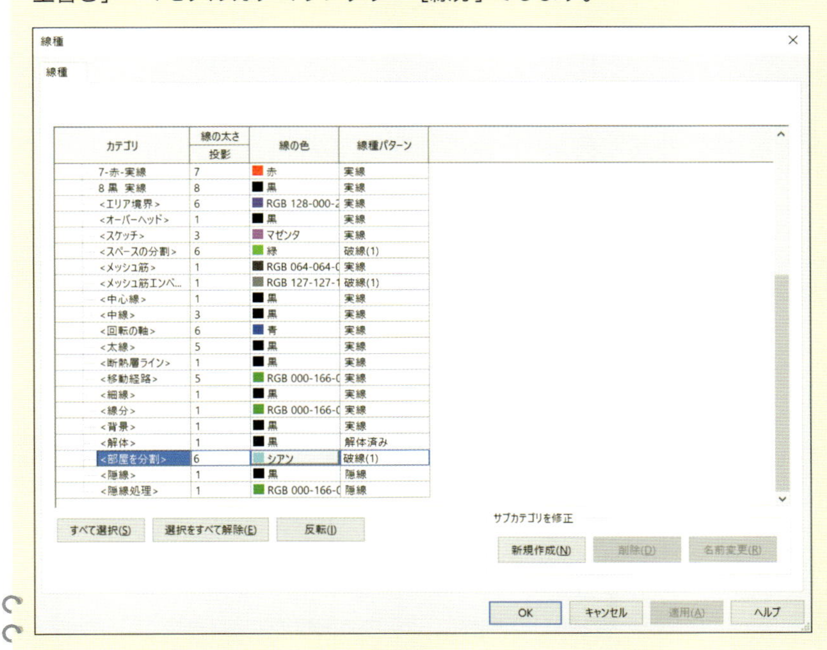

部屋ごとに着色する

＜1階平面図（着色1）＞ビューを開き、次に部屋に色を付けます。

1 ［プロパティパレット］の［カラー スキーム］の＜なし＞をクリックして、［カラー スキームを編集］ダイアログボックスを開きます。

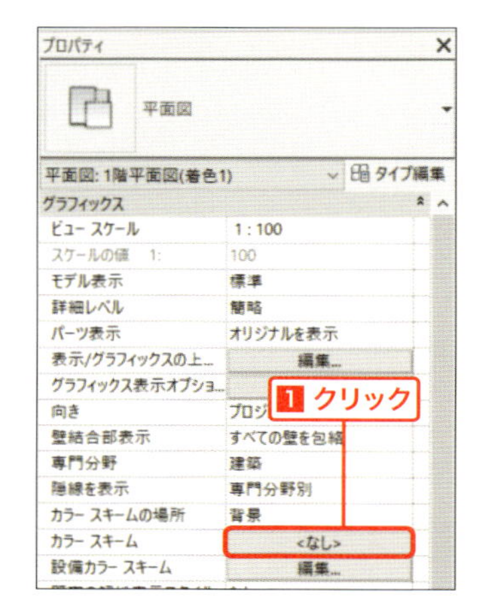

2 ［カテゴリ］を「部屋」にし、＜部屋別＞をクリックして、パラメータは「名前」を選択します。各部屋の色を図のように変更して、＜OK＞をクリックします。

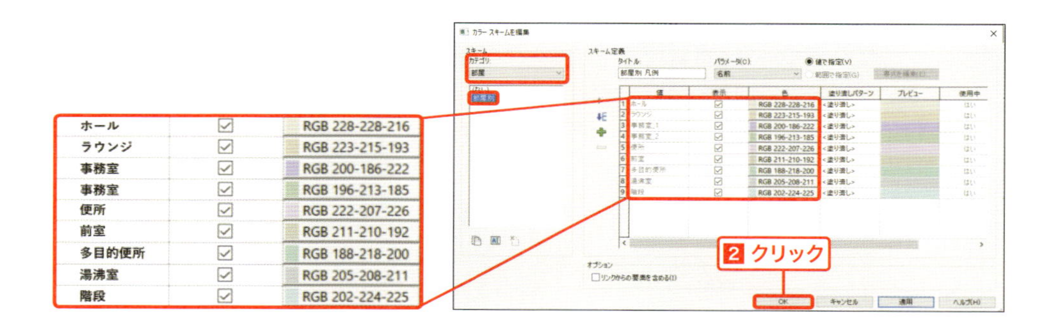

3 部屋が着色されます。

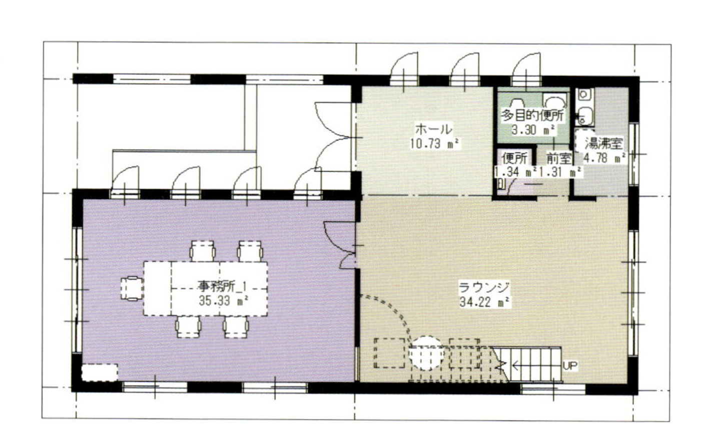

4 衛生器具、家具なども含めて着色したいときは、［カラー スキームの場所］を「背景」から「前景」に変更します。

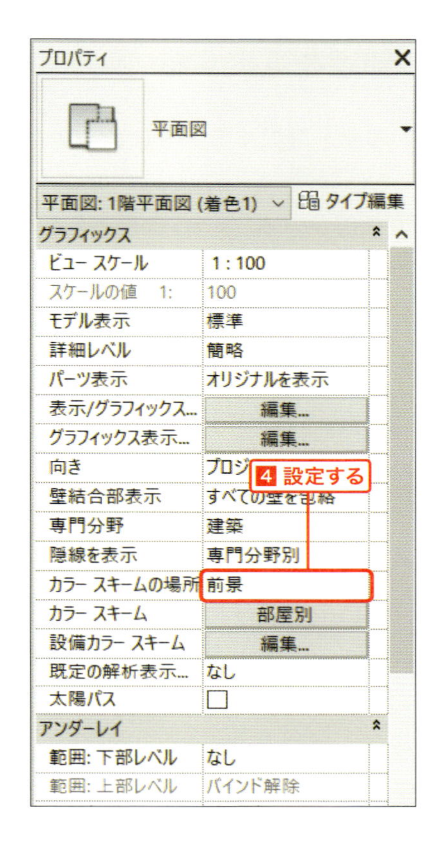

<注釈>タブの<カラー凡例>をクリックすると、カラースキームの凡例を配置できます。

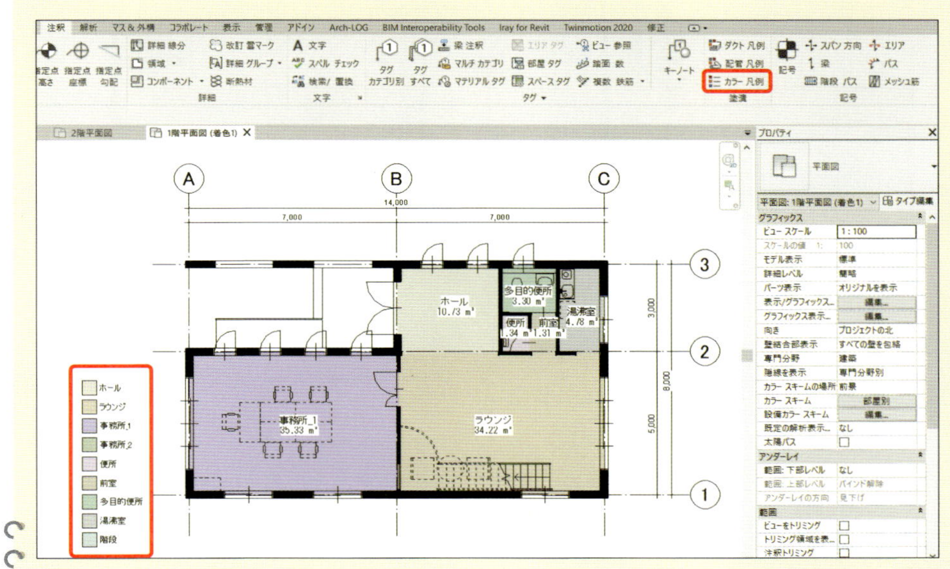

部屋を選択する

部屋を選択するときには、少しコツがいります。4つの方法があります。

1 部屋タグ（部屋名）があるときには部屋タグの上にカーソルを移動し、部屋タグが青く表示された状態で Tab キーを押します。部屋が×マークで表示されるので、クリックすると部屋が選択されます。この方法では部屋を選択しようとして、部屋タグを選択することがよくあります。部屋と部屋タグは違うものなので、注意が必要です。

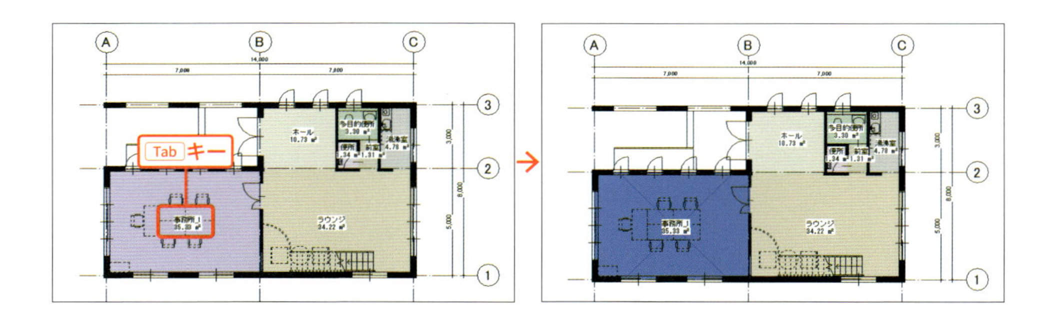

2 部屋タグがないときは、部屋を構成する壁の上にカーソルを移動し、部屋が×マークで表示されるまで Tab キーを何回か押します。部屋が表示された段階で、クリックすると部屋が選択されます。

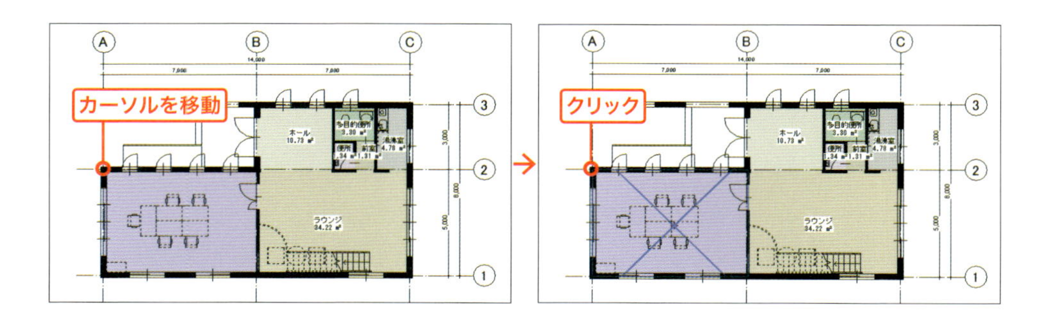

3 部屋の中でカーソルを移動して、部屋が×マークで表示されたところでクリックすると部屋が選択されます。×マークはカーソル上にきたときだけ表示されます。どこに×マークがあるのかは見えないため、カーソルを移動させ、×マークを探すことになります。

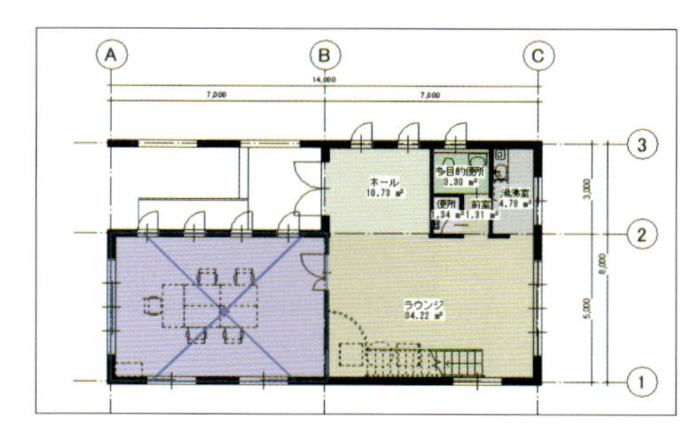

4 部屋を完全に囲むように範囲選択で選択し、フィルター機能を使って部屋だけを選択します。複数の部屋を選択するときに便利です。Ctrl キーや Shift キーを使用して、選択する部屋を追加したり減らしたりできます。どのエリアに部屋をいれたか確認したいときは、この方法で範囲選択すれば、部屋が入力されているところは×マークができるので確認できます。

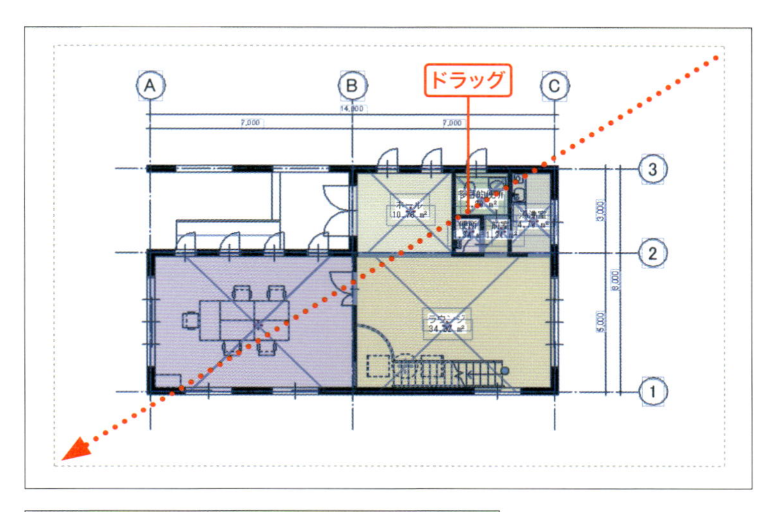

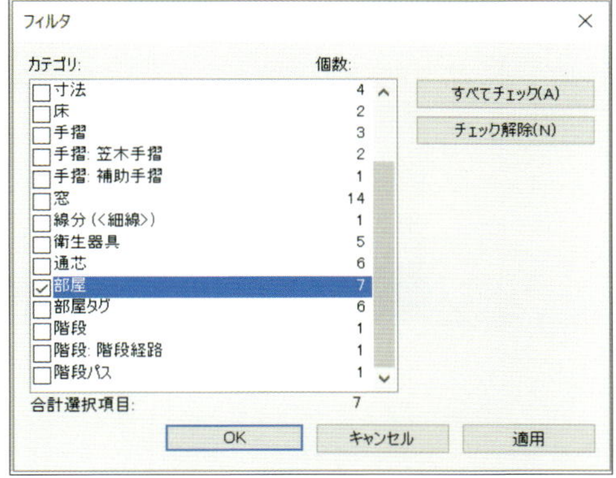

memo

<表示/グラフィックス>のモデルカテゴリ<部屋>のサブカテゴリ<参照>にチェックを付けると、常に×マークが表示されます。

memo

×マークがでている状態で×マークをドラッグすると、×マークの位置を移動することができます。

用途別に着色する

部屋を用途別に着色する方法を紹介します。［1階の事務室_1］と［2階の事務室_2］の用途を「専有部」とします。各階のその他の部屋を「共有部」とします。

1 ＜1階平面図＞ビューを開きます。部屋タグを各部屋に一度に配置します。＜注釈＞タブ→＜タグすべて＞→カテゴリの＜部屋タグ＞にチェックを付けて＜OK＞をクリックします。＜2階平面図＞ビューにも同様に部屋タグを配置します。

2 ＜1階平面図＞ビューの「事務所_1」の部屋を選択して、［プロパティパレット］の［用途］に「専有部」と入力します。＜2階平面図＞ビューにある「事務所_2」も「専有部」とします。2回目以降はプルダウンメニューから選択できます。

3 ＜1階平面図＞ビューの②で選択した部屋以外の部屋を選択して、［プロパティパレット］の［用途］に「共有部」と入力します。＜2階平面図＞ビューの「階段」の［用途］も「共有部」とします。

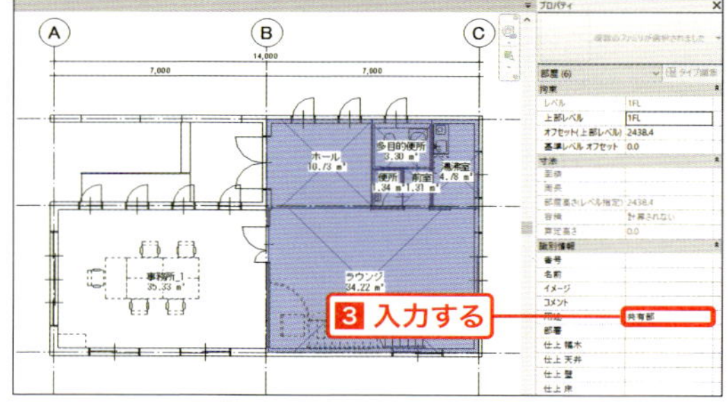

4 区別した部屋の用途をカラースキームで色を指定します。＜1階平面図＞ビューの［プロパティパレット］の［カラースキーム］の＜なし＞をクリックし、［カラースキームを編集］ダイアログボックスを開きます。［カテゴリ］を「スペース」から「部屋」に変更します。スキームの＜部屋別＞をクリックして＜複製＞をクリックして［名前］を「用途別」と入力し、＜OK＞をクリックします。

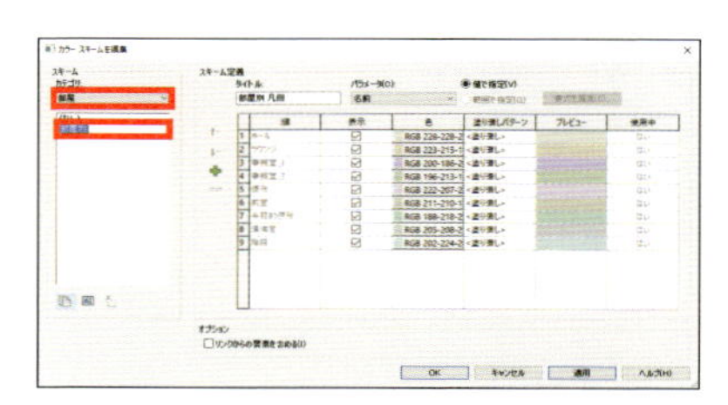

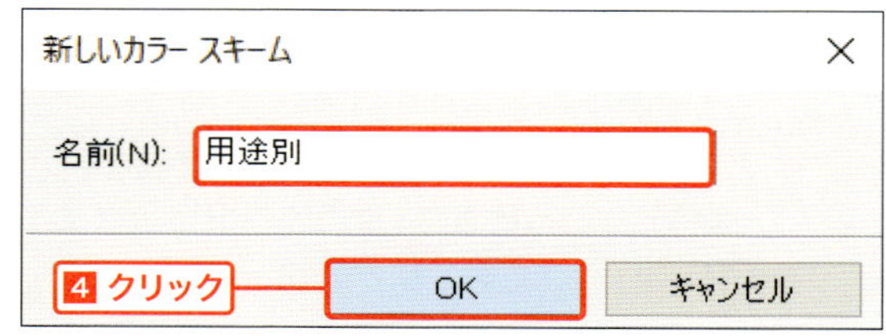

5 ［パラメータ］を「用途」に設定すると図のようなメッセージが出ます。＜OK＞をクリックします。

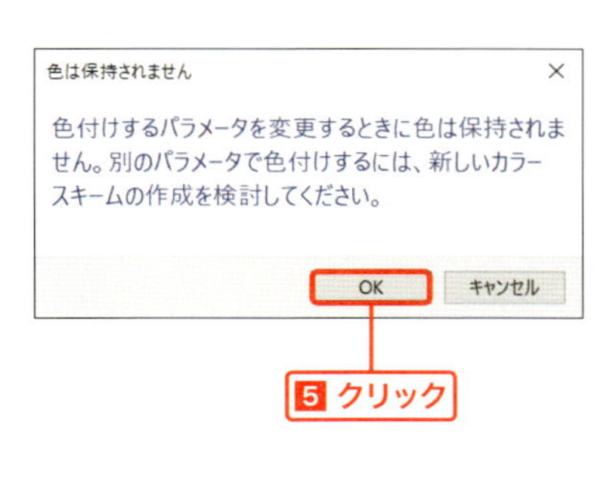

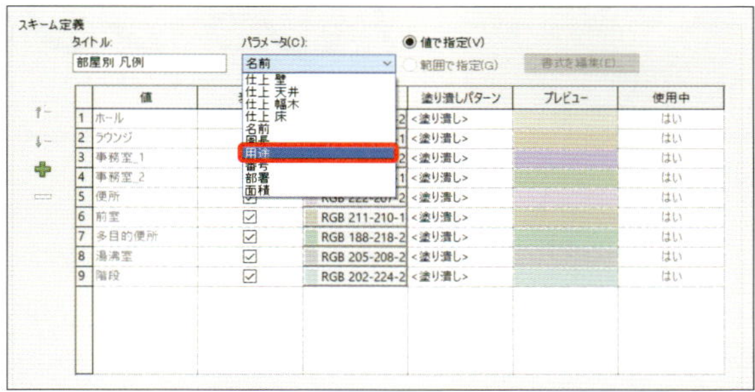

6 手順**2**と**3**で作成した＜共有部＞と＜専有部＞の用途別のカラースキームが表示されます。色を適宜指定して＜OK＞をクリックします。任意の色を設定できますがここでは、次の色で設定します。

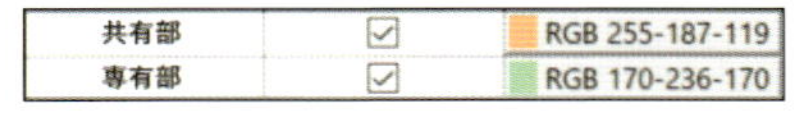

共有部	☑	RGB 255-187-119
専有部	☑	RGB 170-236-170

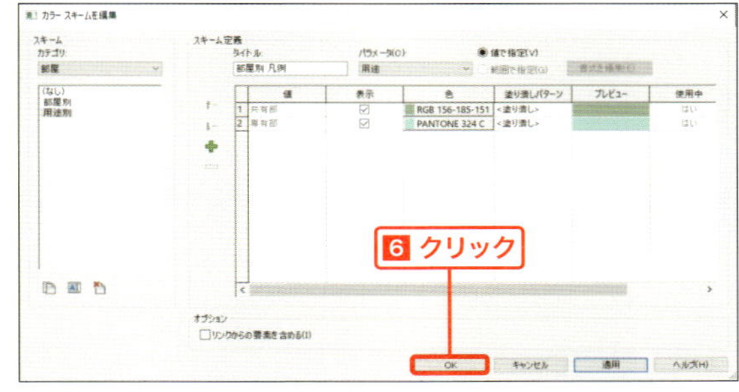

7 部屋ごとではなく、用途別に部屋が着色されます。［プロパティパレット］→［カラースキームの場所］を「背景」から「前景」に変更します。
［カラースキーム］はビューごとに表示することができます。ここではカラースキームは「なし」に戻しておきます。

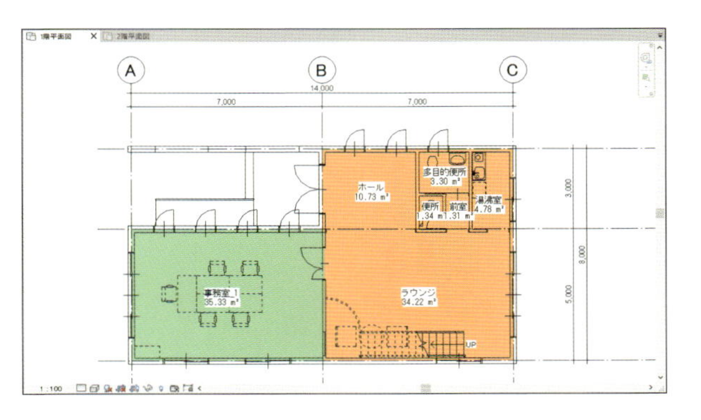

04 壁をハッチング表示にする

次に壁を図のようなハッチング表示にします。

RC壁とLGS壁の表現を区別するためにフィルタ機能を使います（RevitLTにはフィルタ機能はありません）。規則によるフィルタを作成します。

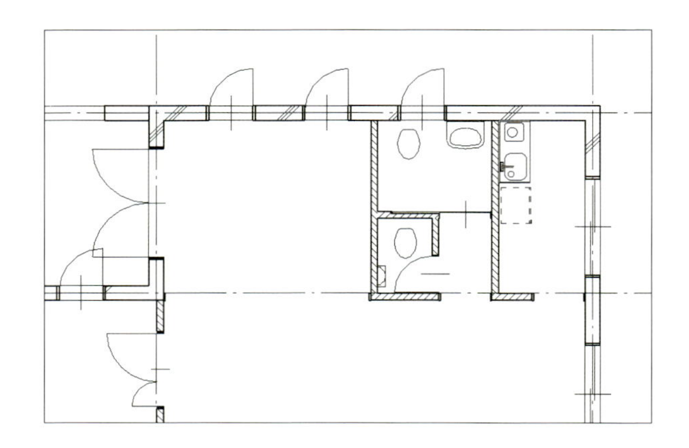

1 ＜1階平面図(着色2)＞ビューを開きます。［プロパティパレット］の＜表示／グラフィックスの上書き＞→＜編集＞で＜フィルタ＞タブをクリックして、＜追加＞をクリックします。

2 ［フィルタを追加］ダイアログボックスで＜編集／新規作成＞をクリックします。

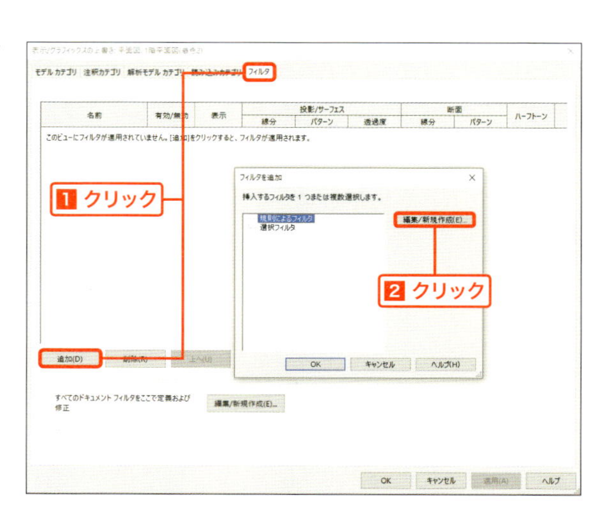

3 ［フィルタ］ダイアログボックスで＜新規作成＞をクリックします。

4 ［名前］を「壁-RC」として、＜OK＞をクリックします。

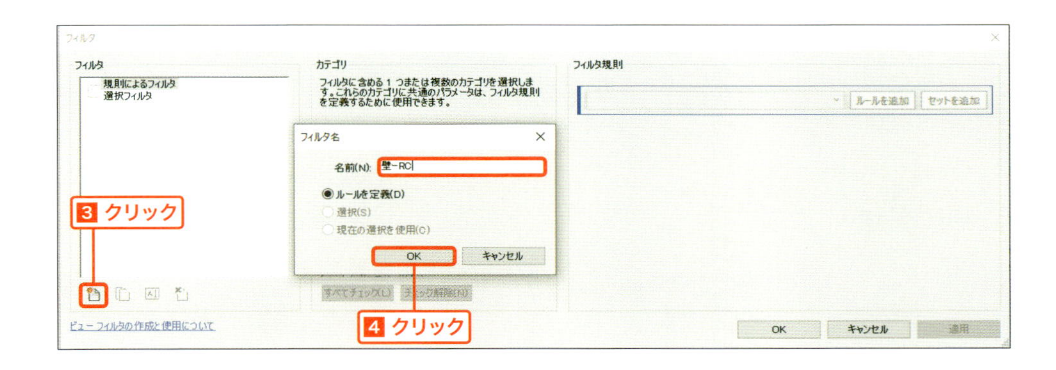

5 カテゴリの［壁］にチェックを付けて、［フィルタ規制］を図のようにして、＜OK＞をクリックします。この設定で、カテゴリが［壁］の中で［タイプ名］に「RC」という文字を含むオブジェクトがフィルタにかかります。

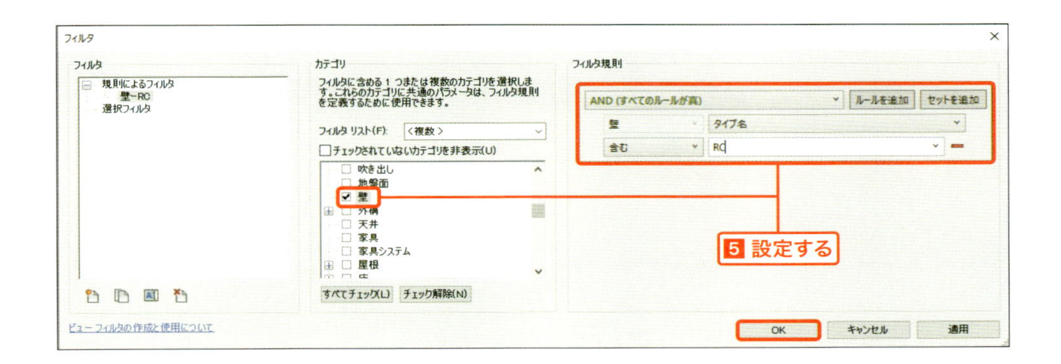

6 ［フィルタを追加］ダイアログボックスで＜壁-RC＞を選択し、＜OK＞をクリックします。

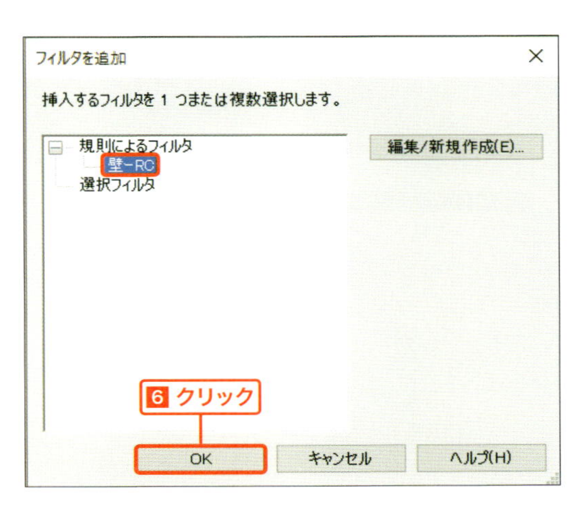

7 作成した［壁-RC］フィルタの［断面］の［パターン］→＜優先＞をクリックします。

8 前景の表示にチェックが付いていることを確認し、［パターン］を「RC」、［色］を「黒」にします。

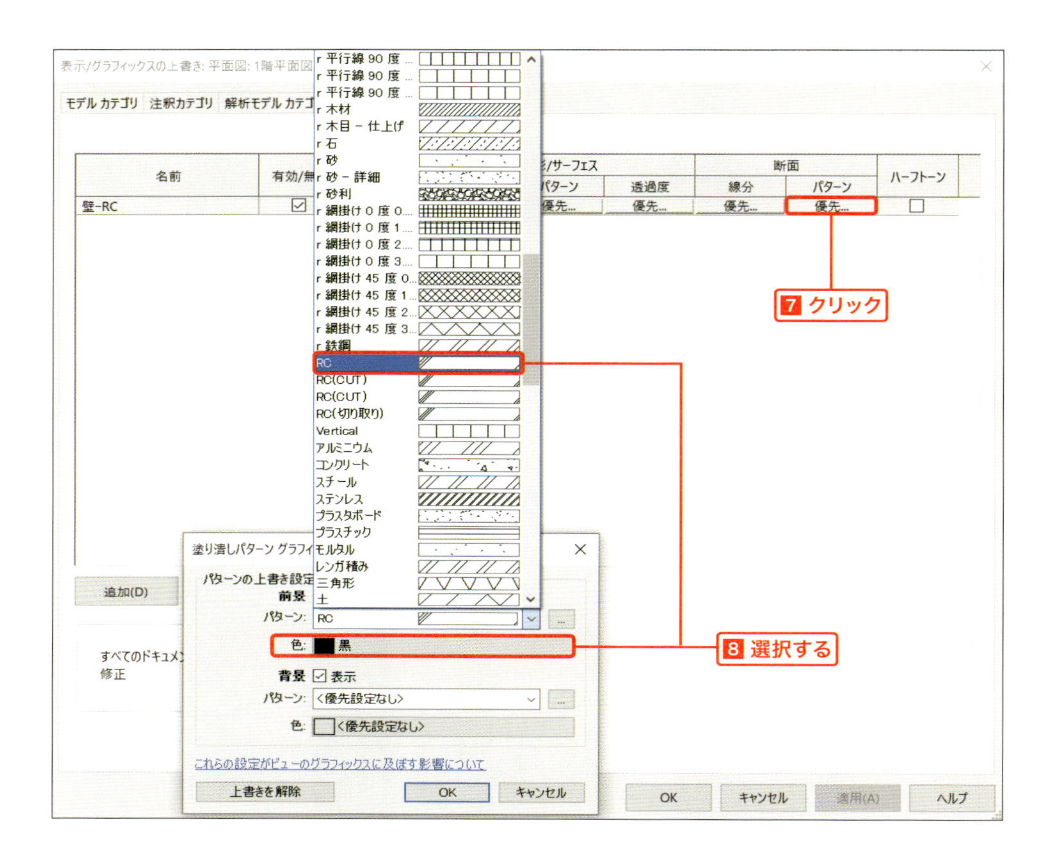

9 ＜OK＞をクリックすると、下図のようになります。

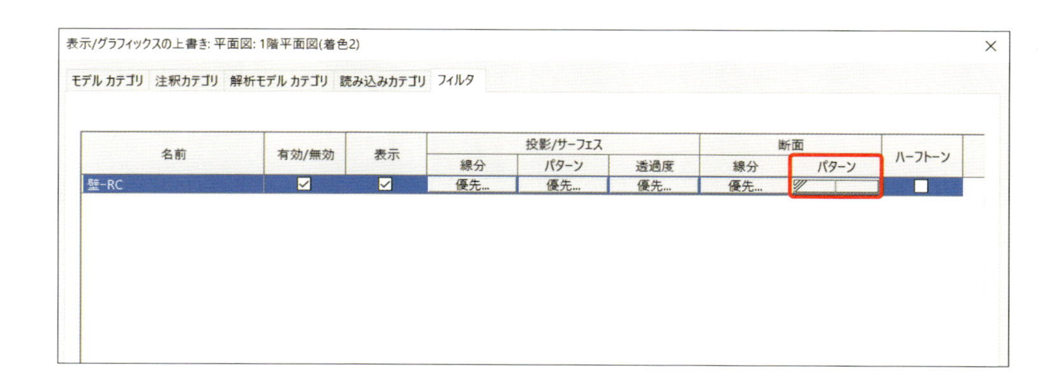

10 同じ要領で今度は文字「LGS」を含む［壁-LGS］フィルタを作成します。RCと同じ手順で、パターンの種類はRCとは異なる「r平行線45度0.8mm」、［色］［黒］を選択します。

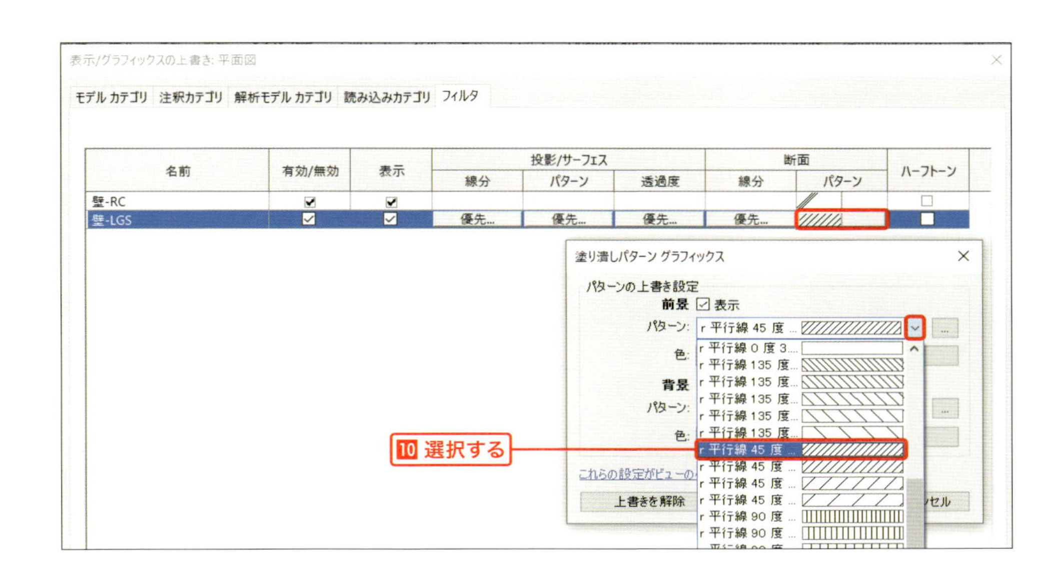

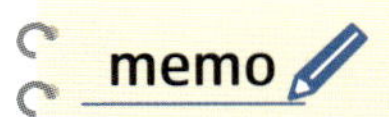

一つのオブジェクトに二つ以上のフィルタの内容が重なった場合、上の行にあるフィルタの内容が優先されます。

11 <OK>をクリックすると、図のようになります。

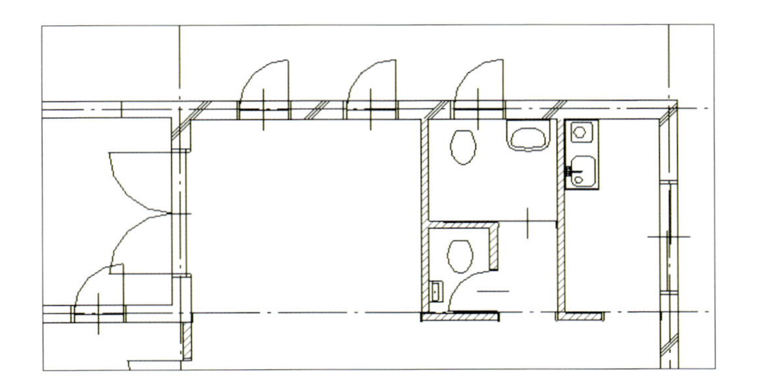

12 最後にビューの［プロパティ］の［壁結合部を表示］を<同じタイプの壁を包絡>にすると、RCとLGSの壁との包絡が解除され、「5-04」の最初の図のようになります。

05 1階平面図と2階平面図の図面表現を同期させる

1階で行った着色などのビューの表現を2階にも適用する場合、ビューテンプレートを使うと同じ操作を繰り返さなくてよいので便利です。

1 <1階平面図>ビューを開き、<表示>タブの<ビューテンプレート▼>をクリックして<現在のビューからテンプレートを作成>を選択します。[名前]を「平面図」として、<OK>をクリックします。

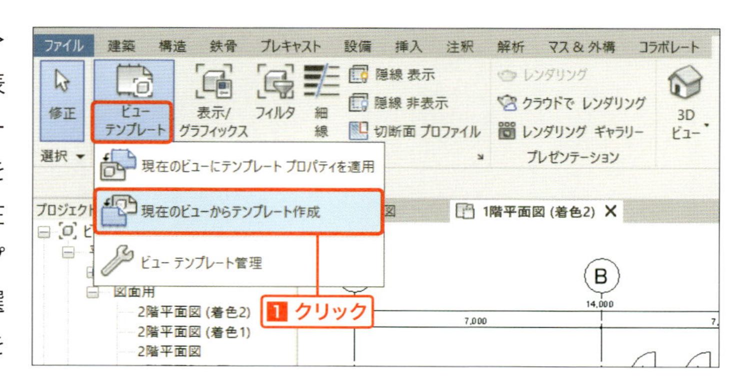

2 [ビューテンプレート]ダイアログボックスが表示されます。このダイアログボックスでどの項目をビューテンプレートに含めるかを選びます。ここでは[ビュー範囲]だけチェックを外して、<OK>をクリックします。

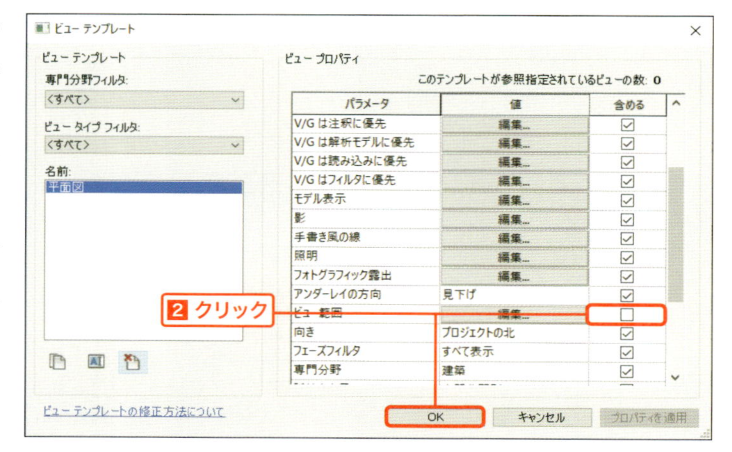

3 ＜1階平面図＞にビューテンプレート［平面図］を適用させます。［プロパティパレット］の［ビューテンプレート］の＜なし＞をクリックすると、［プレビューテンプレートを割り当て］ダイアログボックスが開きます。左側の［名前］で＜平面図＞を選択し、＜OK＞をクリックします。

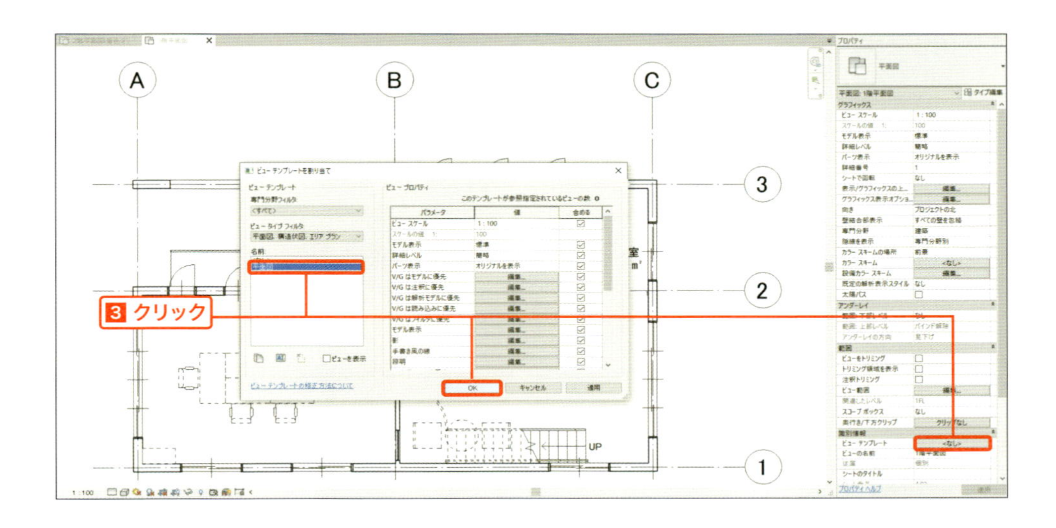

4 手順3を参考に＜2階平面図＞ビューにもビューテンプレート［平面図］を適用させます。＜2階平面図＞ビューを開いて、［プロパティパレット］の［ビューテンプレート］の＜なし＞をクリックします。左側の［名前］の＜平面図＞を選択して、＜OK＞をクリックします。

5 ＜1階平面図（着色1）＞ビューを開いて、1階平面図ビューのときと同じ要領で［ビューテンプレート］の名前を平面図（着色1）として作成します。

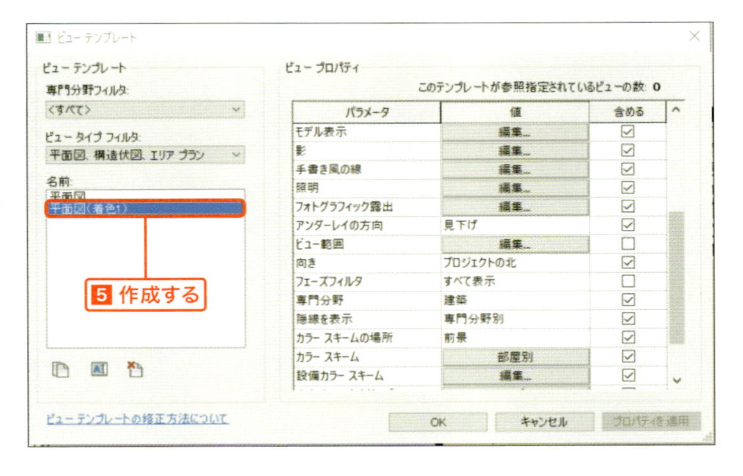

6 1階平面図（着色1）ビューと2階平面図（着色1）ビューにビューテンプレート［平面図（着色1）］を適用します。

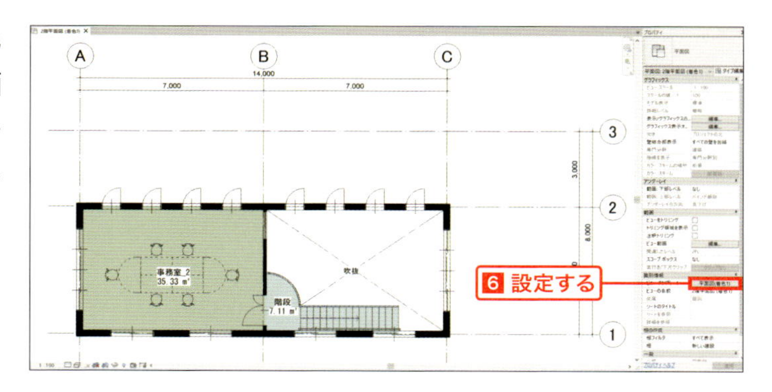

7 手順**1**と同じ要領でビューテンプレート［平面図（着色2）］を作成し、1階平面図（着色2）ビューと2階平面図（着色2）ビューに適用します。

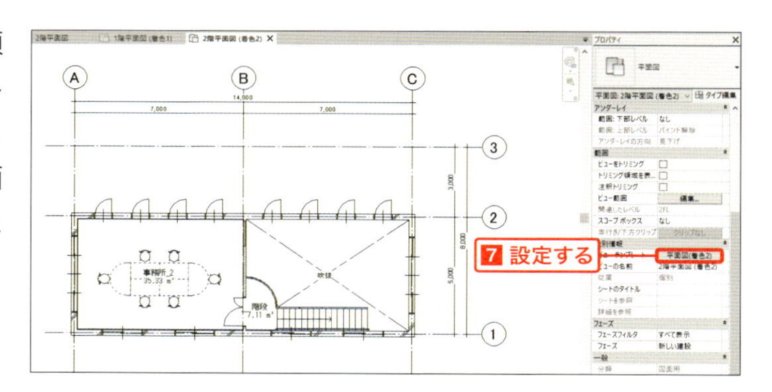

8 ビューテンプレートを適用させると、［プロパティパレット］の［表示／グラフィックスの上書き］が、図のようにグレー表示になり操作できなくなります。

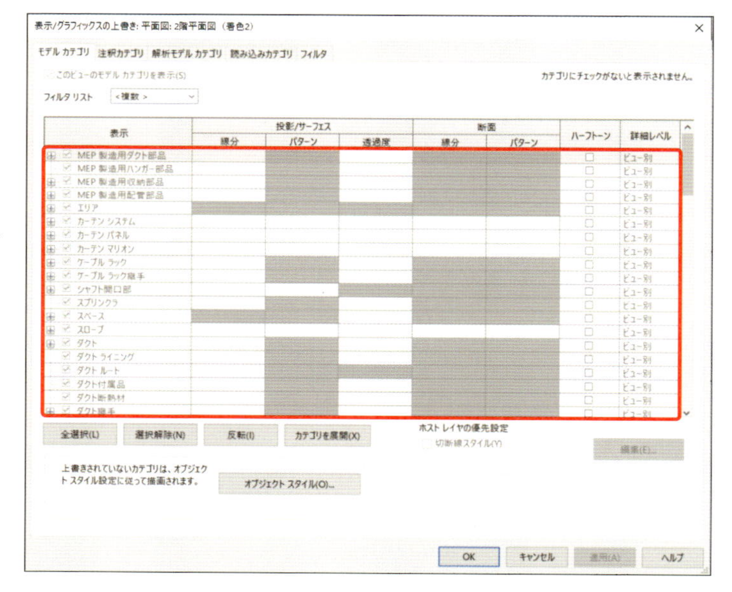

9 ［表示／グラフィックスの上書き］を編集したいときには、［プロパティパレット］の［ビューテンプレート］の<平面図（着色2）>をクリックします。

10 ［ビューテンプレートを割り当て］ダイアログボックスで［V/Gはモデルに優先］の<編集>をクリックして、［表示／グラフィックスの上書き：平面図（着色2）］ダイアログボックスを表示します。ここで操作すると、このビューテンプレートを使用している1階平面図（着色2）ビューと2階平面図（着色2）ビューの両方に適用されます。

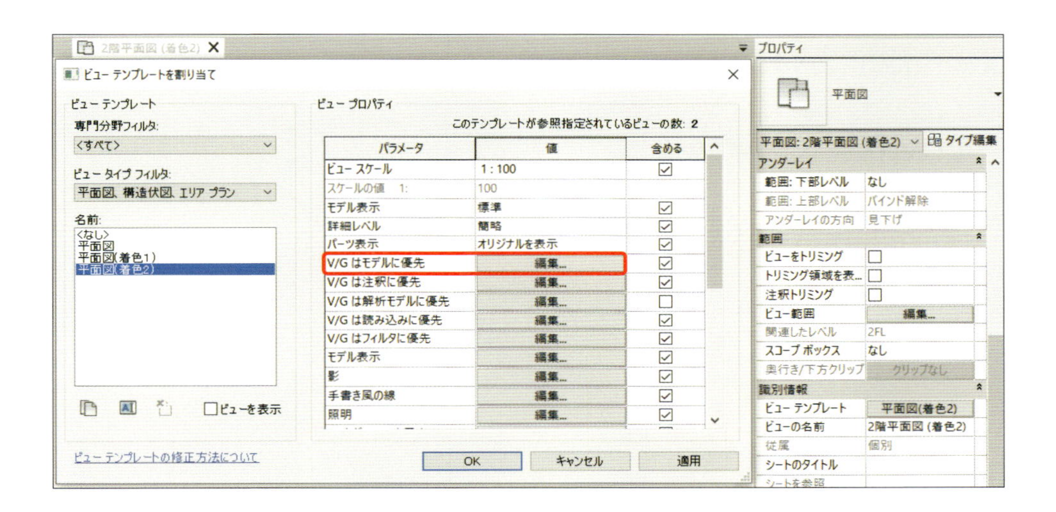

11 ビューテンプレートを解除するには、［ビューテンプレートを割り当て］ダイアログボックスで［名前］を「なし」にします。

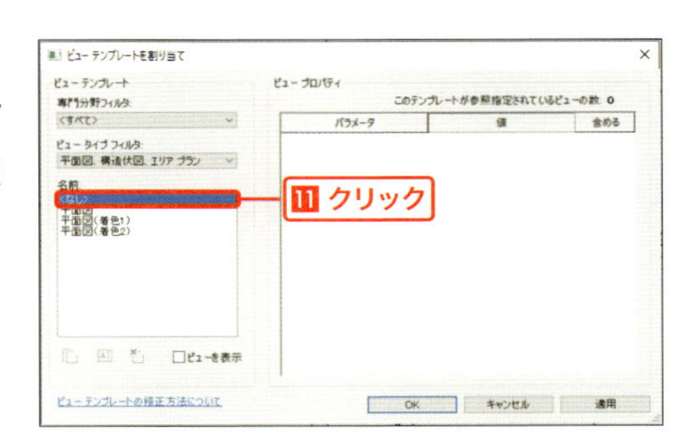

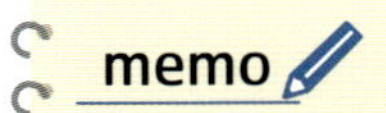

一時的にビューテンプレートを解除してこのビュープロパティを有効にしたい場合は、画面下のビューコントロールバーの<一時的なビュープロパティ>→<一時ビューのプロパティを有効化>を使用します。

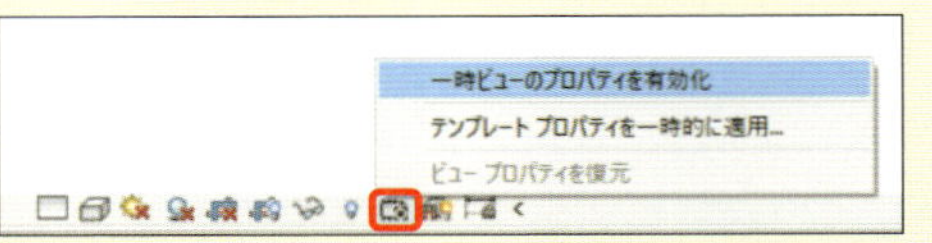

Column

オリジナル塗り潰しパターンを作る

図のようなオリジナル塗り潰しパターンの作り方を紹介します。

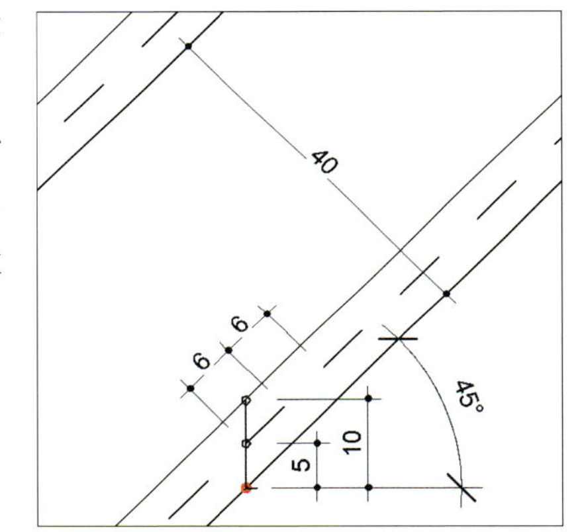

メモ帳などのエディタで下記のような内容のテキストファイルを作成し、任意のファイル名(拡張子は.pat)で文字コードをANSIで保存します。なお、この塗り潰しパターンは説明上実際に使われるパターンの10倍の大きさで作成しています。

```
;%UNITS=MM
*Hb_sample
;%TYPE=DRAFTING
45,0,0,0,40
45,0,5,0,40,6,-6
45,0,10,0,40
```

これは以下の内容を意味します。

;%UNITS=MM	：単位をmmに指定
*Hb_sample	：*の後がパターン名
;%TYPE=DRAFTING	：パターンが［製図］であることを指定
または ;%TYPE=MODEL	：パターンが［モデル］であることを指定

［製図］はRCハッチングなど印刷寸法(シートに対してのサイズ)で作成されるパターン、［モデル］は300角タイル目地など実寸法(実際のモデルに対してのサイズ)で作成されるパターンです。次の5つまたは7つの数字は以下を表します。5つの場合は実線になります。

1. 回転角度、2.3. 始点X,Y (回転前)、4.5. 移動量X,Y (回転後)
6. ペンを下ろす距離 (回転後)、7. ペンを上げる距離 (回転後)

＜管理＞タブ→＜その他の設定＞→＜塗り潰しパターン＞→＜新しい塗り潰しパターン＞→＜カスタム＞→＜参照＞でこのテキストファイルを選択して開くと、プロジェクトファイルに取り込まれます。

第 6 章

集計表と図面シートを作成する

Revitの集計の機能を使って、部屋面積などを自動集計する方法を紹介します。そしてこれまで作成したビューや集計を図面シートにまとめていきます。

01 部屋の面積を集計する

各部屋の面積を集計した表を作成します。ここからの作業は、サンプルファイル「Hb06-01.rvt」を使用します。

1 ＜表示＞タブの＜集計▼＞をクリックし、＜集計表/数量＞を選択します。

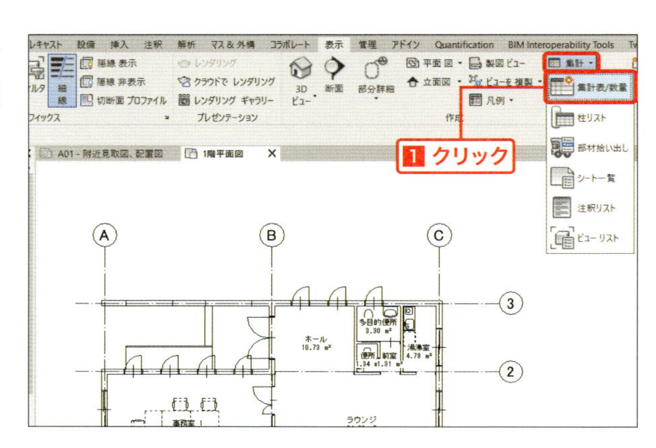

memo

[プロジェクトブラウザ] の＜集計表/数量 (すべて) ＞を右クリックして、＜新しい集計表/数量＞をクリックしても実行できます。

2 カテゴリは「部屋」として、＜OK＞をクリックします。

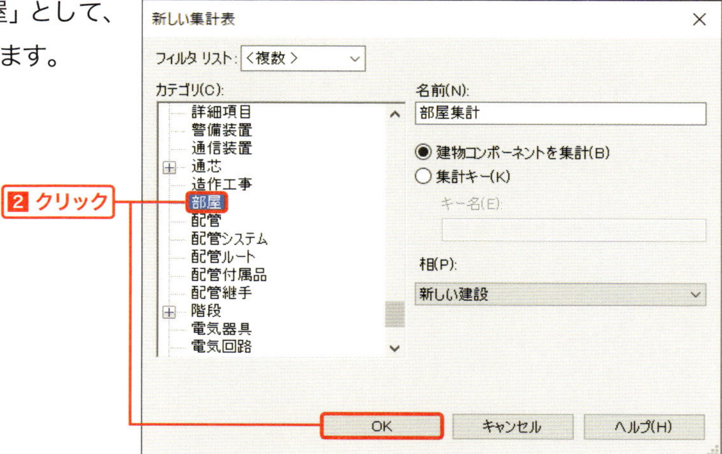

3 [使用可能なフィールド] から<レベル>を選択して、<パラメータを追加>をクリックして [使用予定のフィールド] に追加します。

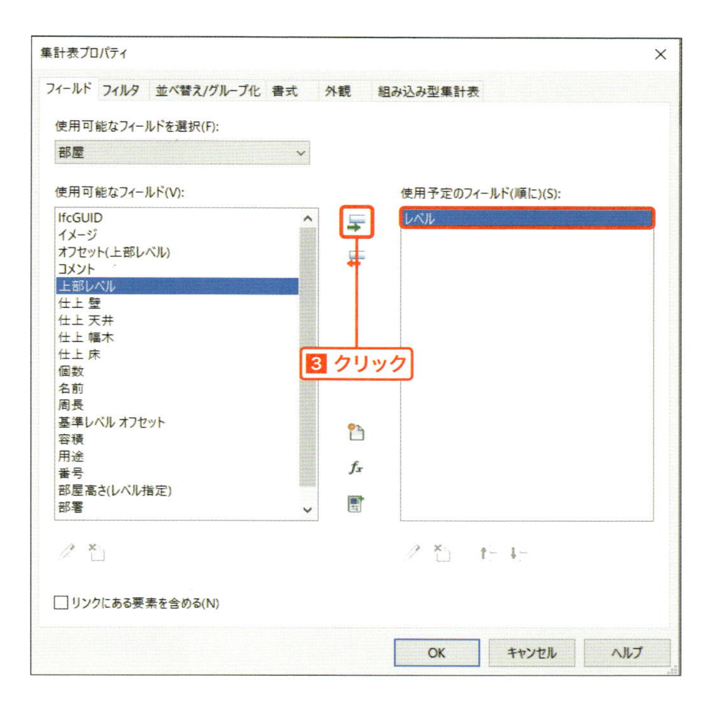

memo

[使用可能なフィールド] で<レベル>をダブルクリックすることでも、パラメータを [使用予定のフィールド] に追加することができます。

4 同様に、<名前>と<面積>も選択して、<パラメータを追加>をクリックします。

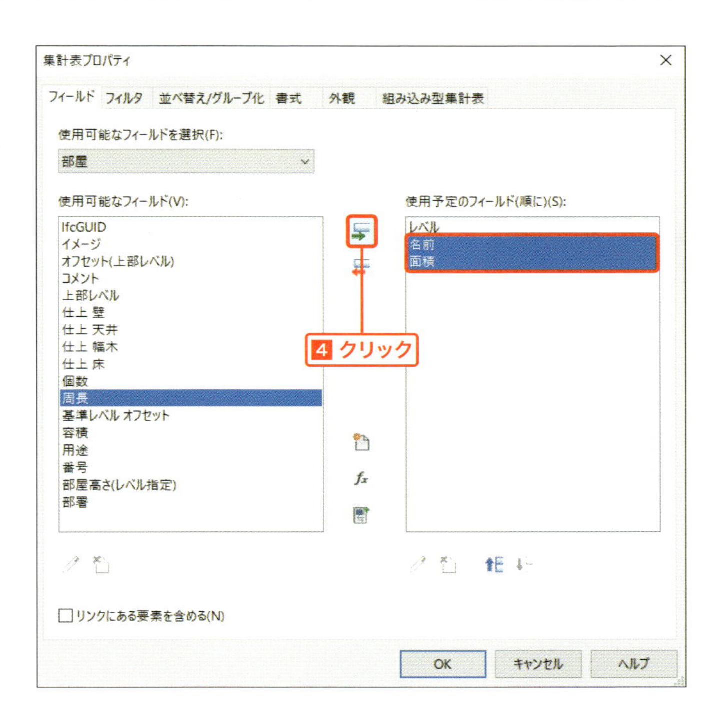

5 <並べ替え/グループ化>タブで図のように設定します。

5 設定する

集計表プロパティ
フィールド　フィルタ　並べ替え/グループ化　書式　外観　組み込み型集計表
並べ替え方法(S):　レベル　昇順(C)　降順(D)
見出し(H)　フッタ(F):　タイトルと合計　空白行(B)
次の並べ替え方法(T):　(なし)　昇順(N)　降順(I)
合計(G):　タイトルと合計
合計タイトルをカスタマイズ(U):
合計
各インスタンスの内訳(Z)
OK　キャンセル　ヘルプ

6 <書式>タブで[フィールド]の<レベル>を図のように設定します。

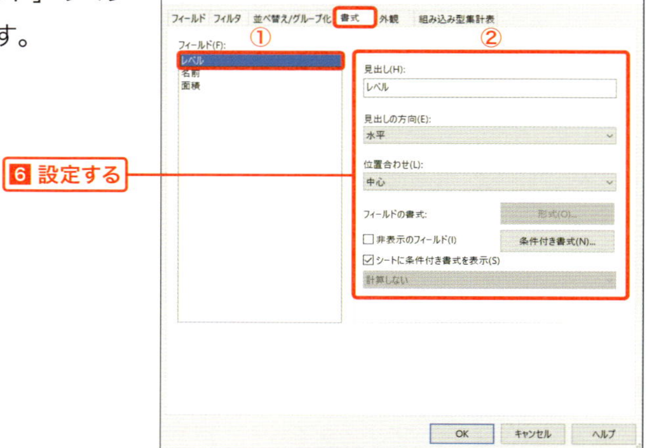

7 <書式>タブで[フィールド]の<面積>をクリックして、図のように設定します。合計を計算するには最下段を[合計を計算]する必要があります。

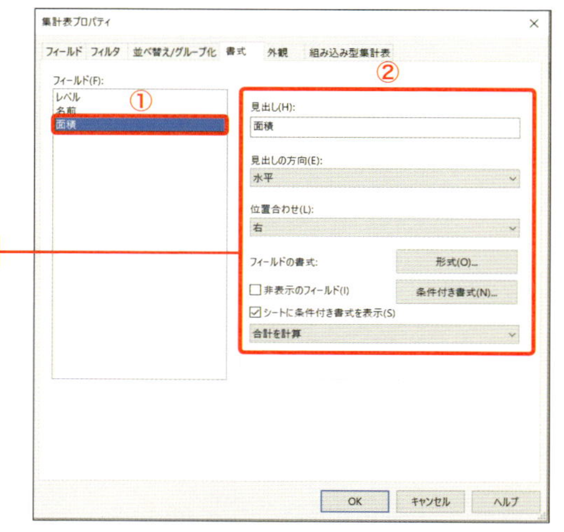

8 <外観>タブでは図のように設定します。<OK>をクリックします。

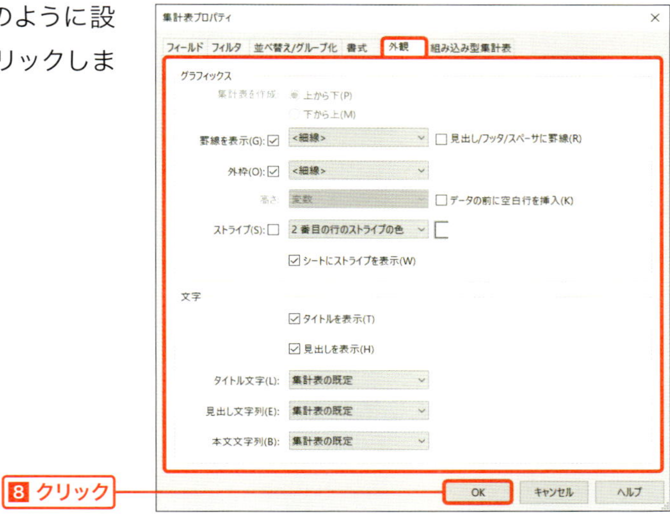

9 タイトルと見出しを変更します。[部屋集計]を「面積集計」、[レベル]を「階」にし、[名前]を「室名」と変更します。これで各部屋の面積集計表の完成です。

<面積集計>

A	B	C
階	室名	面積
1FL	事務室_1	35.33 m²
1FL	ホール	10.73 m²
1FL	ラウンジ	34.22 m²
1FL	多目的便所	3.30 m²
1FL	湯沸室	4.78 m²
1FL	便所	1.34 m²
1FL	前室	1.31 m²
1FL		91.00 m²
2FL	事務室_2	35.33 m²
2FL	階段	7.11 m²
2FL		42.44 m²
合計		133.44 m²

9 変更する

memo

面積の端数を切り捨てなどにしたいときは、次節で紹介される集計表の「計算値」フィールドに、Round関数を使用した計算式を入力します。以下は、いずれも小数第3位を切り捨てなどにした場合です。

切り捨て：(rounddown(面積/1m^2*100))/100*1m^2
切り上げ：(roundup(面積/1m^2*100))/100*1m^2

02 面積を坪表記にする

坪数も併記したいときは、計算式を使います。

1 「6-01」で作った面積集計で［プロパティパレット］の［フィールド］の＜編集＞をクリックします。

2 ［集計表プロパティ］ダイアログボックス中央の＜計算されたパラメータを追加＞ *fx* をクリックします。

3 ［計算値］ダイアログボックスで図のように入力します。［計算式］は、「面積 * 0.3025 /1 m^2」と入力します。「面積」は入力もできますが、＜…＞をクリックして選択するほうが確実です。＜OK＞をクリックします。

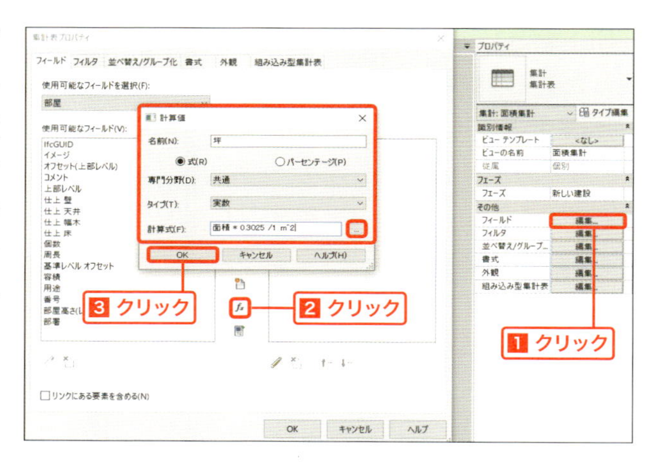

4 ＜書式＞タブを開いてフィールドの＜坪＞を選択します。＜形式＞をクリックし、＜既定の設定を使う＞のチェックを外して編集可能な状態にしてから、図のように設定します。＜OK＞をクリックします。

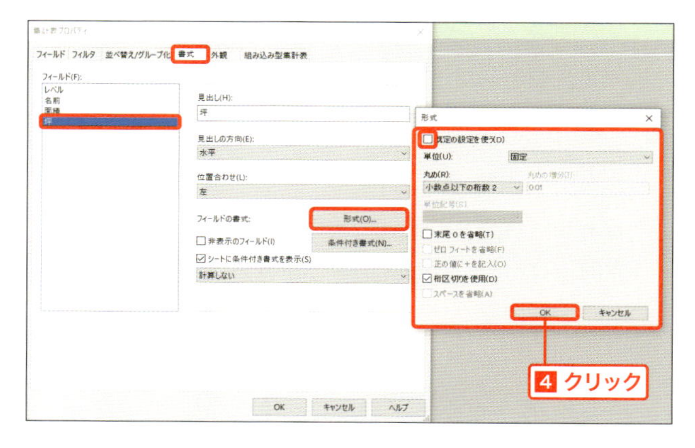

5 その他の項目は図のように設定します。<OK>をクリックします。

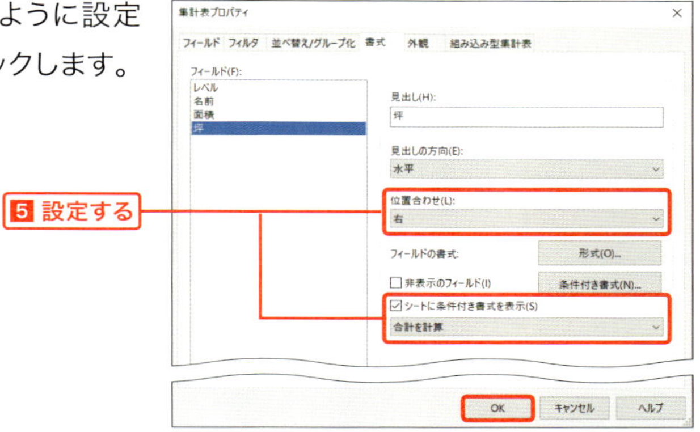

6 図のようになります。

<面積集計>

A	B	C	D
階	室名	面積	坪
1FL	事務室_1	35.33 m²	10.69
1FL	ホール	10.73 m²	3.25
1FL	ラウンジ	34.22 m²	10.35
1FL	多目的便所	3.30 m²	1.00
1FL	湯沸室	4.78 m²	1.45
1FL	便所	1.34 m²	0.40
1FL	前室	1.31 m²	0.40
1FL		91.00 m²	27.53
2FL	事務室_2	35.33 m²	10.69
2FL	階段	7.11 m²	2.15
2FL		42.44 m²	12.84
合計		133.44 m²	40.37

7 坪単位は併記できないため、面積の単位の表記を合わせます。[プロパティパレット]で[書式]の<編集>をクリックします。[集計表プロパティ]ダイアログボックスの<書式>タブの[フィールド]から<面積>を選択して、<形式>をクリックし、図のように設定して<OK>をクリックします。[集計表プロパティ]ダイアログボックスも<OK>をクリックして閉じます。

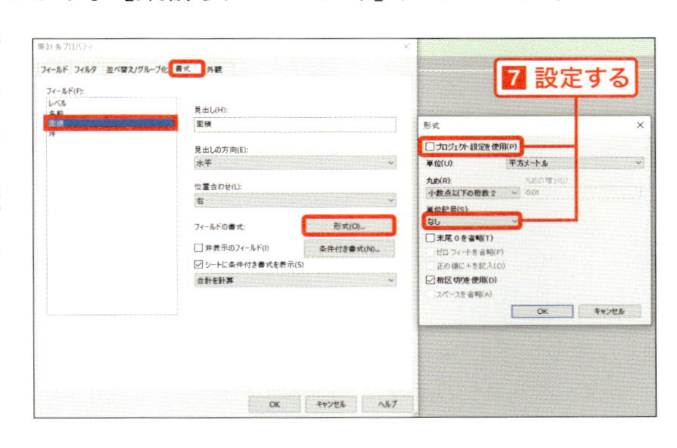

8 見出しを変更します。[面積]を「面積(㎡)」にし、[坪]を「(坪)」と入力します。図のようになります。

<面積集計>

A	B	C	D
階	室名	面積(㎡)	(坪)
1FL	事務室_1	35.33	10.69
1FL	ホール	10.73	3.25
1FL	ラウンジ	34.22	10.35
1FL	多目的便所	3.30	1.00
1FL	湯沸室	4.78	1.45
1FL	便所	1.34	0.40
1FL	前室	1.31	0.40
1FL		91.00	27.53
2FL	事務室_2	35.33	10.69
2FL	階段	7.11	2.15
2FL		42.44	12.84
合計		133.44	40.37

8 入力する

03 建築面積を集計する

建築面積を集計した表を作成します。

1 ＜表示＞タブの＜平面図▼＞→＜エリアプラン＞をクリックし、エリアプランを作成します。

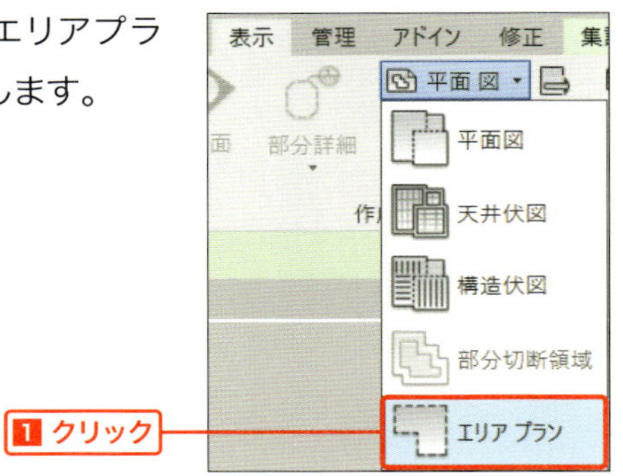

2 [新しいエリアプラン] ダイアログボックスで、[タイプ] は「建築面積」、[レベル] は「1FL」を選択して＜OK＞をクリックします。

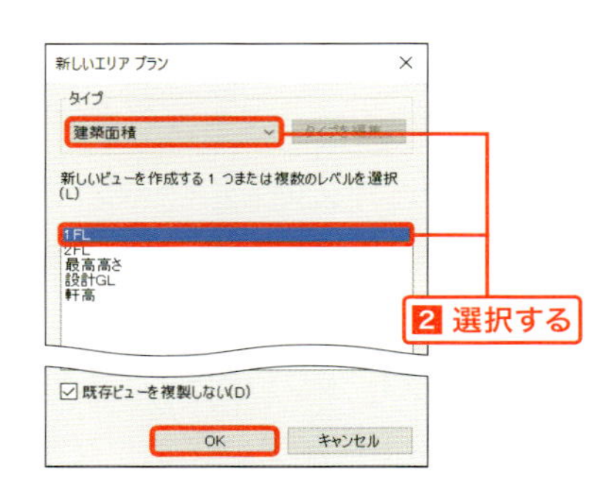

3 「外壁と建物エリアに関係したエリア境界線を自動的に作成しますか?」というメッセージが表示されたら、＜いいえ＞をクリックします。

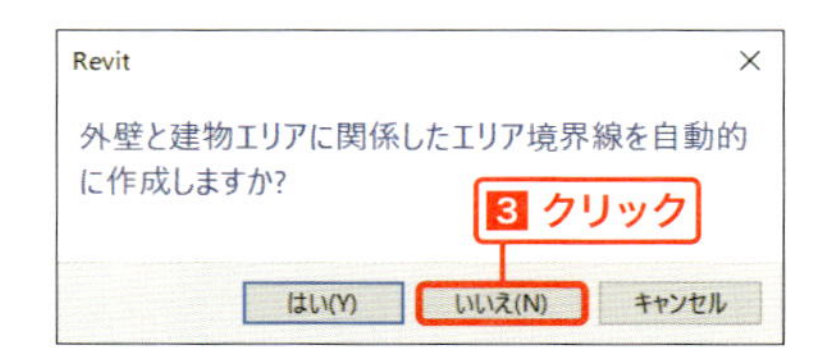

4 ＜建築＞タブの＜エリア境界＞をクリックします。

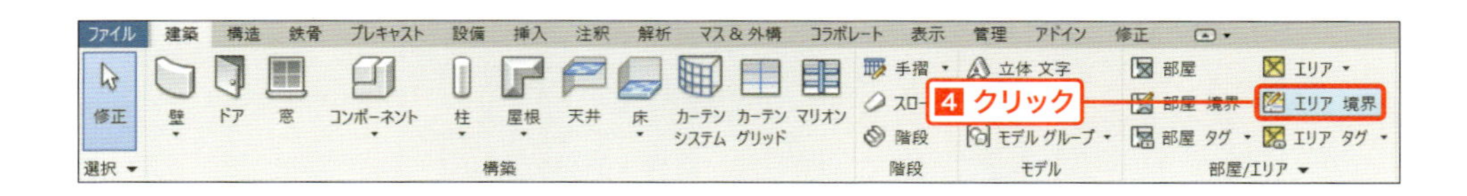

5 ［オプションバー］の<エリア規則を適用>のチェックを外してから、建築面積のエリアを［描画］ツールの<線分>や<選択>などで作成します。

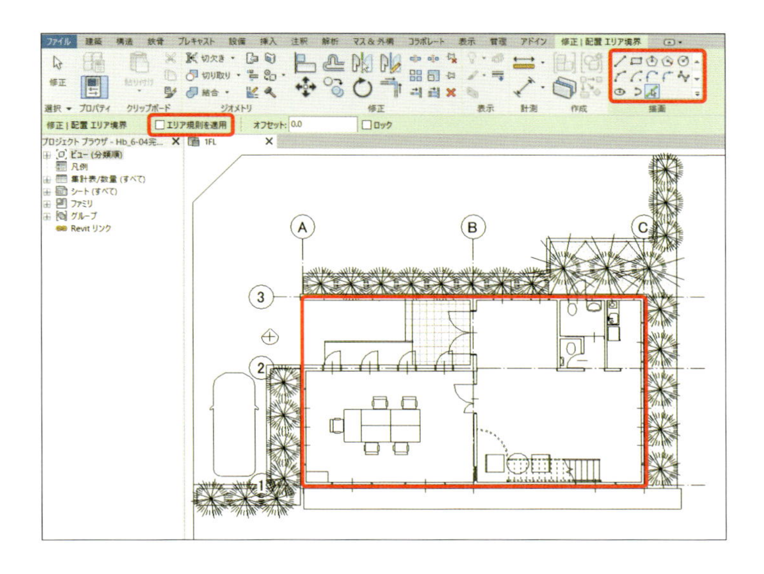

6 <建築>タブの<エリア▼>→<エリア>をクリックします。

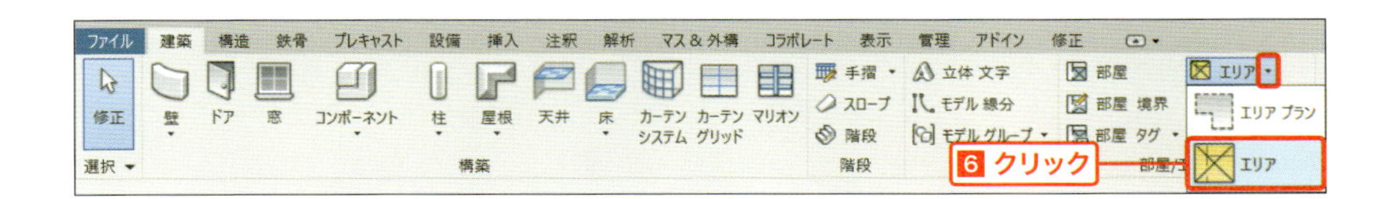

7 エリア内をクリックすると、エリアが配置されます。

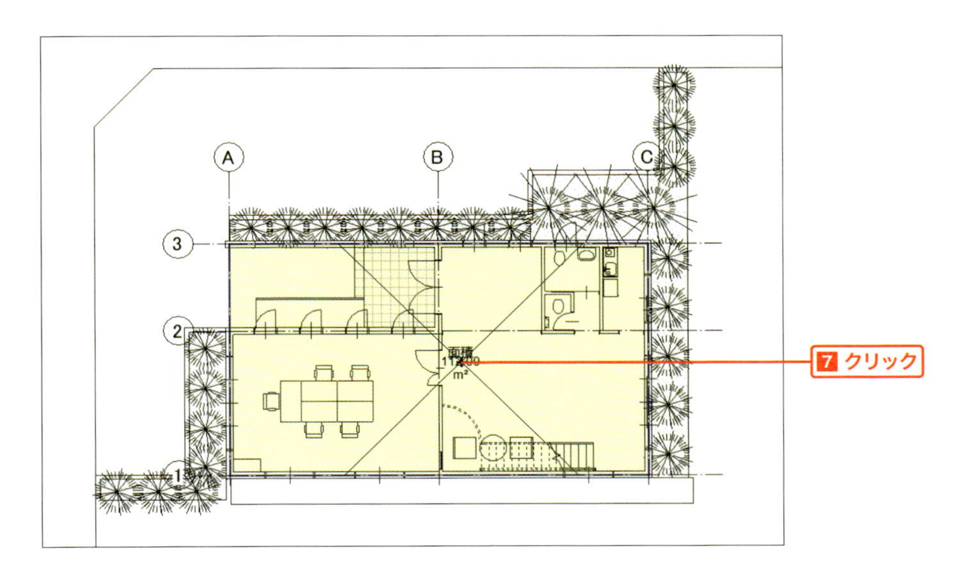

8 ＜表示＞タブの＜集計▼＞をクリックし、＜集計表/数量＞から新しい集計表を作成します。[カテゴリ] は「エリア(建築面積)」を選択します。＜OK＞をクリックします。

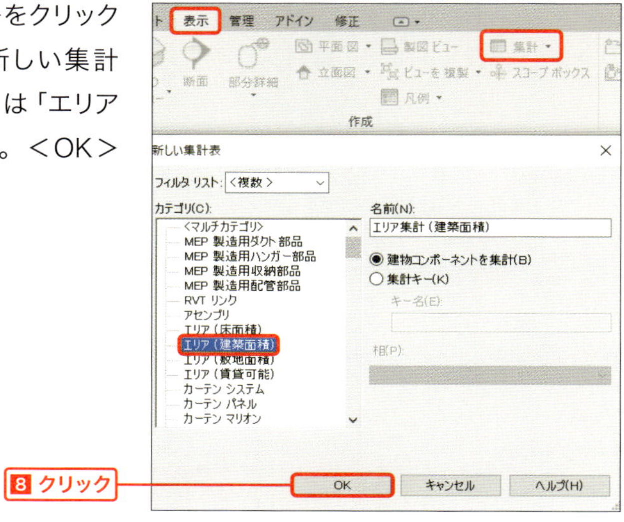

9 [使用可能なフィールド] から [名前] と [面積] を選択し、＜パラメータを追加＞をクリックして、[使用予定のフィールド] に追加します。

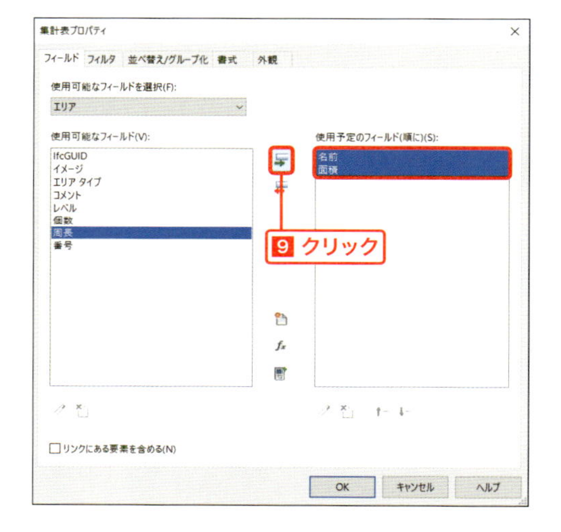

10 ＜並べ替え／グループ化＞タブは図のように設定します。

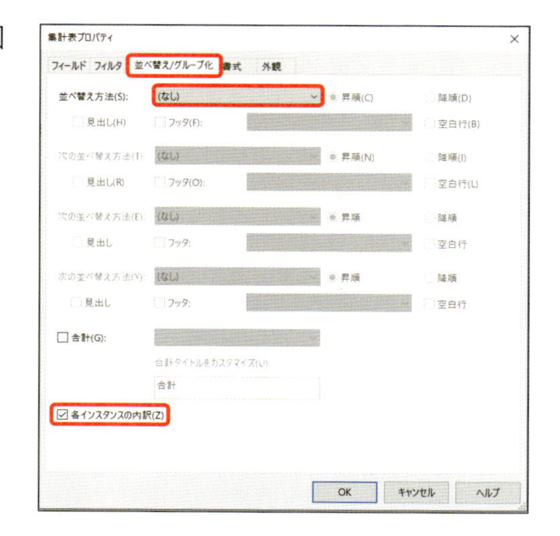

11 <書式>タブで［フィールド］の<名前>をクリックして、図のように設定します。

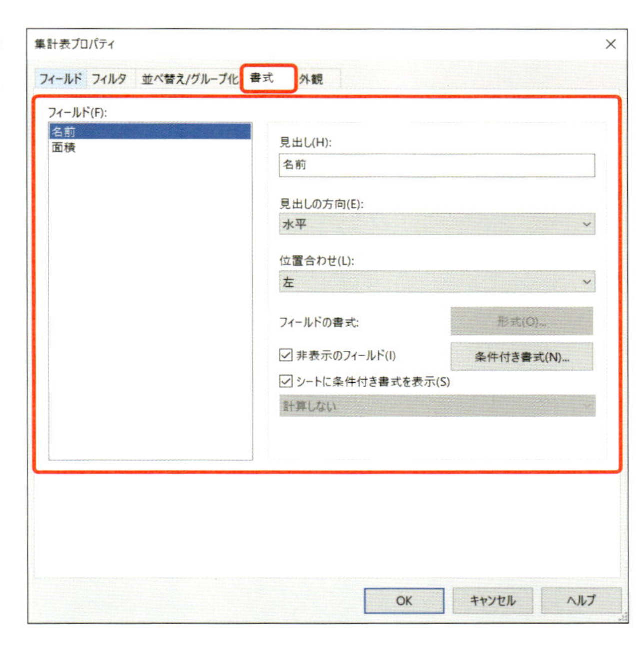

12 <外観>タブは図のように設定し、<OK>をクリックします。

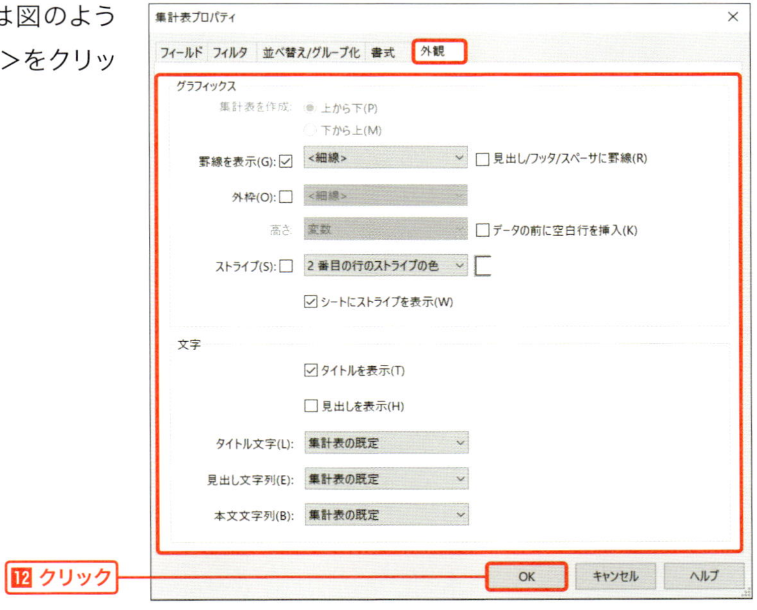

13 タイトルを「建築面積」に変更します。これで建築面積表の完成です。

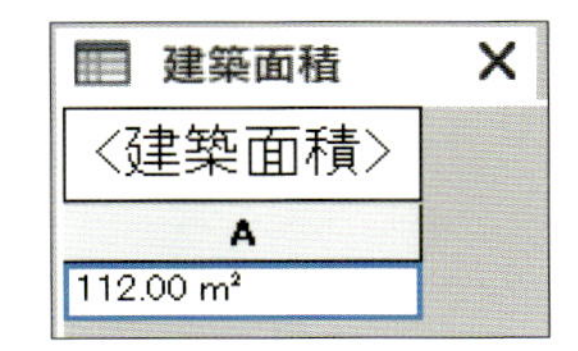

04 駐車台数を集計する

モデルの中に配置されている駐車スペースの数を集計します。

1 ＜表示＞タブの＜集計▼＞をクリックし、＜集計表 / 数量＞から新しい集計表を作成します。［カテゴリ］で「駐車場」を選択して＜OK＞をクリックします。

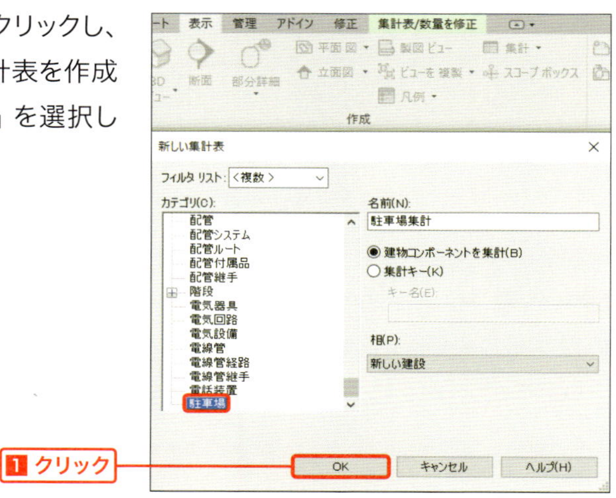

memo

「駐車場」が見つからない場合、カテゴリ内のいずれかの＋マークをクリックして展開すると、一番最後に＜駐車場＞が表示されます。

2 ［集計表プロパティ］ダイアログボックスで［タイプ］と［個数］を追加します。

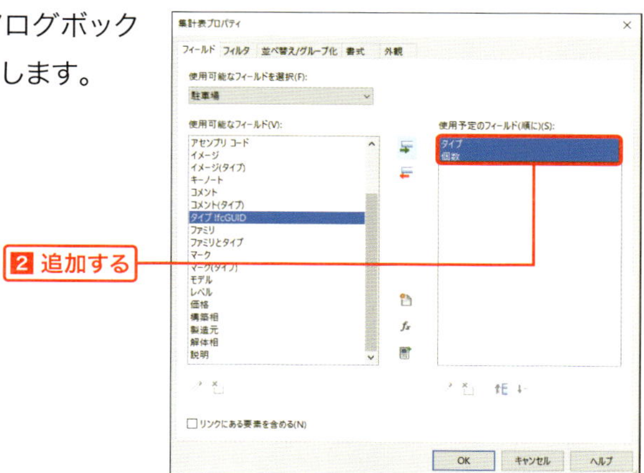

3 <並べ替え/グループ化>タブは、図のように設定します。

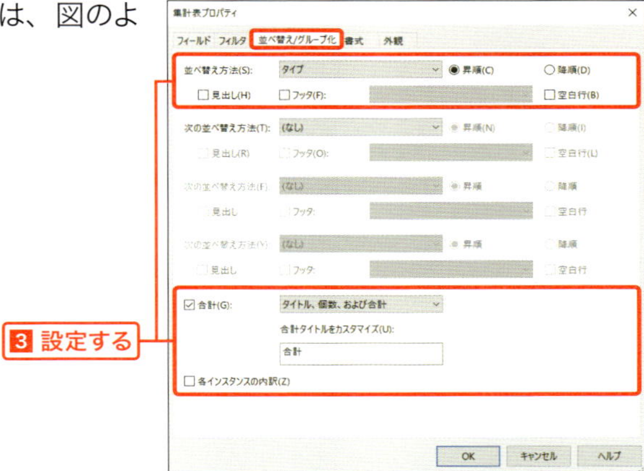

4 <書式>タブは、図のように設定します。

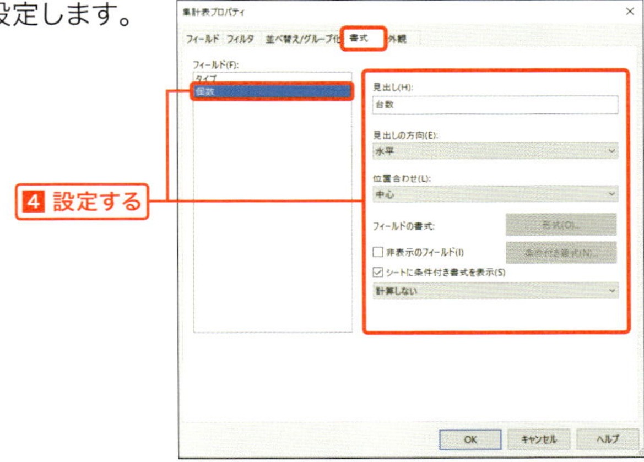

5 <外観>タブは図のように設定し、<OK>をクリックします。

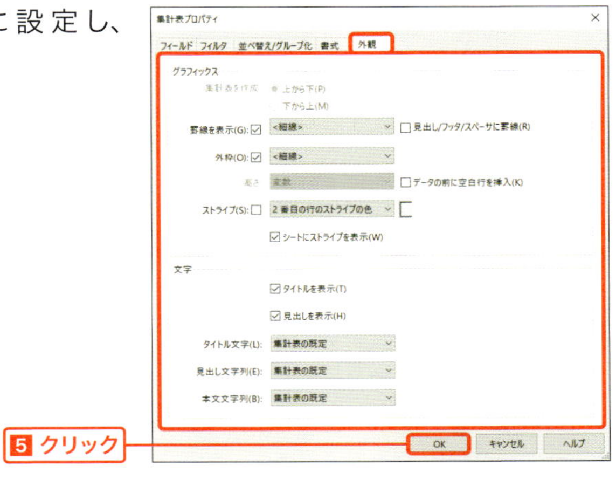

6 駐車場の集計表ができます。

〈駐車場集計〉

A	B
タイプ	台数
普通自動車	5
軽自動車	2
合計: 7	

05 図面シートを作成する

Revitでは図面枠が入ったシートに各ビュー（平面ビューや立面ビューなど）を配置して、設計図面を作成します。

1 ＜表示＞タブの＜シート＞をクリックします。

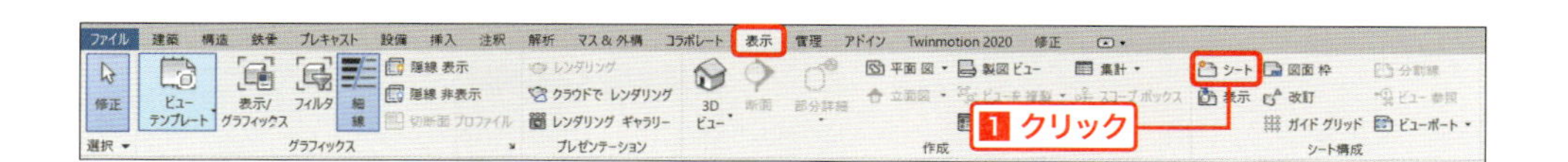

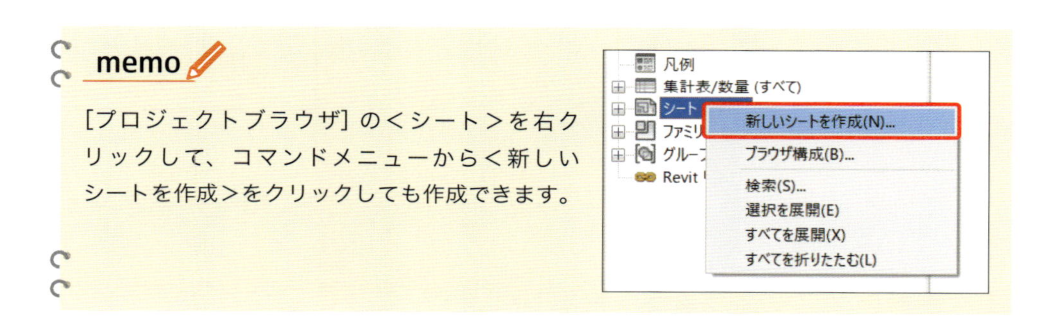

memo

［プロジェクトブラウザ］の＜シート＞を右クリックして、コマンドメニューから＜新しいシートを作成＞をクリックしても作成できます。

2 ［新規シート］ダイアログボックスが表示されます。

3 「Hb_図面枠(A3).rfa」を選択して、＜OK＞をクリックします。

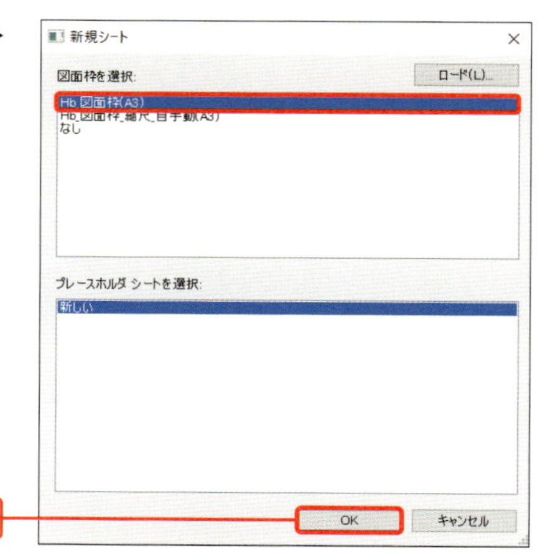

4 まだ何も図面枠が取り込まれていない場合は、<ロード>をクリックし、ファイルの場所を指定して、図面枠を読み込みます。

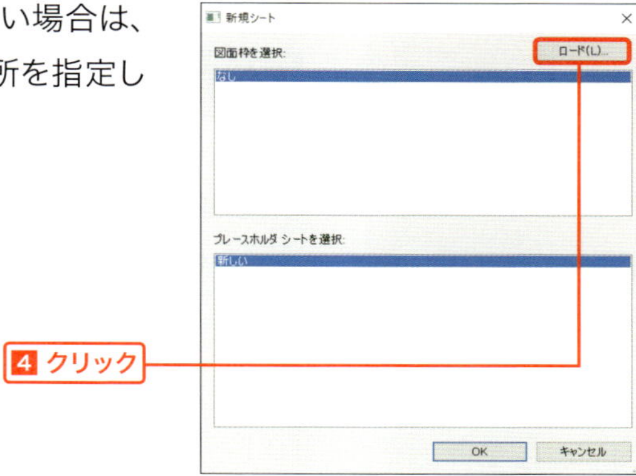

5 図面枠が取り込まれたシートができました。

6 [プロジェクトブラウザ] の<シート>をダブルクリックすると、新しいシート「A01-無題」ができていることが確認できます。

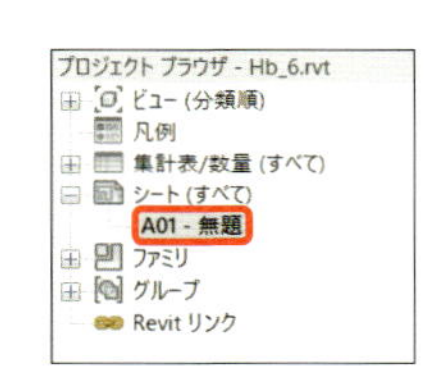

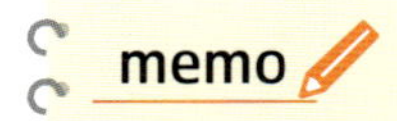

シートの左側の<+>をクリックしても同様に確認できます。

7 「A01-無題」を右クリックし、メニューから<名前変更>をクリックします。

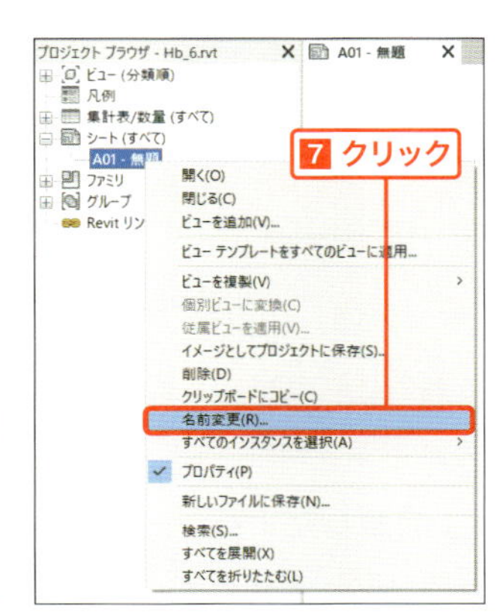

8 番号を「A02」、名前を「平面図」とします。

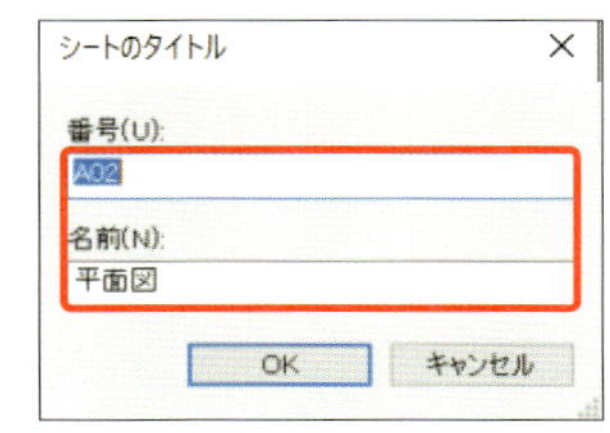

06 図面シートに各図面を配置する

これまでに作成した各平面図ビュー、配置図、集計表を図面シートに配置し、図面を仕上げます。

ビューを配置する

1 ［プロジェクトブラウザ］で［平面図］の中の＜1階平面図（着色2）＞をドラッグして画面中央に移動すると、シート（図面枠）に1階平面図（着色2）がレイアウトされます。

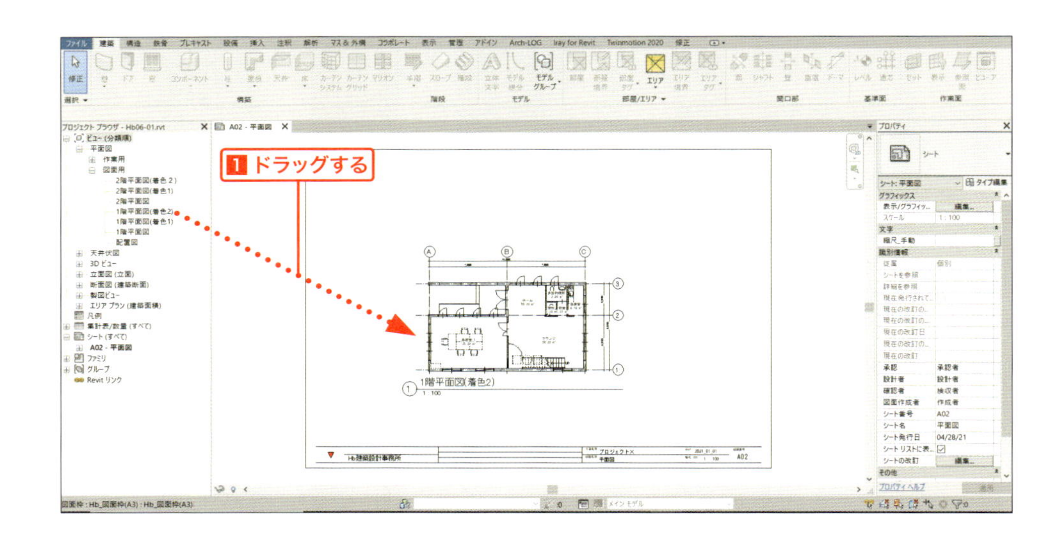

［平面図］の中の＜1階平面図（着色2）＞をダブルクリックするとビューに切り替わってしまうので、ダブルクリックせずにドラッグします。

2 配置した1階平面図（着色2）を移動するには、1階平面図（着色2）を選択してドラッグします。もしくは、矢印キーを押して移動させます。

縮尺を変更する

1 縮尺を変更するには、1階平面図(着色2)を選択し、[プロパティパレット]の<ビュースケール>をクリックして変更します。

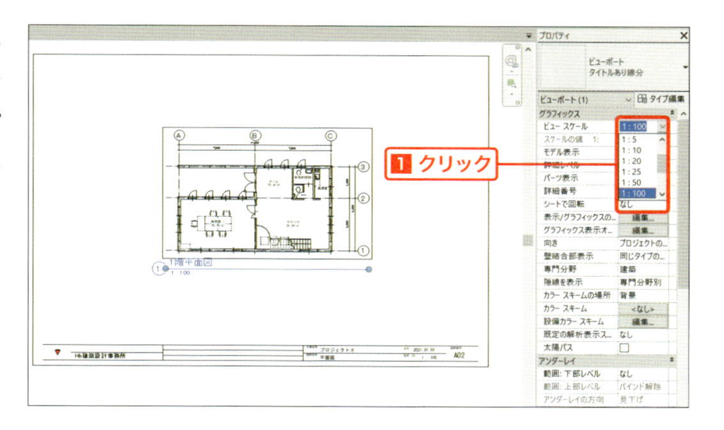

2 ビュースケールを変えると、シート上の1階平面図(着色2)の縮尺が変わり、図面枠右下の縮尺も変わります。

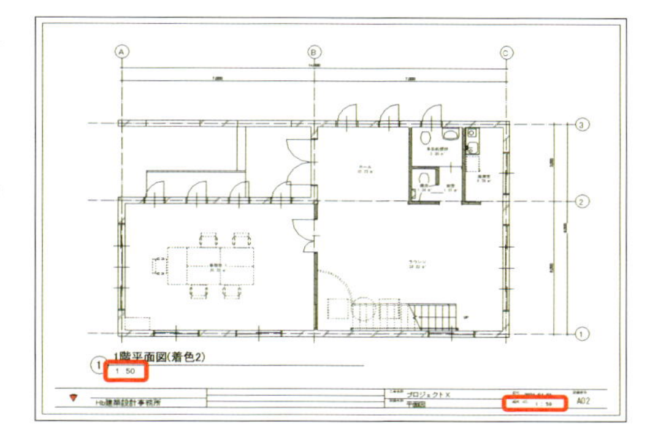

図面タイトルを移動する

図面タイトルだけを選択、ドラッグして移動させます。図面タイトルでなくビューが選択されてしまうときは、Tab キーを押して選択する対象を切り替えます。

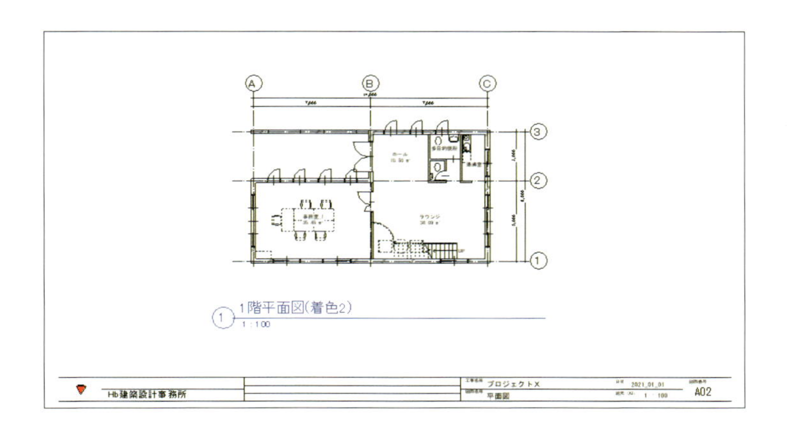

図面シートを編集する

図面枠を表示した状態でビューを編集してみましょう。編集したいビューをダブルクリックすると、編集画面が表示され、図面枠や同じ図面枠に配置されている他の図面ビューとの位置関係を見ながら、ビューを編集できます。

図面枠を表示したままでビューを編集する

1 図面枠の中の1階平面図（着色2）ビューをダブルクリックすると、ビュー編集画面になり、図面枠や他のビューはグレー表示になります。

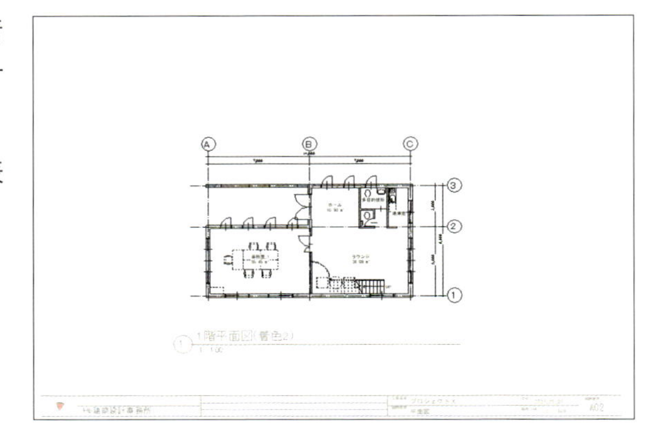

2 ビューを編集したら、何もない周辺をダブルクリックすると、シート編集画面に戻ります。

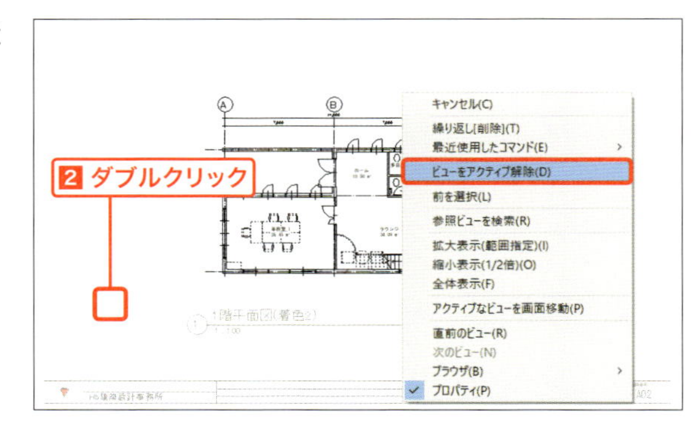

memo

任意の位置で右クリックし、コマンドメニューの中の<ビューをアクティブ解除>をクリックしても、シート編集画面に戻ります。

ビューの編集

図面枠や他のビューを表示しないで、これまでのように各ビューを編集するには、[プロジェクトブラウザ] で [平面図] の<1階平面図（着色2）>をダブルクリックするか、[シート（すべて）] の中の<平面図：1階平面図（着色2）>をダブルクリックします。どちらの方法でも作業領域に表示されるものは同じです。

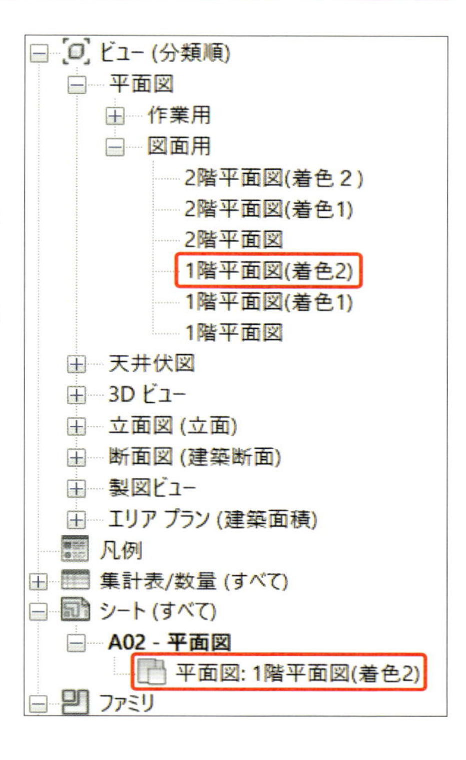

memo

図面枠を選択すると、図面枠のプロパティが表示されます。何もないところをクリックすると、シートのプロパティが表示されます。

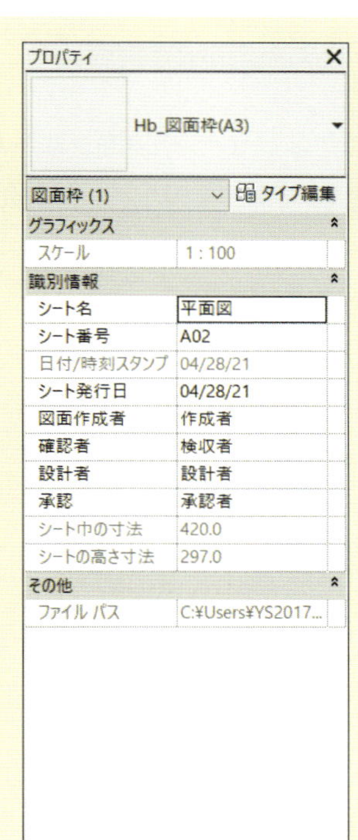

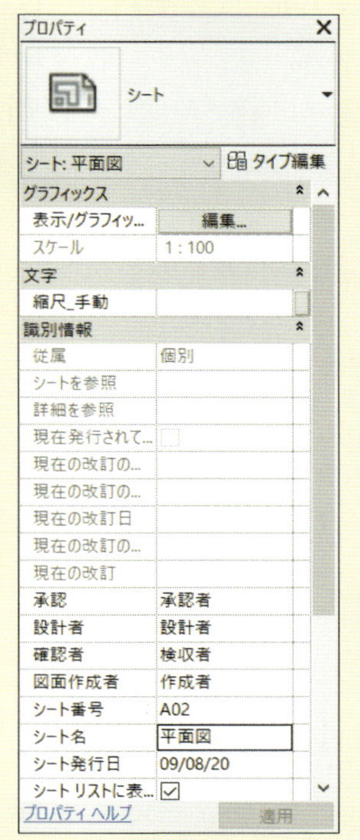

図面タイトルを変更する

1 1階平面図（着色1）、2階平面図（着色1）、2階平面図（着色2）各ビューを右図のように［プロジェクトブラウザ］からドラッグして配置します。配置するときに青い破線で補助線が表示されるので、補助線に合わせるように配置します。補助線は、配置したあとに移動しても表示されます。

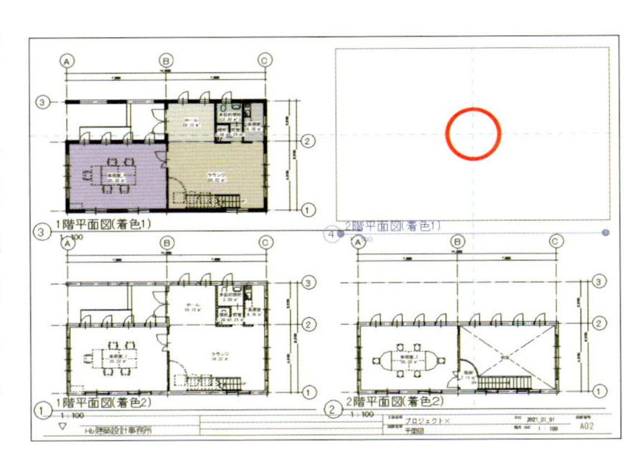

2 サンプルフォルダーの図面タイトルを読み込んで変更します。＜挿入＞タブの＜ファミリをロード＞をクリックします。

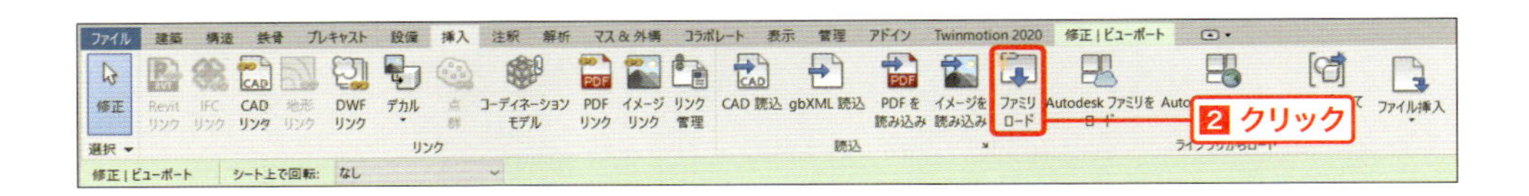

3 「Hb_図面タイトル.rfa」を選択し、＜開く＞をクリックします。

4 手順**1**で配置したいずれかのビューの図面タイトルを選択して、ビューポートの＜タイプ編集＞をクリックし、［タイトル］の［値］を「Hb_図面タイトル」に変更します。

5 ＜延長線を表示＞のチェックを外します。

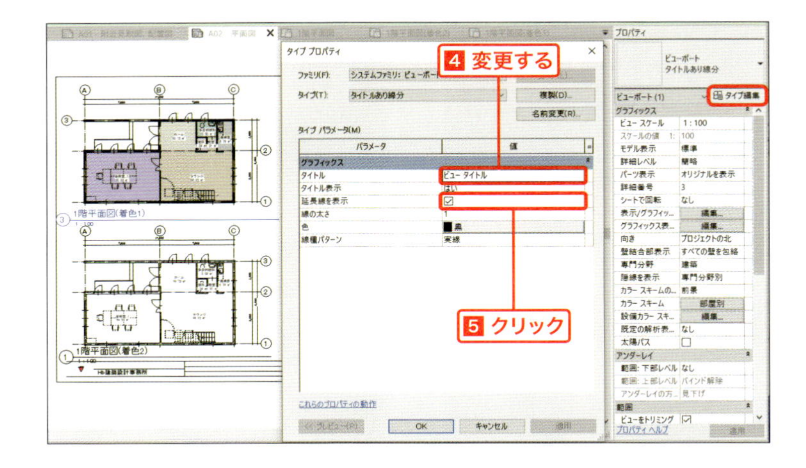

6 <名前変更>をクリックし、タイプ名を「Hb_図面タイトル」に変更します。

7 <OK>をクリックすると、すべての図面タイトルが変更されます。

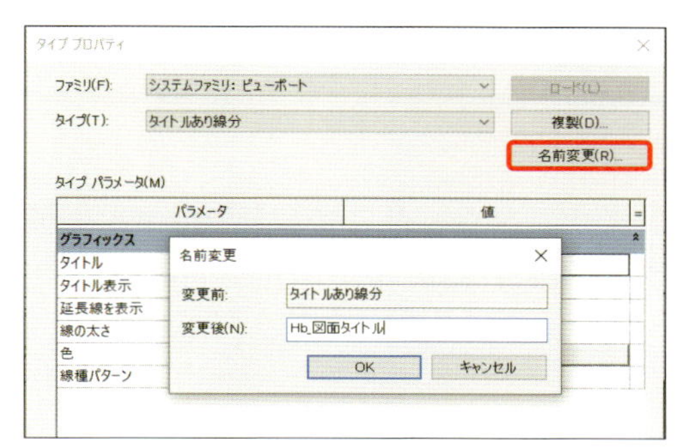

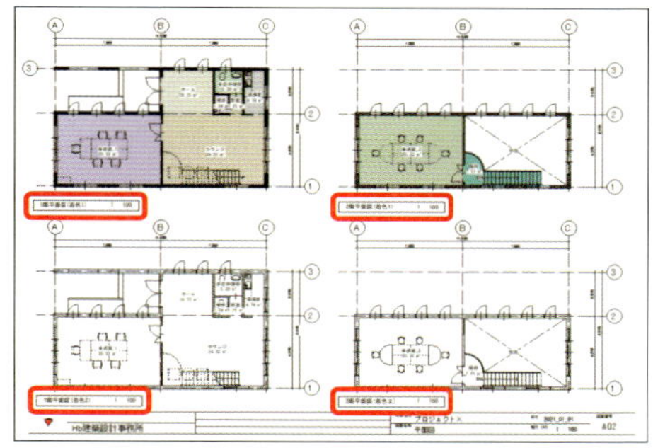

ビューをトリミングする

シートに配置したときに図面枠からはみ出る部分があって表示させたくない場合は、トリミング機能を使います。

1 1階平面図（着色1）ビューをダブルクリックして、アクティブ化させます。

2 ［ビューコントロールバー］の<トリミング領域を表示>をクリックします。もしくは［プロパティ］の［範囲］の<トリミング領域を表示>にチェックを付けます。

3 トリミング領域の枠をクリックし、各辺中央のドラッグコントロール（青い丸）をドラッグすると、表示する領域が変わります。［プロパティ］の注釈トリミングにチェックを付けると、トリミング枠の外側に破線が表示され、文字や寸法線などの注釈のトリミングができます。

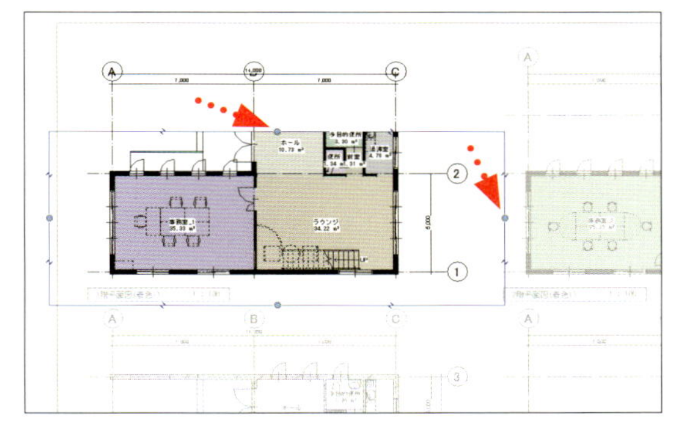

PDFファイルで出力する

PDFファイルを作成する方法を紹介します。なお、ここではWindowsに標準インストールされているPDF作成ソフト「Microsoft Print to PDF」を使用します。

1 <ファイル>→<出力>をクリックし、「Microsoft Print to PDF」を選択します。

2 出力範囲を[選択されたビュー/シート]にチェックを付けて、<選択>をクリックします。

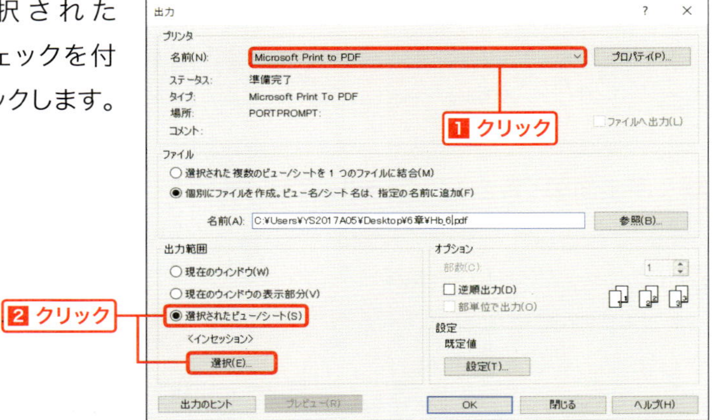

3 <ビュー>のチェックを外します。

4 印刷するシートにチェックを付けて、＜OK＞をクリックします。

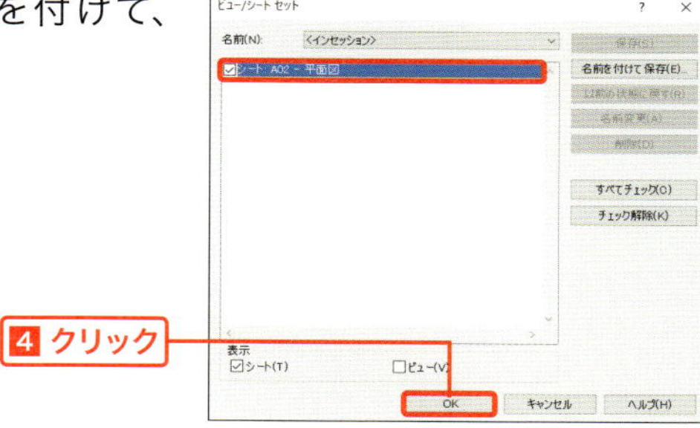

5 ［設定を保存］ダイアログボックスが表示されます。印刷の設定を保存する場合は＜はい＞をクリックし、設定の名前を入力します。

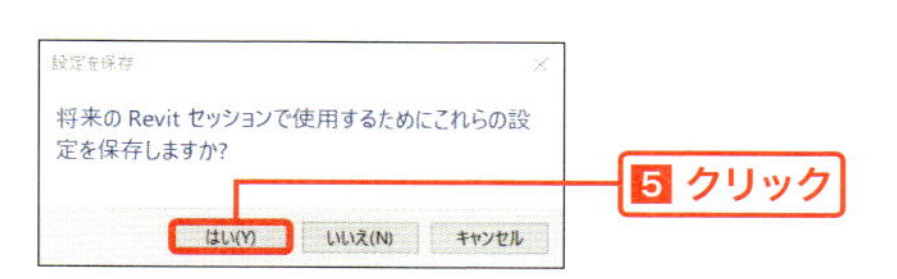

6 ＜設定＞をクリックし、図のように印刷設定します。

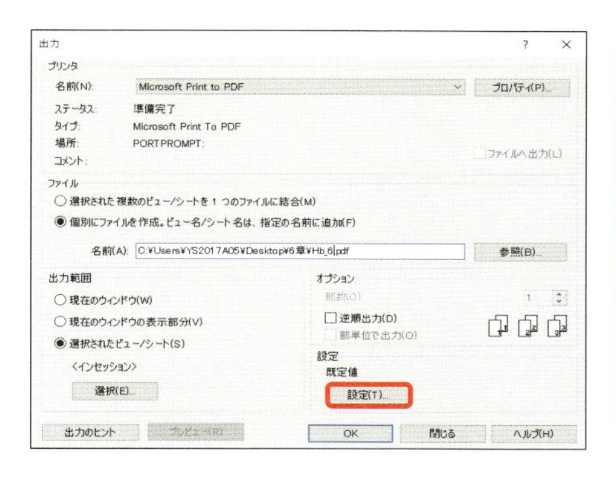

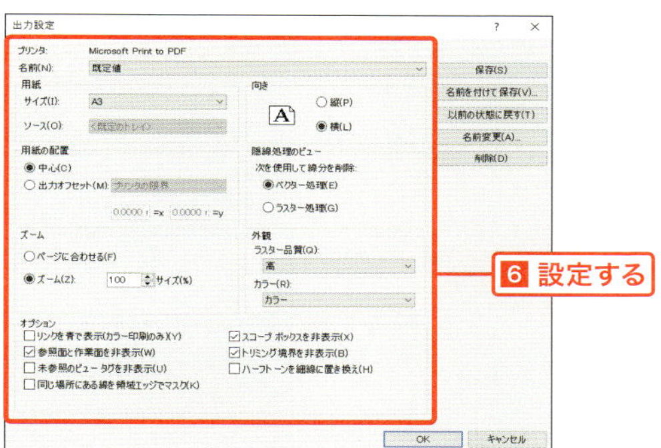

7 ［選択された複数のビュー/シートを一つのファイルに結合］にチェックを付けて＜OK＞をクリックすると、PDFファイルができます。

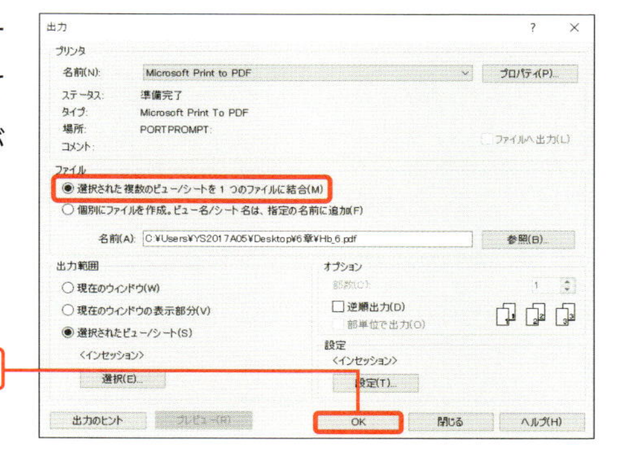

PDF出力したときに本来出力されるべき線が出力されない（見えない）ときは、手順**6**で［ラスター処理］にすると印刷されます。ただし、画質が少し粗くなります。

Column

●CADへの出力

Revitで作成した図面をAutoCADやJw_cadに出力することもできます。

AutoCADに出力する

1 シートを選択して、＜ファイル＞→［書き出し］→［CAD形式］→＜DWG＞をクリックします。

2 ＜次へ＞をクリックし、保存先のフォルダーに移動して、＜OK＞をクリックします。

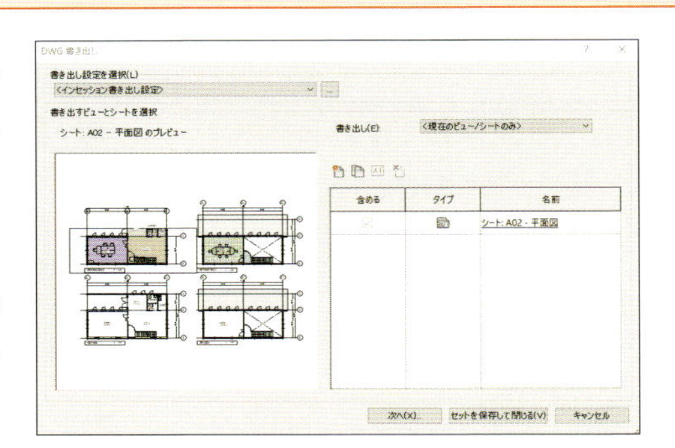

Jw_cadに出力する

Jw_cadへは直接出力できないため、一度DXFファイルに出力します。

1 ＜ファイル＞→［書き出し］→［CAD形式］→＜DXF＞をクリックします。

2 ＜次へ＞をクリックし、保存先のフォルダーに移動して、［CAD形式書き出し-コピー先ファルダに保存］ウィンドウで、ファイルの種類を＜AutoCAD 2018 DXFファイル＞を選択して、＜OK＞をクリックします。

3 出力したDXFファイルを、今度は別のCADソフト（フリーソフトのAR_CAD）で読み込み、jww形式で保存します（なお、DXFファイルをJw_cadで直接開くと文字化けします）。

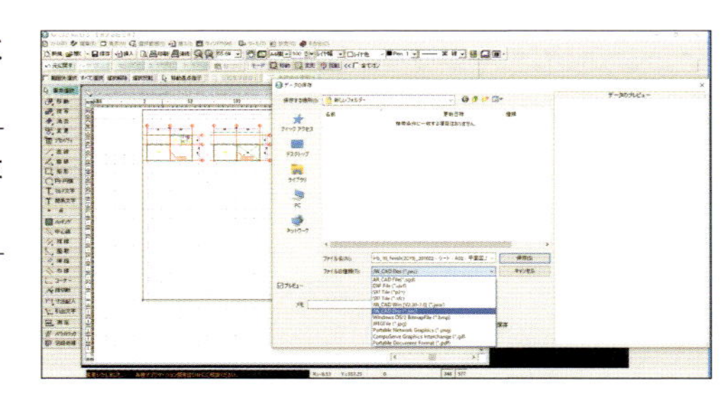

4 Jw_cadで読み込み、図面枠やレイアウトを整理します。dwgで出力して、コンバータソフトを使ってjwwに変換する方法もあります。

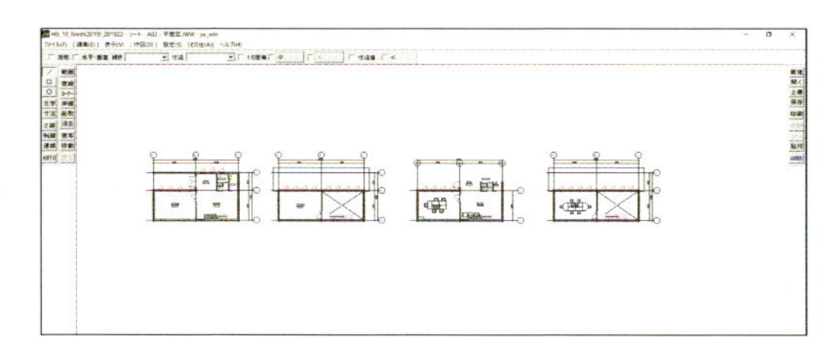

第 7 章

ファミリを作成する

前章までは既製のファミリを使ってきましたが、
この章ではファミリの新規作成方法と既製ファミ
リの編集方法の基本的な操作を紹介します。

01 ファミリテンプレートを理解する

ファミリをゼロから作成するときには、何らかのファミリテンプレートからスタートします。ファミリテンプレートは、Revitをインストールしたときに通常以下のフォルダーに入ります。

C:¥ProgramData¥Autodesk¥RVT 2021¥Family Templates¥Japanese

ファミリテンプレートの開き方は、Revit起動直後の場合、［ファミリ］の＜新規作成＞をクリックします。

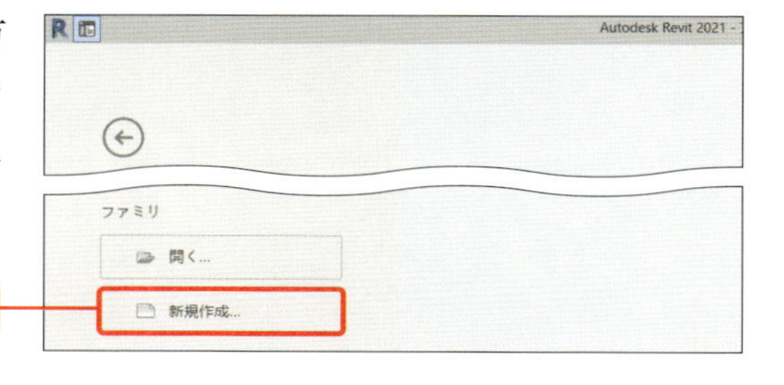

プロジェクトファイルを開いている状態の場合、＜ファイル＞→＜新規作成＞→＜ファミリ＞をクリックします。

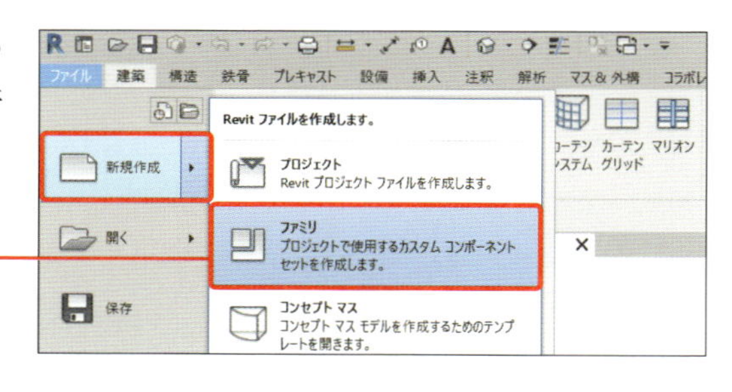

memo

Revit 2021では、インストール時にファミリやファミリテンプレートが一部（コアコンテンツ）しかインストールされません。残りをインストールするには、＜挿入＞タブの＜Autodesk コンテンツを取得＞をクリックしてダウンロードします。

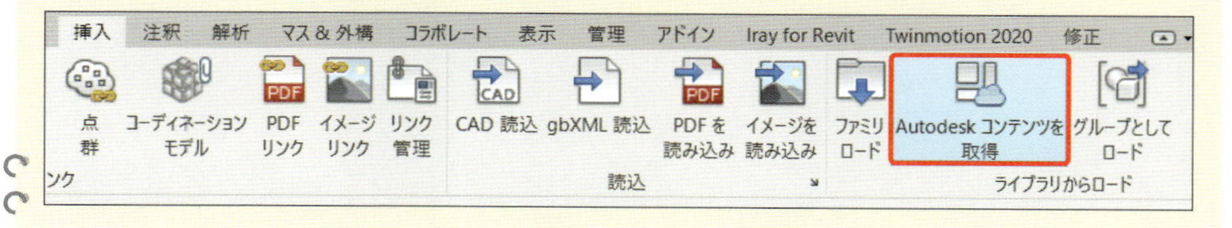

図のようにたくさんのファミリテンプレートが表示されます。

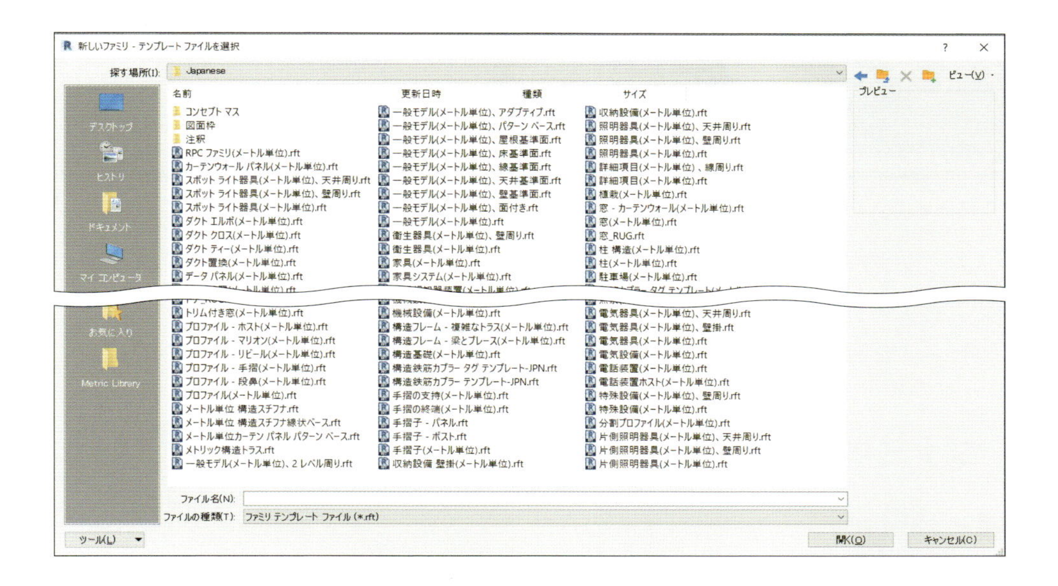

ファミリテンプレートは主に次のように分類されます。

ファミリテンプレート

大分類	分類	ファミリテンプレート名	ファミリ用途
ホストされていない3Dファミリ	スタンドアロン(単一レベル、1点配置)	・一般モデル.rft　・家具.rftなど	家具、点景など
	スタンドアロン(2レベル周り、1点配置)	・一般モデル、2レベル周り.rft	柱、避難ハッチなど
	線分ベース(2点選択配置)	・一般モデル、線基準面.rft	縁石ブロックなど
	アダプティブ(多点選択配置)	・一般モデル、アダプティブ.rft	多点選択に適応するファミリ
ホストされている3Dファミリ	床ベース	・一般モデル、床基準面.rft	和便器、床下点検口など
	壁ベース	・一般モデル、壁基準面.rft　・窓.rftなど	流し、窓、ドアなど
	天井ベース	・一般モデル、天井基準面.rft	天井点検口、照明器具など
	屋根ベース	・一般モデル、屋根基準面.rft	天窓など
	面ベース	・一般モデル、面付き.rft	サインなど
特殊な3Dファミリ	カーテンウォール	・カーテンウォール パネル.rftなど	カーテンウォール内の窓、ドア
	手すり子	・手摺子.rftなど	手摺周り
	パターンベース	・一般モデル、パターンベース.rft	マスのパターンのベース
	マス	・マス.rft	特殊形状
	構造フレーム	・構造フレーム-梁とブレース.rft	梁、ブレース
	構造トラス	・構造トラス.rftなど	トラス
	鉄筋	・鉄筋形状テンプレート.rftなど	鉄筋
2Dファミリ	詳細項目	・詳細項目.rft	部分詳細
	詳細項目(線分ベース)	・詳細項目、線周り.rft	矢印など
	プロファイル	・プロファイル.rftなど	各断面形状
	注釈	・一般注釈.rft	記号など
	タグ	・一般タグ.rft　・ドアタグ.rftなど	建具タグ、ビュータイトルなど
	図面枠(タイトルブロック)	・A3 メートル単位.rftなど	図面枠、表紙

一般モデルは各ホスト用のファミリテンプレートがありますが、他のカテゴリにはその一部しかありません。

したがってたとえば、外構のカテゴリで床基準面のものを作成したいときには、まず一般モデル「床基準面.rft」を選択し、ファイルを開いたあと＜ファミリカテゴリとパラメータ＞で外構カテゴリに変更します。

第7章 ファミリを作成する

02 駐車スペースを作成する

ここまではすでにできている設備機器や窓のファミリを配置してきましたが、ここではかんたんなファミリを最初から作りながら、ファミリの基本をマスターします。最初に、「4-03」で使用した駐車スペースを作成します。

ファミリエディタツールを起動する

1 <ファイル>→<新規作成>→<ファミリ>をクリックします。

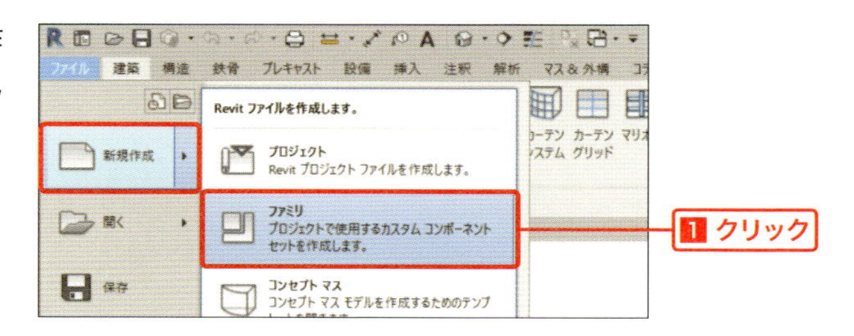

2 ファミリテンプレートファイルから「駐車場(メートル単位).rft」を選択して、<開く>をクリックします。

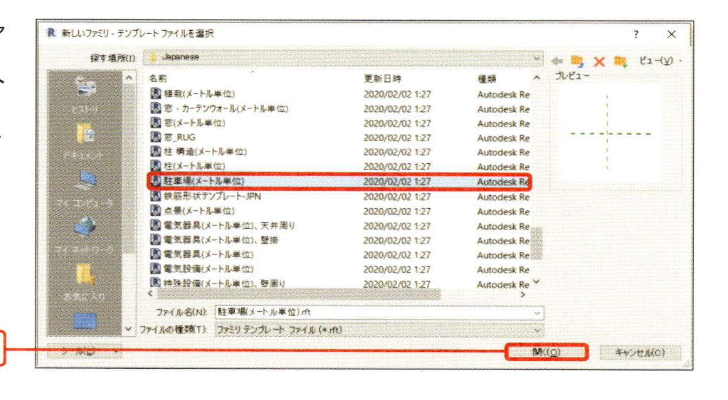

3 ファミリ エディタ ツールが立ち上がります。

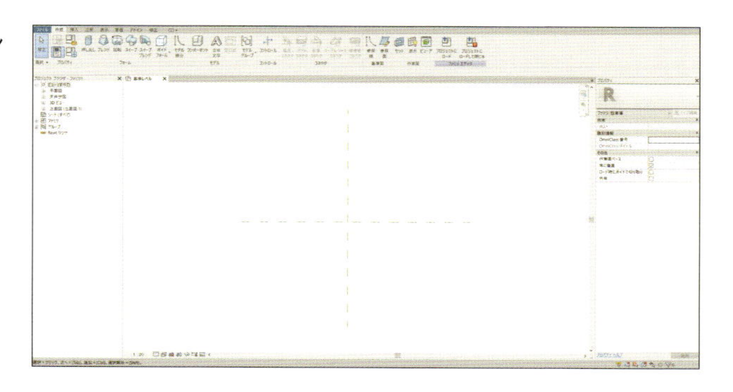

参照面を作成する

ファミリ作成の基本的な順序は、下記のとおりです。

①参照面を作成する
②参照面にパラメータを関連づける
③モデルを参照面に関連づける（ロックをかける）

パラメータを変えると参照面が動き、参照面が動くとモデルも移動し変形します。

memo

参照面の代わりに参照線を使うという方法もありますが、参照線は以下の点などが参照面と異なります。
・2つのポイントを持つので、角度による回転の制御ができる
・4つの作業面を持つ
・3Dビューで見えてしまい煩雑になる
・データが少し重い
そのため、基本的には参照面を使い、角度による回転の制御など参照面ではできない場面で参照線を使う、という使い分けが一般的です。

1 <作成>タブの<参照面>をクリックします。[描画] パネルの<線>を使い、図のように2点をクリックして縦の参照面を作成します。

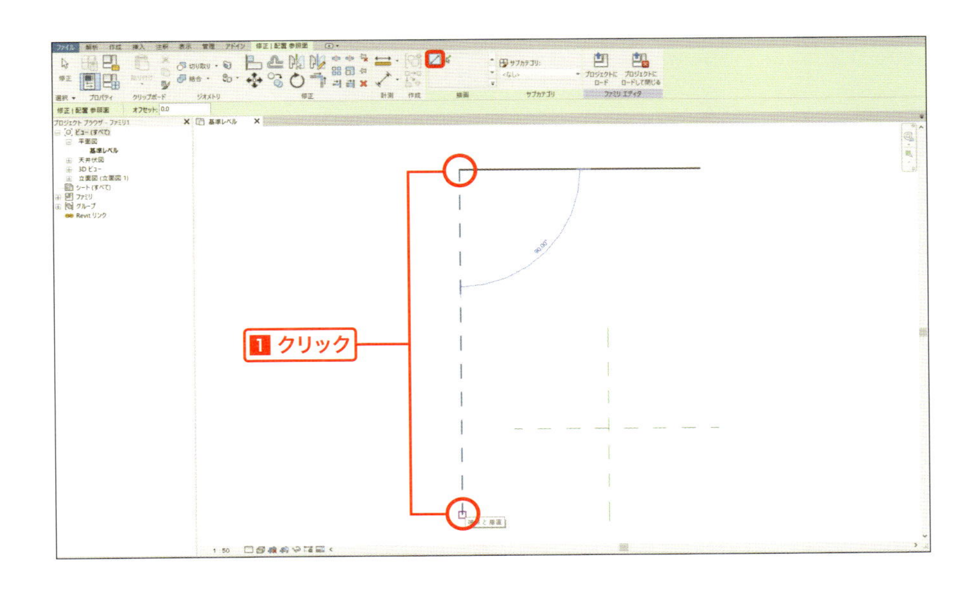

2 図のように2点クリックして横の参照面を作成します。

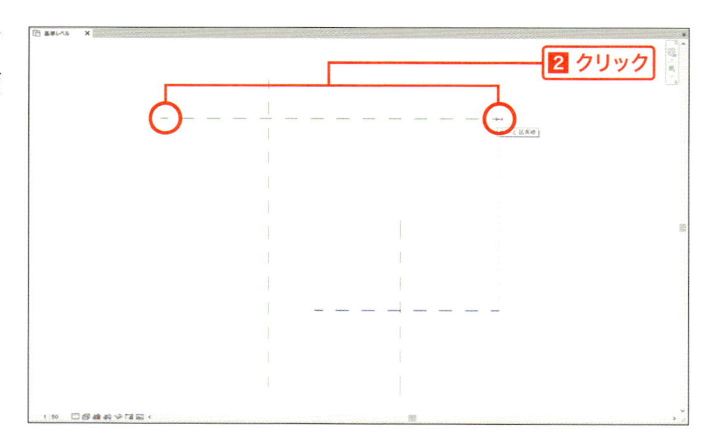

3 ＜注釈＞→＜平行寸法＞をクリックして図のように寸法を配置をします。横2500縦5000に調整します。

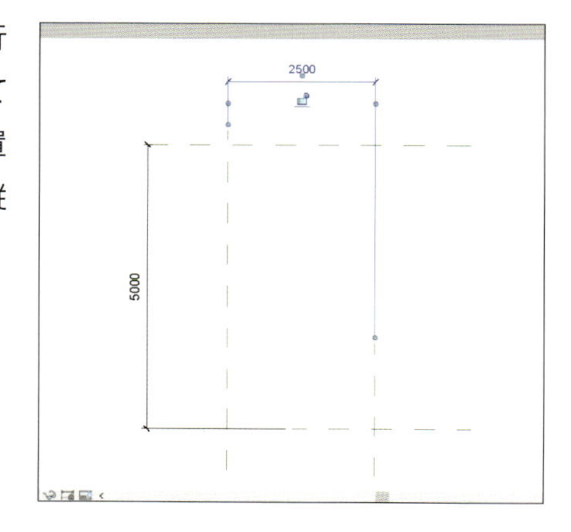

パラメータを追加する

パラメータを設定することにより、「寸法」＝「駐車場の幅（W）」と認識されるようになります。

1 2500の寸法を選択し、＜パラメータを作成＞をクリックします。

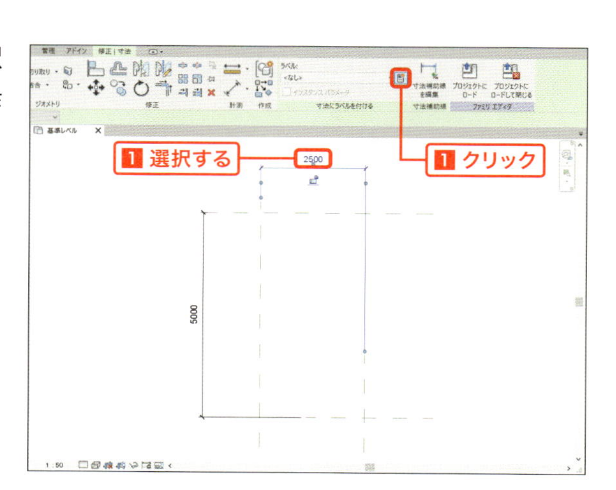

2 [パラメータ プロパティ] ダイアログボックスで、<ファミリ パラメータ>にチェックを付け、[名前] を「W」、[パラメータグループ] は「寸法」として<OK>をクリックします。

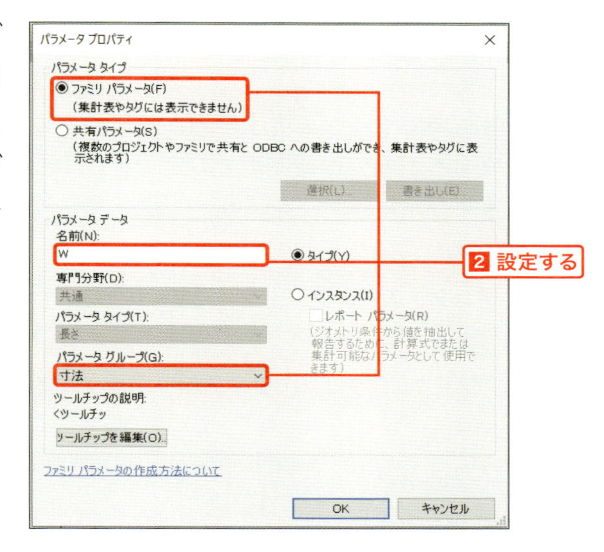

3 寸法 [2500] が [W=2500] に変わりました。

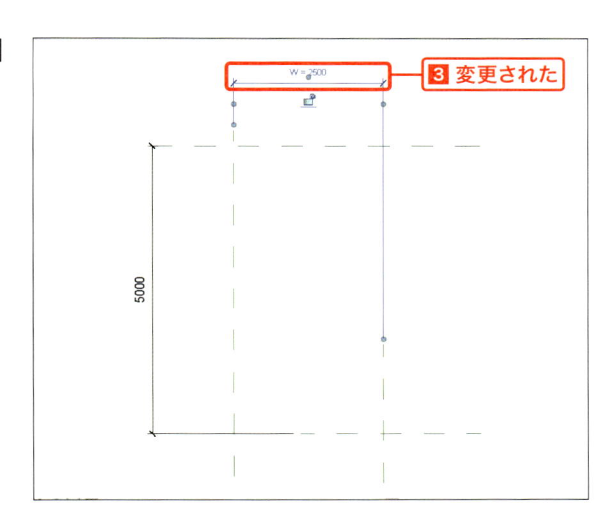

4 手順**2** **3**と同様の操作で寸法 [5000] にパラメータDを追加し、「D=5000」とします。

サブカテゴリを作成する

次に駐車場のラインを引く準備としてサブカテゴリを作成します。サブカテゴリを作成することで線種表現を設定でき、かつプロジェクト側での管理がしやすくなります。

1 ＜管理＞タブの＜オブジェクトスタイル＞をクリックします。

2 ［オブジェクトスタイル］ダイアログボックスで＜新規作成＞をクリックします。

3 ［サブカテゴリを新規作成］ダイアログボックスで［名前］を「駐車ライン」として、＜OK＞をクリックします。もう一度＜OK＞をクリックして［オブジェクトスタイル］ダイアログボックスを閉じます。

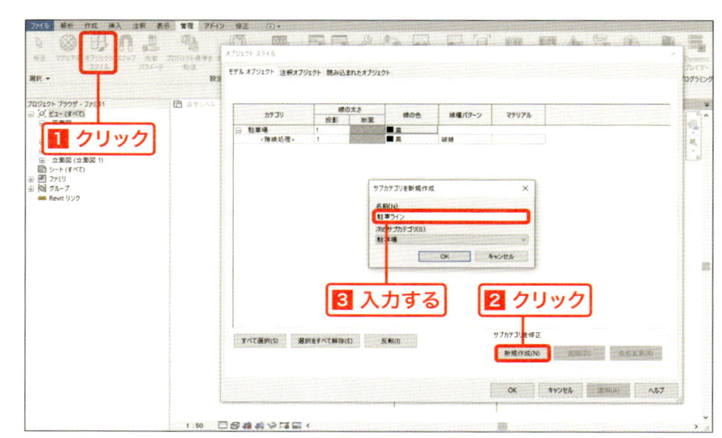

4 駐車ラインは単線で作成します。＜作成＞タブの＜モデル線分＞をクリックします。

5 ＜サブカテゴリ:＞の▼をクリックして＜駐車ライン＞を選択します。［描画］パネルの＜線＞を使い［オプションバー］で［連結］を外し、［オフセット］は「0.0」とします。

6 ここでは参照面から線を外して引いてから、＜位置合わせ＞で確実にロックする方法を紹介します。駐車ラインを参照面の左側の適当な位置に2点クリックで線をひきます。

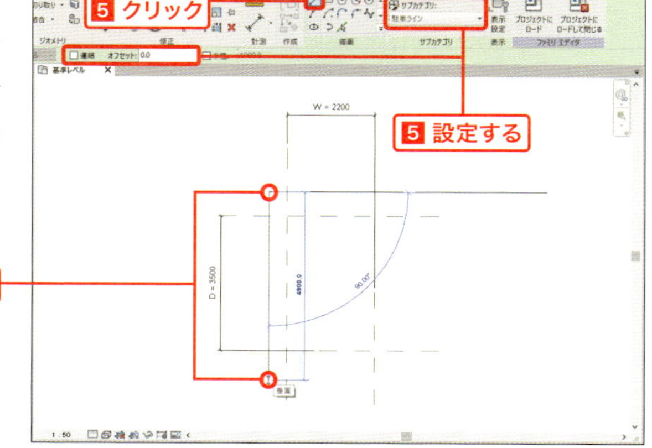

7 <修正>タブ→<位置合わせ>をクリックします。Aの<参照面>をクリックして、Bの<駐車ライン>を選択します。

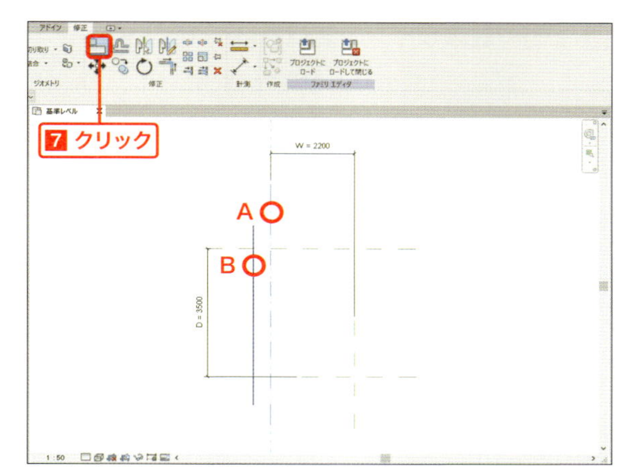

8 図のように<位置合わせ拘束ロック/ロック解除を切り替え>の鍵のマークをクリックしてロックします。

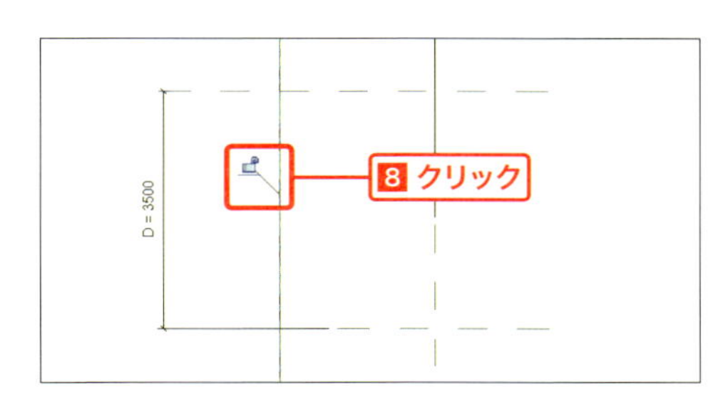

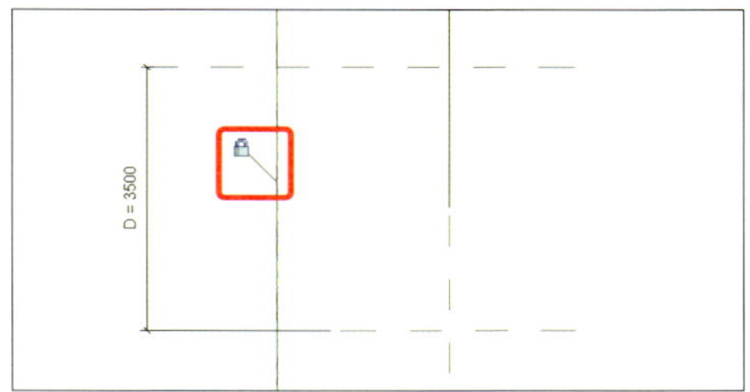

9 手順7で作図した駐車ラインの端点をロックします。Aの<参照面>をクリックし、Bの<端点>を選択します。<位置合わせ拘束ロック/ロック解除を切り替え>の鍵のマークが表示されたら、クリックしてロックします。

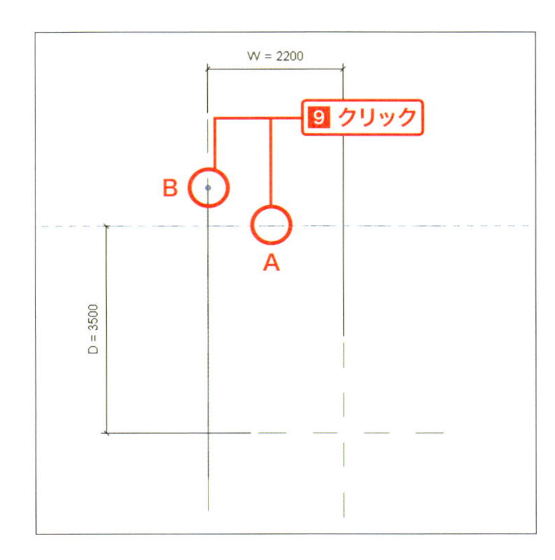

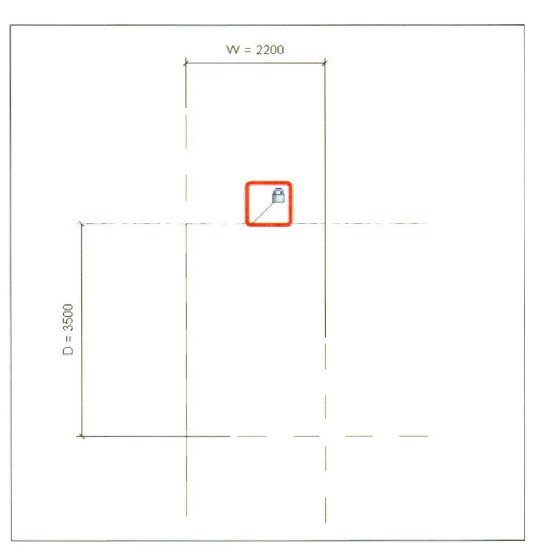

10 下側の駐車ラインの端点もロックします。

11 同様の手順で他の２線も作成して、それぞれロックを掛けます。

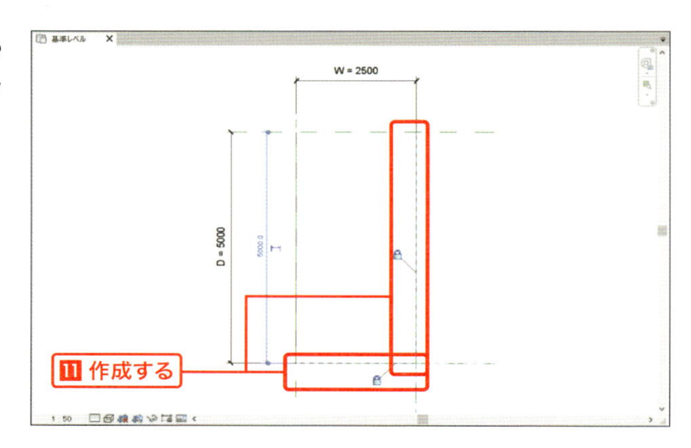

12 <作成>タブの<ファミリタイプ>をクリックすると、[ファミリタイプ] ダイアログボックスで [パラメータ] [D] と [W] が作成されていることが確認できます。

13 [パラメータ] で数値を変えて<適用>をクリックすると、形状が変わります。このように、ファミリではパラメータの数値を変えると、まず参照面が動き、次にその参照面にロックがかかっているモデルが追従して動くという流れになります。

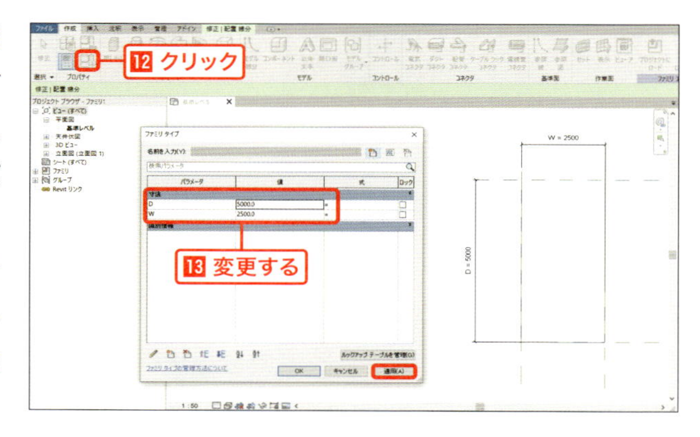

14 <新しいタイプ>をクリックして [名前] を「普通自動車」とし、<OK>をクリックします。

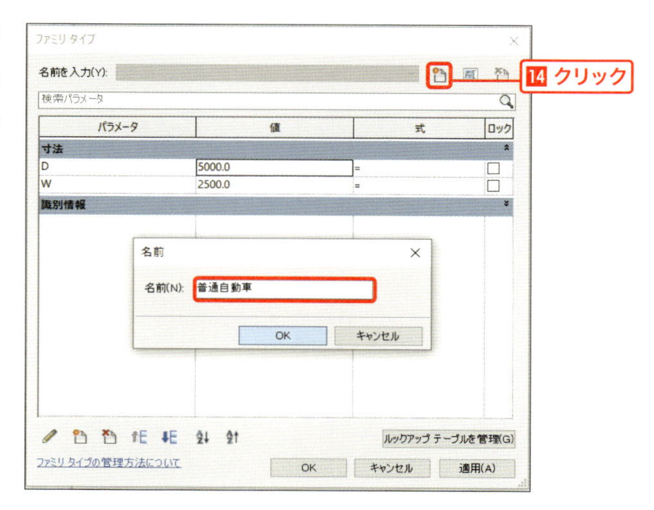

15 もう一度＜新しいタイプ＞をクリックして、[名前] を「軽自動車」とし、[D] を「3500」、[W] を「2200」とします。
同じ手順で [名前] を「車椅子用」、[D] を「5000」、[W] を「3500」で駐車ラインを作成します。

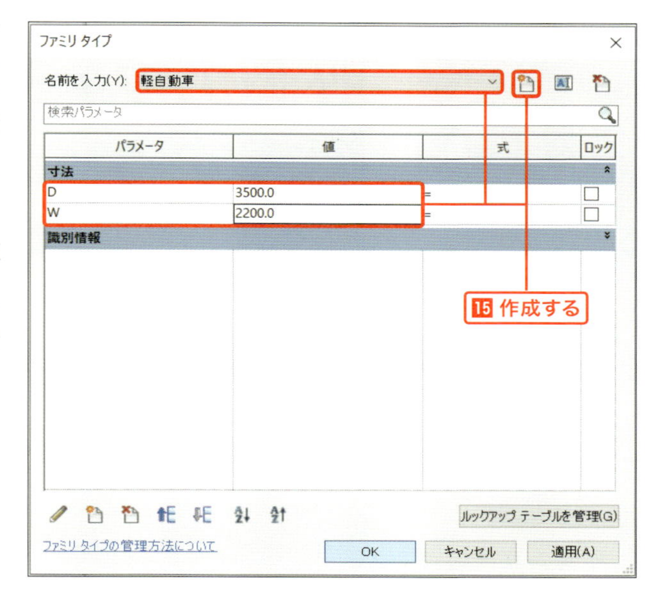

16 ＜ファイル＞タブ→＜名前を付けて保存＞→＜ファミリ＞をクリックし、任意のフォルダーに移動して、[ファイル名] を「Hb_駐車スペース」として＜保存＞をクリックします。

memo

ファミリを開いたときに表示される基準となる参照面にはピンにロックがかかっています。参照面を伸ばしたいときは選択してピンマークをクリックしてロックを外すことにより編集ができます。

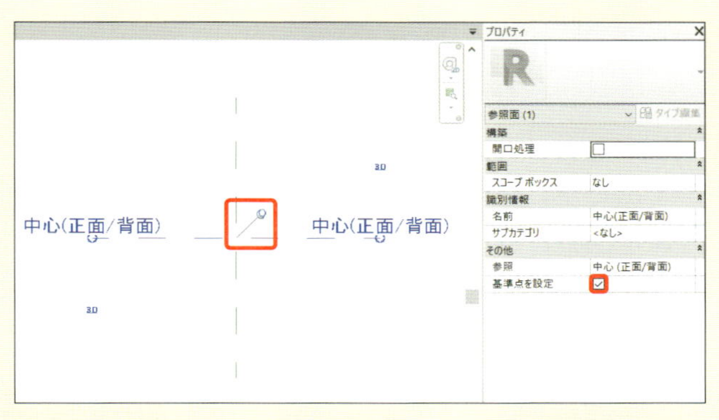

また、ファミリの中心を別の参照面に変更したいときには、中心にしたい参照面の [基準点を設定] にチェックを付けます。

03 既製のファミリを編集する

ここからは、サンプルファイル「Hb07-03.rvt」を使用します。＜1階平面図＞ビューを開き、配置した椅子の表現を［詳細レベル：簡略］では、より簡単な形状の表現に変更します。

1 椅子を選択し、＜修正｜家具＞タブの＜ファミリを編集＞をクリックします。

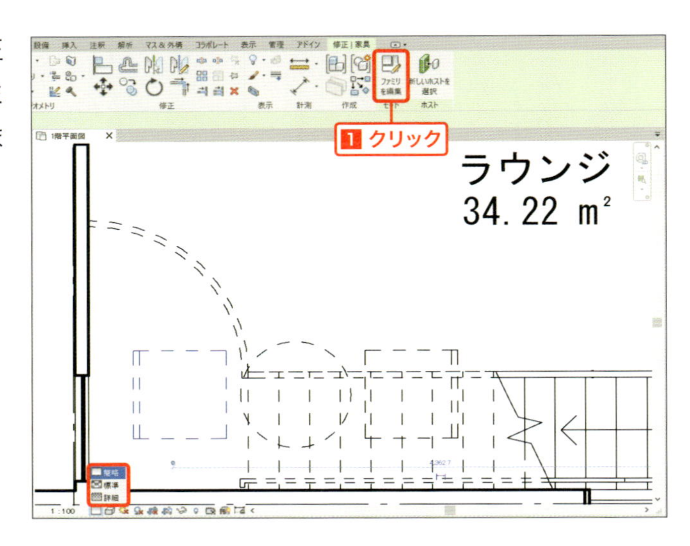

2 ［RefLevel］ビューを開き、椅子のファミリを編集する画面にします。

3 ［ビューコントロールバー］の＜プレビュー表示＞をクリックして、＜プレビューの表示オン＞を選択します。グレイ色の線が非表示になり、編集しやすくなります。

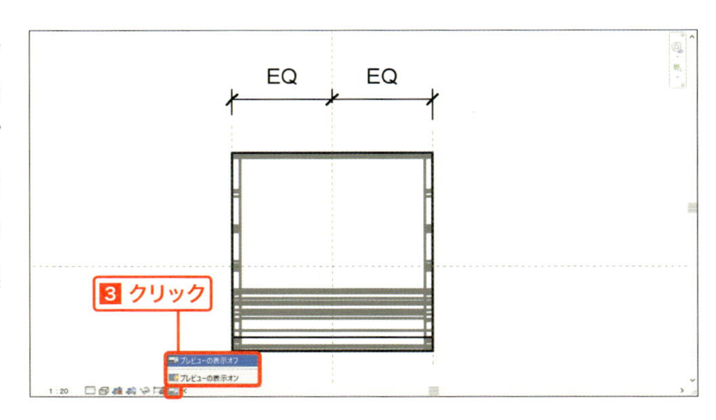

4 図面表現しない線をクリックし［プロパティパレット］の<表示/グラフィックスの上書き>→<編集>をクリックします。

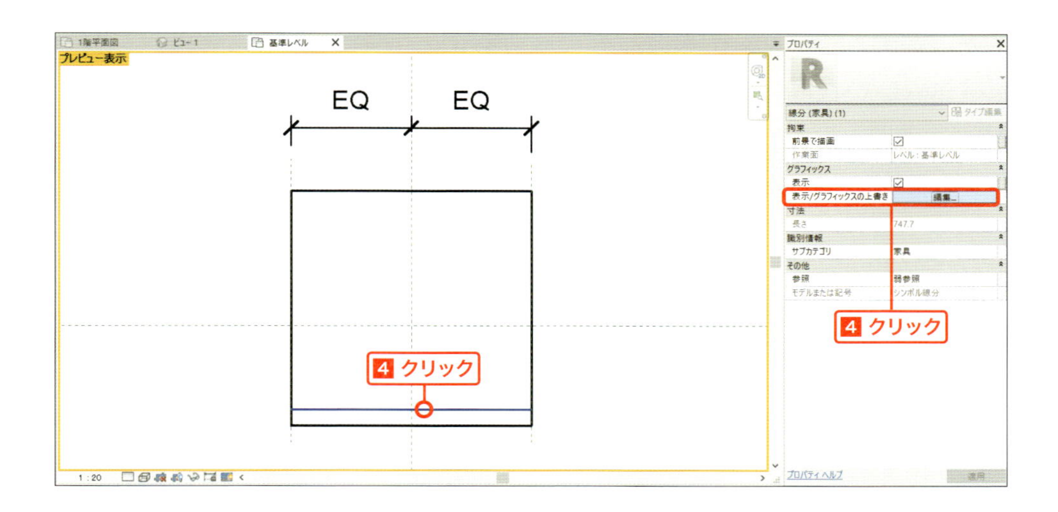

5 ［ファミリ要素の表示設定］ダイアログボックスが開きます。［簡略］のチェックをはずし、<OK>をクリックします。

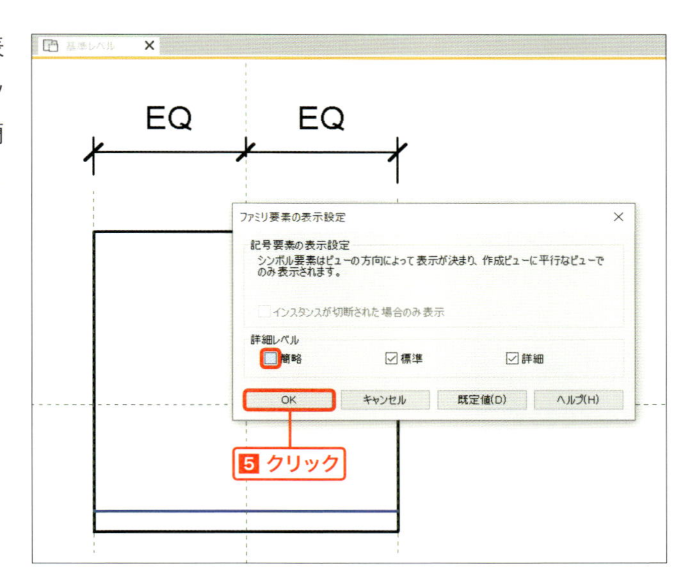

6 図のように選択した線が非表示になります。

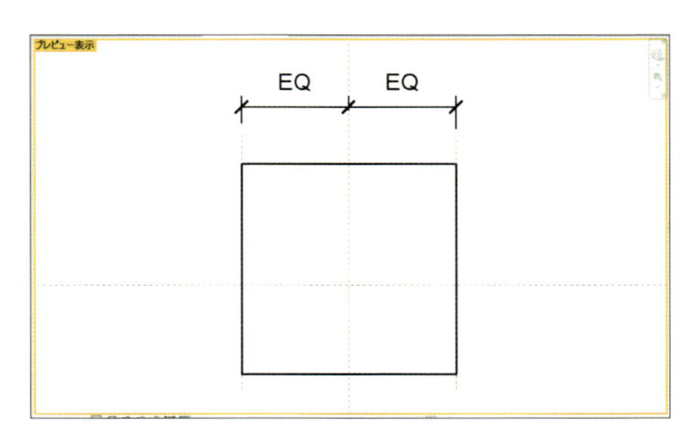

7 <プロジェクトにロード>します。ロード先が複数ある場合は、ロードしたいプロジェクトファイルを選択して<OK>をクリックします。

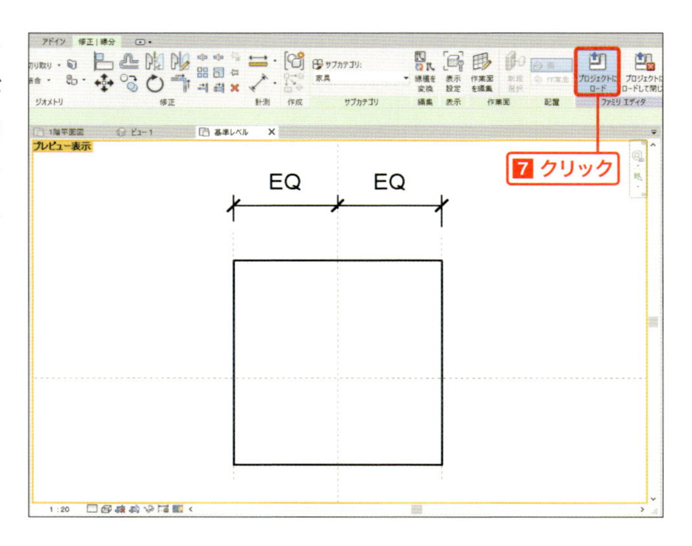

8 「ファミリは既に存在します」と表示されるので、<既存のバージョンを上書きする>をクリックします。

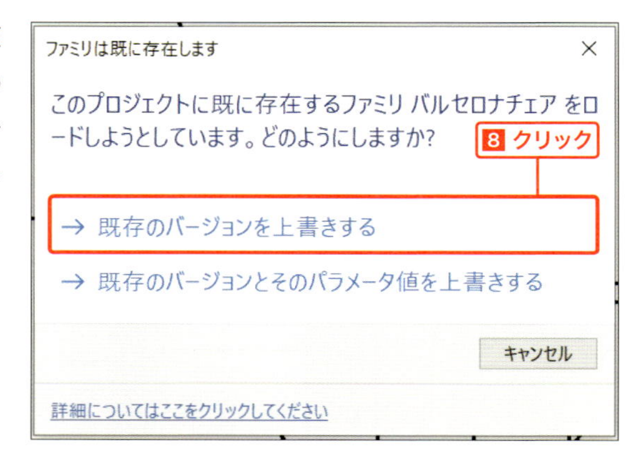

memo

上記のメッセージは、ロードするファミリと同じファミリが既にプロジェクト内にあったときに、その二つのファミリの中のパラメータの値が異なっている場合、上書きするかどうかを聞かれています。

- [既存のバージョンを上書きする]：パラメータ値を上書きしない（プロジェクト内のパラメータ値を残す）。その他は上書きする。
- [既存のバージョンとそのパラメータ値を上書きする]：パラメータ値を上書きする（ロードするファミリのパラメータ値をプロジェクト内のパラメータ値に上書きする）。その他も上書きする。

今回はパラメータ値を触っていないので、どちらでも構いません。なお、ファミリ側でマテリアルやサブカテゴリの線の太さ、線の色を変えた場合には、プロジェクト内のものが優先されて上書きされないので、注意が必要です。

9 [ビューコントロールバー] の [詳細レベル] を [簡略] [標準] [詳細] に切り替えて、表現の確認をします。

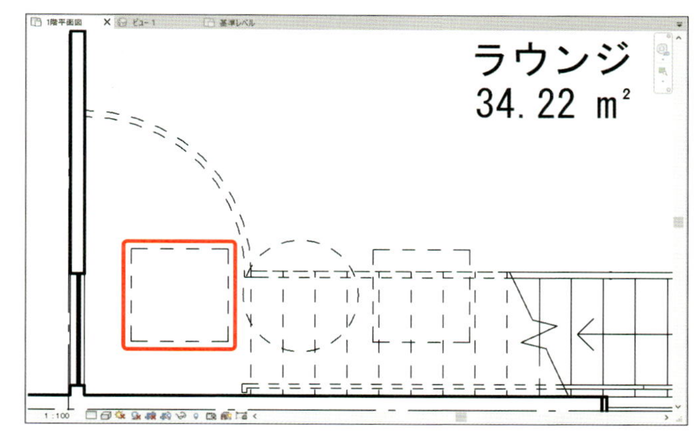

10 既製のファミリの多くは、[詳細レベル] の [標準] と [詳細] は同じ表現ですが、この方法を使えば [簡略] [標準] [詳細] の各詳細レベルでのファミリの表現を変えることができます。

[簡略]

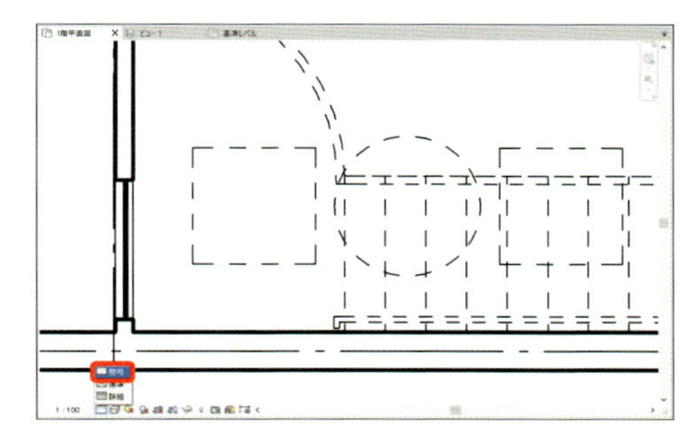

[標準] [詳細]

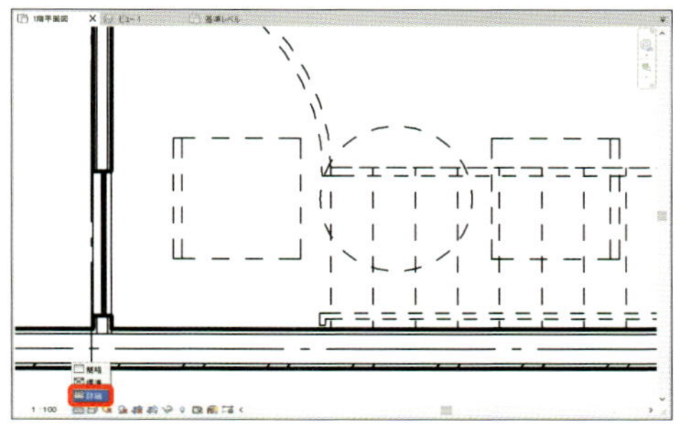

memo

初期設定では、プロジェクト内でファミリをダブルクリックすると、ファミリを編集するモードが立ち上がるようになっています。<ファイル>タブ→<オプション>→<ユーザーインターフェース>→<ダブルクリックオプション>→<カスタマイズ>をクリックします。[ダブルクリックの設定をカスタマイズ] ダイアログボックスの [ファミリ] を<タイプを編集>か<何もしない>に変更すると、ダブルクリックしても、ファミリ編集モードが立ち上がらないように設定されます。

04 図面タイトルを作成する

「6-07」で使用した図の「図面タイトル（ビュータイトル）」ファミリの作成方法を紹介します。

1階平面図（着色1）　1 ： 100

1 ＜ファイル＞タブの＜新規作成＞→＜ファミリ＞をクリックします。

2 ＜注釈＞フォルダの「ビュータイトル（メートル単位）.rft」を開き、赤い文字と線を削除します。

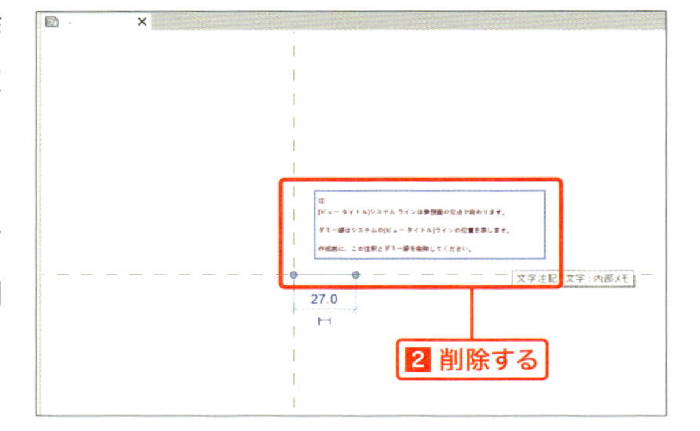

3 ＜作成＞タブの＜線＞をクリックし［描画］パネルの＜長方形＞を選択して、図面タイトルの枠を作成します。寸法は「70×7」とします。［注釈］のファイルは、印刷時の寸法（1:1）での作成となります。

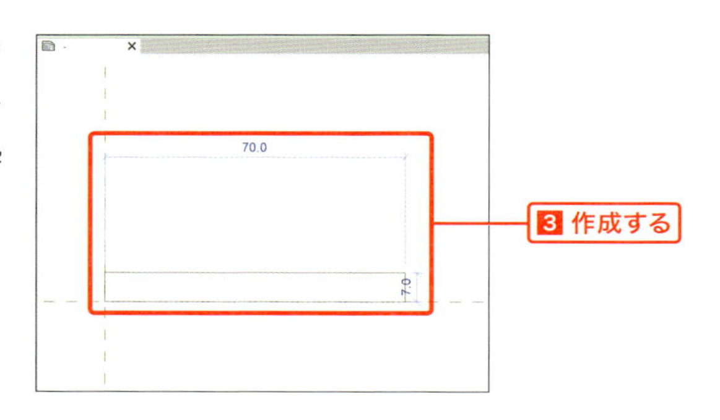

4 文字（図面名）を作成します。＜作成＞タブの＜ラベル＞をクリックし、書き込みたい位置をクリックします。＜ラベル＞は通常の［文字］とは異なり、パラメータを表示します。

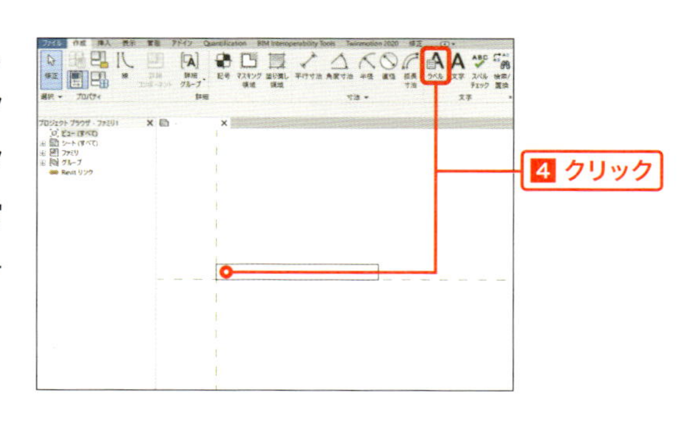

5 ［ラベルを編集］ダイアログボックスで＜ビューの名前＞を選択し、中央の緑矢印＜ラベルにパラメータを追加＞をクリックして＜OK＞をクリックします。

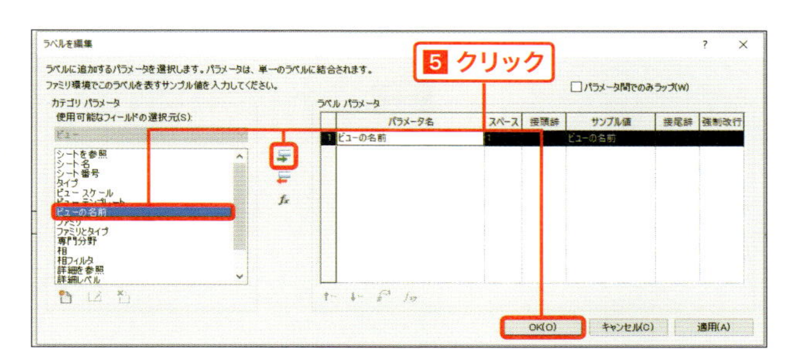

6 作成したラベルを選択し［タイプセレクタ］から［ラベル］・［3mm］のタイプ名を選択します。［プロパティパレット］の［水平位置合わせ］を＜左＞として、［ラベル］の位置を図のようになるように＜移動＞や矢印キーを使って移動します。

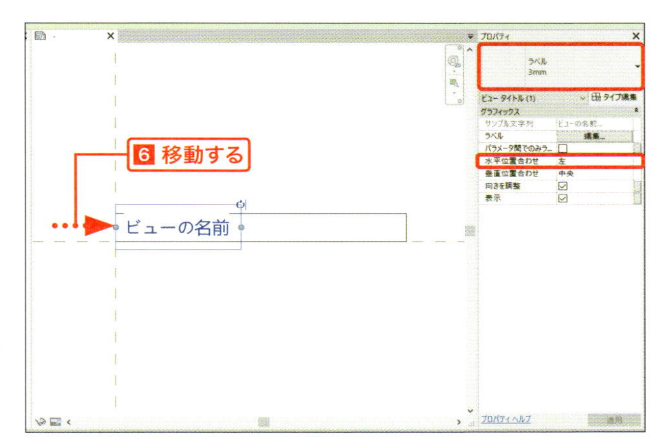

7 同様の方法で＜ビュースケール＞の［ラベル］を作成します。

8 ビュースケールのラベルは［3mm］にして、［水平位置合わせ］を＜右＞として、図の位置に配置します。

9 完成した図面タイトルファミリを保存します。＜ファイル＞タブから＜名前を付けて保存＞→＜ファミリ＞を選択し、任意の名前を付けて保存します。保存することで別のプロジェクトにロードして、シートのビューポートのタイトルで使用することができます。

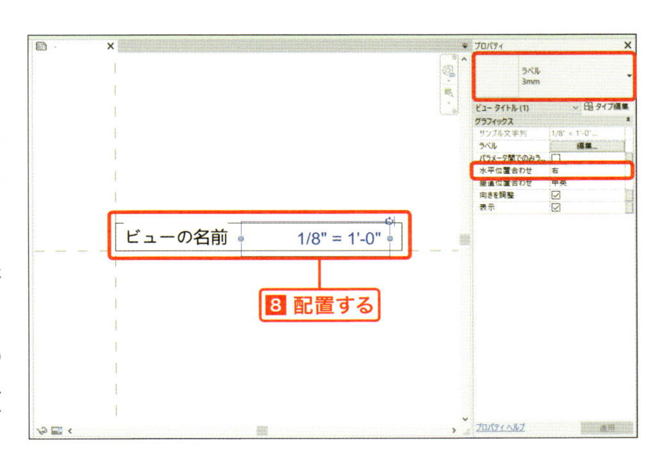

05 自社図面枠を作成する

図面枠は各社で異なりますので、自社図面枠を作成する方法を紹介します。

図面枠を新規作成する

図面枠の中に次のような情報を入れ込みます。

・企業名とロゴ
・図面のタイトル
・図面発行日
・プロジェクト名
・図面の縮尺
・図面番号など

さまざまなパターンの図面枠がありますが、ここでは下左図のような図面枠を作成します。

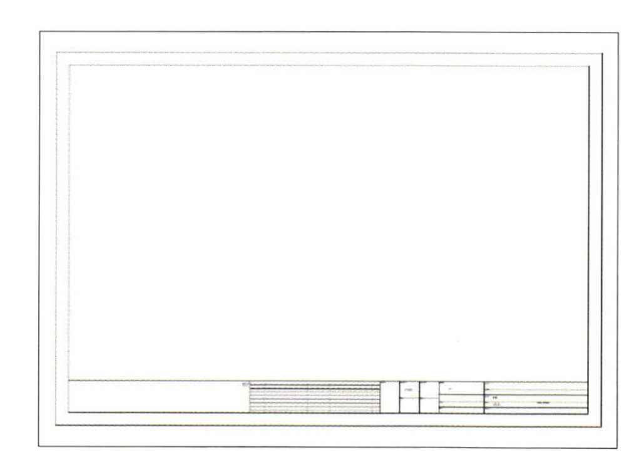

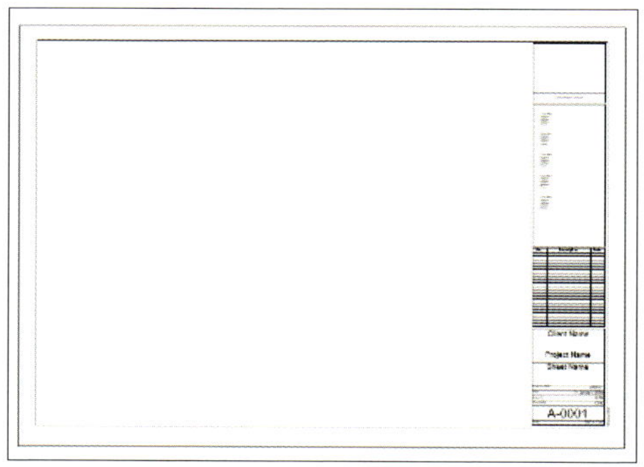

memo

改訂表を作成するときは、改訂表付きの図面枠と改訂タグを準備します。改訂表は＜表示＞タブの＜改訂表＞で作成します。改訂が生じたら改訂雲マークを作成し、改訂を割り当てることで関連付けます。

新規で図面枠を作成します。

1 テンプレートファイルを開きます。<ファイル>タブから<新規作成>→<ファミリ>をクリックします。

2 <Japanese>→<図面枠>フォルダの中の各ファイルから図面の大きさに合わせてファイルを開きます。今回は「A3メートル単位.rft」を選択します。

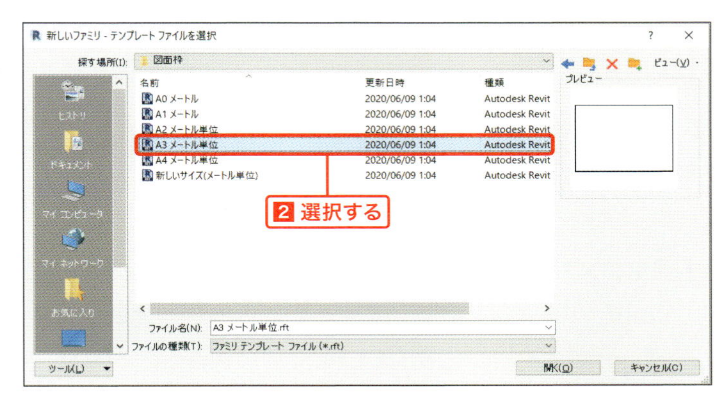

3 図面枠を編集するメニュー構成になります。図面枠の一番外側のラインは用紙サイズで作成されており、削除することはできません。

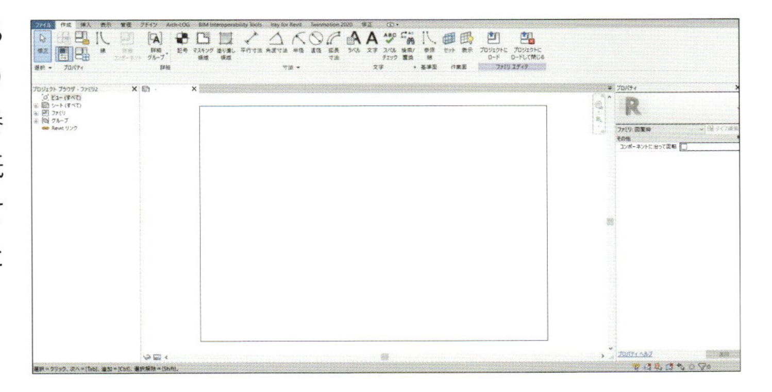

4 <作成>タブの<線>をクリックし、[描画] パネルから<線>を選択します。

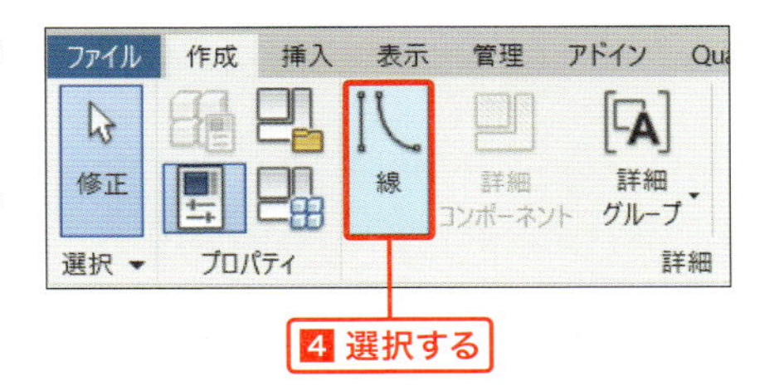

次ページで文字タイプを作成するとき、タイププロパティの[背景]を透過にするとマスキングはされません。

5 サブカテゴリは＜太線＞＜細線＞＜中線＞を使い分け、図のように書き込みます。＜編集モードを終了＞をクリックします。

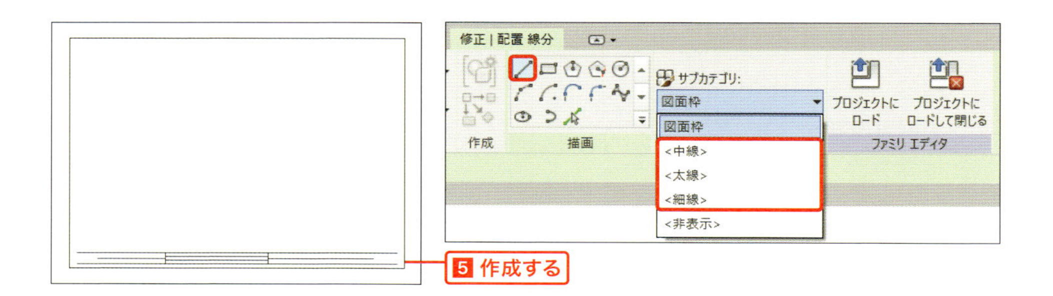

6 固定の文字は、＜作成＞タブの＜文字＞を使用します。[タイプセレクタ] から「文字 2mm」のタイプを選択します。書き込みたい範囲を選択し、「工事名称」と入力します。

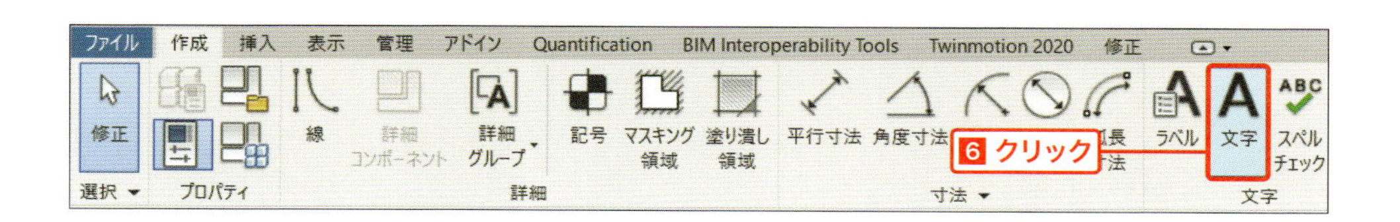

7 同様に「図面名称」・「日付」・「縮尺（A3）」・「図面番号」を作成して配置します。企業名や設計事務所名にロゴやオリジナルのフォントを使用したい場合は画像などを使います。なお社名は今回、文字「4mm」で入力しています。

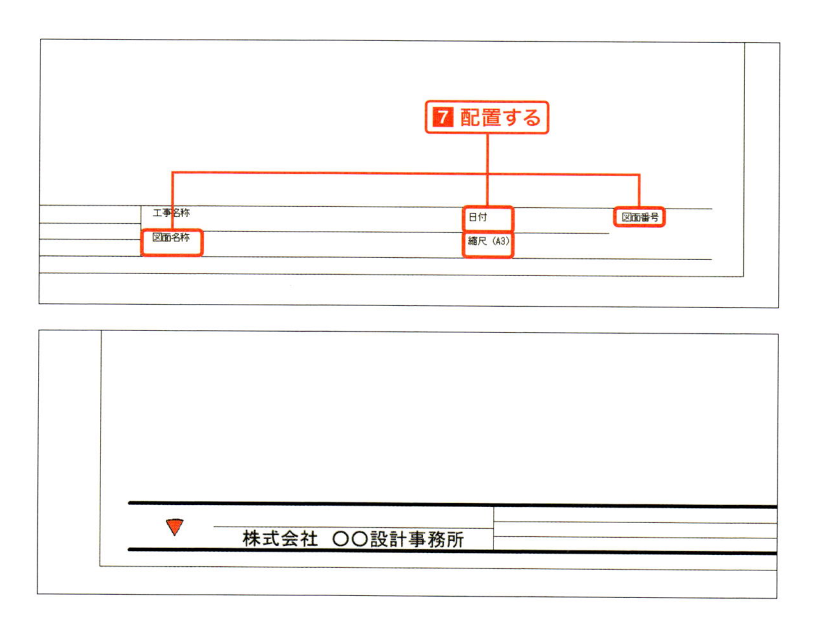

8 プロジェクト名などはパラメータを使用します。<作成>タブの<ラベル>をクリックし、[プロパティパレット] から文字の大きさ<ラベル3.5mm>を選択します。書き込みたい位置をクリックします。

9 [ラベルを編集] ダイアログボックスで<プロジェクト名>パラメータを選び、中央の緑矢印<ラベルにパラメータを追加>をクリックし、図のように設定して<OK>をクリックします。

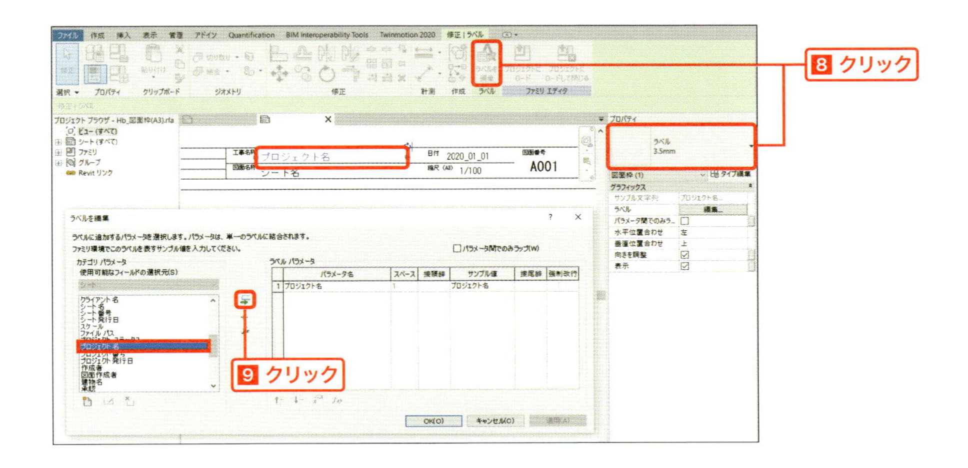

10 シート名の表記の設定をします。<作成>タブの<ラベル>をクリックし、[タイプセレクタ] から「文字 3.5mm」のタイプを選択します。書き込みたい位置をクリックします。

11 [ラベルを編集] ダイアログボックスで<シート名>パラメータを選び、<ラベルにパラメータを追加>をクリックし、図のように設定して<OK>をクリックします。

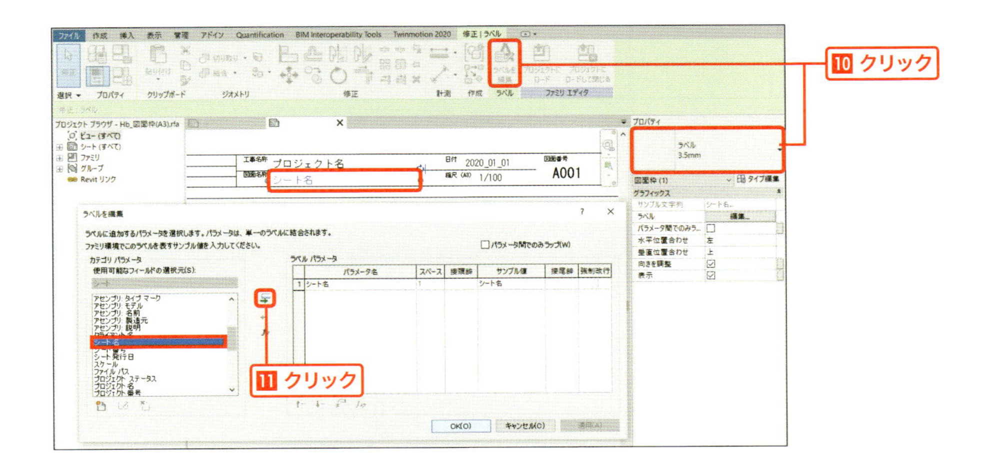

12 同様の方法で、[日付] は「プロジェクト発行日」パラメータ、[縮尺] は「スケール」パラメータ、[図面番号] は「シート番号」パラメータを選んで、配置していきます。

memo

すべてのシートに同じ日付を記載したい場合は、＜プロジェクト発行日＞のパラメータを使いますが、シートごとに日付を変えたい場合は、＜シート発行日＞のパラメータを使います。

memo

プロジェクト側で一つのシートにスケールの異なるビューを配置した時は、「図面表記による」という表記になります。

13 図のようになり図面枠は完成です。＜ファイル＞タブから＜名前を付けて保存＞→＜ファミリ＞、ファイル名に「図面枠(A3).rfa」と名前を付けて保存しプロジェクトにロードします。

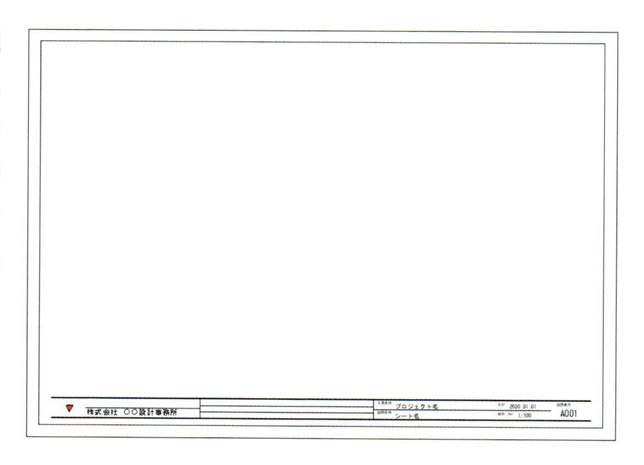

14 プロジェクト側で新しいシートを作成します(「6-05」を参照)。[新規シート] ダイアログボックスで、先ほど作成した図面枠(A3)を設定することができます。また、設定した後でも [タイプセレクタ] から選択することもできます。

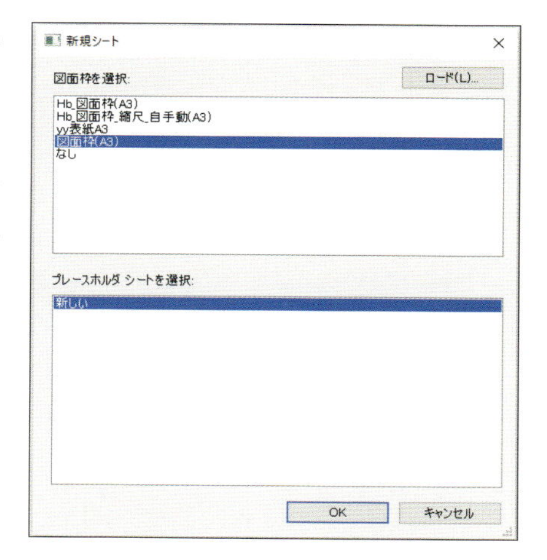

memo

図面枠に表示されるプロジェクト名・プロジェクト発行日などは、プロジェクトファイル側の＜管理＞タブの＜プロジェクト情報＞で変更できます。

プロジェクト情報

ファミリ(F): システムファミリ: プロジェクト情報　ロード(L)...
タイプ(T):　タイプを編集(E)...

インスタンス パラメータ − このインスタンスまたはこれから作成するインスタンスに適用

パラメータ	値
識別情報	
組織名	
組織概要	
建物名	
作成者	
その他	
プロジェクト発行日	2021_01_01
プロジェクト ステータス	プロジェクト ステータス
クライアント名	(株)○○○○
計画地住所	ここにアドレスを入力
プロジェクト名	プロジェクトX
プロジェクト番号	○○○-□□

OK　キャンセル

日付のシート発行日のパラメータの場合は、プロジェクトファイル側のシート枠をクリックし、[プロパティ] のシート発行日を変更します。日付はこのシートのみに適用されます。

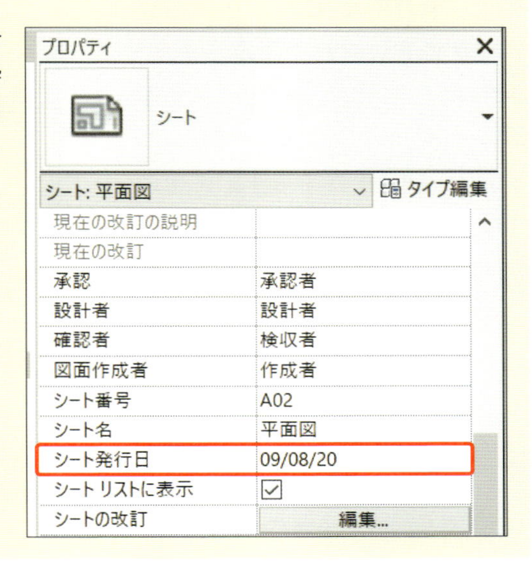

memo

図面枠に表現されるスケールを、1:100(A1) 1:200(A3) というようにしたいときには、手動で入力できるようにします。ファミリ側で共有パラメータを作成しそれをラベルで配置し、同じ共有パラメータをプロジェクト側でもシートカテゴリに作成することで、シートごとに手動に自由に書き込みができるようになります。これを別の図面枠ファミリとして作成することもできますが、ファミリパラメータを作って一つの図面枠ファミリの中で切り替えられるようにすることもできます。

06 手摺ファミリの構成を理解する

手摺ファミリは手摺(握り部分)と横桟(水平部材)と手摺子(垂直部材)から構成されています。手摺と横桟はプロファイル(断面形状)を使って押し出しで作られ、手摺子は読み込み可能なファミリが設定されたピッチで配置されます。

＜建築＞タブ→＜手摺＞→＜タイプ編集＞の［タイププロパティ］の中で図のようなパラメータでそれぞれを設定します。手摺は、＜建築＞タブ→＜手摺＞→＜タイプ編集＞で［笠木手摺］、［補助手すり1］、［補助手すり2］の3本まで作成できます。

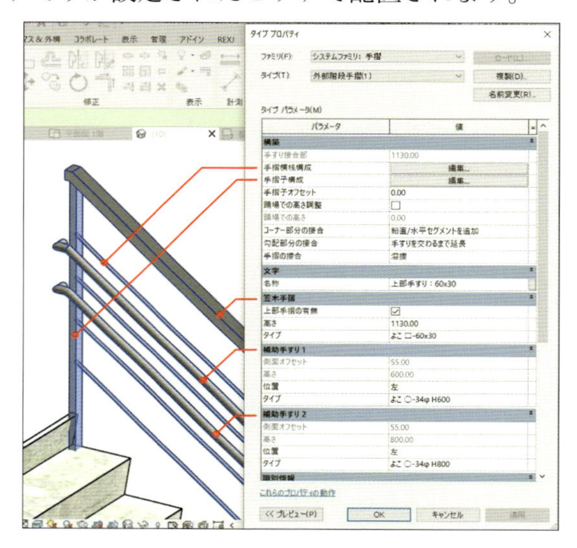

横桟は［手摺横桟構成］の＜編集＞で作成します。ガラスの断面形状をプロファイルとして横桟に使用すると下図のようなガラスパネルの手摺ファミリが作成できます。手摺(握り部分)は使っていません。

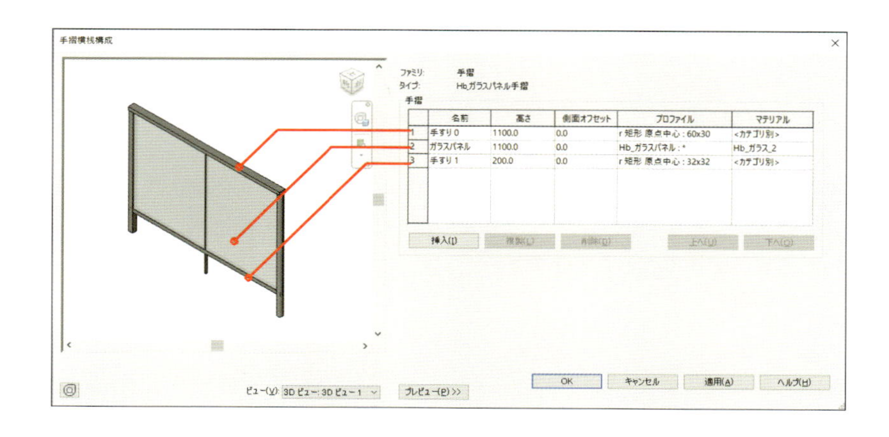

手摺子は［手摺子構成］の<編集>で作成します。［始点側の柱］、［コーナー柱］、［終点側の柱］は下図の位置の手摺子を指し、［標準手すり子］はそれ以外の手摺子を指します。

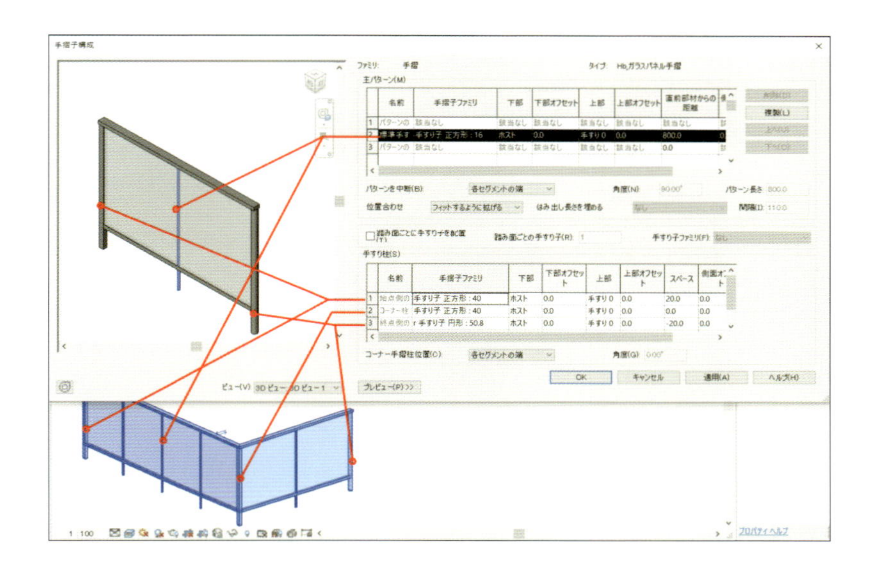

手摺を作成する

本書で使った下図の手摺を作成します。サンプルファイル「Hb07-06.rvt」を使用します。

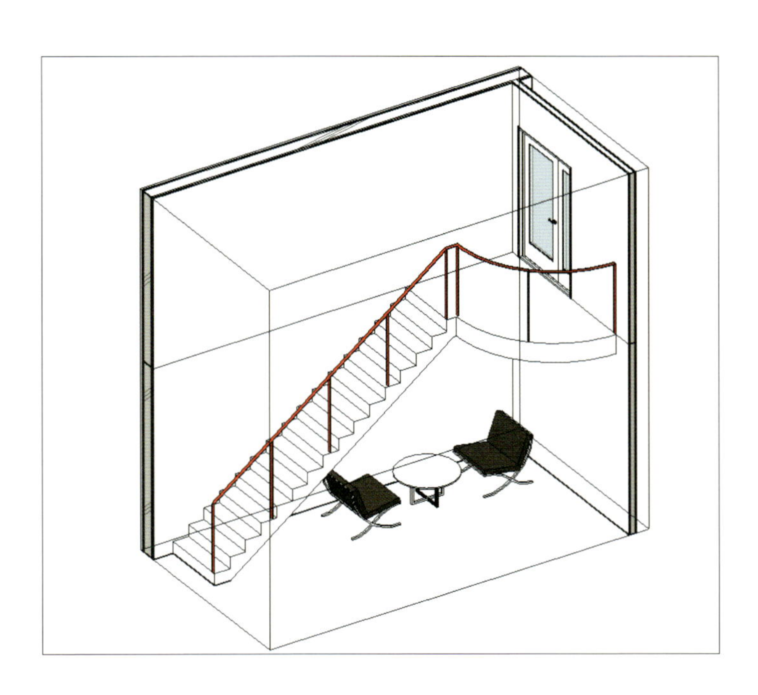

1 ［プロジェクトブラウザ］→＜ファミリ＞→＜手摺＞→＜手摺＞→＜900mmパイプ＞をダブルクリックすると［タイププロパティ］が開きます。＜複製＞をクリックして「STEP FB50x9 一段 H1100　P1000」というタイプ名を入力します。

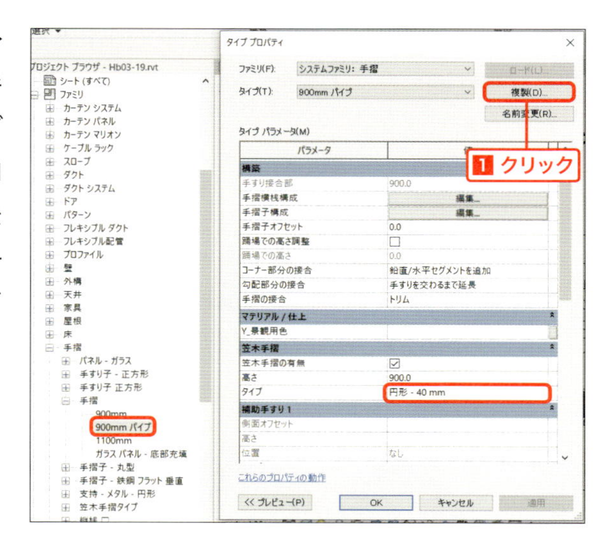

2 ［笠木手摺］の［タイプ］の値をクリックして＜･･･＞をクリックすると右図のダイアログボックスが開きます。タイプ＜よこ□-50x9＞を選択して図にように設定し、＜OK＞をクリックします。

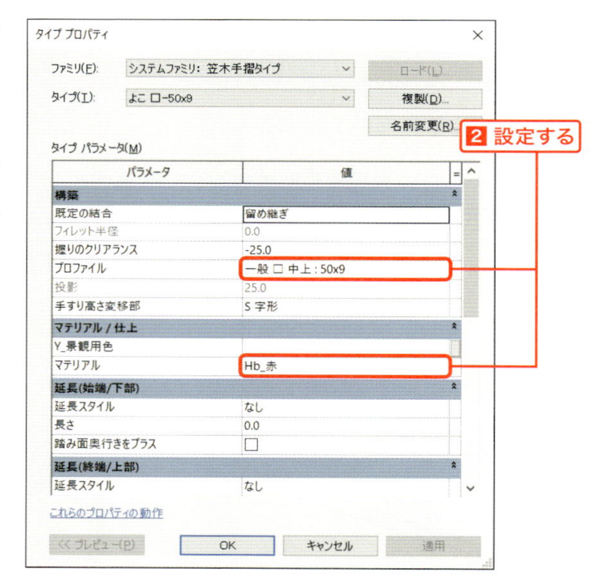

3 手摺横桟構成の＜編集＞をクリックして、横桟をすべて削除し、＜OK＞をクリックします。

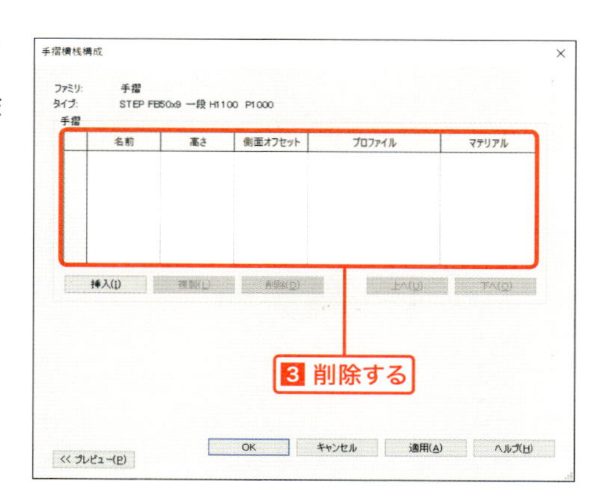

4 手摺子構成の<編集>をクリックして、下図のように設定して、<OK>をクリック
します。

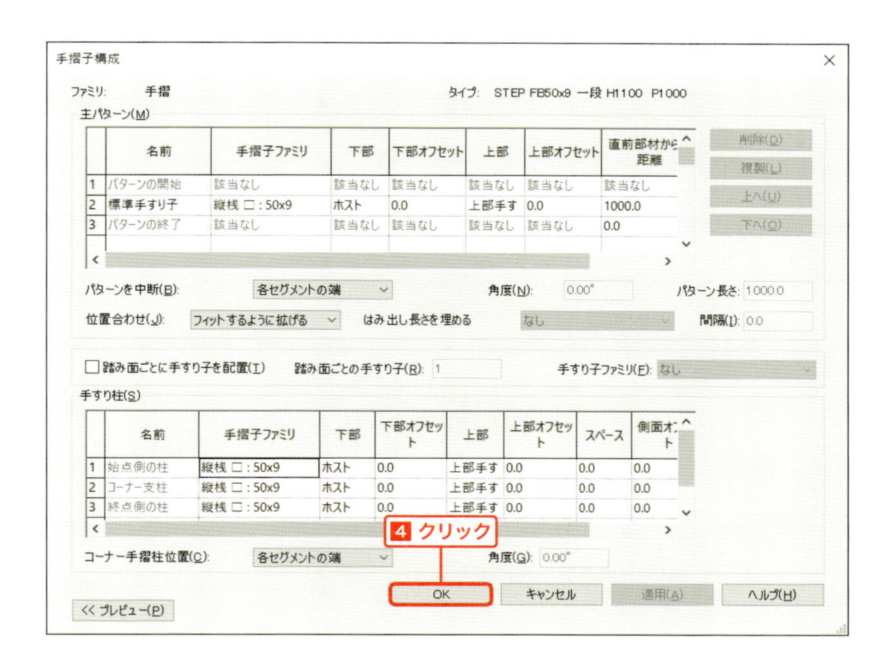

5 <ファミリ>→<手摺>→<縦桟 □>→<50x9>を右クリックして[タイププロパティ]を開き、下図のように設定し、<OK>をクリックして完成です。

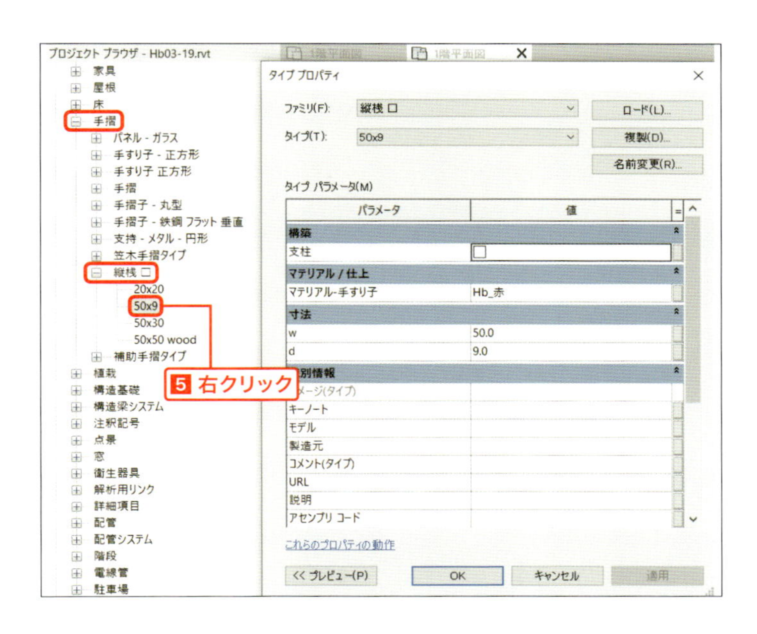

Column

図面を回転させる

シートでビューを90度回転させるには、シートにビューを配置したあとで、ビューを選択し［プロパティパレット］の［シートで回転］で＜90°反時計回り＞を選択する方法があります。この方法では、図のように文字やビュータイトルの向きも回転します。

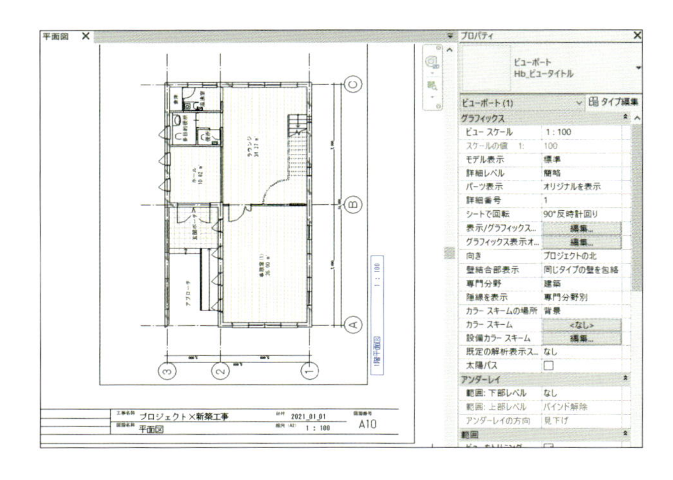

文字やビュータイトルの向きを回転させずにビューを回転させるには、ビューをアクティブにし、トリミング領域を表示させ、そのトリミング領域を選択して回転させます。この方法だと、90度以外の角度でも回転できます。

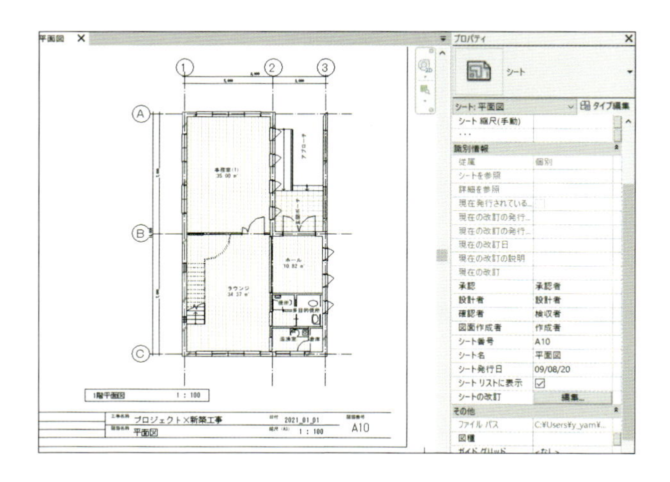

また、ビューを回転させるもう一つの機能として＜表示＞→＜スコープボックス＞を使う方法もあります。この方法は一つの物件の中で一部XY軸が回転している部分があるときなどに便利です。

第 8 章

線の表現を理解する

図面化するときには線の表現が重要ですが、Revitではさまざまな線が用意されています。この章ではそれらの線の振る舞いの違いや設定方法について紹介します。

01 線の基本設定を理解する

線の基本設定

ここからの作業は、サンプルファイル「Hb08-01.rvt」を使用します。各オブジェクトの線の色や線種パターンは＜管理＞タブの＜オブジェクトスタイル＞で設定できます。たとえば、壁の場合は平面で切り取られる線は図の「断面」ですので、線の太さは「3」になります。また、立面図などでの壁の線は「投影」になるので、線の太さは「1」になっています。この数値を変えると、線の太さを変えることができます。

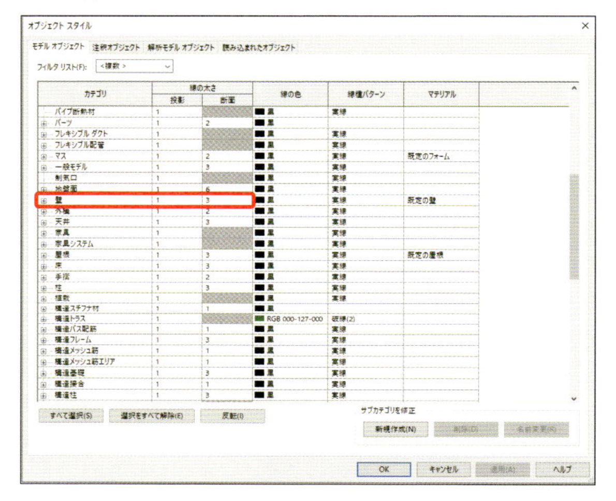

実線や点線など線種を変えたいときは、［線種パターン］欄をクリックして選択します。

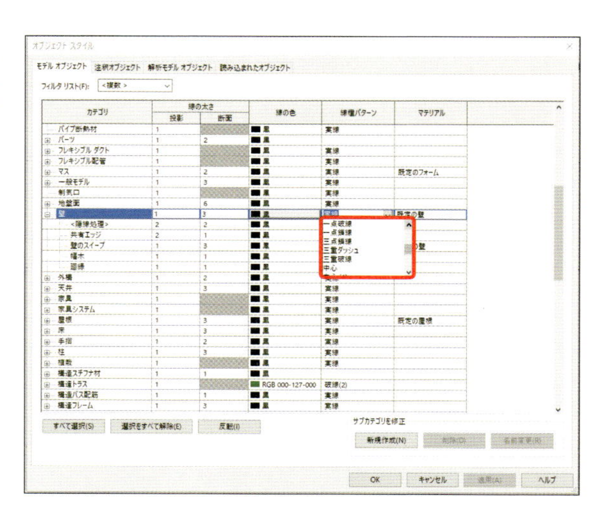

線種パターンを増やしたり点線などのピッチを変えたいときは、<管理>タブの<その他設定▼>→<線種パターン>をクリックします。

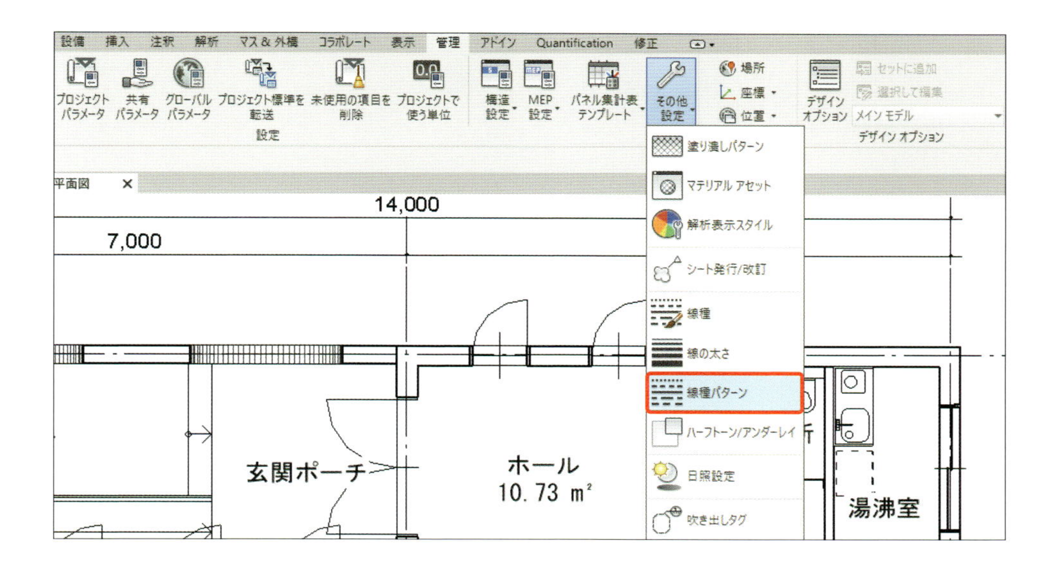

[線種パターン] ダイアログボックスが表示されます。

たとえば、二点破線のピッチを変えたいときは、[二点破線] を選択して<編集>をクリックします。

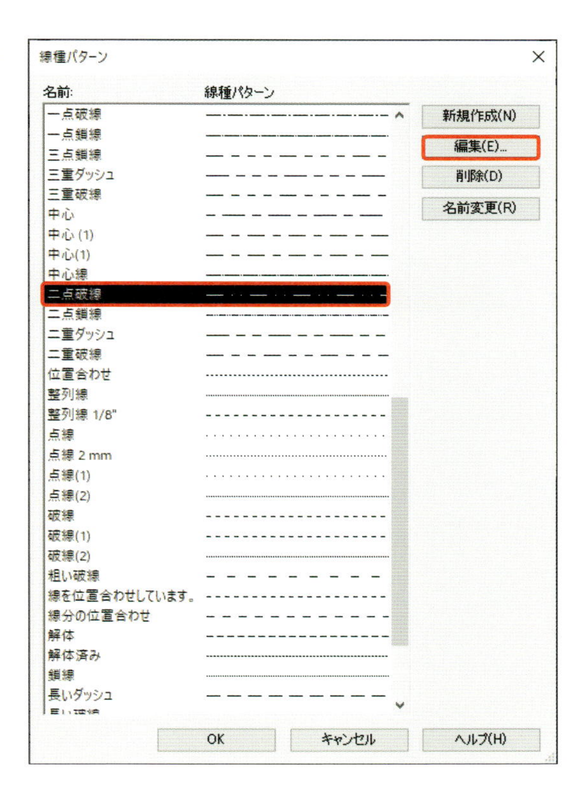

［線種パターンプロパティ］ダイアログボックスが表示されるので、破線の長さやピッチ（スペース）を調整します。

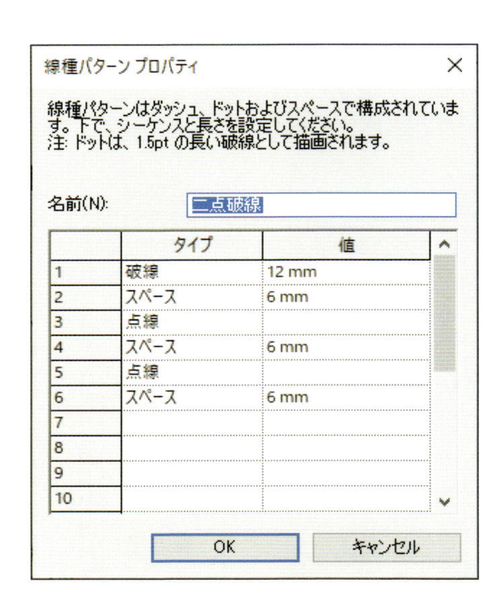

	タイプ	値
1	破線	12 mm
2	スペース	6 mm
3	点線	
4	スペース	6 mm
5	点線	
6	スペース	6 mm
7		
8		
9		
10		

＜オブジェクトスタイル＞などで表示されている線の太さの欄の数値がどれくらいの太さで印刷されるかは、＜管理＞タブの＜その他設定▼＞→＜線の太さ＞でビューの尺度ごとに細かく設定することができます。

ここにないスケールの場合は、一番近いスケールの太さになります。

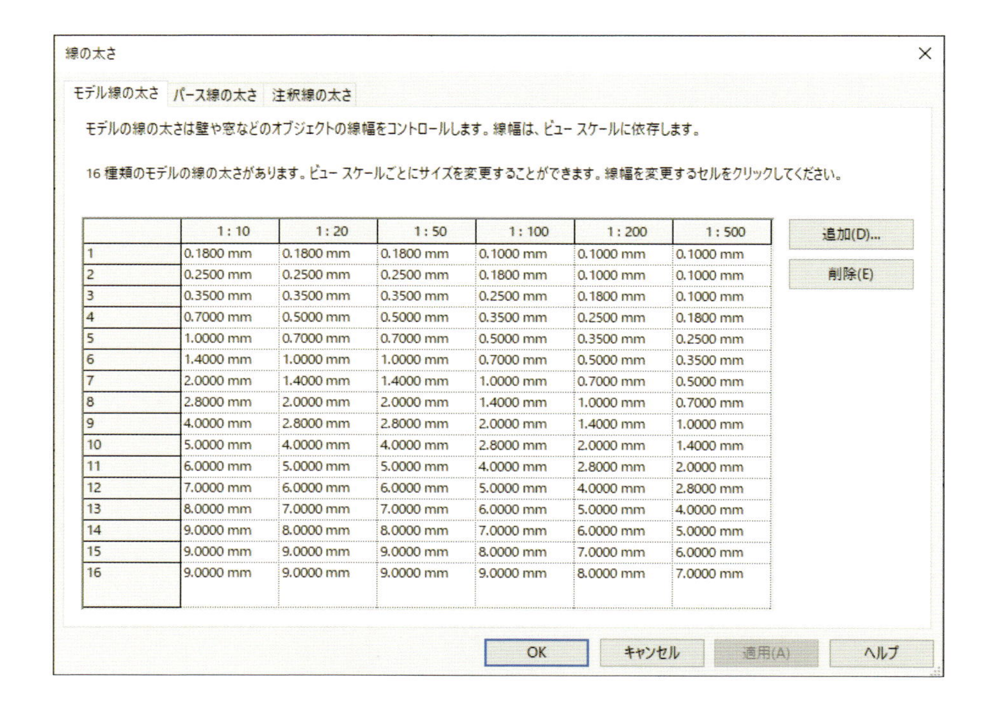

	1 : 10	1 : 20	1 : 50	1 : 100	1 : 200	1 : 500
1	0.1800 mm	0.1800 mm	0.1800 mm	0.1000 mm	0.1000 mm	0.1000 mm
2	0.2500 mm	0.2500 mm	0.2500 mm	0.1800 mm	0.1000 mm	0.1000 mm
3	0.3500 mm	0.3500 mm	0.3500 mm	0.2500 mm	0.1800 mm	0.1000 mm
4	0.7000 mm	0.5000 mm	0.5000 mm	0.3500 mm	0.2500 mm	0.1800 mm
5	1.0000 mm	0.7000 mm	0.7000 mm	0.5000 mm	0.3500 mm	0.2500 mm
6	1.4000 mm	1.0000 mm	1.0000 mm	0.7000 mm	0.5000 mm	0.3500 mm
7	2.0000 mm	1.4000 mm	1.4000 mm	1.0000 mm	0.7000 mm	0.5000 mm
8	2.8000 mm	2.0000 mm	2.0000 mm	1.4000 mm	1.0000 mm	0.7000 mm
9	4.0000 mm	2.8000 mm	2.8000 mm	2.0000 mm	1.4000 mm	1.0000 mm
10	5.0000 mm	4.0000 mm	4.0000 mm	2.8000 mm	2.0000 mm	1.4000 mm
11	6.0000 mm	5.0000 mm	5.0000 mm	4.0000 mm	2.8000 mm	2.0000 mm
12	7.0000 mm	6.0000 mm	6.0000 mm	5.0000 mm	4.0000 mm	2.8000 mm
13	8.0000 mm	7.0000 mm	7.0000 mm	6.0000 mm	5.0000 mm	4.0000 mm
14	9.0000 mm	8.0000 mm	8.0000 mm	7.0000 mm	6.0000 mm	5.0000 mm
15	9.0000 mm	9.0000 mm	9.0000 mm	8.0000 mm	7.0000 mm	6.0000 mm
16	9.0000 mm	9.0000 mm	9.0000 mm	9.0000 mm	8.0000 mm	7.0000 mm

線の太さを設定された太さで表示するか、それとも全て細い線で表示するかは、＜表示＞タブの＜細線＞で切り替えることができます。細部の作業をするときなどに使います。印刷時の太さには、影響がありません。

なお、尺度を変えると線の太さが相対的に変わるので、作業性をよくするために、一時的に尺度を変える使い方もあります。

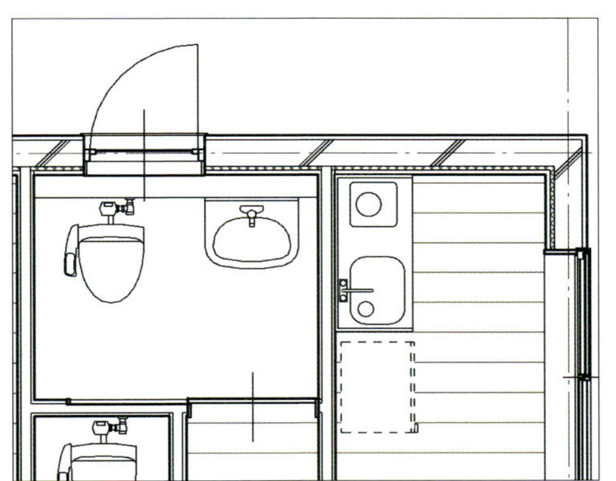

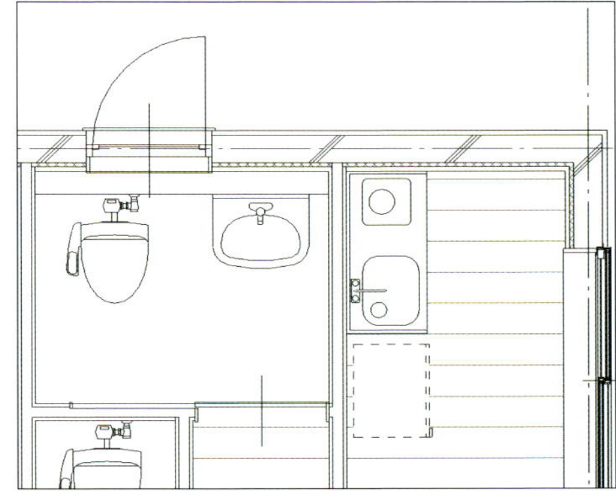

壁には意匠壁と構造壁があり、柱にも意匠柱と構造柱があります。これらが交わったときに2×2=4通りの組み合わせができます。また、詳細レベルが簡略、標準、詳細のどれなのか、マテリアルがカテゴリ別か同じマテリアルかなどの諸条件によって包絡するか包絡しないかが変わります。整理すると以下のような振る舞いになります。

・意匠柱はいずれの場合も壁と包絡する。
・意匠壁×構造柱はいずれの場合も包絡しない。
・包絡しなかった場合、マテリアルが同じであれば、＜修正＞タブの＜ジオメトリを結合＞で包絡する。

02 ビュー範囲と線の表示を理解する

ここからの作業は、サンプルファイル「Hb08-02-a.rvt」を使います。ビュー範囲について説明します。2階平面図ビューを開き、［プロパティ］の［ビュー範囲］→＜編集＞をクリックすると、［ビュー範囲］ダイアログボックスが表示されます。

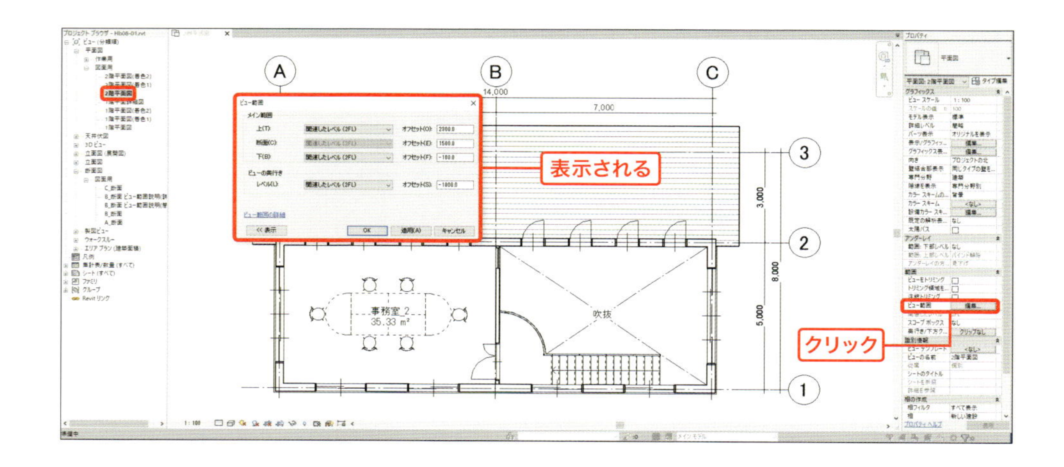

ビュー範囲の意味を＜表示＞タブの＜断面＞で作成した右ページ上左の断面図で説明します。各オフセットの数値を入力します。

memo

3Dビューでビューキューブの上で右クリックして＜ビューで方向指定＞→＜平面図＞→＜平面図：2階平面図＞をクリックすると、2階平面図の［ビュー範囲］の中の［メイン範囲］の部分が3Dで表示されます。

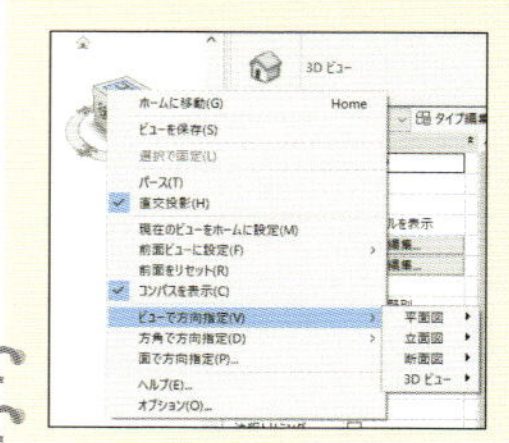

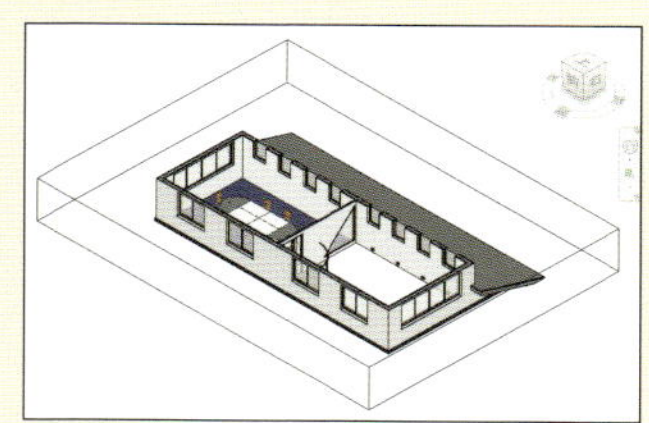

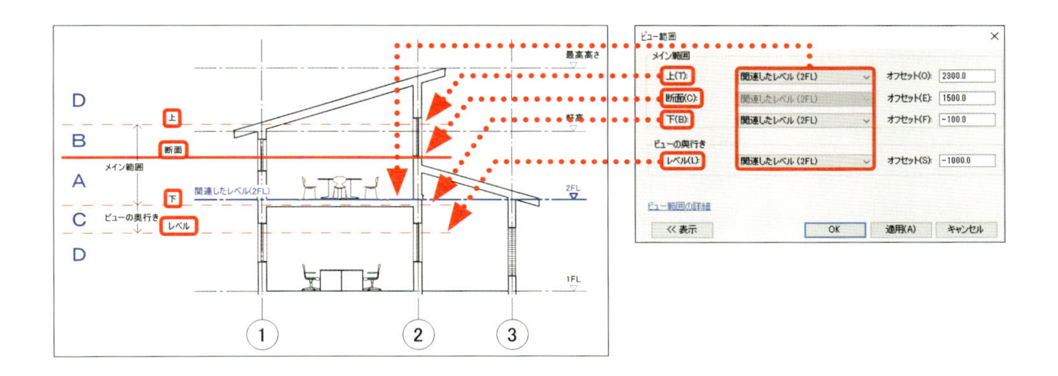

ビュー範囲の［断面(C):］の［オフセット］欄の高さでこの2階平面図ビューは3Dモデルを切断し、エッジを＜オブジェクトスタイル＞の［断面］の線で表示します。ただし、ビュー範囲の高さがメイン範囲の［下(B):］の高さから 2mより低い壁は切断されず、＜オブジェクトスタイル＞の［投影］の線で表示します。

また、＜オブジェクトスタイル＞の［線の太さ］［断面］欄がグレーアウトされているカテゴリのファミリ（P.212の画像参照）は切断されず、［投影］の線で表示します。

A部分（ビュー範囲の［断面(C):］から［下(B):］までの範囲）にあるモデルのエッジを見えがかりとして＜オブジェクトスタイル＞の［投影］の線で表示します。

B部分（ビュー範囲の［断面(C):］から［上(T):］までの範囲）にあるモデル（造作工事や一般モデルなど一部のカテゴリ）のエッジを＜オブジェクトスタイル＞の［投影］の線で表示します。また、窓のカテゴリは認識されます。

C部分（ビュー範囲の［下(B):］から［ビューの奥行き］［レベル(L):］までの範囲）にあるモデルのエッジを＜線種＞の［背景］の線で表示します。ただし、ビュー範囲の［下(B):］から下4フィート（約1.22m）までの間の床や基礎スラブ、階段、スロープは［投影］で表示されます。［背景］の線は、＜管理＞タブの＜その他の設定＞→＜線種＞をクリックし、［線種］ダイアログボックスで設定できます。

D部分はビュー範囲としては何も表示しませんが、アンダーレイで表示させることができます。

高窓を表現する

平面図に高窓を表現する方法を3パターン紹介します。

まずはじめに、[断面] から [上] の範囲にある、事務所_2 (①通り左) の外倒し窓を例として「窓カテゴリ」の振る舞いを説明します。[2階平面図] の [ビュー範囲] の<編集>をクリックして確認します。

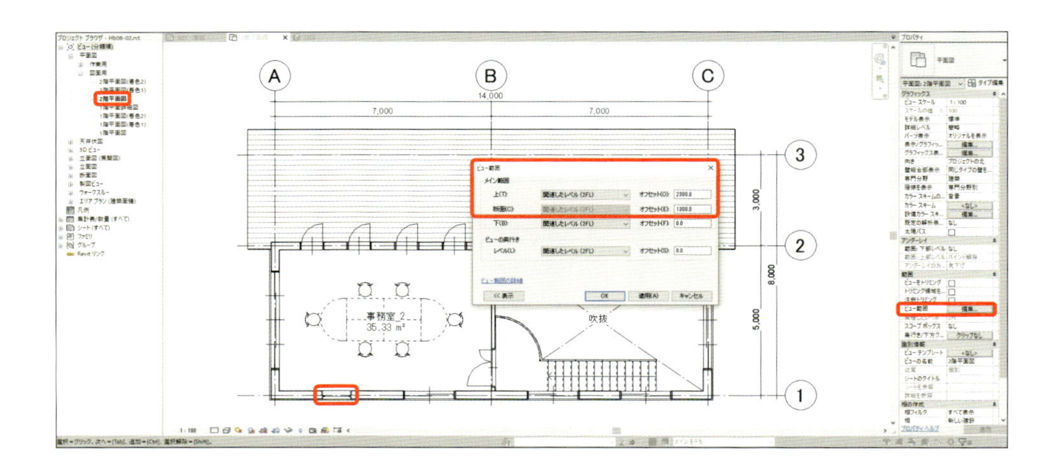

外倒し窓の [下枠高さ] を「1000」から「1700」に変更します。窓は前ページで説明したB部分の ([断面] から [上] の範囲) に移動します。

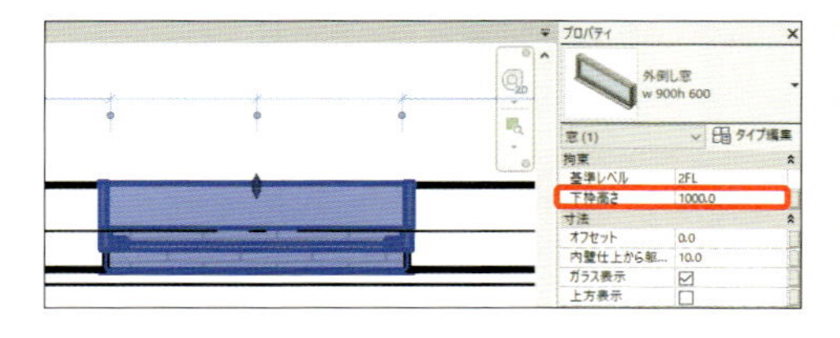

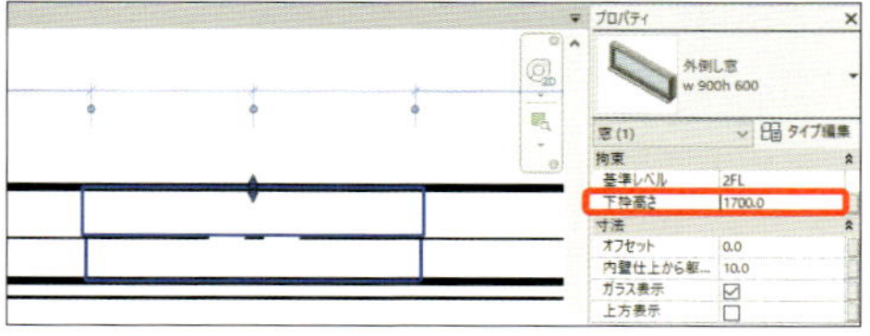

窓が非表示になりました。マウスオーバーすると窓がハイライトされ、認識されているのでタグ (「10-07」で作成) を付けることができます。

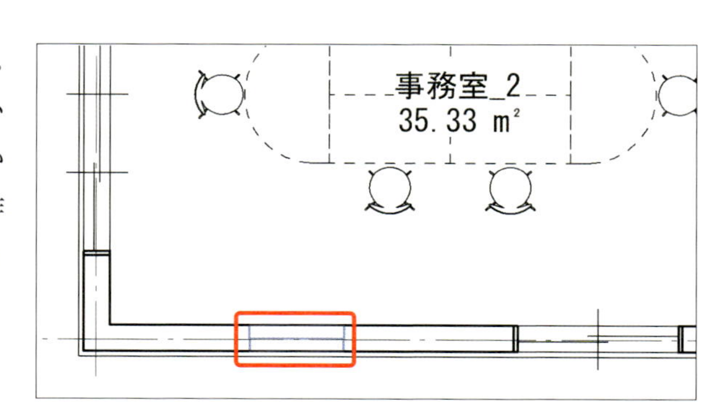

［ビュー範囲］の［上］を「1500」に変更すると、窓は先述のD部分になるので、マウスオーバーしても認識されなくなります。数値は元の「2300」に戻しておきます。

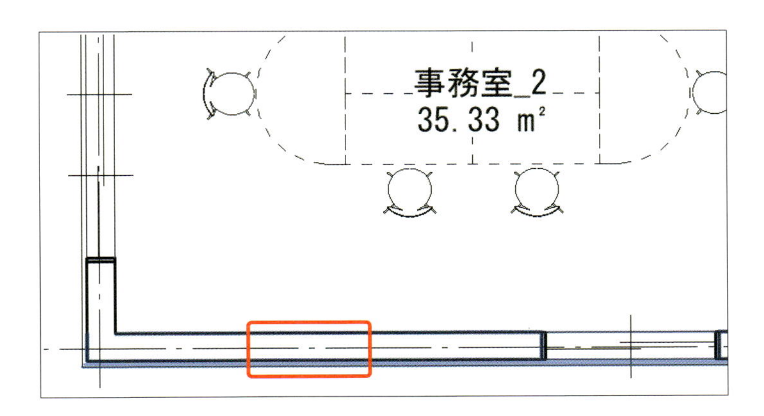

方法1：部分的に断面の高さを変える

部分切断領域を作成します。部分切断領域は、平面図ビュー上の任意の場所に、異なるビュー範囲（切断面）を設定することができます。＜表示＞タブの＜平面図▼＞→＜部分切断領域＞をクリックし［描画］パネルの＜長方形＞を選択します。［プロパティ］の＜ビュー範囲＞をクリックし、図のように［上］と［断面］オフセットに高さを入力します。

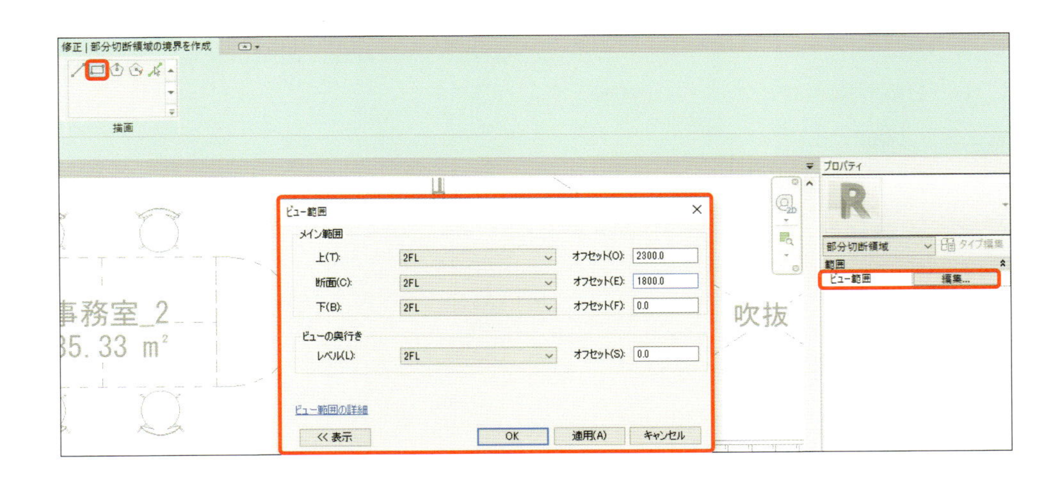

非表示になった窓の位置に長方形を作成し、[部分切断領域の境界を作成] の <編集モードを終了>クリックします。高窓が表示されました。

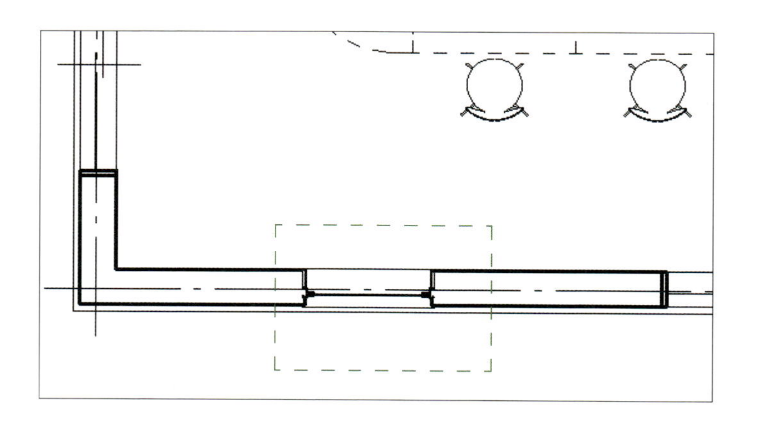

方法2：高窓用に平面図ビューを作成する

<2階平面図>ビューを右クリックし、<詳細を含めて複製>をクリックします。コピーしたビューの名前を「高窓用」とし、方法1と同様の手順で部分切断領域を作成し、高窓を表示します。不要な部分はビューをトリミングして整えます。図面としてシートに、2階平面図と位置を合わせて配置します。なお、部分切断領域の境界は印刷されません。

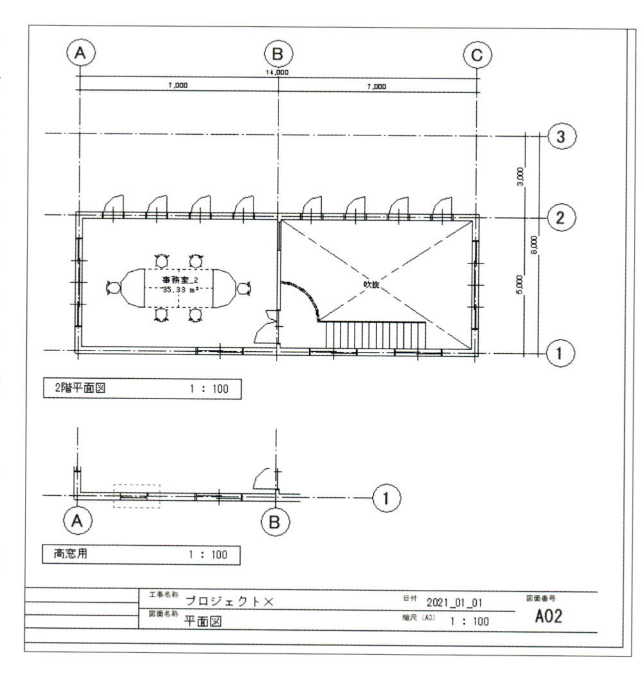

方法3：同一平面図に破線で表示する

方法1と同様の手順で2階平面図ビューに部分切断領域を作成します。ここではあらかじめサンプルファイルに用意してある［外倒し窓_高窓用］ファミリを使って説明します。ファミリ側で［断面］となる［線種］をあらかじめ破線にしておきます。各破線の［プロパティ］から［表示/グラフィックスの上書き］の＜編集＞をクリックします。＜インスタンスが切断された場合のみ表示＞のチェックを外します。これで切断されていなくても破線が表示できるよう設定することができます。

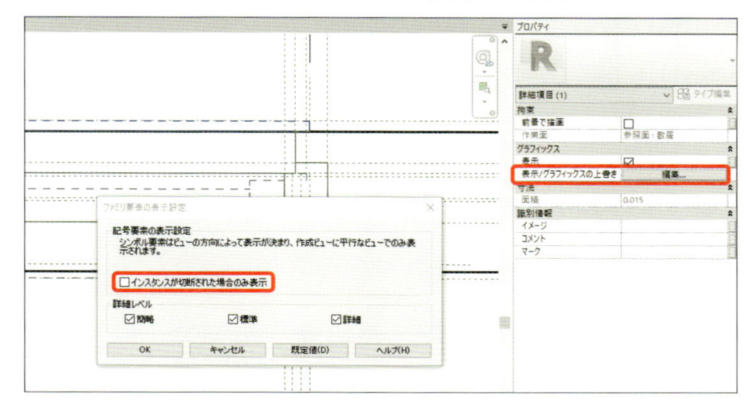

プロジェクトへロードし、もとの外倒し窓を、［プロパティ］の＜タイプセレクタ▼＞から作成した高窓に変更します。

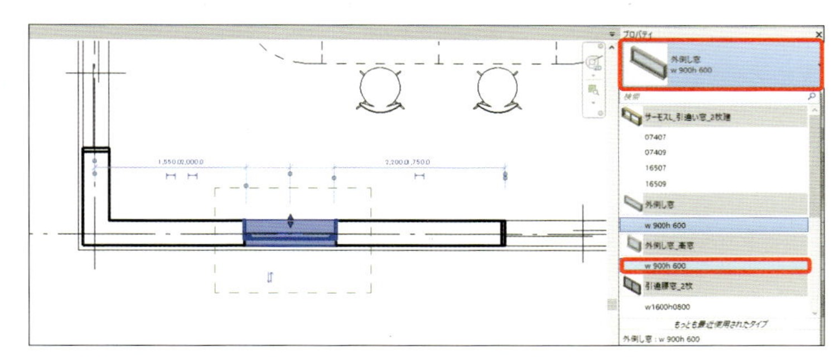

高窓が破線で表示されます。

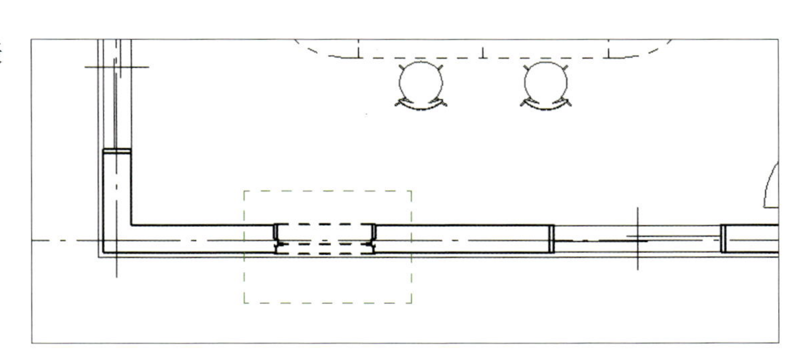

03 線の種類を理解する

線といっても3Dモデルの輪郭線（エッジ）、2D CADのような動きをする線（線分）、そしてハッチング（パターン）や寸法線などがあります。エッジにはさらに投影線と断面線、そして共有エッジがあります。線分にはさらにモデル線分と詳細線分、シンボル線分があります。パターンにはサーフェスパターンと切断パターンがあります。

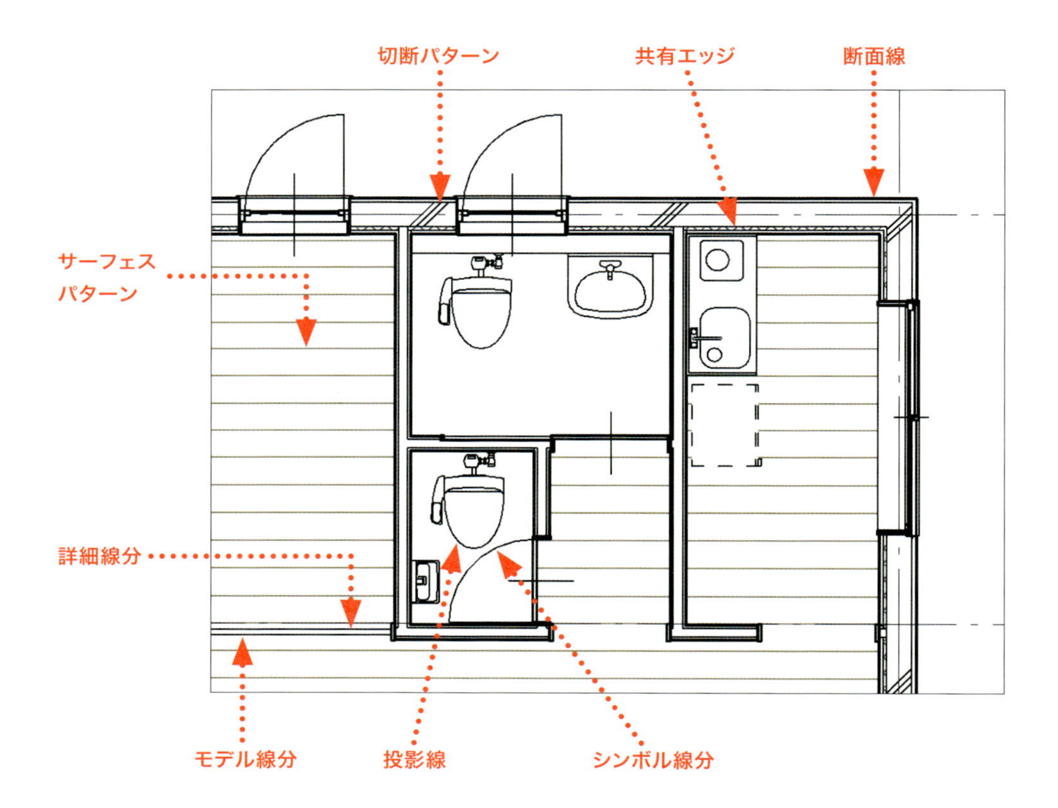

エッジ

投影線

いわゆる見えがかりの線で、ビュー範囲で切断されずに姿が見えるときのモデルの輪郭線です。2D CADでは細い線で表現される線です。

断面線

ビュー範囲によってモデルが切断されたときの線です。2D CADでは太い線で表現される線です。

共有エッジ

1つの壁（や床、天井、屋根）の中の各レイヤ（構造や仕上げの階層）の間の線です。隣接するレイヤで共有されているので、どちらのレイヤを優先するか設定できます（設定についてはP.242のコラム参照）。

線分

モデル線分

3D空間の中の線で、各ビューで表現されます。

詳細線分

そのビューでしか表現されない線です。平面詳細図や断面詳細図でよく使用されます。

シンボル線分

ファミリやインプレイスの中で作成する線で、同じ方向のビューで表現されます。ドアの開く軌跡の線であれば、各平面図ビュー、平面詳細図ビューでは表現されますが、3Dビューでは表現されません。

パターン

サーフェスパターン

ビュー範囲で切断されずに姿が見えるときのモデルの表面のパターンです。

切断パターン

ビュー範囲によってモデルが切断されたときの断面のパターンです。

04 モデルのエッジを理解する

下図のピラミッドはモデルエッジの投影線の太さや色、線種が何によって決まるかを表しています。7か所で設定でき、ピラミッドの上の方が優先されます。

各設定で「カテゴリ別」「オブジェクトスタイル別」「上書きを解除」「優先設定なし」と表現されるときは、そこでは設定しないので、下位の設定を表現するという意味です。初期設定ではオブジェクトスタイル以外はどれも設定されていません。赤い色のモデルエッジがあった場合、7か所のどこかで赤の設定がされています。どの設定が反映されているかは、ピラミッドの上から順に一つずつ確認していきます。ここでは、ピラミッドの下から説明します。

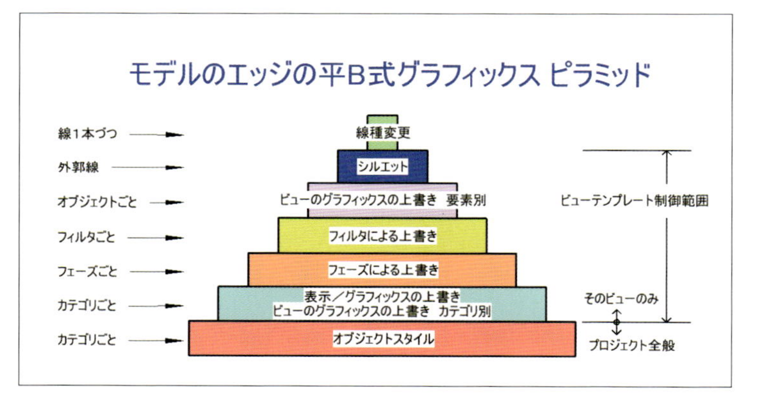

オブジェクトスタイル

＜管理＞タブの＜オブジェクトスタイル＞で設定します。ここでの設定はプロジェクト全体に反映されます。壁のエッジの色を変更したい場合は、［線の色］の欄をクリックし、ダイアログボックスにて任意の色を設定します。同様に線の太さ、線種も変更できます。これより上位の設定は「上書き」と表現されます。

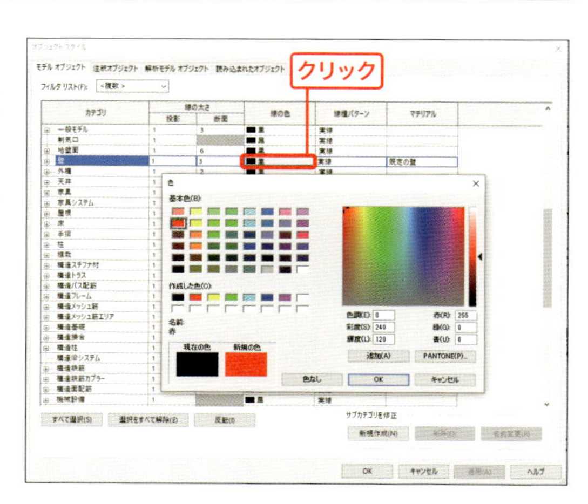

表示／グラフィックスの上書き

各ビューの［プロパティ］の＜表示／グラフィックスの上書き＞、またはオブジェクトを選択後、右クリックメニューの＜ビューのグラフィックスの上書き＞→＜カテゴリ別＞で設定します。そのビュー内のカテゴリごとに反映されます。

ビューテンプレートが使用されていれば、そのビューテンプレートが使われているビューすべてに反映されます。

壁の断面線を変更したい場合は、［断面］→［線分］の欄をクリックし、ダイアログボックスで各種の設定をします。

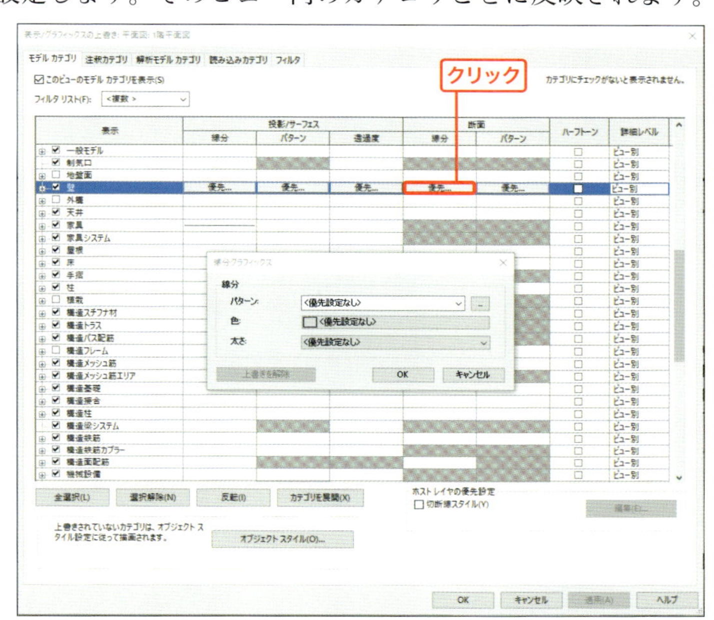

フェーズ

＜管理＞タブの＜フェーズ＞で設定します。そのビュー内のフェーズ（時間軸）ごとに設定できます。

フェーズ［新設］の断面線を変更したい場合は、＜フェーズフィルタ＞の［新設］を［上書き指定による］にしたうえで、＜グラフィックスの上書き＞タブの［断面］→［線分］をクリックし、ダイアログボックスで各種の設定をします（フェーズの詳細については「8-09」で解説します）。

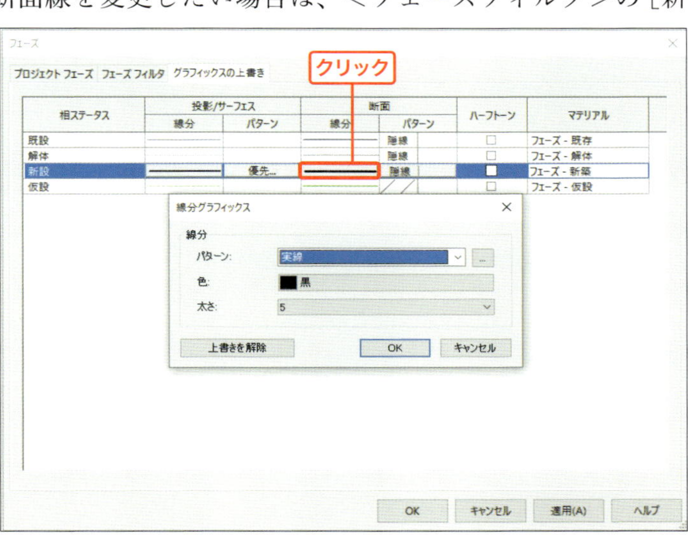

フィルタ

各ビューの［プロパティ］から＜表示／グラフィックスの上書き＞→＜フィルタ＞で設定します。Revit LTにはこの機能はありません。そのビュー内のフィルタの内容ごとに設定できます。ビューテンプレートが使用されていれば、そのビューテンプレートが使われているビューすべてに反映されます。

図は［壁のタイプ名にRCが含まれるもの］という条件のフィルタを設定した場合です。条件にあった壁の断面線の変更をしたい場合は、［断面］→［線分］の欄をクリックし、ダイアログボックスで各種の設定をします。また、＜追加＞から＜新規作成＞で新たにフィルタを作成し、条件を設定することができます。

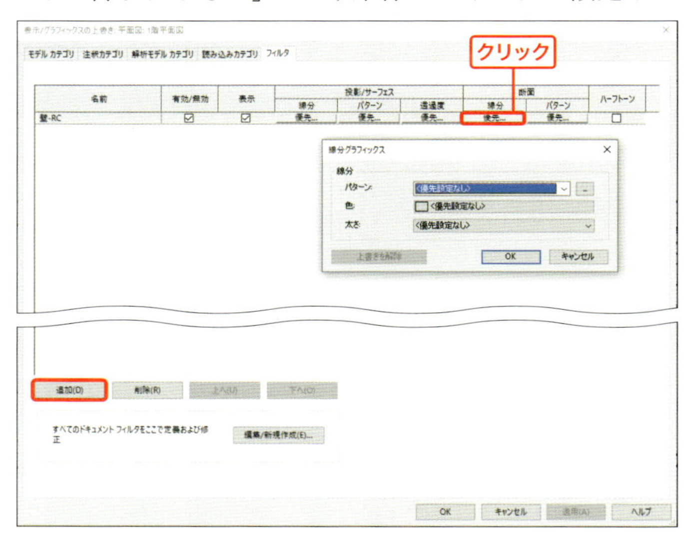

ビューのグラフィックスの上書き　要素別

オブジェクトを選択後＜修正＞タブの＜ビューのグラフィックスの上書き＞→＜要素で上書き＞、または、オブジェクトを選択後、右クリックメニューの＜ビューのグラフィックスの上書き＞→＜要素別＞で設定します。そのビューの選択されたオブジェクトだけに反映されます。断面線を変更したい場合は、ダイアログボックスで［切断線］の各項目から設定します。

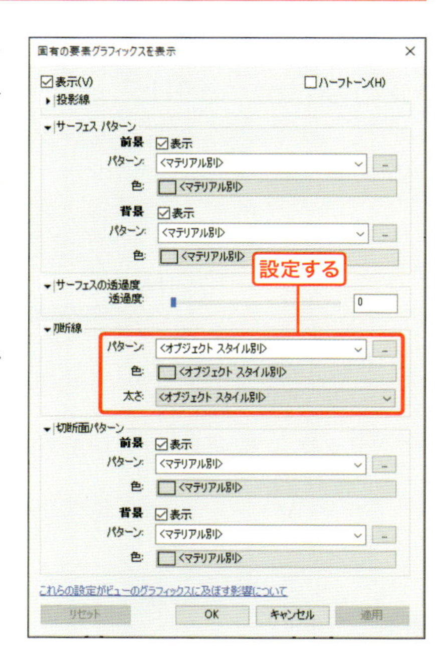

シルエット

各ビューの［プロパティ］の＜グラフィックス表示オプション＞→＜シルエット＞で設定します。モデルの投影線の外郭線（アウトライン）が変更されます。主にアイソメやパースで使用します。

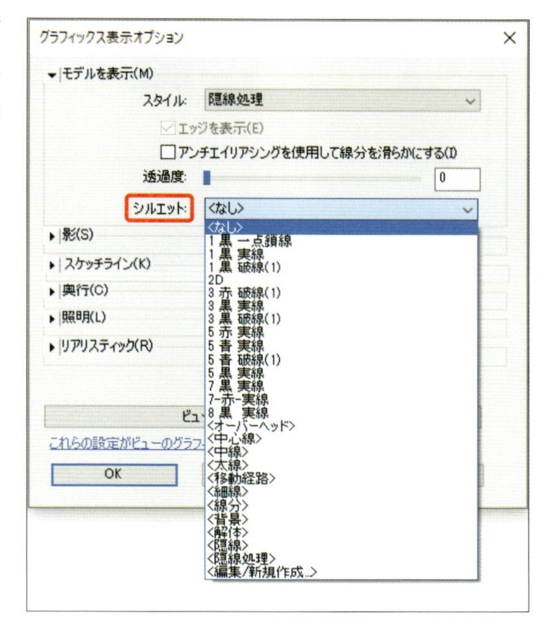

線種変更

＜修正＞タブの＜線種変更＞で線種をリストから選択し、変更する線をクリックして設定します。そのビューの指定された線1本ずつに反映されます。

＜非表示＞の線に変更することで非表示にすることができます。

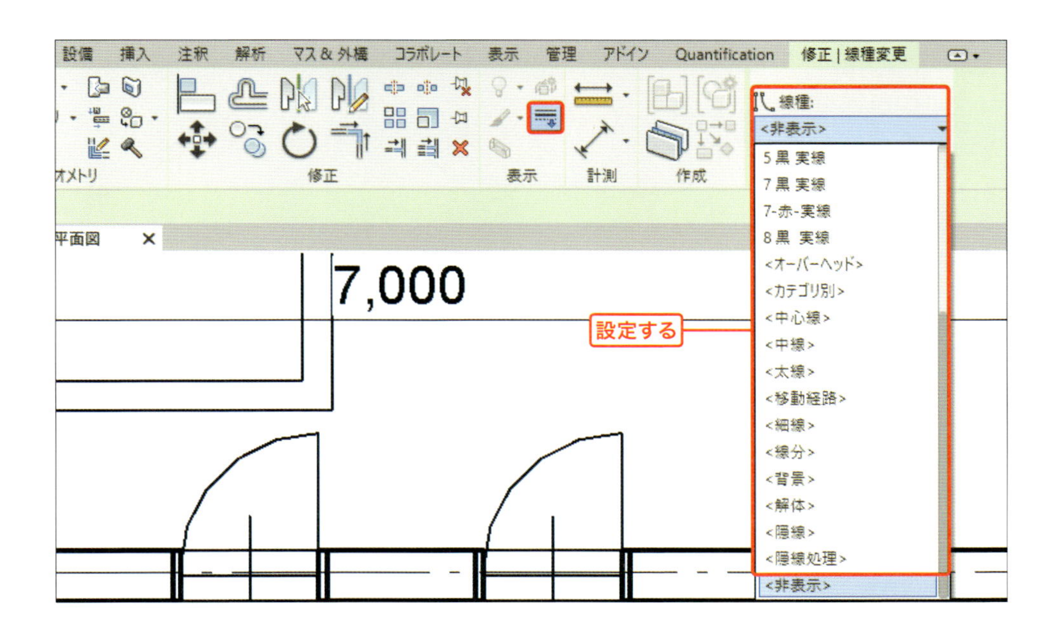

05 モデル線分を理解する

モデル線分とは3D空間に作成する線分で、すべてのビューに表示されます。実際に線分を作成して確認してみましょう。

1 1階平面図ビューで<建築>タブの→<モデル線分>をクリックします。[オプションバー] の [配置面] に「レベル：1FL」とあるのは、モデル線分が作成される作業面（高さ）を表しています。モデル線分は3D空間に作成される線なので、高さの情報を持っています。

2 図の位置にモデル線分を作成します。

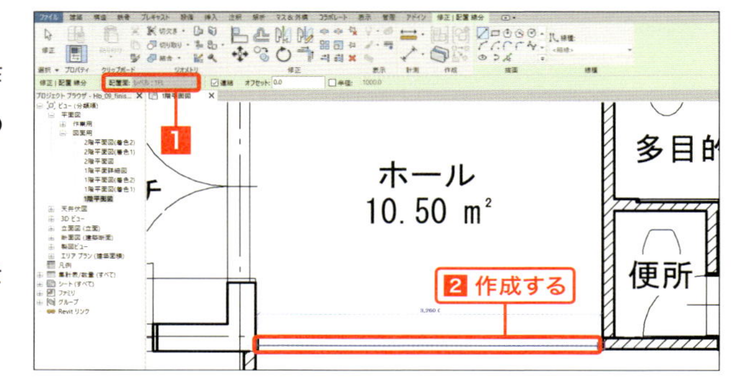

3 <表示>タブの<3Dビュー>をクリックして、3Dビューで確認すると、線が作成されていることがわかります。

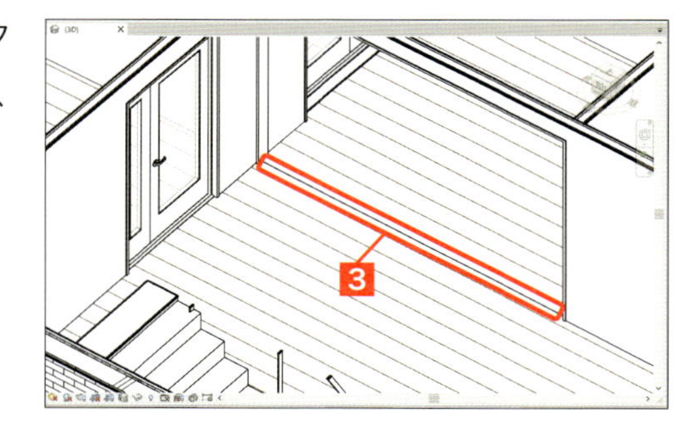

4 次にキッチンの上にモデル線分を作成します。<建築>タブの<セット>をクリックします。[作業面] ダイアログボックスの<面を選択>をクリックして、<OK>をクリックします。

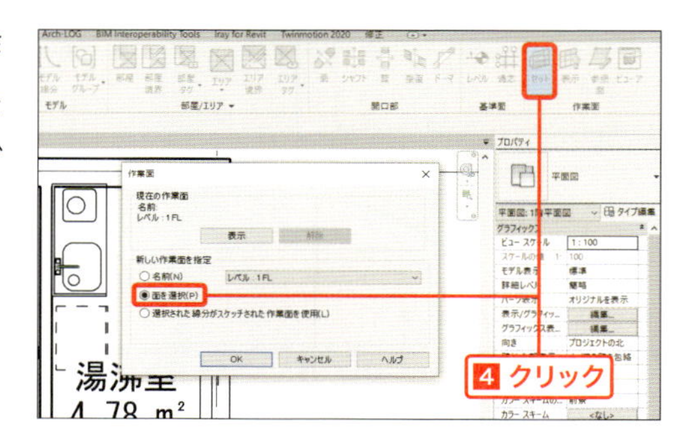

5 キッチンの天板の面を選択します。Tab キーを何回か押して、天板の枠が青く選択されたのを確認し、クリックします。

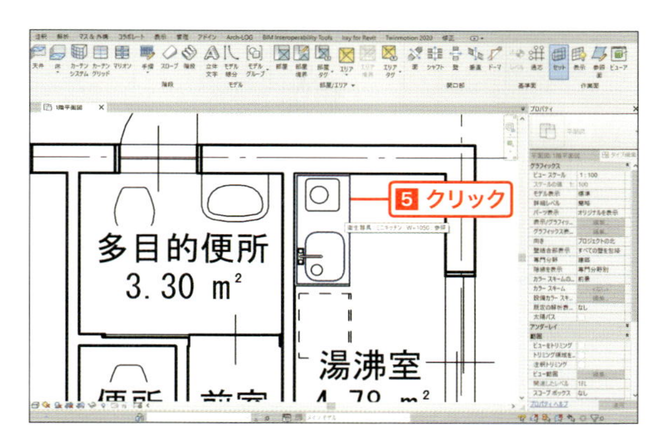

6 天板に＜モデル線分＞を作成します。[配置面]が「ミニキッチン：W=1050」になっていることが確認できます。

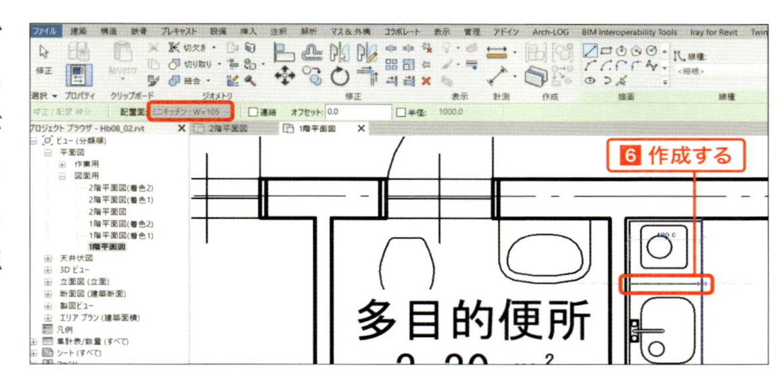

7 3Dビューで確認すると、線が天板の上に作成されていることがわかります。なお、3Dビューで[作業面]を指定すれば、垂直面などのどの面にもモデル線分を作成できます。

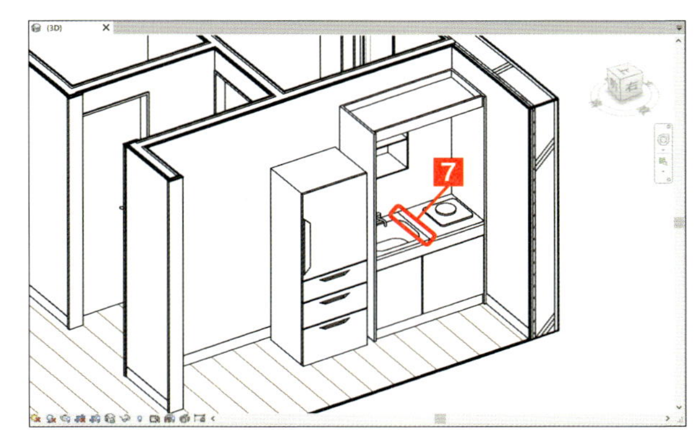

memo

任意の＜参照面＞を作成して名前を付ければ、その参照面を[作業面]ダイアログボックスで作業面に指定することができます。

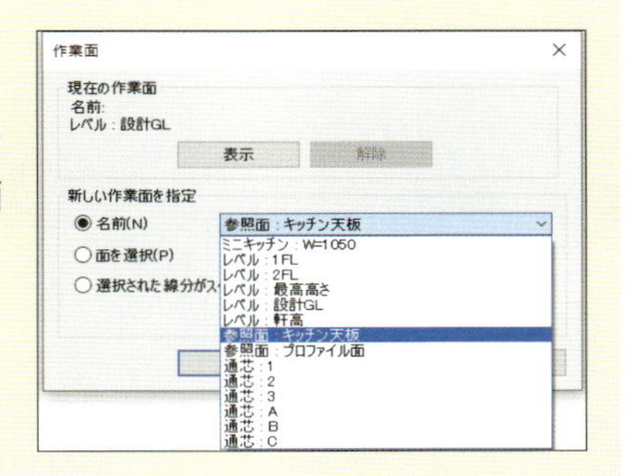

06 詳細線分を理解する

詳細線分は、そのビューでしか表現されない線です。マスキングを使ったときのモデル線分と詳細線分の関係は図のようになります。この関係を確認します。

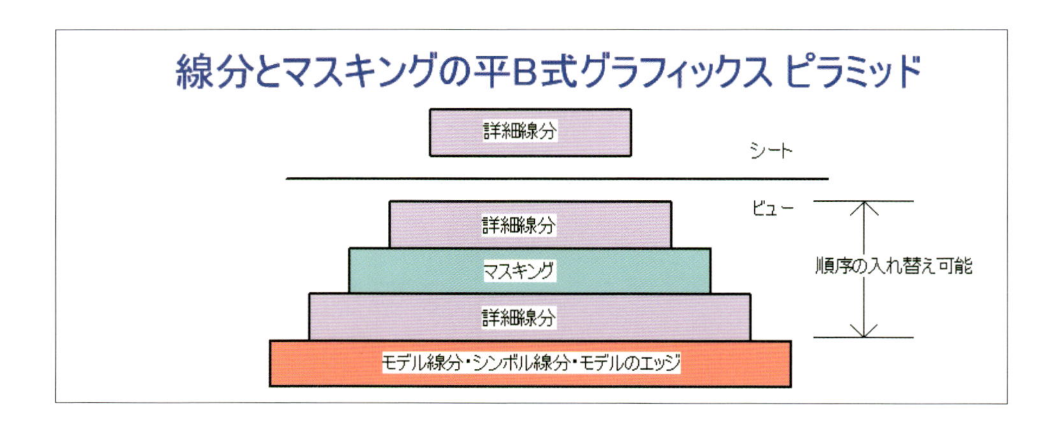

1 1階平面詳細図で<注釈>タブの<詳細線分>をクリックし、図にようにモデル線分の横に作成します。

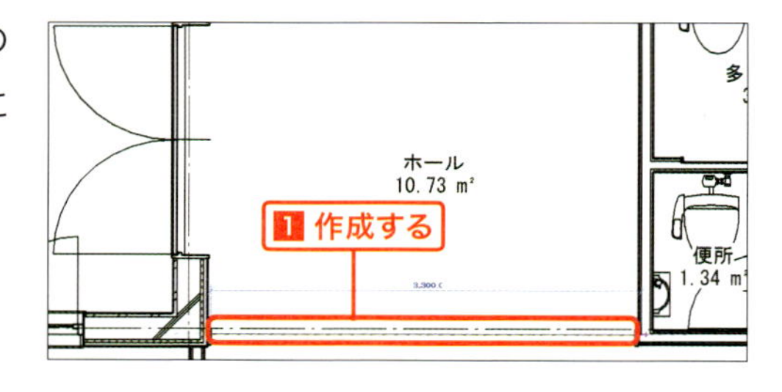

2 <注釈>タブの<領域>→<マスキング領域>をクリックします。

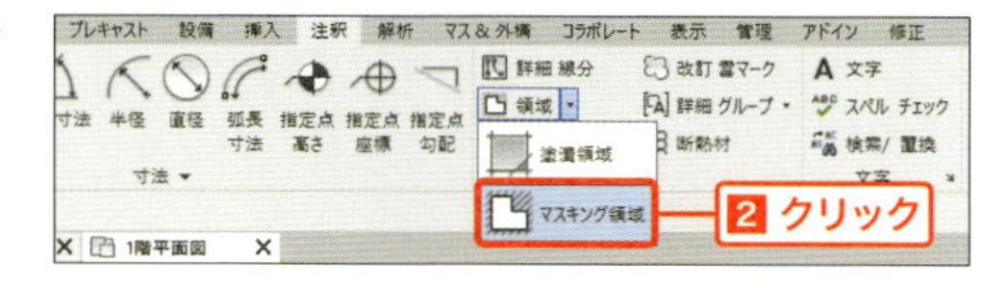

3 図の範囲を囲みます。

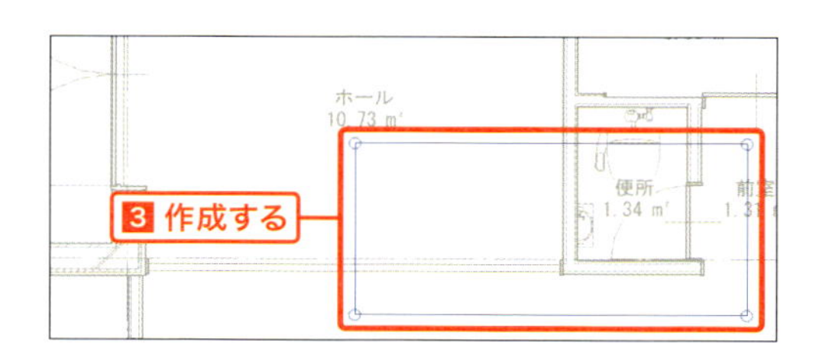

4 編集モードを終了するとモデル線分やモデルのエッジが見えなくなりますが、詳細線分は見えたままです。詳細線分とマスキングのような2D要素間では前後関係を調整することができます。

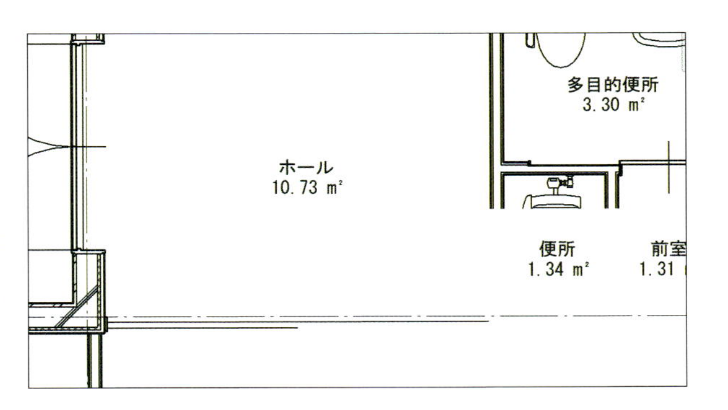

5 マスキングを選択して＜修正｜詳細項目＞タブの＜最前面へ移動＞をクリックすると、先程作成した詳細線分よりもマスキングの方が手前に移動します。

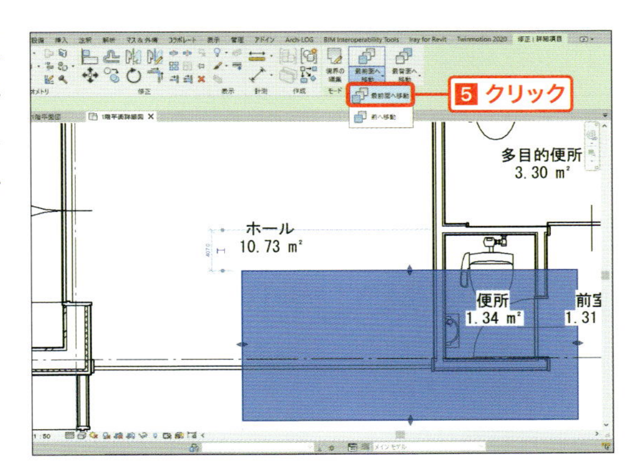

6 ＜表示＞タブの＜シート＞をクリックして新しいシートを作成し、1階平面図ビューをドラッグして配置します。タイプセレクタがビューポートもしくはシートになっていることをプロパティフィルタで切り替えて確認します。＜注釈＞タブの＜詳細線分＞をクリックして、図のように作成します。この詳細線分は1階平面図ビューではなくシートに作成されていますが、見た目だけでは、1階平面図ビューに作成された線分とシートに作成された線分（ピラミッドの一番上の線分）の違いはわかりません。

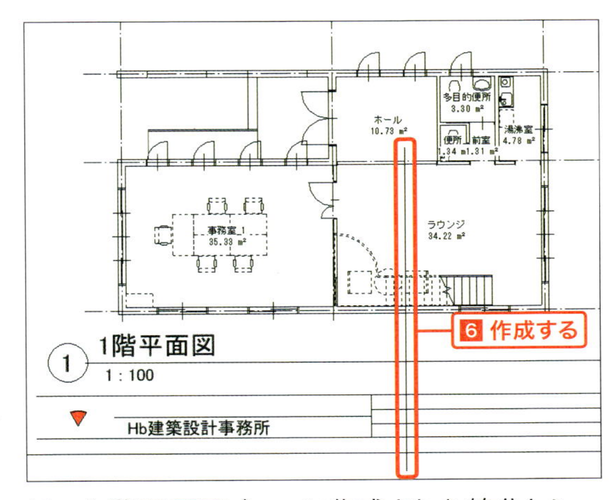

memo

1階平面図ビューに作成しようとして、シートに作成してしまう場合があるので作成するビューを選択し、＜ビューポートをアクティブ化＞をクリックして作成します。

07 ファミリやインプレイスの中の線分を理解する

ファミリやインプレイスの中の線分（モデル線分およびシンボル線分）の線種は、ファミリ側で設定できますが、プロジェクトファイルにロードするとプロジェクトファイルに同じサブカテゴリが存在していると、プロジェクトファイル側の設定が優先されます。

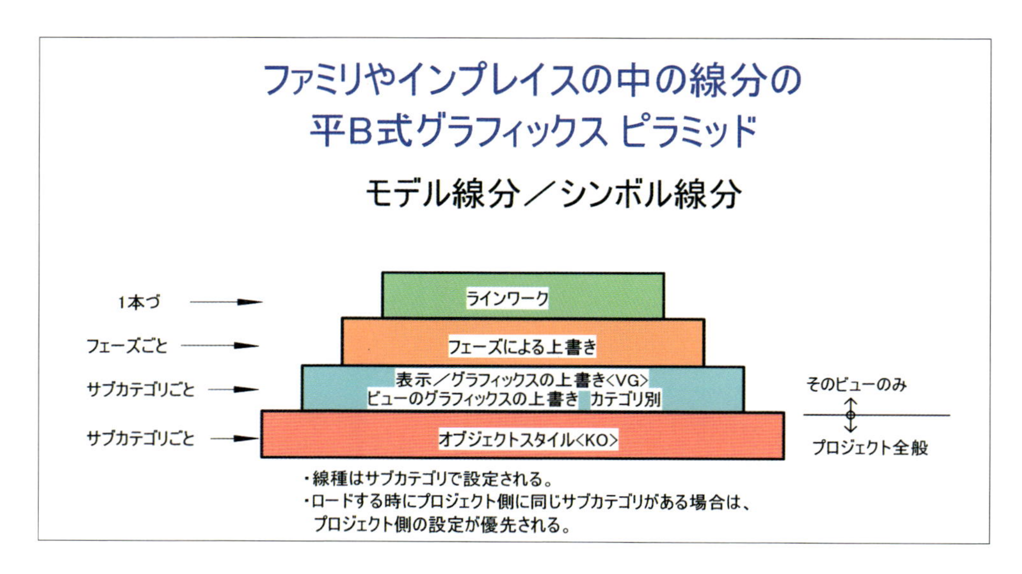

片開ドアで確認します。「片開き.rfa」を開き、＜管理＞タブの＜オブジェクトスタイル＞をクリックし、［平面スイング］の［線の色］を「青」に変えます。

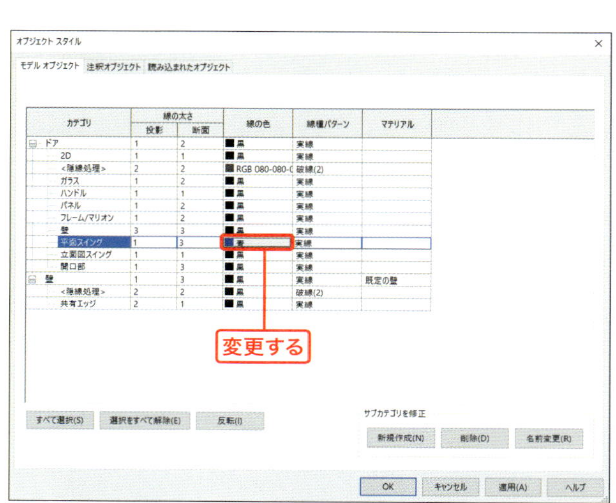

カテゴリ	線の太さ		線の色	線種パターン	マテリアル
	投影	断面			
ドア	1	2	黒	実線	
2D	1	1	黒	実線	
<隠線処理>	2	2	RGB 080-080-(	破線(2)	
ガラス	1	2	黒	実線	
ハンドル	1	1	黒	実線	
パネル	1	2	黒	実線	
フレーム/マリオン	1	2	黒	実線	
壁	3	3	黒	実線	
平面スイング	1	3	青	実線	
立面図スイング	1	1	黒	実線	
開口部	1	3	黒	実線	
壁	1	3	黒	実線	既定の壁
<隠線処理>	2	2	黒	破線(2)	
共有エッジ	2	1	黒	実線	

ここでは設定の違いがわかるように参照レベルで円弧の開き勝手を選択して、サブカテゴリを「平面スイング[投影方法]」、直線の開き勝手のサブカテゴリを「平面スイング[切り取り]」に設定します。ファミリの中では、[投影方法]か[切り取り]にするかは自由に選べます。

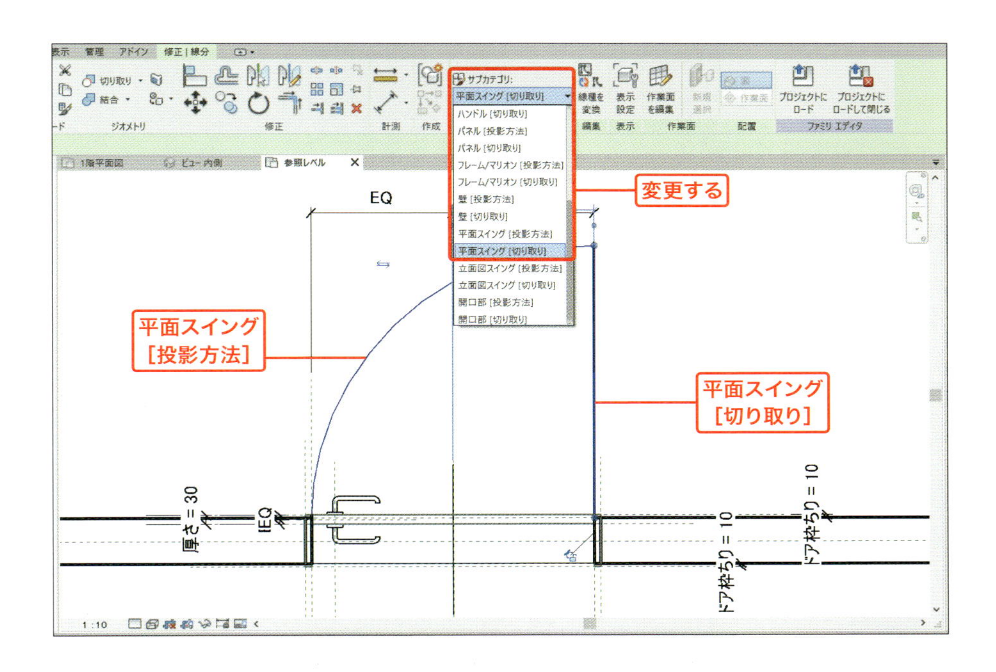

ファミリ編集画面では設定されたような表現になりますが、プロジェクトにロードするとこの表示でなくなり、プロジェクト側の設定になります。たとえば<表示／グラフィックスの上書き>では、その中のカテゴリ[ドア]のサブカテゴリ[平面スイング]で設定できます。[投影]を「赤」、[切り取り]を「緑」にするとこちらが優先されているのが確認できます。

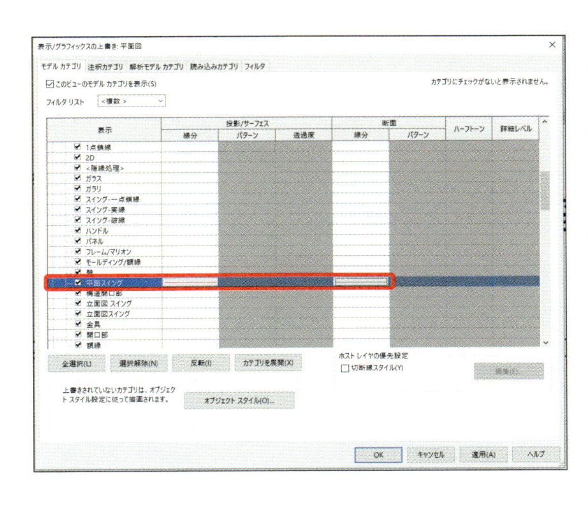

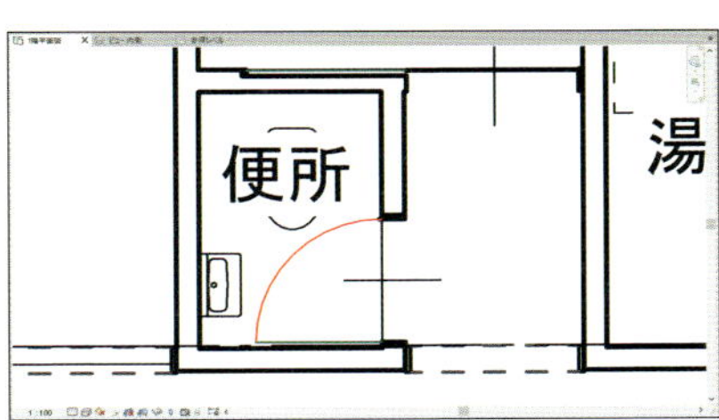

08 モデル線分、シンボル線分、詳細線分の違いを知る

三種類の線分の違い

Revitでは、モデル線分、シンボル線分、詳細線分の三種類の線分があります。

あるビューで書き込まれた線分が、他のビューで見えるか見えないかをまとめたのが次表です。書き込まれたビューが平面図の場合、それと同じ方向のビューとは、他の平面図や平面詳細図、建具キープランなどです。それと異なる方向のビューは、立面図、展開図、アイソメ、パースなどです。

	書き込まれたビュー	書き込まれたビューと同じ方向のビュー	書き込まれたビューと異なる方向のビュー
モデル線分	○	○	○
シンボル線分	○	○	×
詳細線分	○	×	×

この特性によると、モデル線分は実際に3Dモデルとして存在する線分に、シンボル線分はドアの開き勝手などの記号的な線分に、詳細線分は平面詳細図や矩計図などの部分的な詳細に使用する線分に向いていることがわかります。

シンボル線分は各ビューに直接は作成できず、ファミリやインプレイスの中で使用します。なお、シンボル線分だけでファミリやインプレイスを作成すると、プロジェクトの中ではオブジェクトに隠れてしまうので、注意が必要です。

前節までで作成した線分で、その動きを確認します。

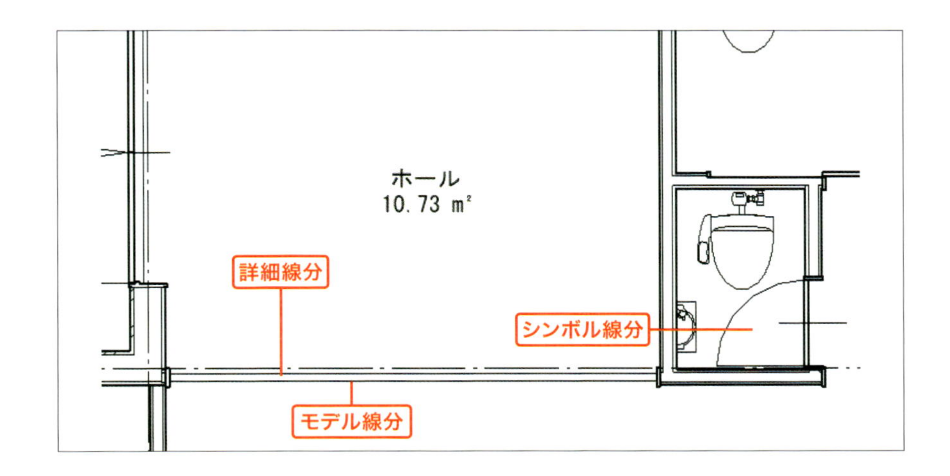

モデル線分、シンボル線分、詳細線分のうち、平面詳細図で作成された詳細線分は平面図ではみえません。

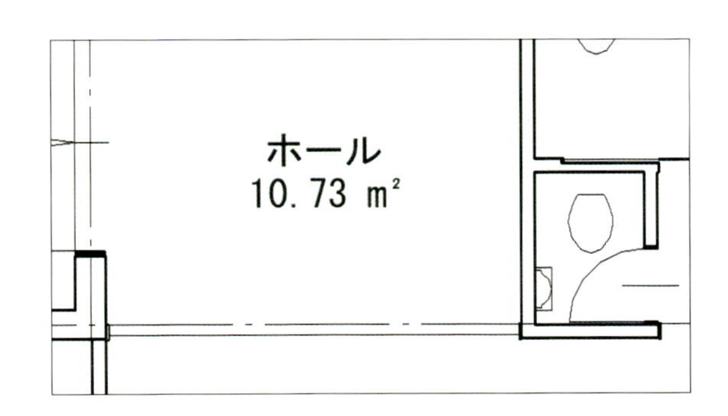

3Dビューでは、さらにドアのスイング線などのシンボル線分も見えません。

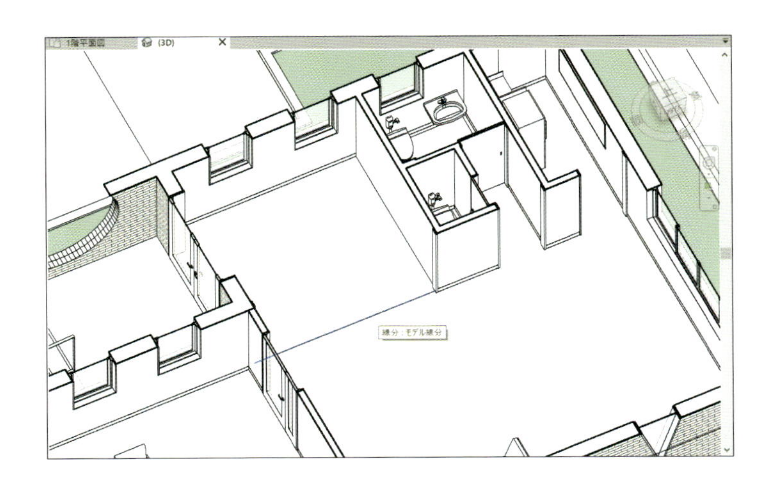

09 フェーズ機能を使う

「フェーズ」とは時間軸のことで、2021の初期バージョンでは「相」と表記されています。各要素やビューはフェーズ（プロジェクトの各段階や工程）の情報をもっています。3次元がx、y、z、とすると、フェーズは時間軸tにあたり、これを含めれば3Dを超えて4Dということになります。

フェーズを設定するには、＜管理＞タブの＜フェーズ＞をクリックします。［フェーズ］ダイアログボックスが表示されます。初期状態では「既存」と「新しい建設」の二つのフェーズが用意されています。上の方が過去、下の方が未来で、下の方になるほど新しい工期（工程）です。［挿入］の＜前に＞をクリックすると、選択しているフェーズよりも過去、＜後に＞をクリックすると未来にフェーズを増やすことができ、名前も自由に変えられます。

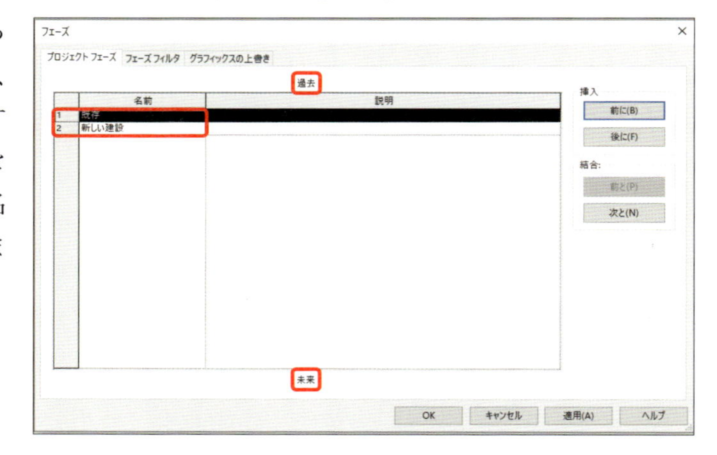

それぞれのフェーズをどのように表現するかを＜フェーズフィルタ＞タブで設定できます。

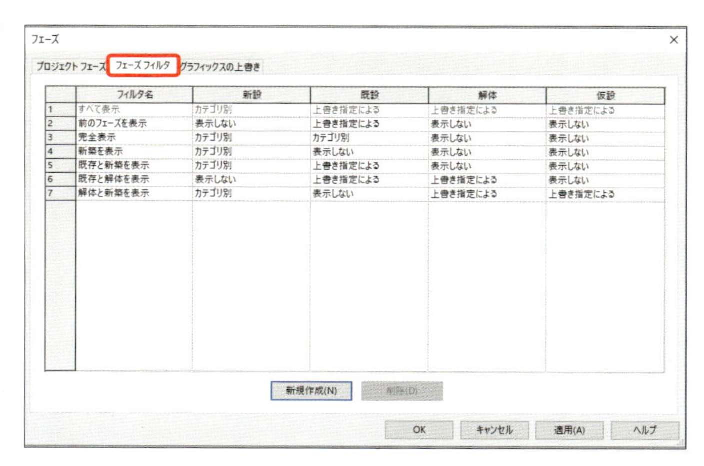

要素のフェーズを確認します。1階平面図ビューを開き、ホールの内壁を選択し、プロパティを見ると、「新しい建設」フェーズで作成され、解体はされない、という情報を持っていることが確認できます（図左）。

次にビューのフェーズを確認します（図右）。何も選択していない状態で、平面図ビューのプロパティを見ると、「新しい建設」フェーズを表しており、「すべて表示」というフィルタを使っているということが確認できます。特に指定しなければ、この設定になります。

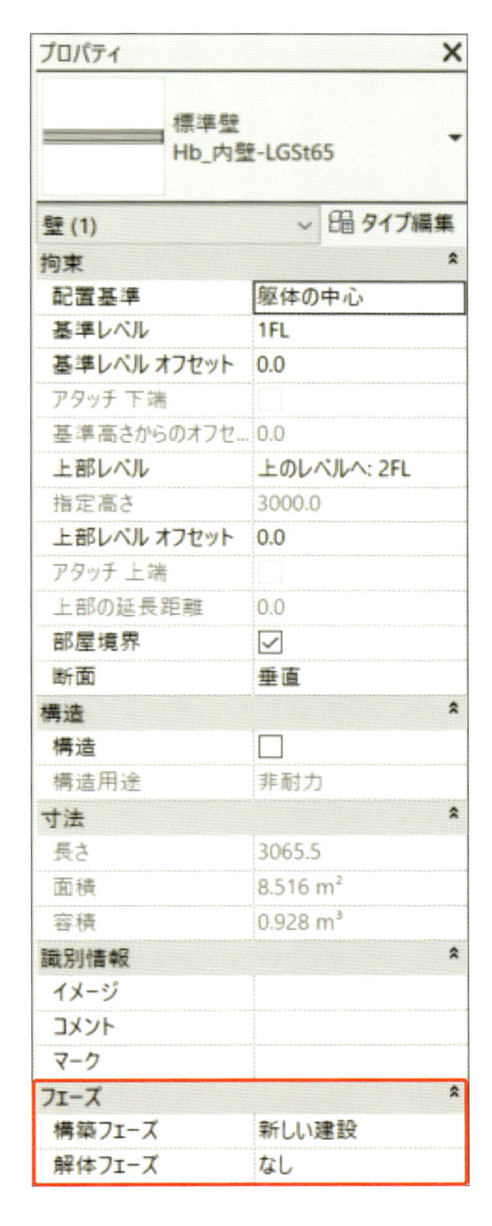

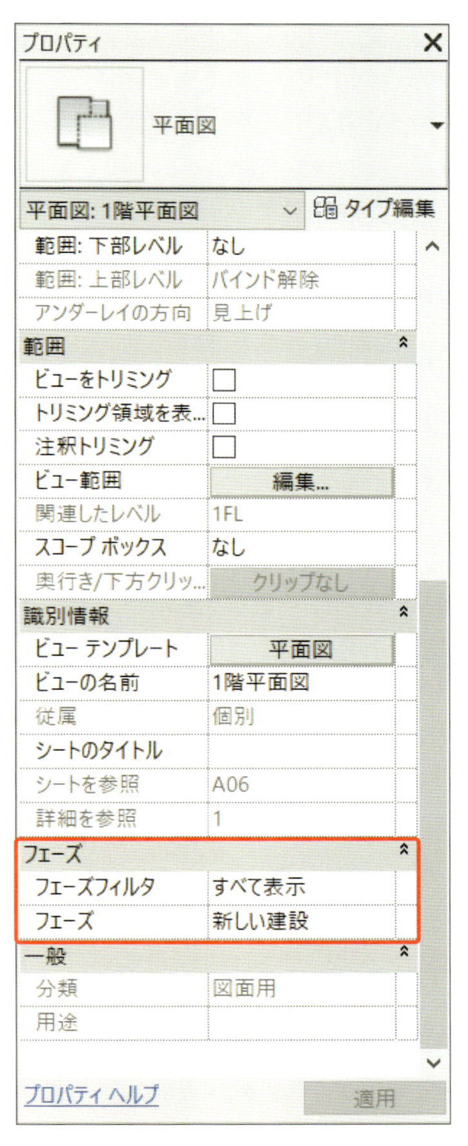

フェーズフィルタとステータス

フェーズフィルタとは、フェーズステータスに基づいて、要素の表示設定をする機能です。[カテゴリ別]、[上書き指定による]、[表示しない] のいずれかを設定できます。各要素にはフェーズステータスがあり、[新設]、[既設]、[解体]、[仮設] の4つに分類されます。

新設：現在のビューのフェーズで作成された要素
既設：前のフェーズで作成され、現在のフェーズに引き継がれて存在する要素
解体：前のフェーズで作成され、現在のフェーズで解体された要素
仮設：現在のフェーズで作成され、現在のフェーズで解体された要素

<管理>タブの<フェーズ>をクリックし、[フェーズ] ダイアログボックスを表示し、<フェーズフィルタ>タブをクリックします。初期状態では図のように、7つのフィルタが用意されており、[すべて表示] フィルタが適用されている状態です。これは、新設は [カテゴリ別] で表示し、既設・解体・仮設は [上書き指定による] 表示をするという設定になっています。上書き指定は<グラフィックスの上書き>タブで線種やパターンなどを設定することができます。

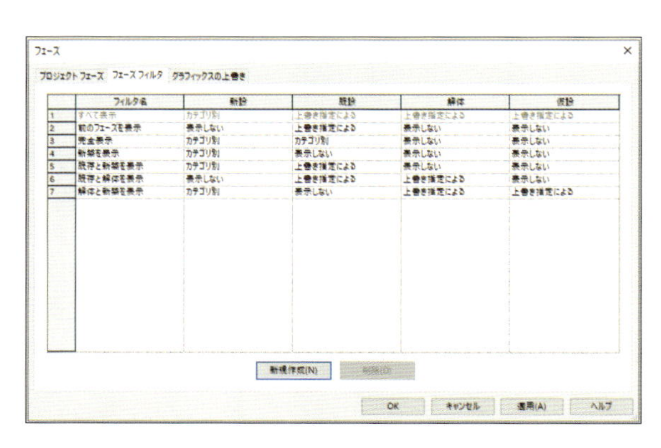

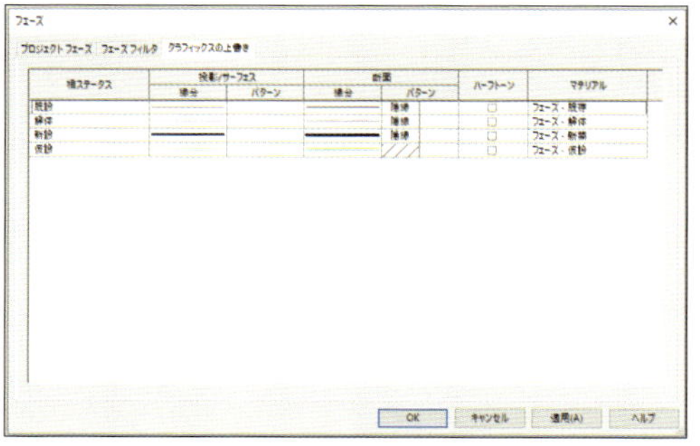

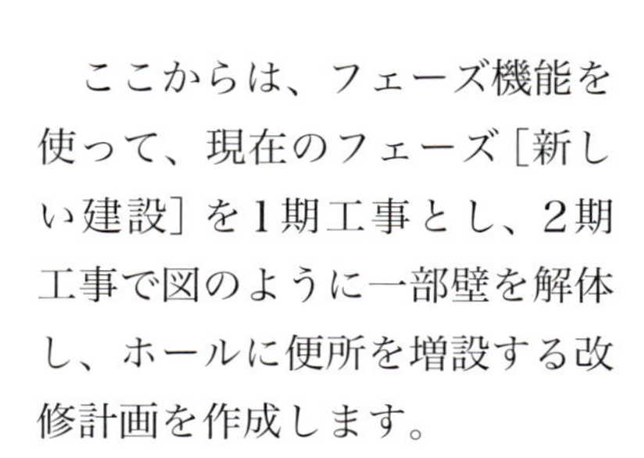

ここからは、フェーズ機能を使って、現在のフェーズ [新しい建設] を1期工事とし、2期工事で図のように一部壁を解体し、ホールに便所を増設する改修計画を作成します。

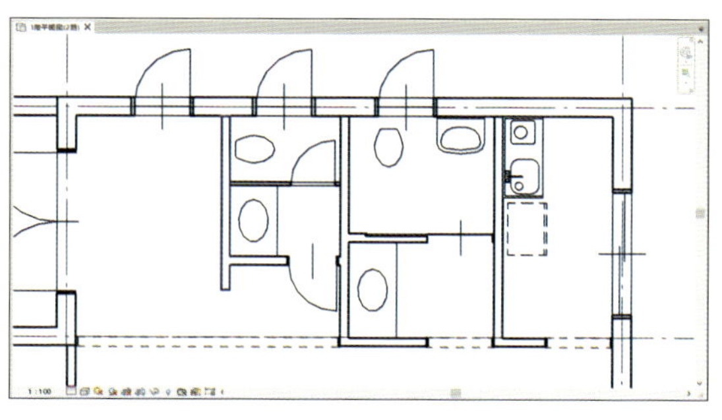

1 ＜管理＞タブの＜フェーズ＞をクリックし、[フェーズ] ダイアログボックスを開きます。＜プロジェクトフェーズ＞タブの [新しい建設] をクリックし、名前を「1期」に変更します。続けて、挿入の [後に] をクリックし、未来に新しいフェーズを作成し、名前を「2期」に変更します。

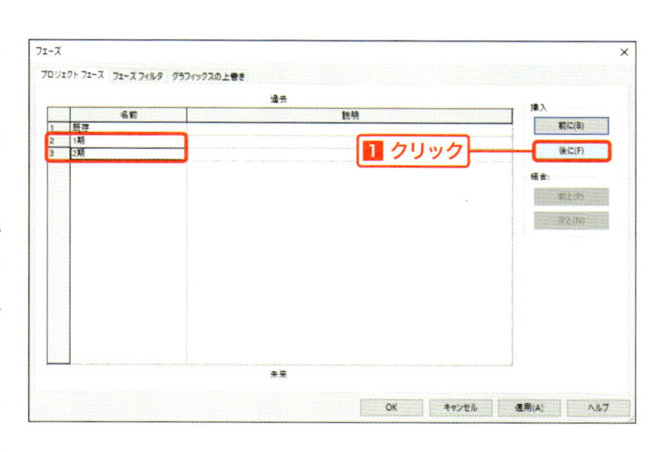

2 次に＜フェーズフィルタ＞タブをクリックし、＜新規作成＞をクリックします。新しいフィルタが作成されるので図のように設定し、＜OK＞をクリックします（解体要素を非表示にし、他の要素はカテゴリ別で表示する設定です）。

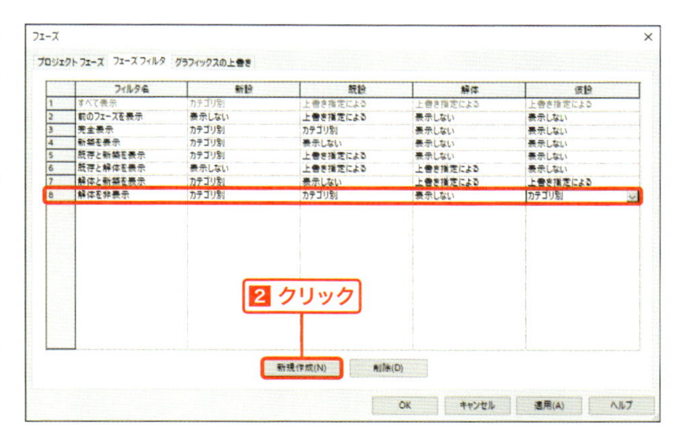

3 プロジェクトブラウザの [1階平面図] を右クリックし、＜ビューを複製＞から＜詳細を含めて複製＞を選択します。名前を「1階平面図(1期)」、「1階平面図(2期)」と変更します。

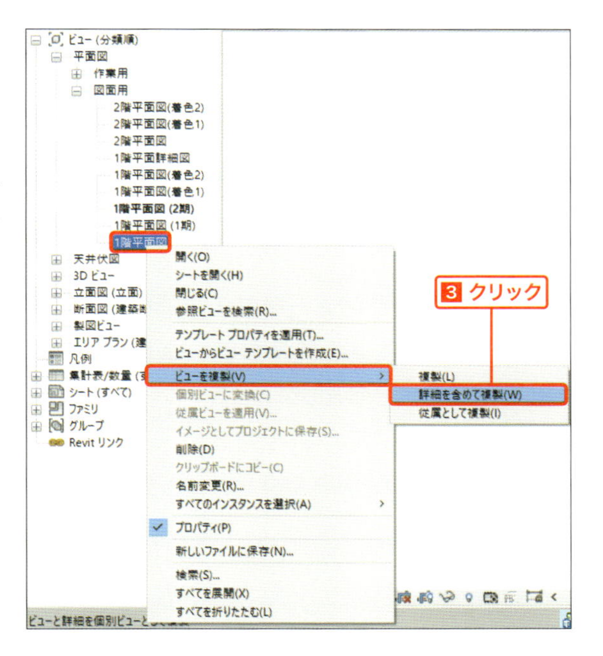

4 プロジェクトブラウザの<1階平面図(1期)>をクリックし、このビューのフェーズを「1期」、フェーズフィルタを先ほど作成した「解体を非表示」に変更します。

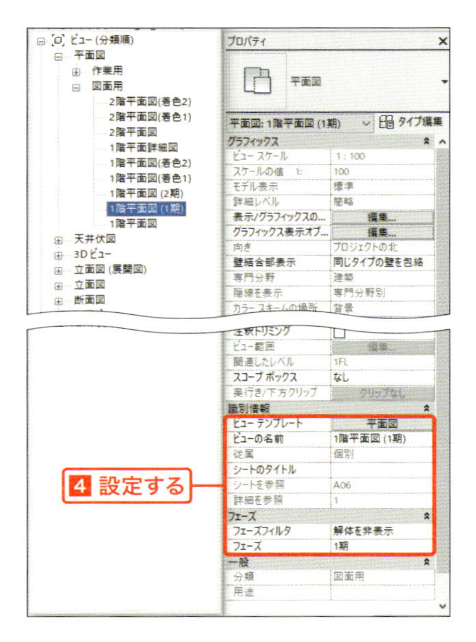

5 <1階平面図(2期)>をクリックし、ビューテンプレートの[平面図]を「なし」にして、フェーズを「2期」、フェーズフィルタを「解体を非表示」に変更します。

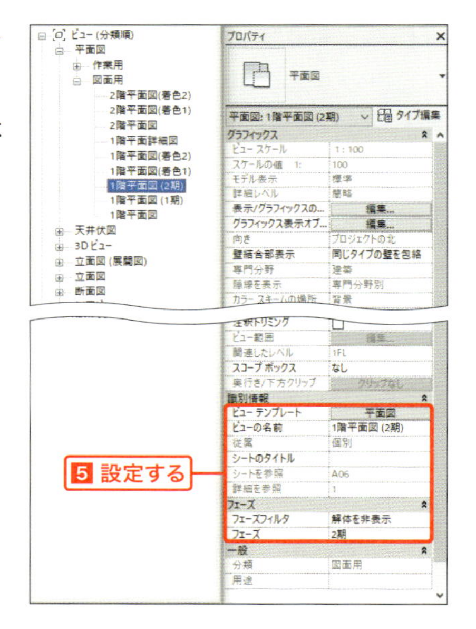

6 [1階平面図(2期)]ビューを開きます。2期工事で解体する便所の間仕切り壁と片開きドアを選択し、プロパティの解体フェーズを「なし」から「2期」に変更し、<適用>をクリックします。

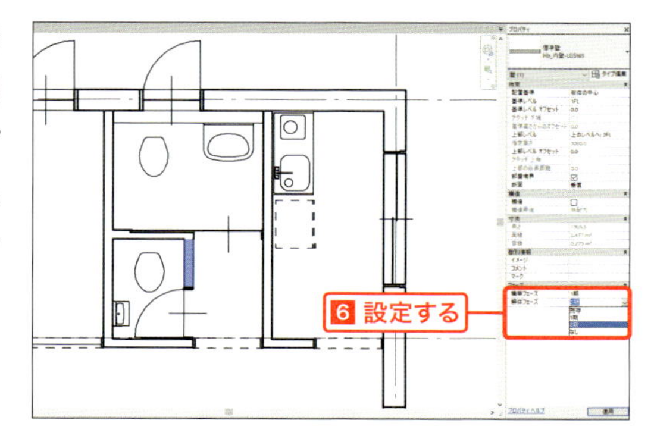

7 ＜建築＞タブの＜壁　意匠＞をクリックし、タイプセレクターから＜Hb_内壁-LGSt65＞を選択します。ホール内に増築する壁を図のように作成します。

8 作成した壁を選択し、ビューのフェーズが2期になっていることを確認します（フェーズが2期のビューで新規に作成した要素なので、この壁の構築フェーズは自動的に2期となります）。

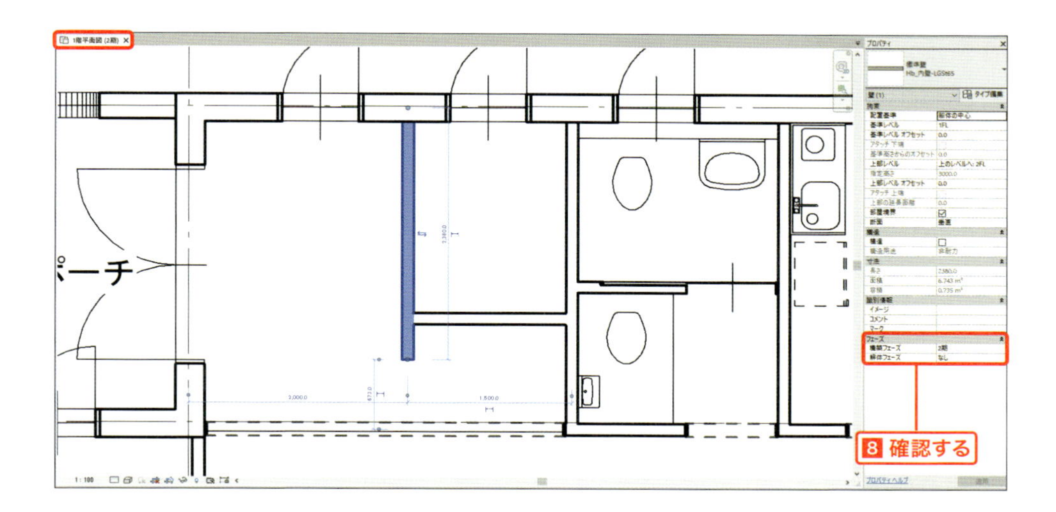

9 ［1階平面図(1期)］ビューを開き、タイル表示で確認します。ホール内に増築した壁は［1階平面図(1期)］では存在しないため表示されていません。また、［1階平面図(2期)］では便所の壁は解体ステータスになるため非表示になります。

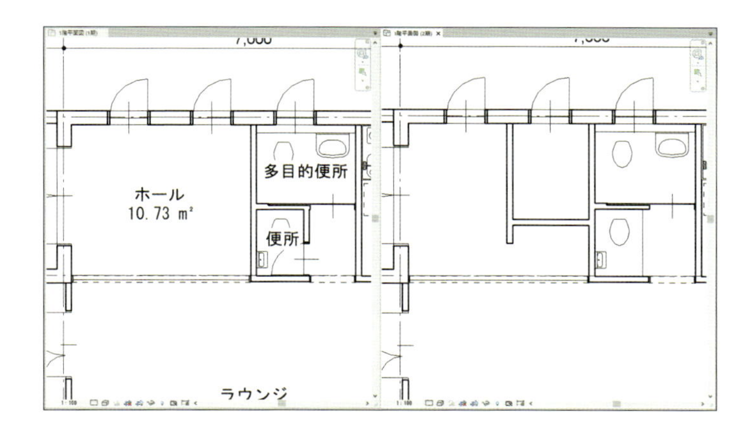

このようにフェーズ機能を使用すると、既存図・解体図・改修図や、1期工事・2期工事といった図面が一つのファイルで作成できます。また、工事期間内の各工程のシミュレーションにも使えます。

Column

●共有エッジ／非表示の解除

共有エッジの設定は次の手順で行います。

1 オブジェクトスタイル：＜管理＞タブの＜オブジェクトスタイル＞のカテゴリ壁の＜共有エッジ＞で設定できます。

2 表示／グラフィックスの上書き：各ビューのプロパティの＜表示／グラフィックスの上書き＞のカテゴリ壁の［共有エッジ］で設定できます。

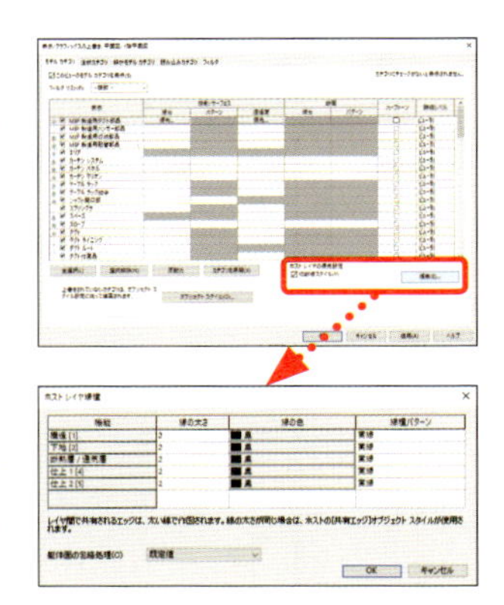

3 ホストレイヤの優先設定：［ホストレイヤの優先設計定］にチェックを付け、＜編集＞をクリックすると、［ホストレイヤ線種］ダイアログボックスが表示されます。ここで、各レイヤの線種を設定でき、レイヤ間で共有されるエッジは、太い方の線が優先されます。線の太さが同じ場合は、手順**1**や**2**の設定が優先されます。

非表示の解除

見えるべきものが見えない場合は、以下の対処方法が考えられます。

・ビュー範囲に入っていない→ビュー範囲に入れる
・ビューの［表示/グラフィクスの上書き］のチェックが外れている→チェックを付ける
・ビューのフェーズよりも未来のフェーズで作成されている→フェーズを変更する
・フィルタによって非表示になっている→表示にチェックを付ける
・オブジェクトごとに非表示になっている→ビューコントロールバーの［非表示要素の一時表示］で確認し、非表示を解除する
・［線種変更］で「非表示」にされている→確認方法はないが、カーソルには反応するので［ラインワーク］で「カテゴリ別」に変更する
・立面図や断面図の記号は、尺度によって非表示になる→［プロパティ］の［表示限界スケール］の尺度の設定を変更する
・ファミリ側の設定でその［詳細レベル］では何も表示しないようになっている→ファミリ側で［表示/グラフィクスの上書き］にチェックを付ける

第 9 章

モデルのエッジを編集する

壁などの線をモデルのエッジといいます。この章では、エッジを自在に編集するさまざまな方法を紹介します。

01 切断面プロファイルを使う

ここからの作業は、サンプルファイル「Hb09-01.rvt」を使用します。図のように壁の先端を鋭角にするにはいくつかの方法がありますが、平面図ビューのみを変更しモデルには反映されない方法と、モデルを変更する方法の2つにわけられます。

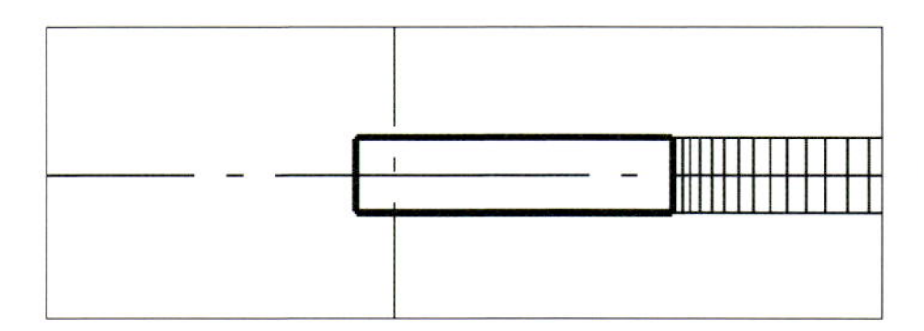

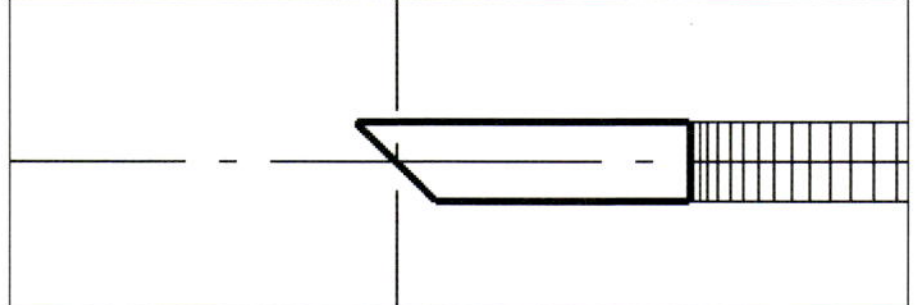

切断面プロファイルを使う（平面図ビューのみの変更）

1 ＜1階平面図＞ビューをダブルクリックで表示させ、マウスのホイールを使用し、壁の先端を鋭角にする箇所（通芯3、通芯Aの交差部分）を拡大表示させます。

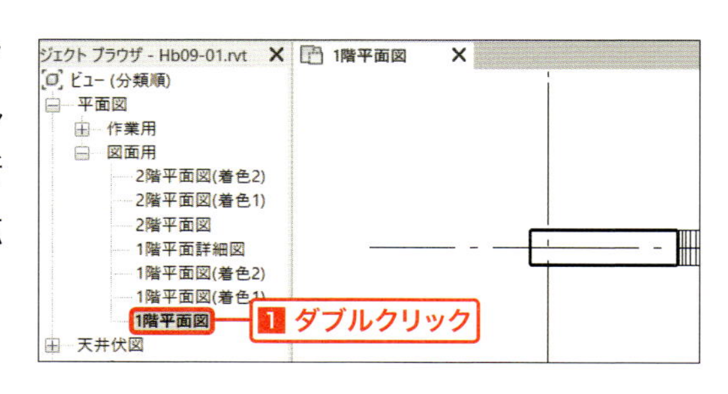

2 ＜表示＞タブの＜切断面プロファイル＞をクリックし、壁を選択します。

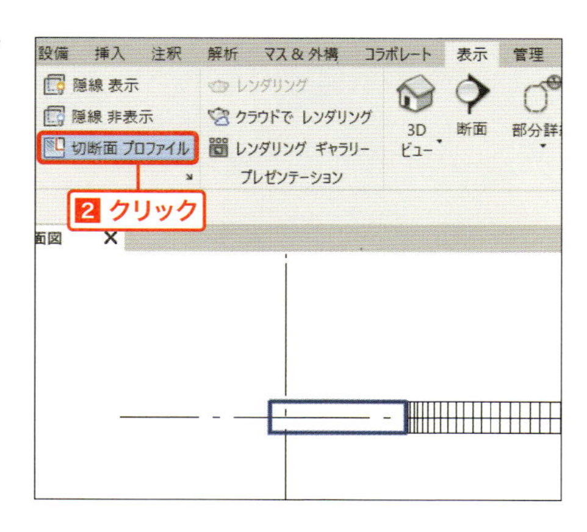

3 図のような切断面プロファイルのスケッチを描画します。矢印の方向が残る方向なので、図のような方向になっていなければ、矢印をクリックして反転させます。

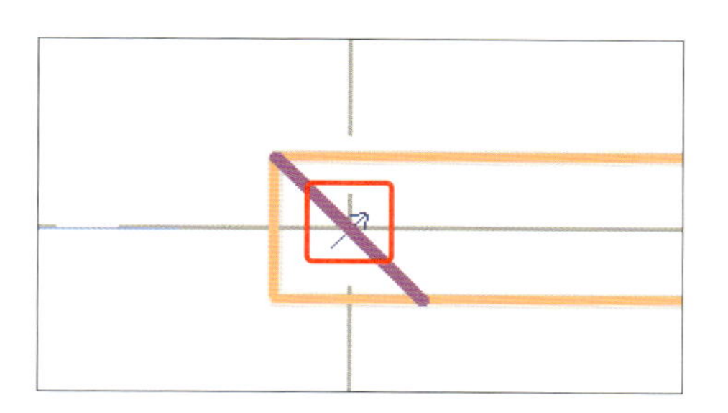

4 ＜編集モードを終了＞をクリックすると完成です。図のように点が見えますが、印刷はされません。

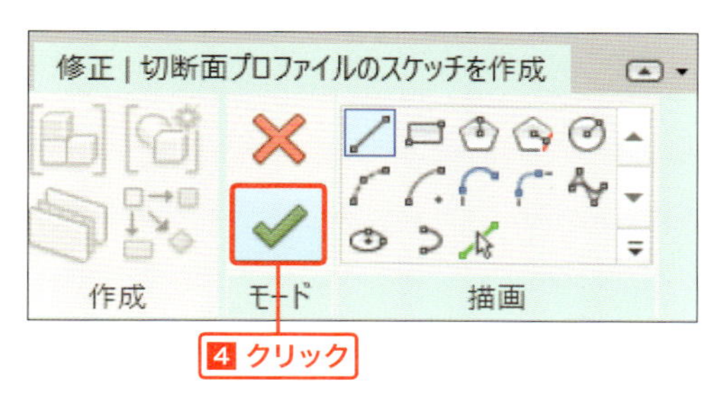

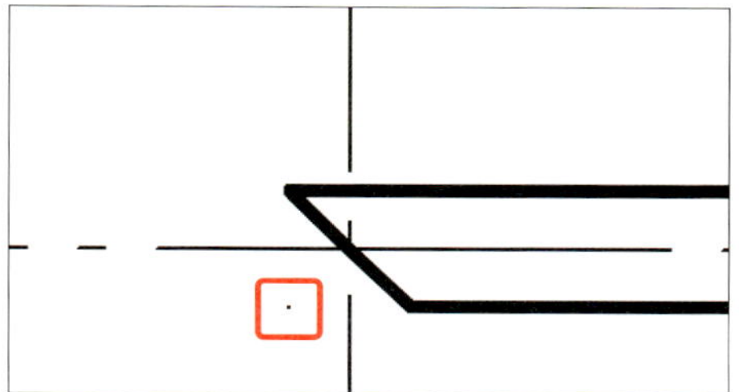

5 作成した切断面プロファイルは、壁と一体になって動きます。この方法では平面図ビューのみで鋭角の形状が表現され、3Dビューで確認すると図のようにモデルの形状は変わっていません。

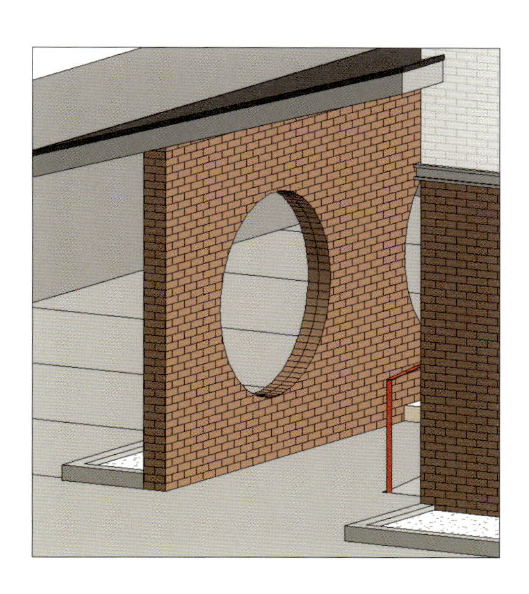

02 マスキングと詳細線分を使う

マスキングと詳細線分を使う（平面図ビューのみの変更）

平面図ビューのみを変更する方法は、前節で作成した切断面プロファイルを使う方法以外にもマスキングと詳細線分を使う方法があります。

1 ［1階平面図］ビューを表示し、＜注釈＞タブの＜領域＞→＜マスキング領域＞をクリックします。

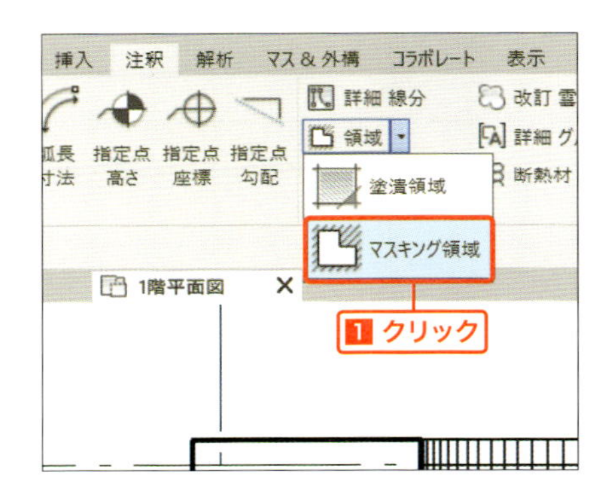

2 ［線種］を「非表示」にして、図のようにマスキングする領域を囲みます。

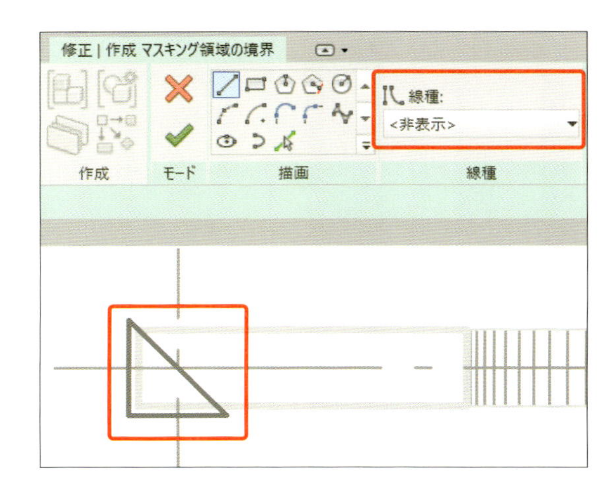

3 <編集モードを終了>をクリックして Esc キーを押すと、マスキングされた状態が確認できます。

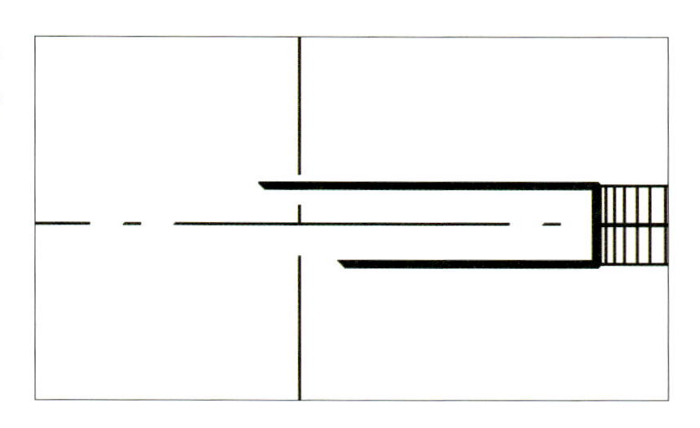

4 <注釈>タブの<詳細線分>で、[線種] を外壁と同じ太さ「3」の黒い実線にし（ここでは「中線」を使用します）、図のように斜めの線を書きます。異なる場合は、同じ線種を作成します。

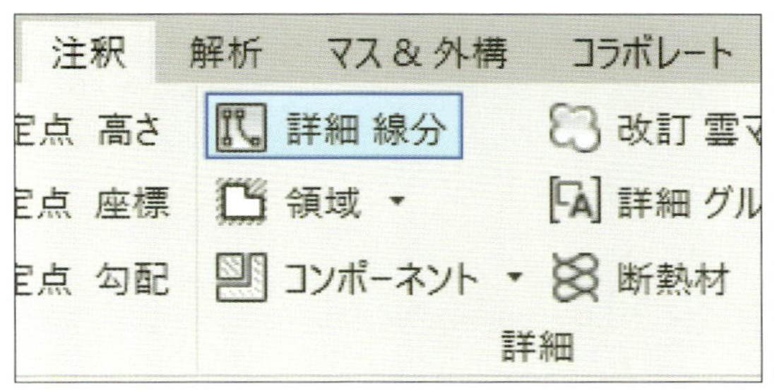

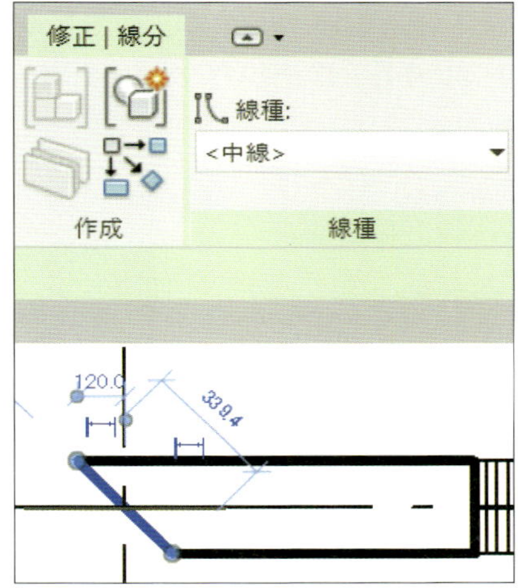

5 作成した線分とマスキング領域により、平面図上の表現が完成しました。作成した線分とマスキング部分を選択して、<修正｜複数選択>タブの<グループを作成>から詳細グループを作成し、複数個所に使用することもできます。

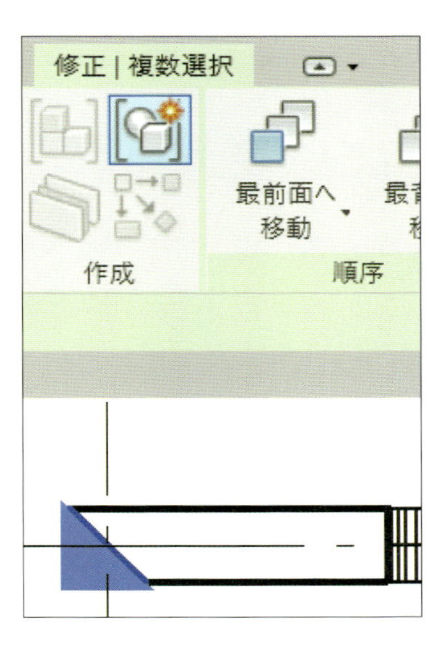

03 詳細コンポーネントを使う

前節で行ったことを今度はファミリで作成して、他のプロジェクトファイルでも使えるようにします。

詳細コンポーネントを使う（平面図ビューのみの変更）

1 ＜ファイル＞タブから＜新規作成＞→＜ファミリ＞をクリックし、ファミリテンプレートファイル「詳細項目(メートル単位)、線周り.rft」を選択して、＜開く＞をクリックします。

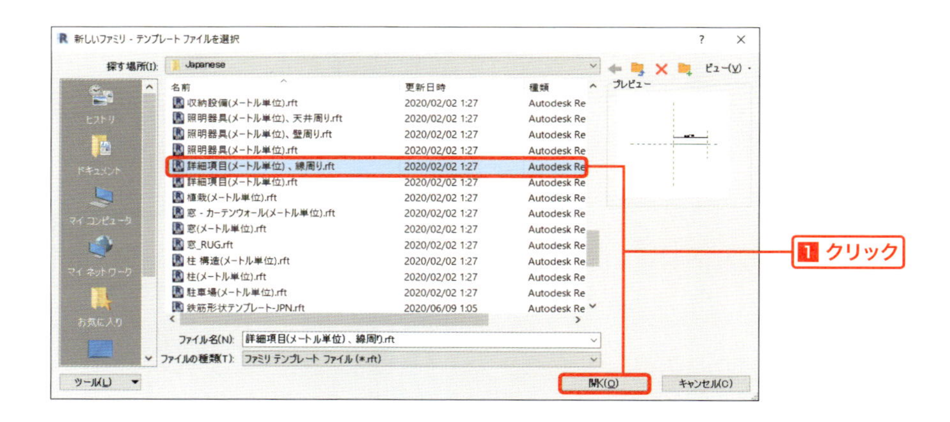

2 図のようなファイルが開きます。

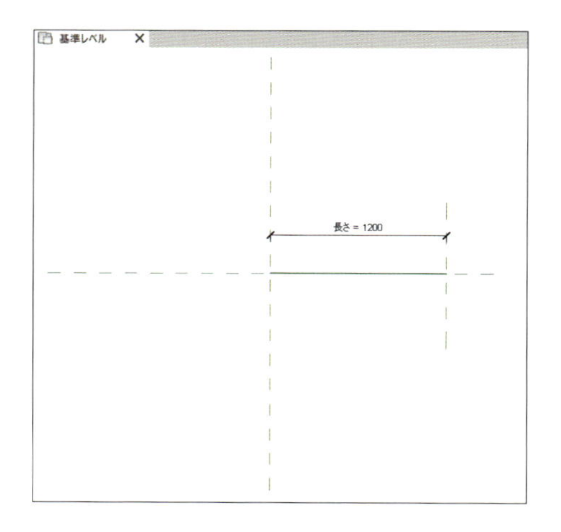

3 <作成>タブ→<線>をクリックし、[描画パネル] から<線>をクリックして [サブカテゴリ] を「中線」にし、図のような線を作成します（取り込むプロジェクト側の壁の厚さが「240」なので、[参照面：中心（正面／背面)] から「240」下がった位置と [参照面：左] から「240」右の位置の2か所に参照面を引いています）。

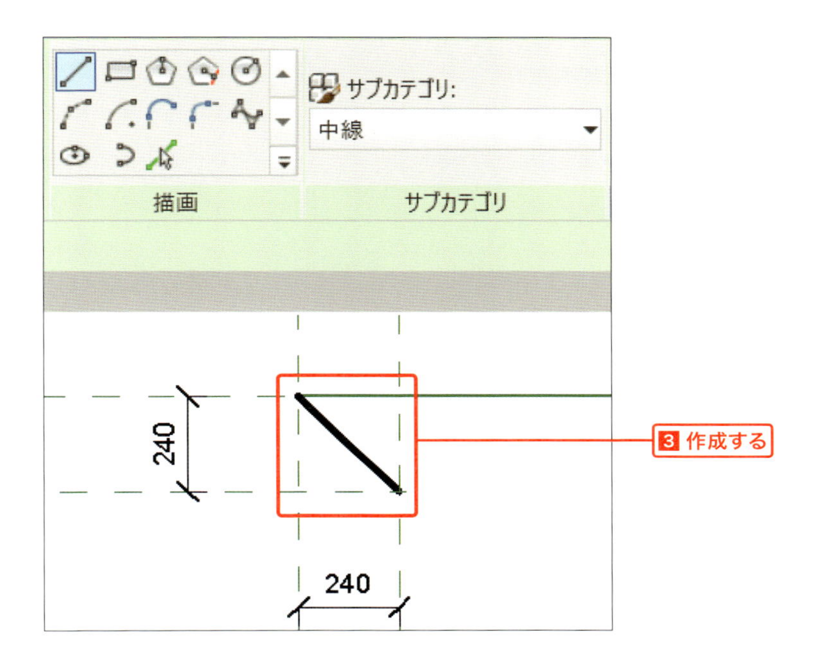

4 <作成>タブの<マスキング領域>をクリックして [サブカテゴリ] の [線種] を「非表示」にし、図と同じようなエリアを囲み、モードを終了します。

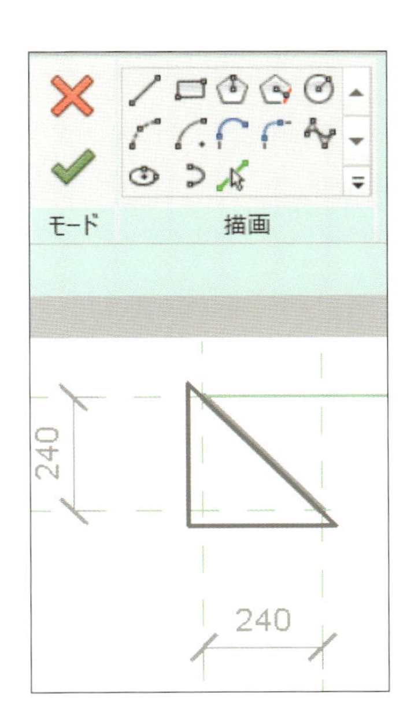

5 ＜ファイル＞タブから＜名前を付けて保存＞→＜ファミリ＞をクリックして、「Hb_三角(詳細).rfa」という名前を付けて保存します。

6 ＜プロジェクトにロードして閉じる＞をクリックします。

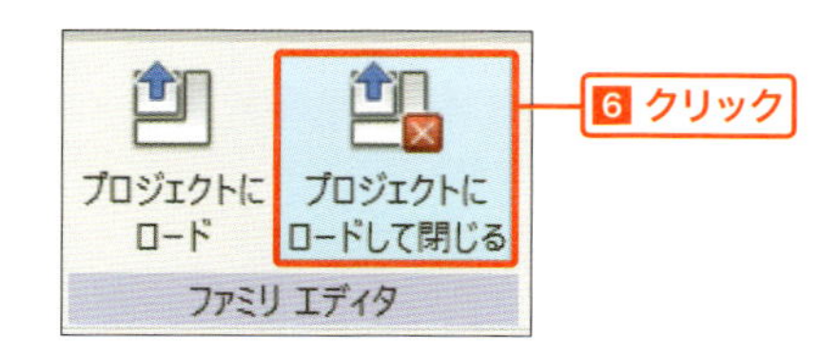

7 プロジェクトファイルにて、壁の外側のエッジを２点クリックします。ファミリ配置のモードが外れている場合は、<注釈>タブの<コンポーネント▼>→<詳細コンポーネント>をクリックしてから、壁の外側のエッジを２点クリックします。

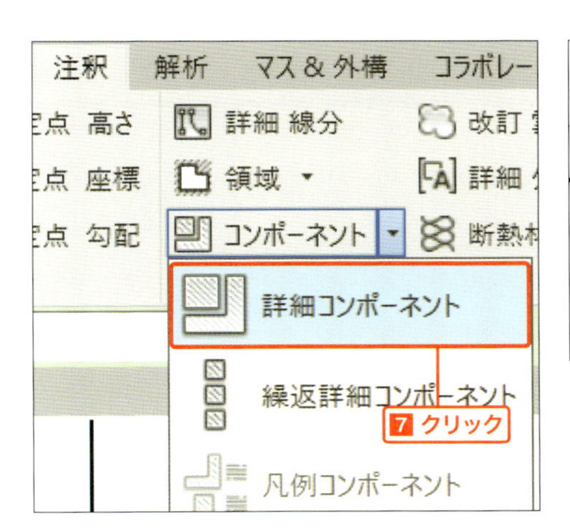

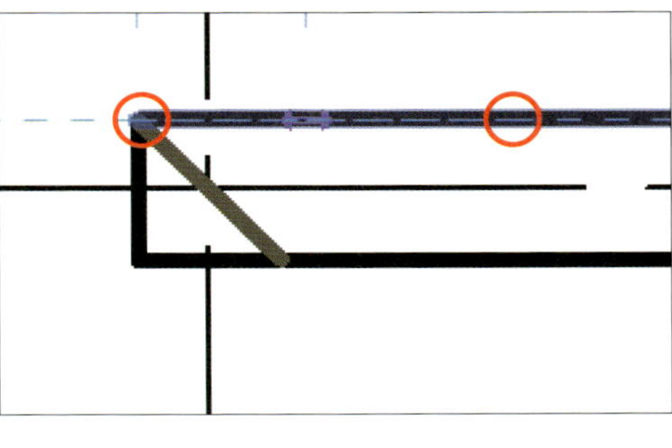

8 [プロジェクトブラウザ] を開くと、「Hb_三角（詳細）」は[ファミリ]→[詳細項目]の中にできていることが分かります。ここからビューにドラッグして配置することもできます。

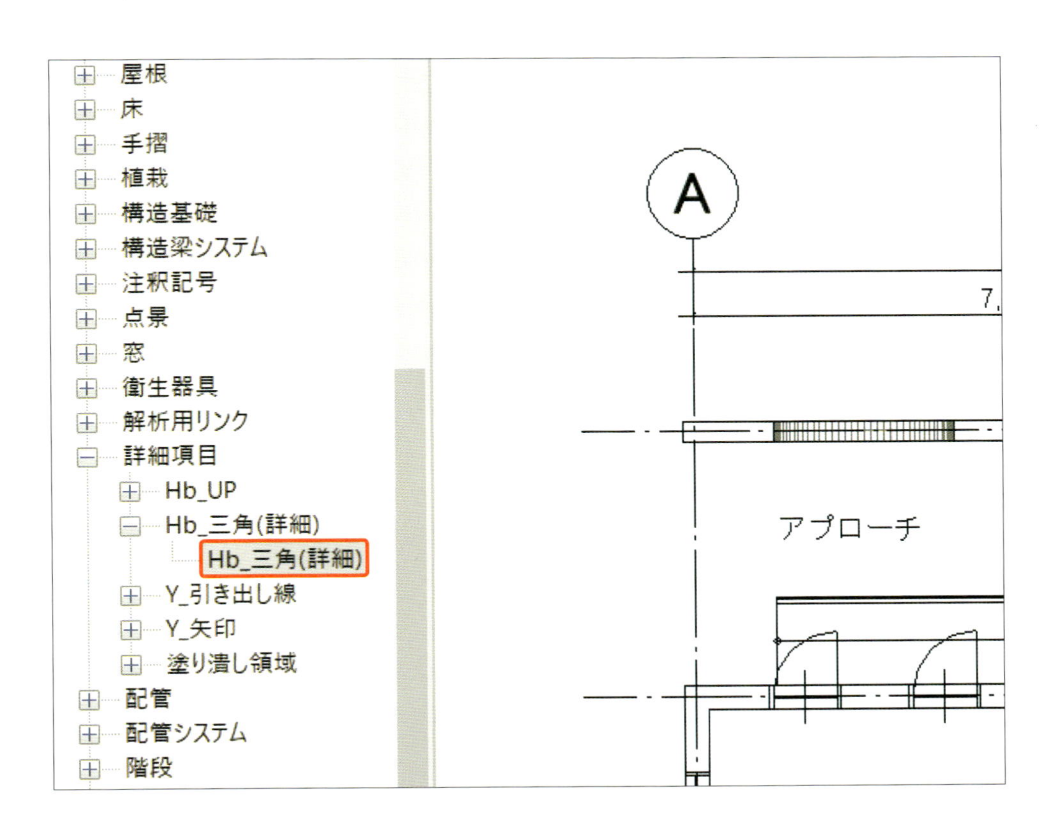

04 リビールを使う

「9-01」から「9-03」までの方法は平面図ビューだけで表現され、他のビューや3Dモデルには反映されません。そこでここでは、図のようにリビールを使って3Dモデルを欠き込む方法を紹介します。この方法の場合、他のビューにも反映されます。

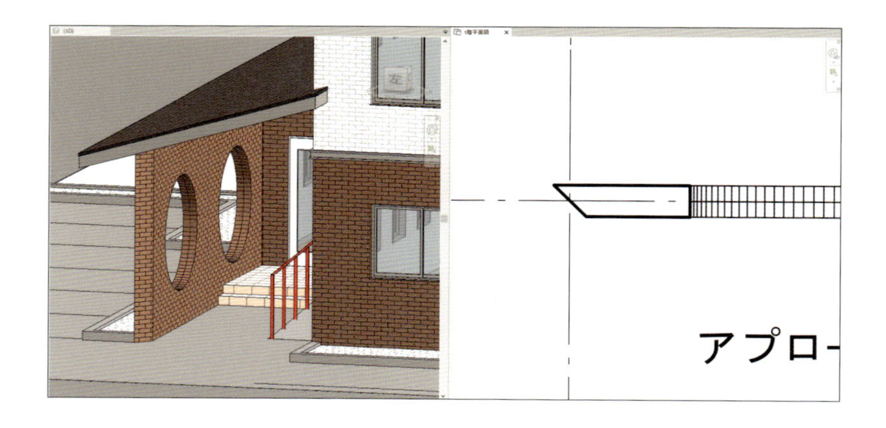

1 引き続き、サンプルファイル「Hb09-01.rvt」を使用します。<ファイル>タブの<新規作成>→<ファミリ>をクリックし、ファミリテンプレートファイル「プロファイル - リビール（メートル単位）.rft」を選択して、<開く>をクリックします。

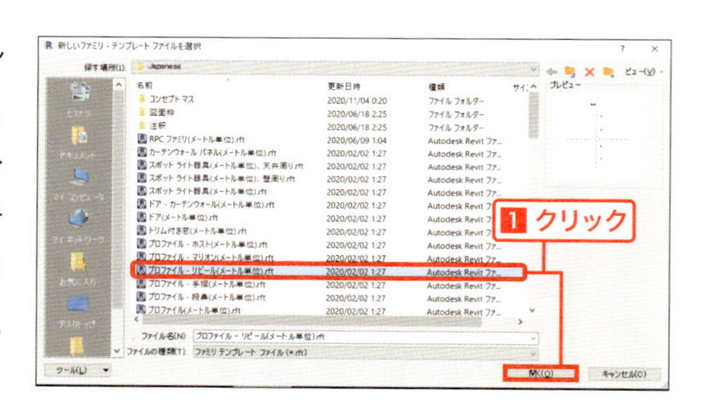

2 図のようなファイルが開きます。プロファイルは断面の形状なので、2Dで作成されています。

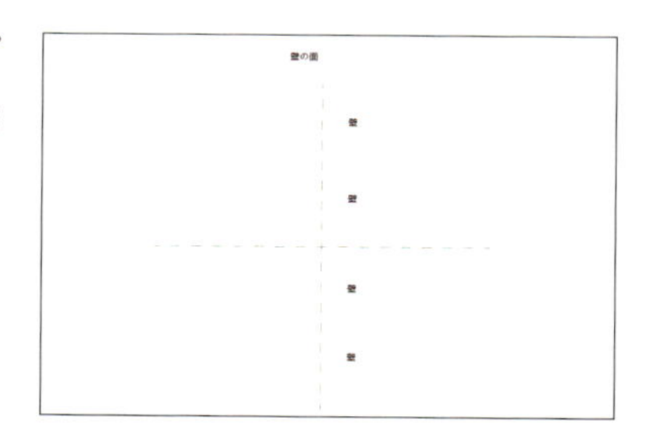

3 <作成>タブの<線>をクリックして、図のような三角形を作成します。ポイントは、縦の壁のラインを意識することと、閉じた線にすることです。

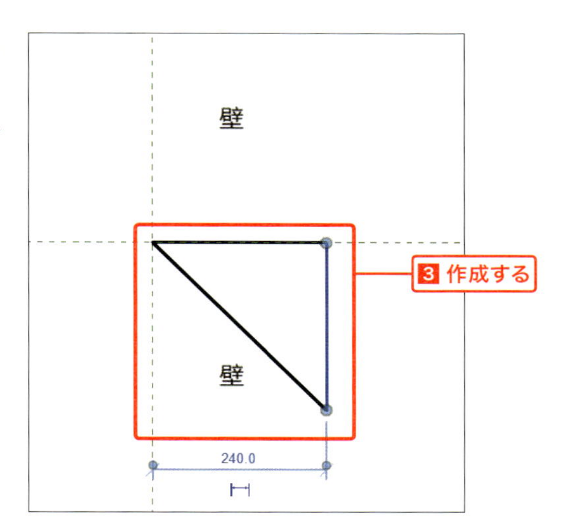

4 <ファイル>→<名前を付けて保存>→<ファミリ>をクリックし、ファイル名を「壁欠き込み(p).rfa」として保存します。

5 <プロジェクトにロードして閉じる>をクリックします。

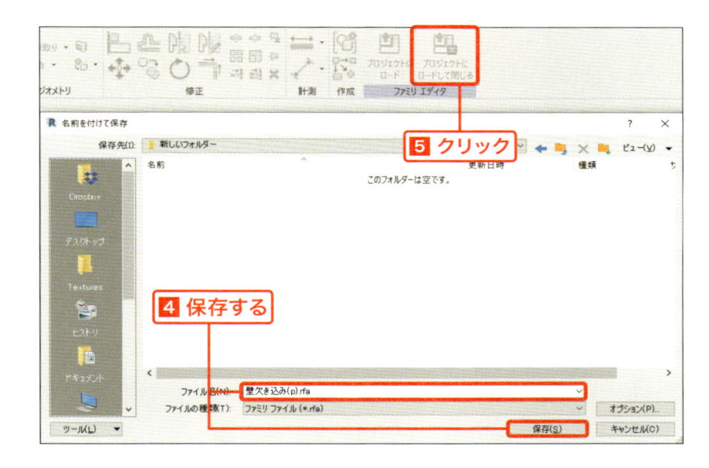

6 プロジェクトファイルで、[立面図]→[作業用]→<北>を開きます。

7 <建築>タブの<壁▼>→<壁　リビール>をクリックします。

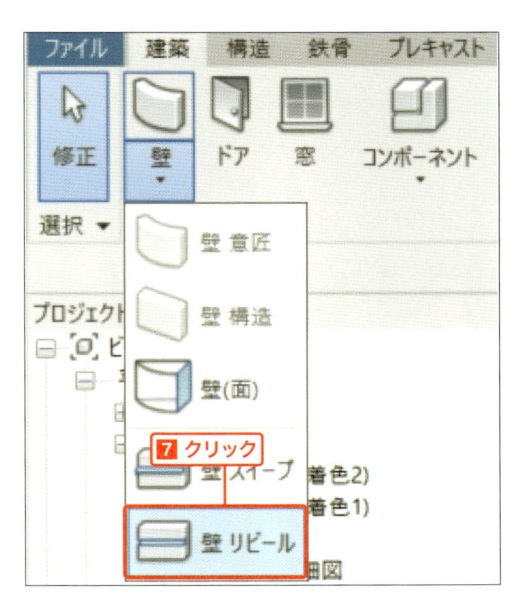

8 <垂直>をクリックします。

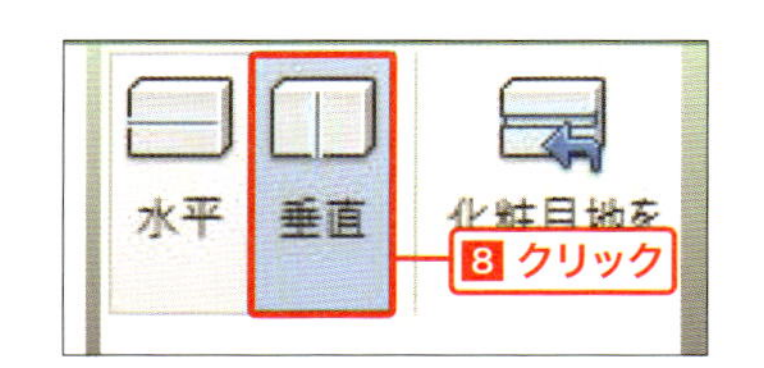

9 <タイプ編集>をクリックして[タイププロパティ]ダイアログボックスの[プロファイル]を「壁欠き込み(p)」にし、<OK>をクリックします。

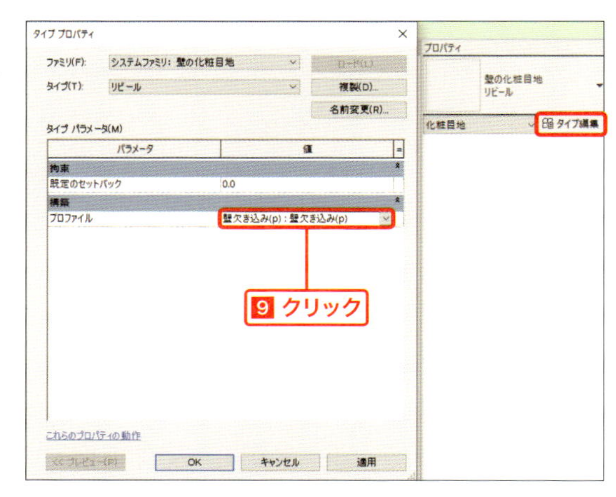

10 欠き込みを入れたい場所をクリックします。

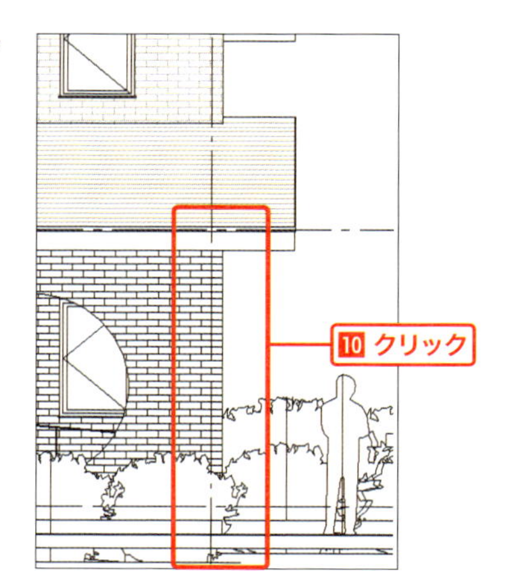

11 [1階平面図]ビューで確認すると、欠き込みが壁に入っていることがわかります。

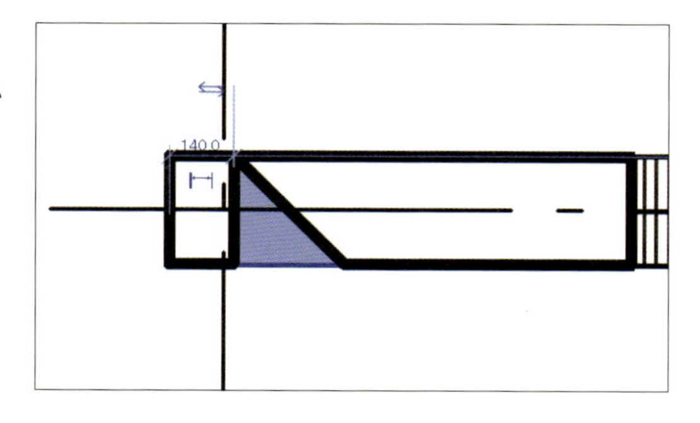

12 <修正>タブの<位置合わせ>をクリックします。

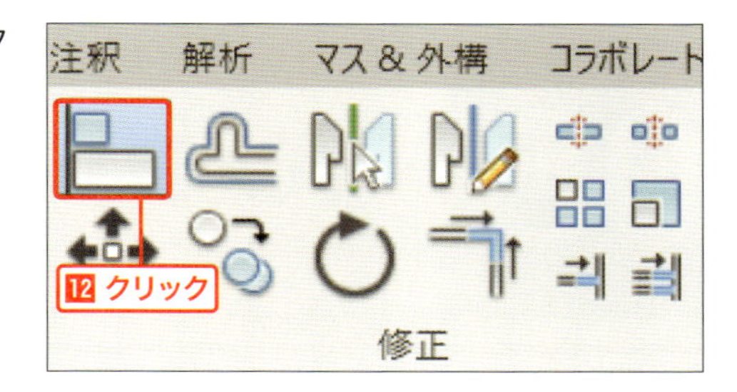

13 まず、基準になる壁の小口面をクリックして、欠き込み部の左の線をクリックし、端に寄せます。

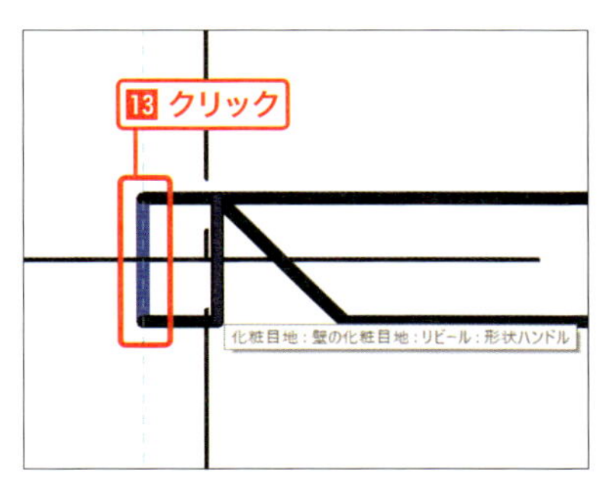

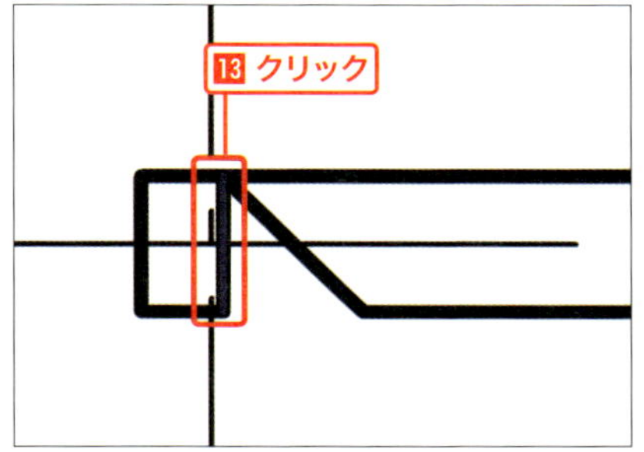

14 3Dビューで確認しながら欠き込み部を選択して端点をドラッグし、長さを調節します。

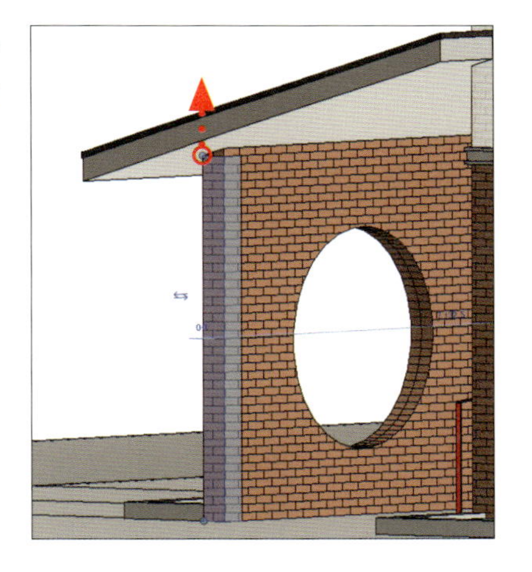

15 [プロジェクトブラウザ] を見ると、ロードされたプロファイルのファミリは、[ファミリ]→[プロファイル]にあります。ここを右クリックして<編集>をクリックすると、プロファイルファミリの編集ができます。

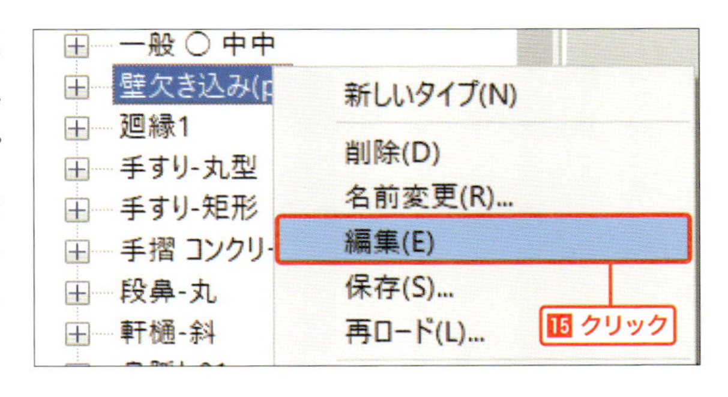

インプレイスを使う

壁の先端を3Dモデルとして鋭角にするには、インプレイスを使う方法があります。なお、Revit LTは、壁のみインプレイスが使用可能です（＜建築＞→＜壁＞→＜インプレイス壁＞）。

1 ＜1階平面図＞ビューを開きます。＜建築＞タブの＜コンポーネント▼＞→＜インプレイスを作成＞をクリックします。

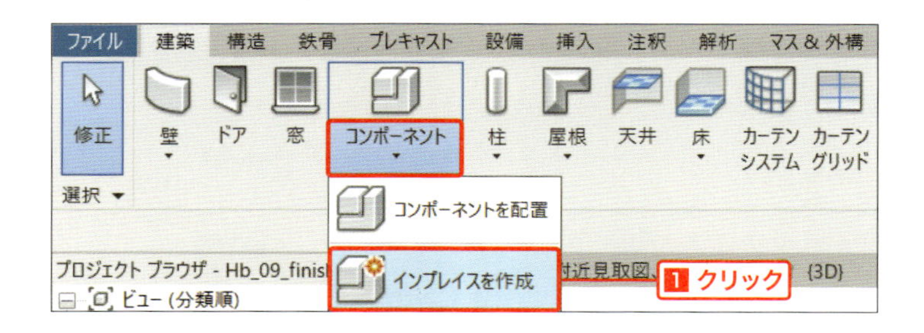

2 カテゴリで[壁]を選択し、＜OK＞をクリックします。

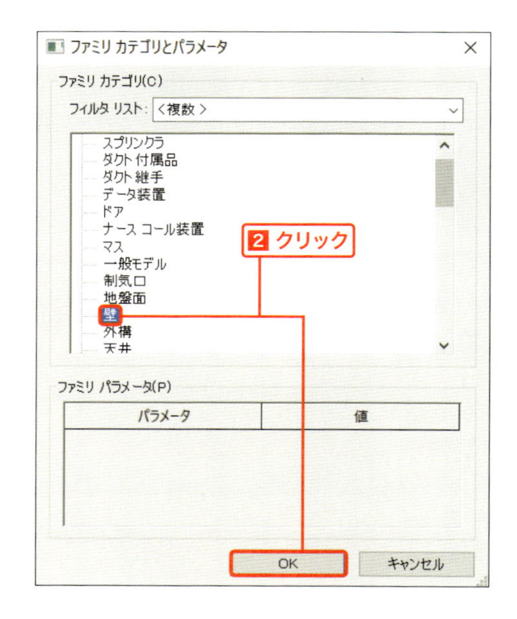

3 名前を「壁欠き込み(i)」と入力し、<OK>をクリックします。

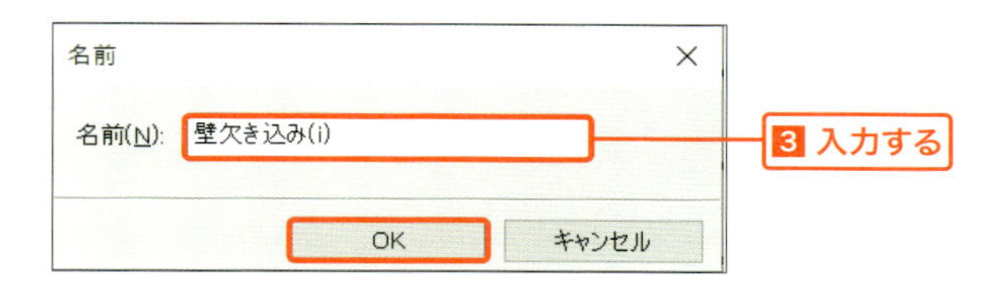

4 <作成>タブの<ボイドフォーム▼>→<押し出し>をクリックし、図のように切り欠くエリアを囲みます。

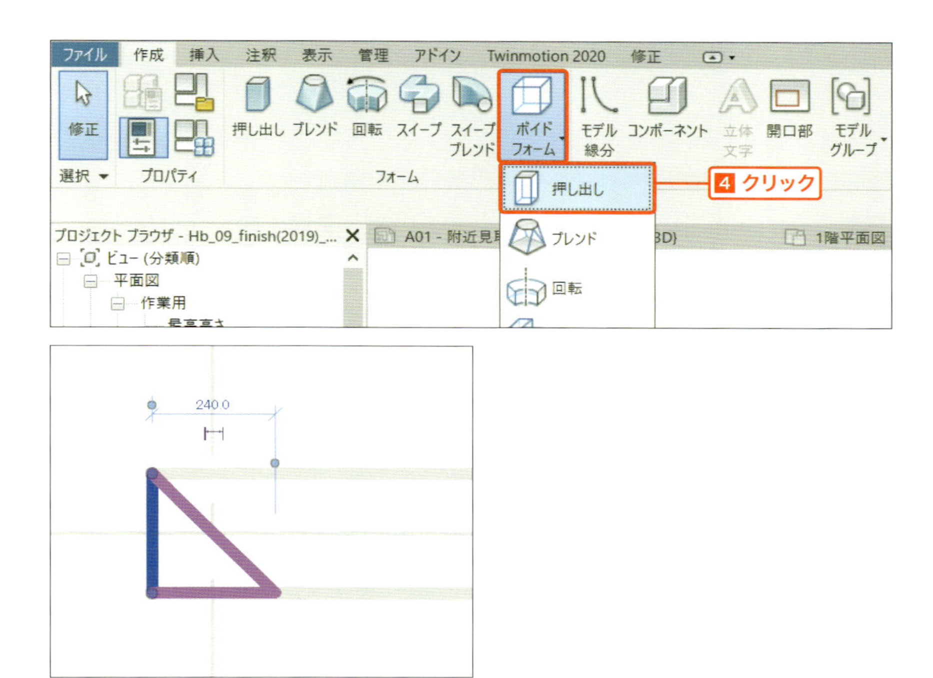

5 押出終端を「3000」、押出始端を「-300」とし、モードを終了します。

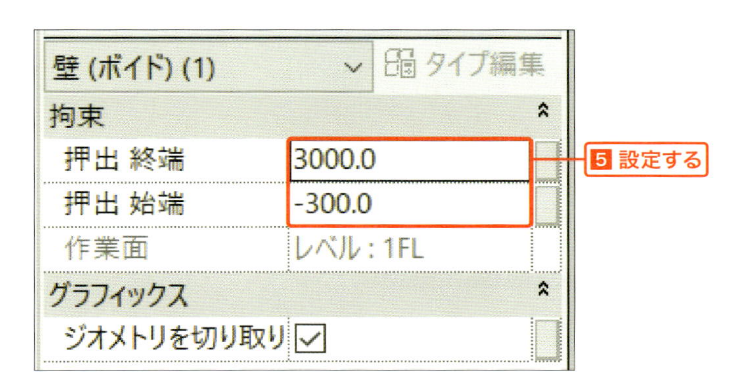

6 <修正>タブの<切り取り▼>→<ジオメトリを切り取り>をクリックします。

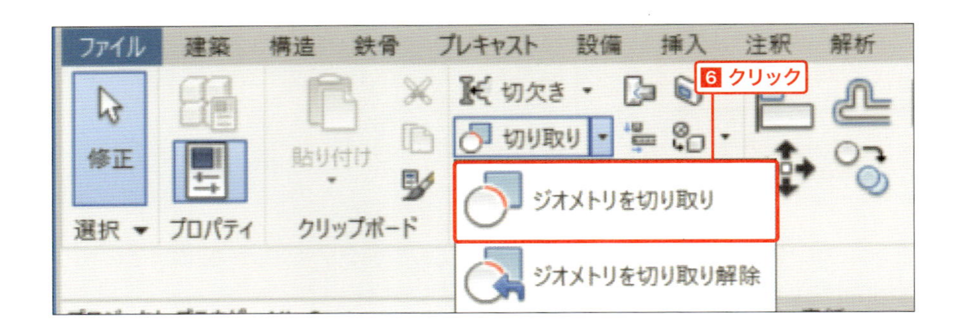

7 [壁](A)→[作成したボイドフォーム](B)の順にクリックします。

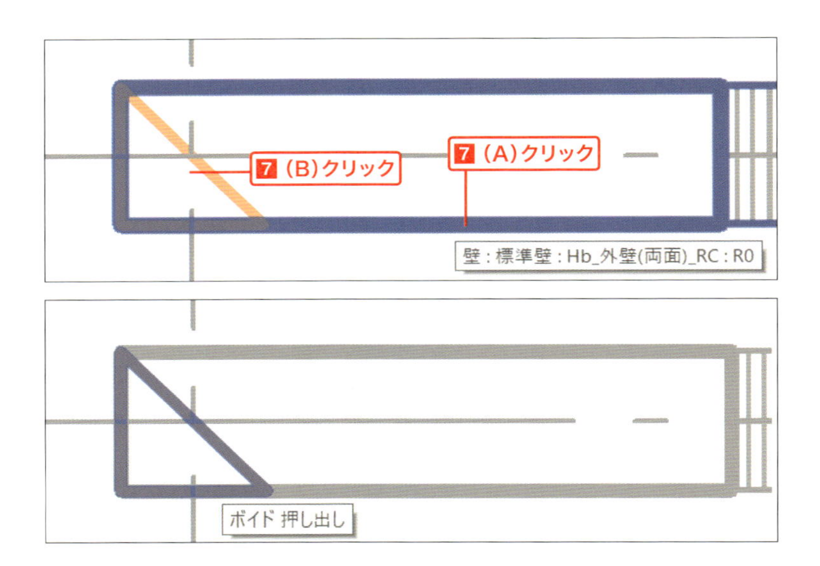

8 <修正>タブの<モデルを終了>をクリックします。ボイドが壁から切り取られます。

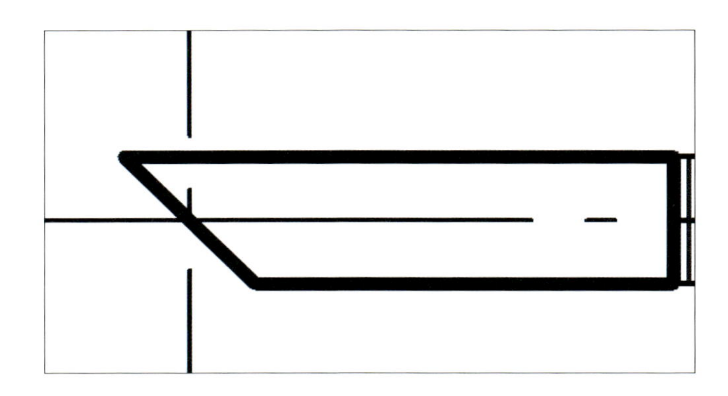

9 <表示>タブの<3Dビュー>をクリックして確認すると、3Dモデルとして切り抜かれているのが分かります。「9-04」の方法では直線的な形状しかできませんが、この方法ではインプレイスの各フォームを使って自由な形状を作成できます。
下記の画像は、切り取った断面にあとから<修正>タブのペイントでマテリアルを付けています。

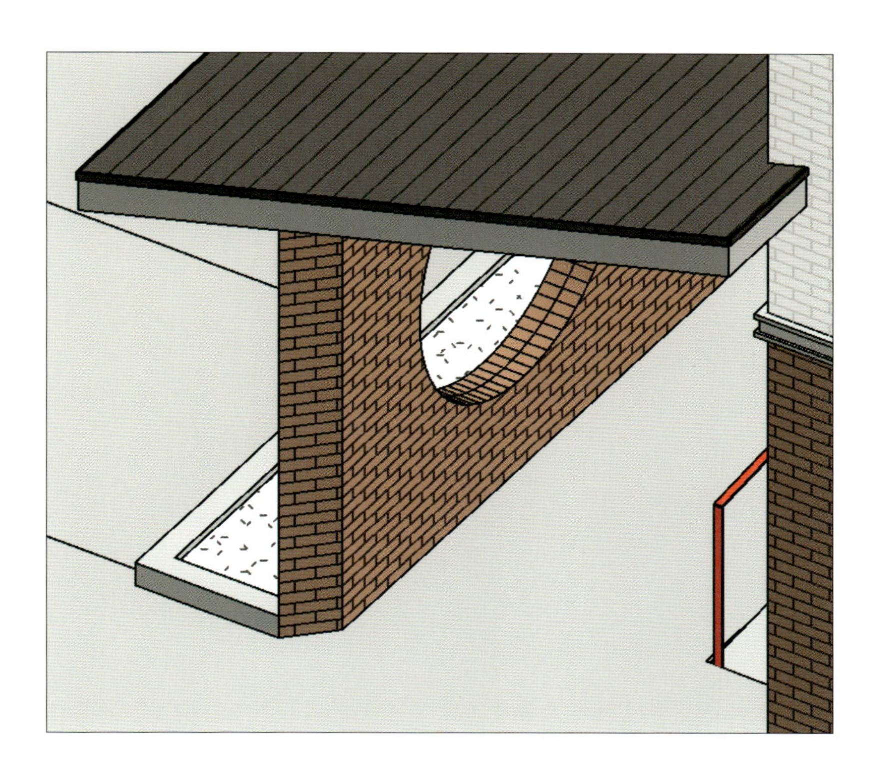

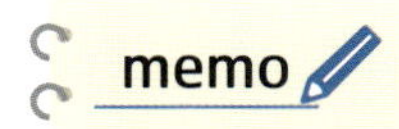

複数のビューを開いている状態で、<表示>タブの<タイルビュー>をクリックすると開いているビューがタイル状に表示されます。位置を変えたいときは、左（上）に移動したいビューをアクティブにして<タイルビュー>をクリックします。

Column

●マテリアルを複製する

マテリアルを複製するときは注意が必要です。

マテリアルの上で右クリックして<複製>をクリックすると、複製されたマテリアルが作成されます。

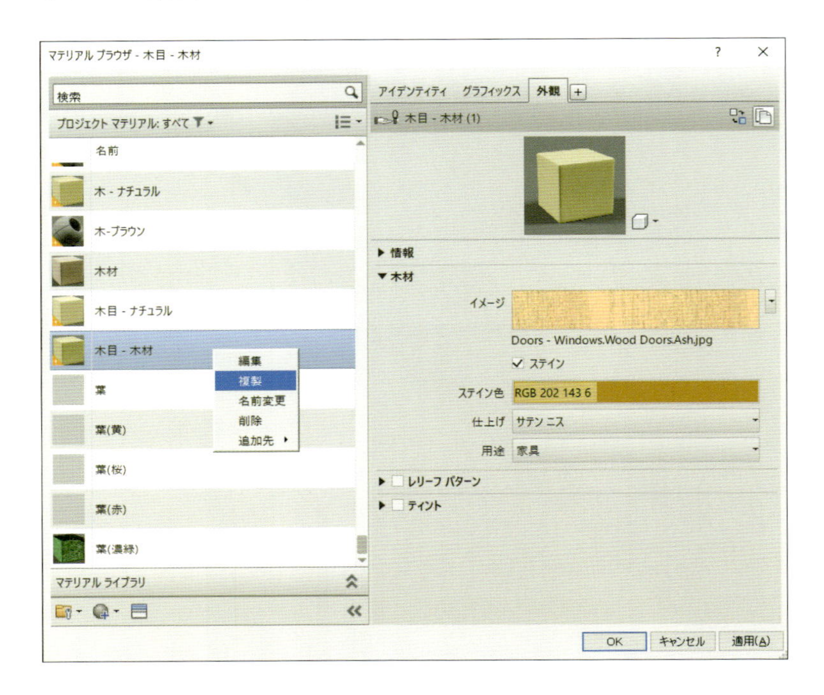

マテリアルはアセットと呼ばれる要素（グラフィックス、外観、材質、断熱）のセットで構成されていますが、複製されたマテリアルの外観アセットは元のマテリアルと同一のアセットを使ったまま複製されます。

つまり、複製後の外観アセットの内容を変更すると元のマテリアルの外観アセットも変更されてしまいます。

元のマテリアルの外観アセットと切り離したいときは、<このアセットを複製します。>をクリックします。

また左側の手のひらの画像上の数字は、この外観アセットを他のいくつのマテリアルが使用しているかという数字です。この数字が1以上のときは、この外観アセットを変更すると他のマテリアルも変更されるということなので、注意が必要です。

第10章

平面図以外の図面を作成する

前章までは平面図を作成するための方法を紹介してきましたが、この章では平面図以外の図面作成方法の概要を紹介します。

01 仕上材を表記する

各図面を作成していくときに、仕上材などはどのように表記するか。2D CADのように文字で表記することもできますが図面間（たとえば仕上表と各図面）で不整合が生じやすくなります。

そもそもBIMとはBuilding Information Modelingの略ですが、この中のInformation（情報）を管理するのがパラメータと呼ばれるものです。パラメータ（parameter）とは、媒介変数とか訳されますが、モデルの要素に関する情報を保存して伝達します。パラメータを使わなければ単なる3D CADになってしまい、BIMとは言えなくなります。Revitでは、パラメータの仕組みが非常によくできていて、建築モデルをデータベース的に扱うことに優れています。

BIMの概念からいうと、仕上材を表記する方法は、モデルに仕上材などをパラメータの値として入力し、その情報を表記させるというのが基本となります。その一つの情報を仕上表や図面で表記させるので、整合性のとれたものになるのです。パラメータには以下のような種類があります。

パラメータの種類

A）ファミリ側

・ファミリパラメータ
・共有パラメータ（ファミリ側で作成）
・システム（組み込み）パラメータ

B）プロジェクト側

・プロジェクトパラメータ
・共有パラメータ（プロジェクト側で作成）
・システム（組み込み）パラメータ
・グローバルパラメータ

この中のシステム（組み込み）パラメータは、最初からRevitに組み込まれているパラメータでユーザーが変更することはできません。

パラメータはその種類によって振る舞いが異なり、右上図のような特徴があります。ファミリパラメータはタグや集計表、ビューフィルタに使えません。また、プロジェクトパラメータはタグには使えません。

<table>
<tr><th rowspan="3"></th><th colspan="6">ファミリ側</th><th colspan="7">プロジェクト側</th></tr>
<tr><th colspan="2">システムパラメータ（組み込みパラメータ）</th><th colspan="2">共有パラメータ</th><th colspan="2">ファミリパラメータ</th><th colspan="2">システムパラメータ（組み込みパラメータ）</th><th colspan="2">共有パラメータ</th><th colspan="2">プロジェクトパラメータ</th><th rowspan="2">グローバルパラメータ</th></tr>
<tr><th>タイプ</th><th>インスタンス</th><th>タイプ</th><th>インスタンス</th><th>タイプ</th><th>インスタンス</th><th>タイプ</th><th>インスタンス</th><th>タイプ</th><th>インスタンス</th><th>タイプ</th><th>インスタンス</th></tr>
<tr><td>タグ</td><td colspan="2">○</td><td colspan="2">○</td><td colspan="2">×</td><td colspan="2">○</td><td colspan="2">○</td><td colspan="2">×</td><td>×</td></tr>
<tr><td>集計表</td><td colspan="2">○</td><td colspan="2">○</td><td colspan="2">×</td><td colspan="2">○</td><td colspan="2">○</td><td colspan="2">○</td><td>×</td></tr>
<tr><td>フィルタ</td><td colspan="2">○</td><td colspan="2">○</td><td colspan="2">×</td><td colspan="2">○</td><td colspan="2">○</td><td colspan="2">○</td><td>×</td></tr>
</table>

各パラメータの相関関係は図のようになります。ファミリをプロジェクトファイルにロードすると、ファミリ側で作成したパラメータを持ったままロードされます。それに対してプロジェクト側で作成したパラメータは、プロジェクト内にあるファミリに適用されますが、そのファミリを外部に保存するとファミリには残りません。

また、ファミリ側で作成したパラメータはそのファミリだけに適用されますが、プロジェクト側で作成したパラメータは、指定したカテゴリに含まれる全てのファミリに適用されます。プロジェクト側では複数のカテゴリにパラメータを付けることもできます。

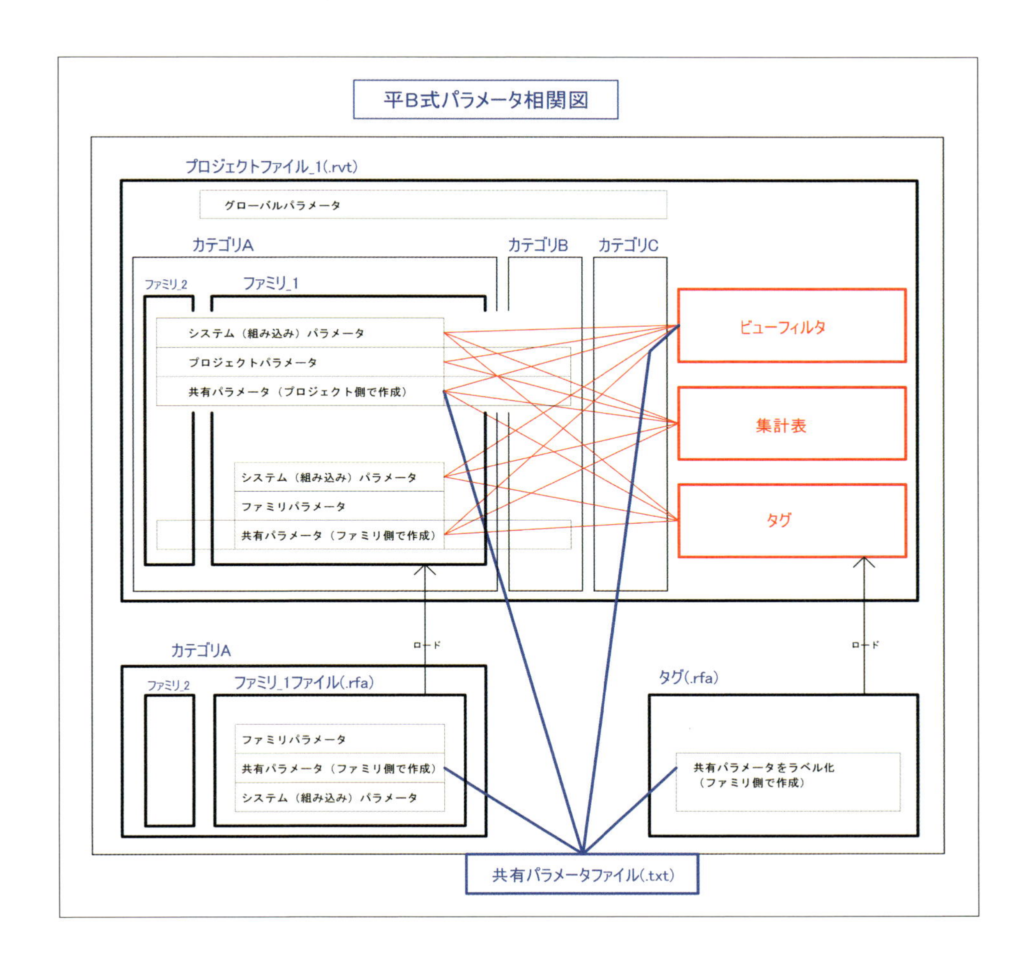

仕上材を表記するときに、たとえば床の場合だと床ファミリという要素のパラメータを使うのか、それとも床ファミリのマテリアルのパラメータを使うのか、あるいは床が配置されている部屋のパラメータを使うのか、という選択肢があります。また、情報を表記させるツールとしてタグを使うのか、それともキーノートや一般注釈を使うのか、さらにタグを使う場合でもカテゴリ別タグかマルチカテゴリタグかというように、Revitではさまざまなツールが用意されています。それらには特徴があり整理すると、右図のようになります。どの方法によるかはケースバイケースですが、本書では以下の方法で紹介します。

表記項目	使用する図面	情報の場所	表記ツール
各部屋の床、壁、天井の仕上材	内部仕上表、展開図、天井伏図	部屋	部屋タグ
外部仕上、外構仕上	外部仕上表、立面図、外構図	要素	キーノート
計画高さ、部屋の床高さ	平面図、外構図	—	指定点高さ

下図はこの方法で仕上材を表記したもので、仕上表と各図面の仕上表記は常に整合性がとれています。この作成方法をこれから紹介していきます。

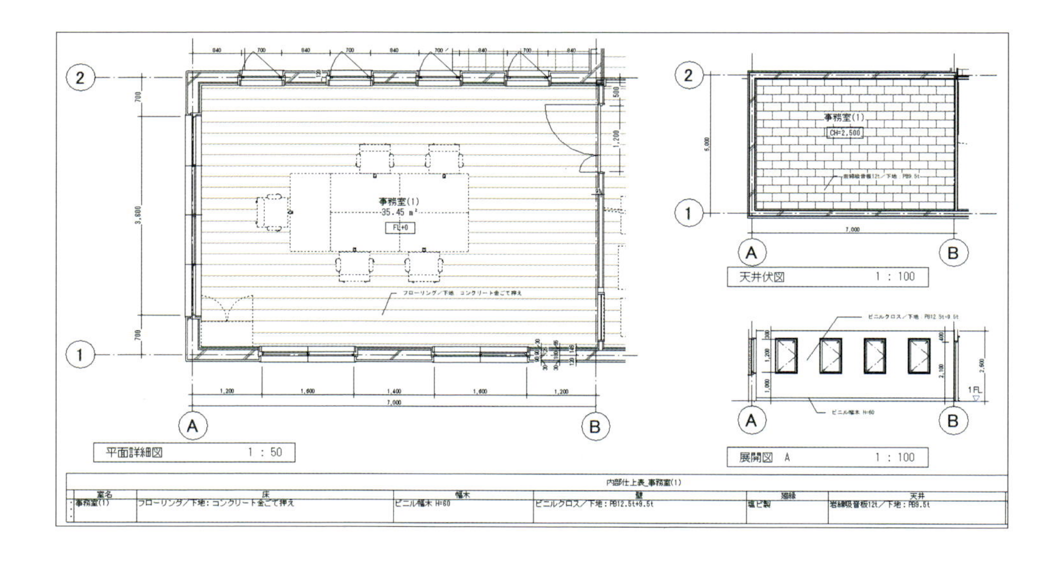

表記ツールの種類（床の仕上材を表記する場合）

使用するツール	説明	アイコン
文字（文字注記）	・ビューの中で引き出し線と文字入力で自由に配置できる。 ・どの情報とも関連付かない。	A 文字
記号（一般注釈） 文字で表現	・記号ファミリを配置し、タイプごとにパラメータの文字の値を表現する。 ・内容変更時に同じタイプのものは同時に変わる。	記号
記号（一般注釈） 記号や番号で表現	・記号ファミリを配置して、記号や番号を表現させる。 ・注釈リストで表が作れる。 ・要素やマテルアルとは関連付かない。	記号
キーノート	・テキストデータを使って記号や番号で情報を表示させる。 ・キーノート凡例で一覧表を作成できる。	キーノート
・要素キーノート	・壁、床など要素の中のキーノートパラメータの値を表現する。	要素キーノート
・マテリアル キーノート	・マテリアルのアイデンティティの中のキーノートパラメータの値を表現する。	マテリアル キーノート
・ユーザー キーノート	・パラメータの値とは関連付けずに表現する。ただし、何らかのオブジェクトが必要。	ユーザ キーノート
床タグ	・共有パラメータを使って床情報を床タグで表示する。	タグ カテゴリ別
マテリアルタグ	・共有パラメータを使ってマテリアル情報をマテリアルタグで表示する。	マテリアル タグ
部屋タグ	・部屋にある情報を部屋タグで表示する。 ・集計表を使って、床以外の壁や天井も含めて内部仕上表を作成できる。	部屋 タグ
マルチカテゴリタグ	・同じ共有パラメータを持つ複数のカテゴリに付けることができる。	マルチ カテゴリ

02 内部仕上表を作成する

第10章では第9章までの流れとは異なる最終形のRevitデータを使用します。ここでは、サンプルファイル「Hb10-02.rvt」を使用し、図のような内部仕上表を作成します。

内部仕上表

室名	床	幅木	壁	廻縁	天井	備考
1FL						
ホール	フローリング／下地：コンクリート金ごて押え	ビニル幅木 H=60	ビニルクロス／下地：PB12.5t+9.5t	塩ビ製	岩綿吸音板12t／下地：PB9.5t	
ラウンジ	フローリング／下地：コンクリート金ごて押え	ビニル幅木 H=60	ビニルクロス／下地：PB12.5t+9.5t	塩ビ製	岩綿吸音板12t／下地：PB9.5t	
前室	ビニル床シート／下地：コンクリート金ごて押え	ビニル幅木 H=60	ビニルクロス／下地：PB12.5t+9.5t	塩ビ製	ビニルクロス／下地：PB9.5t	
便所	ビニル床シート／下地：コンクリート金ごて押え	ビニル幅木 H=60	化粧ケイカル板 6t(目透かし)／下地：耐水PB12.5t	塩ビ製	ビニルクロス／下地：PB9.5t	ピクトサイン、紙巻器2連
多目的便所	ビニル床シート／下地：コンクリート金ごて押え	ビニル幅木 H=60	化粧ケイカル板 6t(目透かし)／下地：耐水PB12.5t	塩ビ製	ビニルクロス／下地：PB9.5t	ピクトサイン、鏡、紙巻器2連
湯沸室	ビニル床シート／下地：コンクリート金ごて押え	ビニル幅木 H=60	EP／下地：PB12.5t+耐水9.5t	塩ビ製	ビニルクロス／下地：PB9.5t	ピクトサイン
倉庫	ビニル床シート／下地：コンクリート金ごて押え	ビニル幅木 H=60	EP／下地：PB12.5t+耐水9.5t	塩ビ製	ビニルクロス／下地：PB9.5t	室名札
事務室(1)	フローリング／下地：コンクリート金ごて押え	ビニル幅木 H=60	ビニルクロス／下地：PB12.5t+9.5t	塩ビ製	岩綿吸音板12t／下地：PB9.5t	室名札
2FL						
階段	フローリング／下地：コンクリート金ごて押え	ビニル幅木 H=60	ビニルクロス／下地：PB12.5t+9.5t	塩ビ製	岩綿吸音板12t／下地：PB9.5t	
事務室(2)	フローリング／下地：コンクリート金ごて押え	ビニル幅木 H=60	ビニルクロス／下地：PB12.5t+9.5t	塩ビ製	岩綿吸音板12t／下地：PB9.5t	室名札

床、壁、天井などの仕上を部屋に情報として持たせるためにパラメータを使用しますが、もともと入っているシステムパラメータでは足りない場合が多いので、ここでは新規で共有パラメータを作成します。

1 <管理>タブ→<プロジェクトパラメータ>をクリックして、<追加>をクリックします。

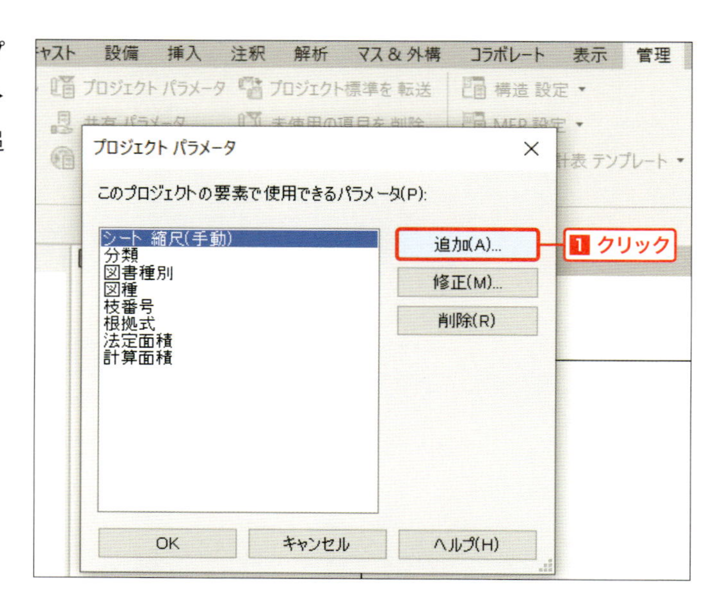

2 共有パラメータにチェックを付け、<選択>をクリックします。

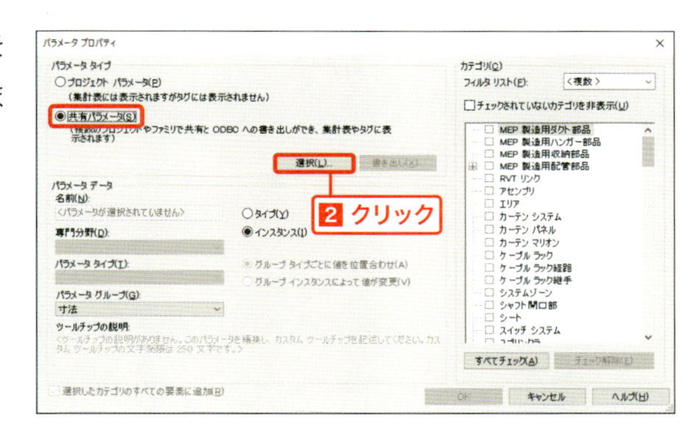

3 「新しいファイルを選択しますか?」と表示されたら<はい>をクリックします。[共有パラメータ] ダイアログボックスが表示されたら<編集>をクリックします。

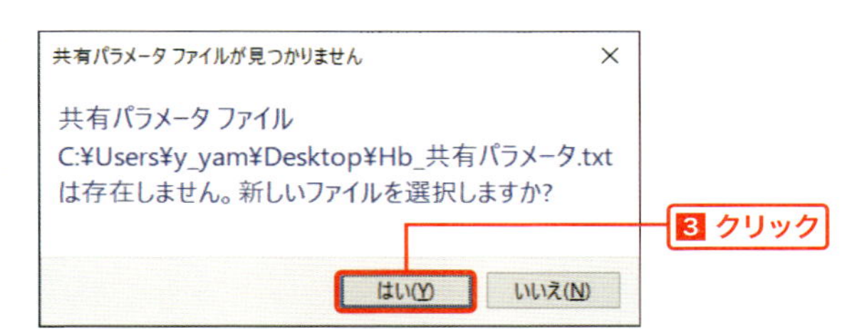

4 <作成>をクリックして、ファイル名を「Hb_共有パラメータ.txt」とし、サンプルファイルと同じ場所に保存します。

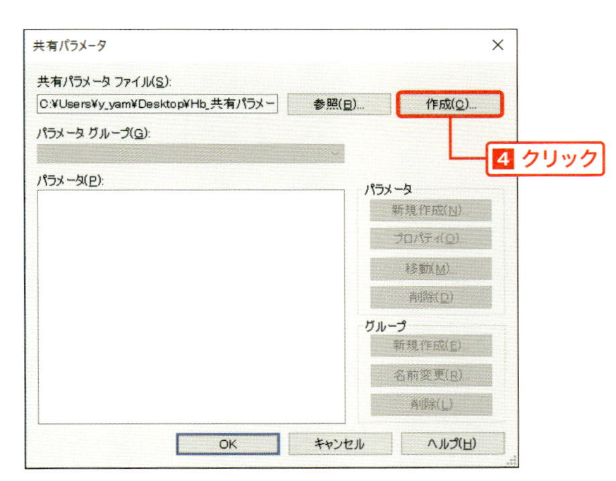

5 [グループ] の<新規作成>をクリックして、「部屋」というパラメータグループを作成します。

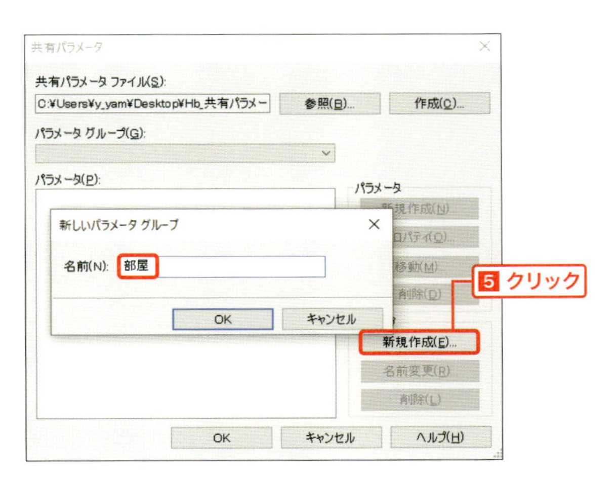

6 ［パラメータ］の＜新規作成＞をクリックして、［名前］を「仕上表 仕上 床」、［パラメータ タイプ］を「文字」とし、＜OK＞をクリックします。

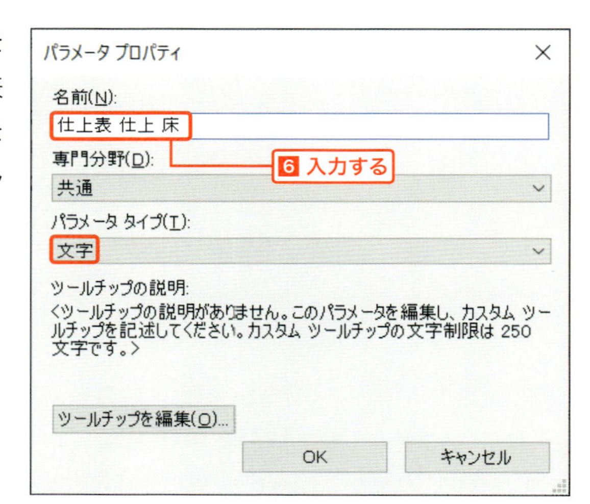

7 「仕上表 仕上 床」を選択して＜OK＞をクリックします。

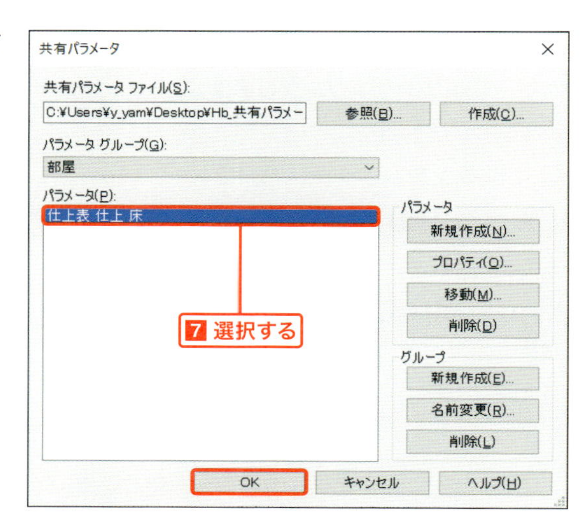

8 次の画面でも「仕上表 仕上 床」を選択して＜OK＞をクリックします。

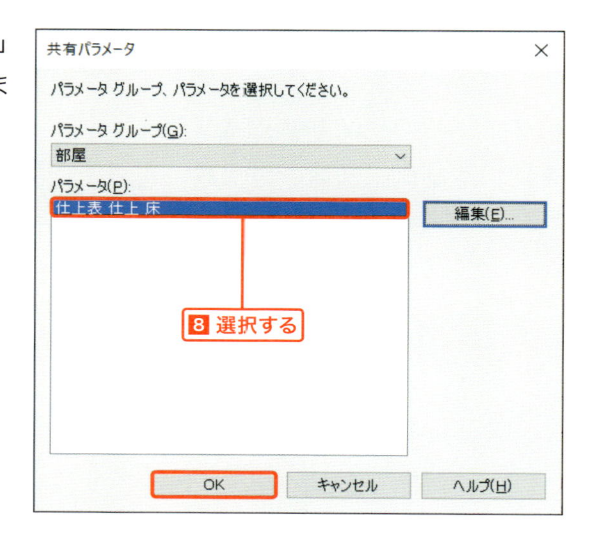

9 ［パラメータプロパティ］ダイアログボックスで、パラメータデータの名前が先ほど作成したパラメータ名と一致しているのを確認します。［カテゴリ］の中から「部屋」にチェックを付け、＜OK＞をクリックします。

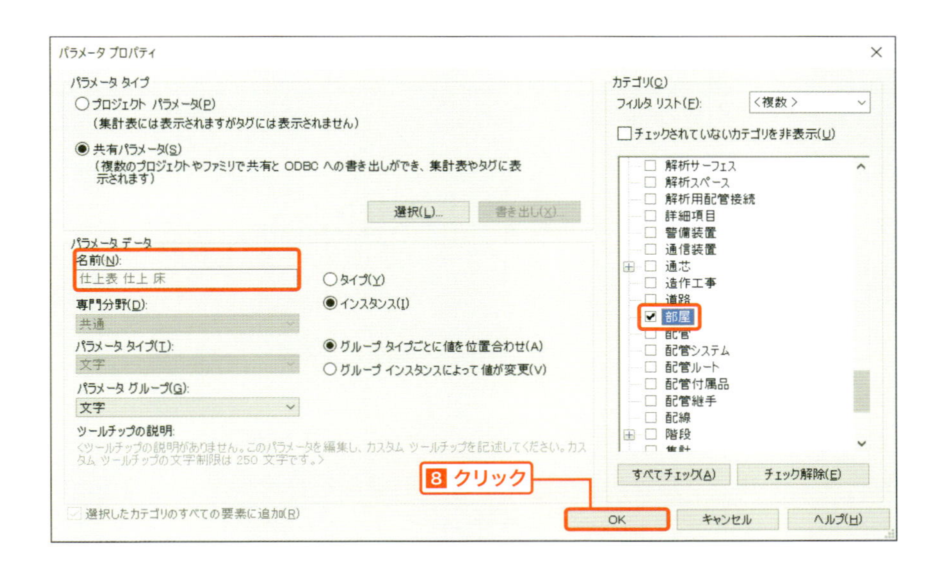

10 その他のパラメータは、同様の手順で［グループ］を「部屋」、［パラメータタイプ］を「文字」とし、名前を「仕上表 仕上 幅木」、「仕上表 仕上 壁」、「仕上表 仕上 廻り縁」、「仕上表 仕上 天井」、「仕上表 整列番号」、「仕上表 備考」、「ダミー」として作成します。

11 ＜表示＞タブ→＜集計＞→＜集計表/数量＞をクリックして、［カテゴリ］から「部屋」を選択して＜OK＞をクリックします。［使用可能なフィールド］から下図のパラメータを選択して＜パラメータを追加＞をクリックし、集計表の書式を整え仕上表を完成させます。なお、行の高さは［ダミー］列の文字のフォントの大きさを変えることで調整できます。

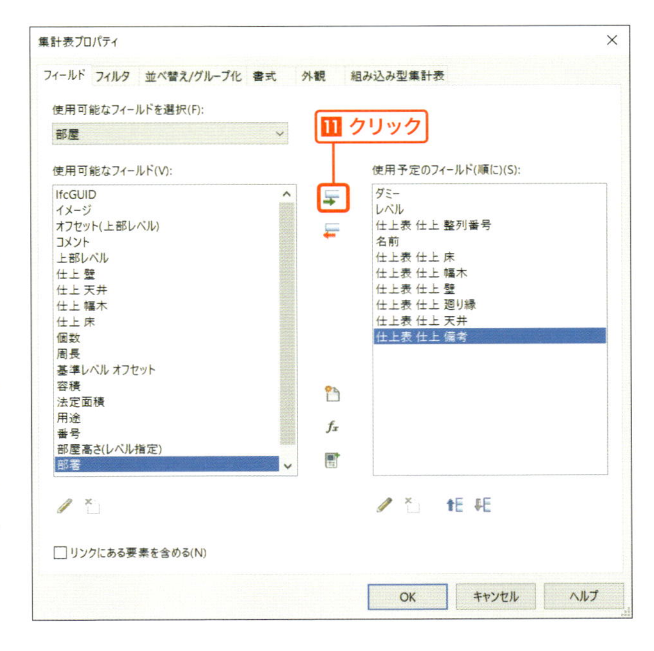

03 外部仕上表を作成する

サンプルファイル「Hb10-03.rvt」を使用し、図のような外部仕上表を作成します。なお、外部仕上表はキーノートを使用します。

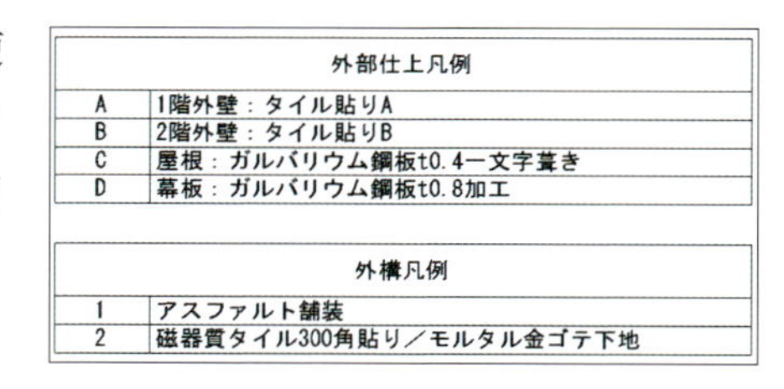

外部仕上凡例	
A	1階外壁：タイル貼りA
B	2階外壁：タイル貼りB
C	屋根：ガルバリウム鋼板t0.4一文字葺き
D	幕板：ガルバリウム鋼板t0.8加工

外構凡例	
1	アスファルト舗装
2	磁器質タイル300角貼り／モルタル金ゴテ下地

1 メモ帳などのテキストエディタを使い、下のように入力してファイル名を「Hb_keynote.txt」としてサンプルファイルと同じ場所に保存します。記号、仕上材、グループ名の順に書き込み、Tab キーでタブスペースを入れます。記号が後述の[キー値]、仕上材が[キーノートテキスト]にあたります。

外部仕上

A Tab 1階外壁：タイル貼りA Tab 外部仕上
B Tab 2階外壁：タイル貼りB Tab 外部仕上
C Tab 屋根：ガルバリウム鋼板t0.4一文字葺き Tab 外部仕上
D Tab 幕板：ガルバリウム鋼板t0.8加工 Tab 外部仕上

外構

1 Tab アスファルト舗装 Tab 外構
2 Tab 磁器質タイル300角貼り／モルタル金ゴテ下地 Tab 外構

Unicodeテキスト（*txt）で保存する必要がありますので、名前を付けて保存する時に文字コードを「UTF-16LE」を選択してください。

2 <注釈>タブ→<キーノート>→<キーノート作成設定>をクリックします。

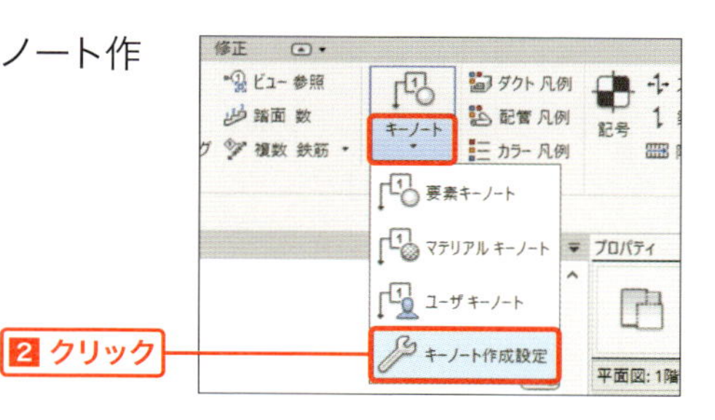

3 ［キーノート作成の設定］ダイアログボックスで、<参照>をクリックします。先程作成した「Hb_keynote.txt」を選択して、<開く>をクリックして<OK>をクリックします。

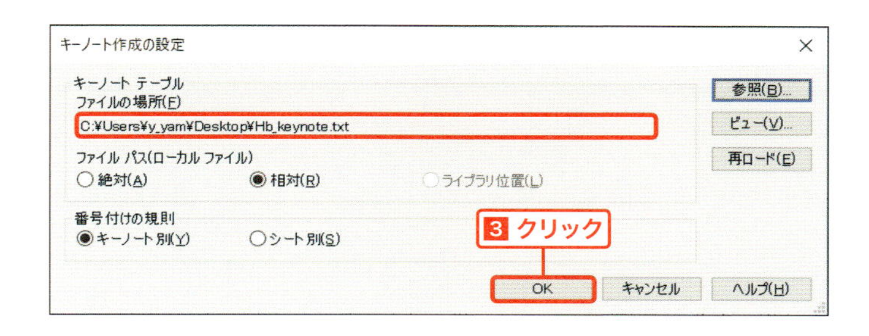

4 <表示>タブ→<凡例>→<キーノート凡例>をクリックします。「外部仕上表」と名前を付けて<OK>をクリックし、<フィルタ>タブを図のようにします。

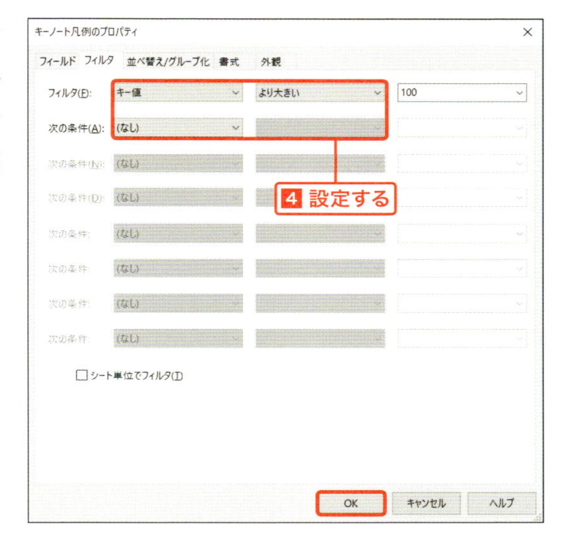

5 キー値を数字にしていた外構仕上が外され、キー値をアルファベットにしていた外部仕上表が残ります。外構仕上表はもう一つキーノート凡例を作成し、「100より小さい」というフィルタを適用しますが、このキーノート凡例はキーノートタグを配置後に集計されるので、現時点ではデータが表示されません。立面図や配置図を作成後に図のようになっていることを確認します。

<外部仕上>

A	B
キー値	キーノート テキスト
A	1階外壁：タイル貼りA
B	2階外壁：タイル貼りB
C	屋根：ガルバリウム鋼板t0.4一文字葺き
D	幕板：ガルバリウム鋼板t0.8加工

04 立面図を作成する

立面図の作成に入るために屋根を作成します。サンプルファイル「Hb10-04.rvt」を使用します。

1 ［プロジェクトブラウザ］→＜ビュー＞→＜平面図＞→＜作業用＞→＜最高高さ＞ビューを開きます。
＜建築＞タブ→＜屋根＞→＜屋根（境界）＞をクリックし、［プロパティパレット］の［タイププロパティ］から＜標準屋根 Hb_屋根＞を選択します。［描画］の＜線＞または＜長方形＞を使い、屋根の境界線を作成します。北側の屋根境界を選択し、［プロパティパレット］の［屋根の勾配を設定］にチェックを付け、［勾配］を「-300/1000」とし、［モード］の＜編集モードを終了＞をクリックします。

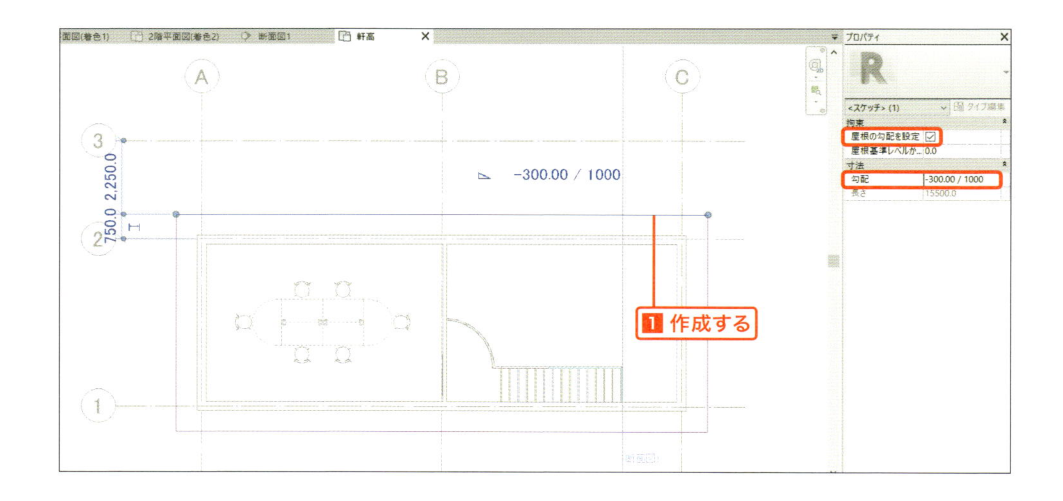

2 ［プロジェクトブラウザ］→＜ビュー＞→＜断面図＞→＜作業用＞→＜断面図1＞ビューを開きます。

3 [基準レベルオフセット] に「225」を設定して高さを調整します。

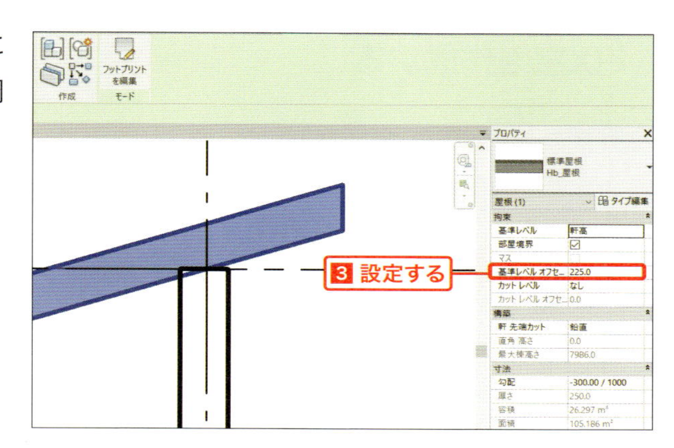

4 壁を屋根まで延長または屋根で切断します。壁を選択して [修正 | 壁] の [壁を修正] の <アタッチ上/下端>をクリックし、屋根を選択します。同様に反対側の壁も屋根にアタッチします。

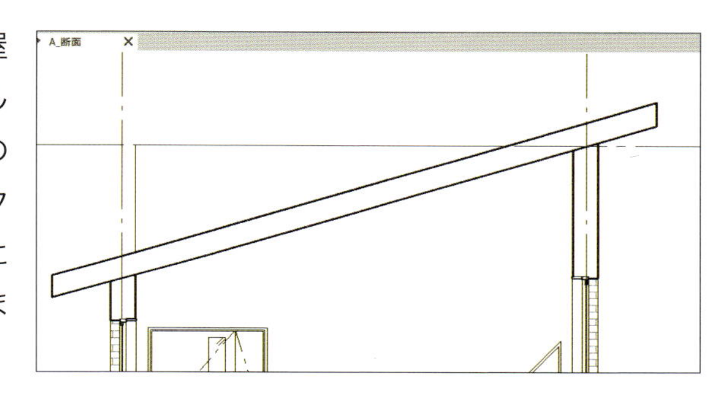

5 1階の屋根も同様に作成し、必要に応じて<建築>タブ→<屋根>→<屋根 軒裏>や<屋根 スイープ 鼻隠し>、<屋根 スイープ 樋>などを使い、軒先の形状を作成します。

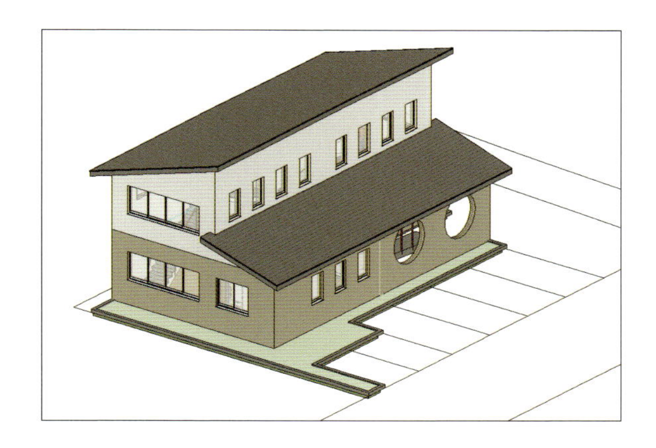

memo

平面図に屋根の位置を破線で表現したいときは、屋根が見えるレベルを [アンダーレイ] で設定し、<線種変更>で破線にします。[アンダーレイ] を<なし>に戻しても破線は残り、屋根形状を変更しても破線は追従します。

FIX窓を作成する

外部の三角形FIX窓をカーテンウォールの機能を使って作成します。

1 ［プロジェクトブラウザ］→＜ビュー＞→＜平面図＞→＜図面用＞→＜1階平面図（着色2）＞ビューをクリックして開きます。
＜建築＞タブ→＜壁＞→＜壁 意匠＞をクリックし、［プロパティパレット］の［タイププロパティ］から＜カーテンウォール 自由分割（自動埋込）＞を選択します。基準レベルオフセットを「100.0」、上部レベルを＜指定＞、指定高さを「2000.0」として、図のようにカーテンウォールを壁の中心上に作成します。

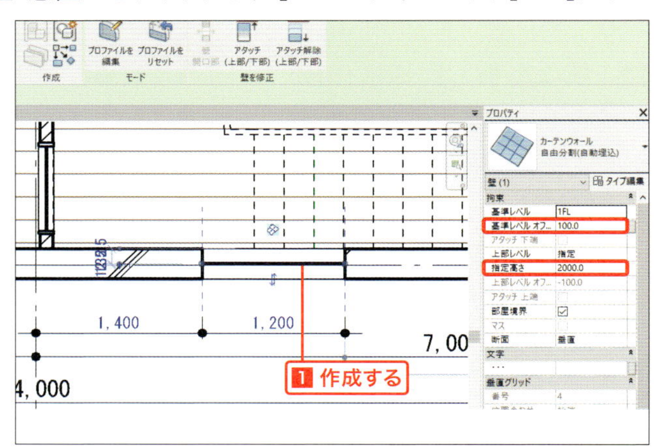

2 ［プロジェクトブラウザ］→＜ビュー＞→＜立面図＞→＜図面用＞→＜南立面図＞ビューをクリックして開きます。作成したカーテンウォールを選択し、［プロファイル］の＜編集＞をクリックします。

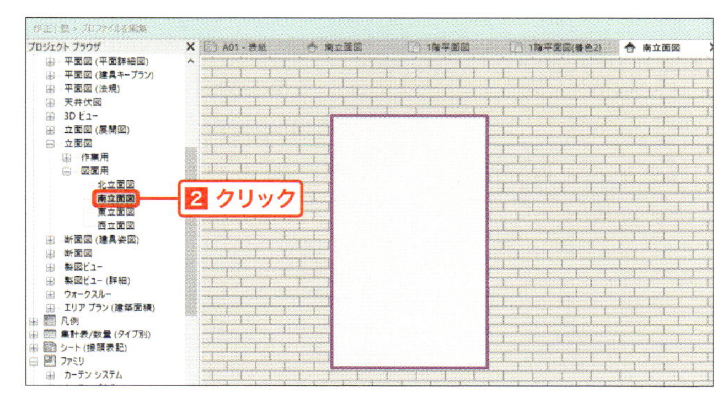

3 プロファイルを図のような三角形にして<編集モードを終了>をクリックします。
「拘束が満たされていません」という警告がでたら、<拘束を削除>をクリックします。

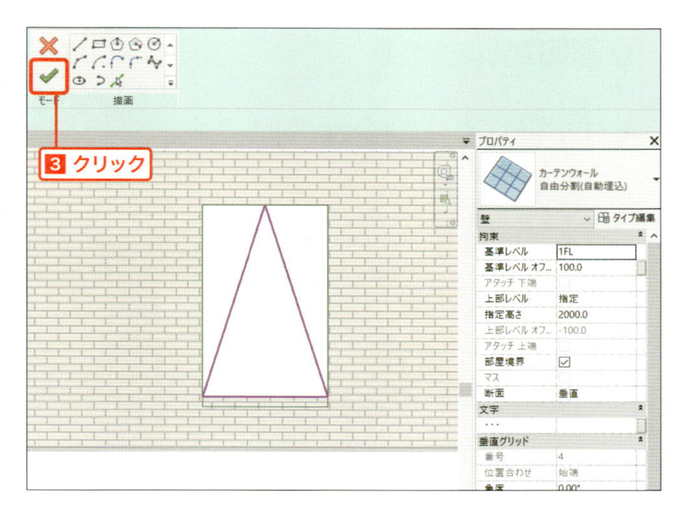

4 <建築>タブ→<マリオン>をクリックして、[プロパティパレット]の[タイプセレクタ]から<長方形のマリオン 25×260)>を選択し、3辺をクリックして配置します。

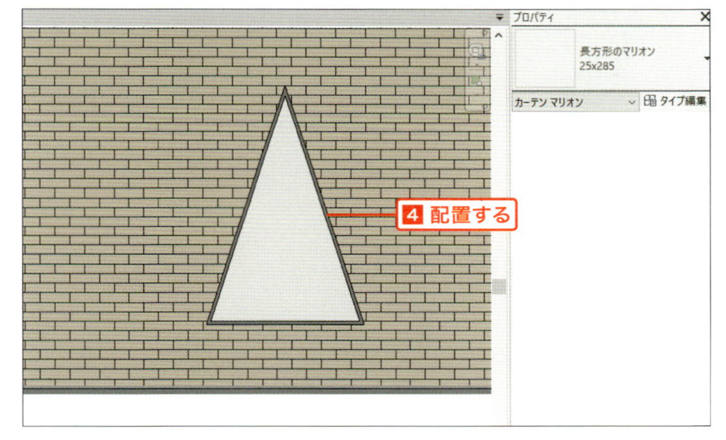

5 Tab キーを何度か押してカーテンパネルを選択し、<タイプ編集>をクリックします。[マテリアル]を「Hb_ガラス」にして<OK>をクリックします。

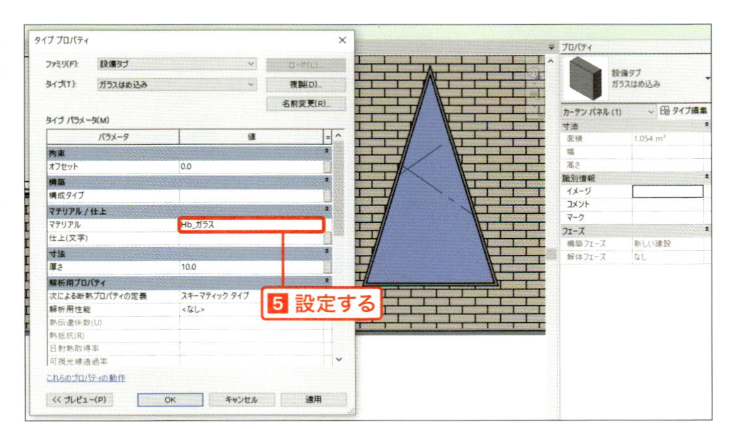

立面図を作成する

続けて図のような立面図を作成します。

1 ［プロジェクトブラウザ］→<立面図>→<図面用>→<北立面図>を開きます。［プロパティパレット］→［ビューテンプレート］の<なし>をクリックして、<Hb_立面図>ビューテンプレートを選択して、<OK>をクリックします。「Hb_立面図ビューテンプレート」には事前に表示スタイルや背景が設定されているため、図のような表現になります。

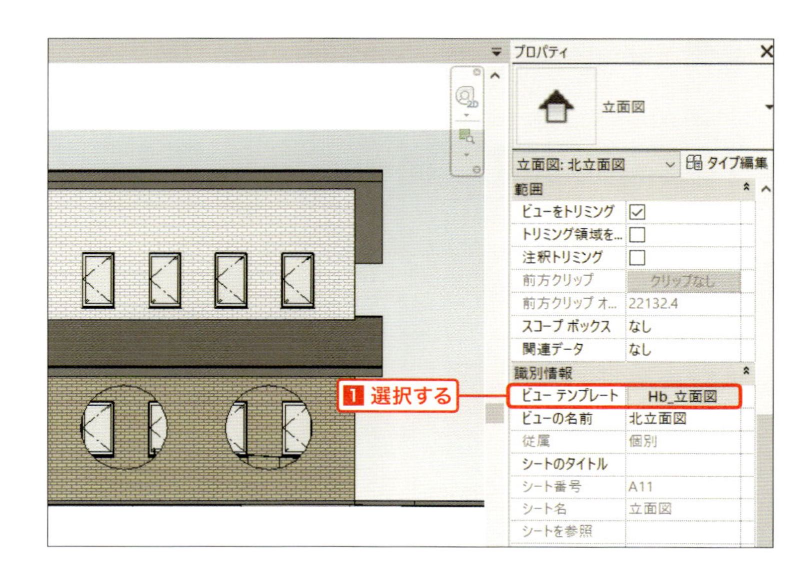

2 仕上を表記します。＜注釈＞タブ→＜キーノート＞→＜マテリアルキーノート＞をクリックして、タイプセレクタから「Hb_キーノートタグ 番号+〇」を選択し、1階外壁部分をクリックし、さらにタグの配置位置でクリックします。[キーノート] ダイアログボックスから [外部仕上] の中の「A」を選択して、＜OK＞をクリックします。

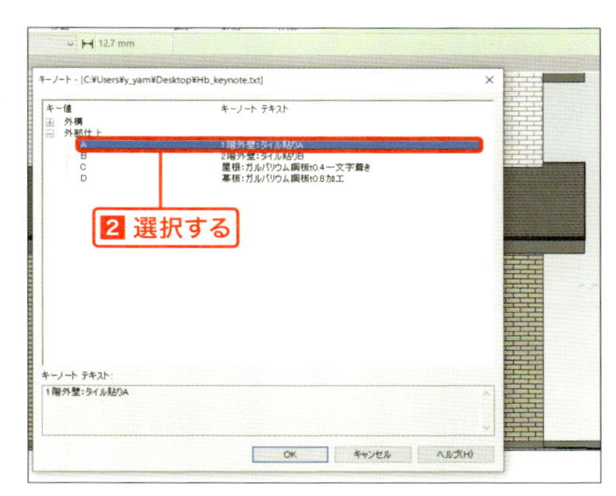

3 図のようにキーノートタグが付けられます。

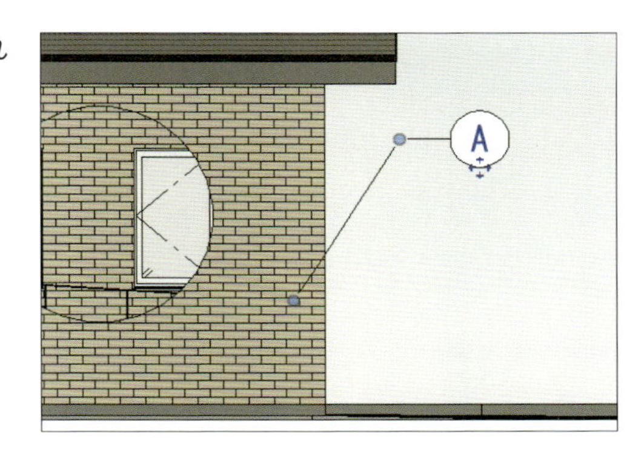

4 [プロパティパレット] から [ビューテンプレート] → [Hb_立面図] をクリックします。[ビューテンプレートを割り当て] ダイアログボックスから [モデル表示] の＜編集＞をクリックして、[グラフィックス表示オプション] ダイアログボックスの [シルエット] で太い線を選択すると、輪郭線を太くすることができます。

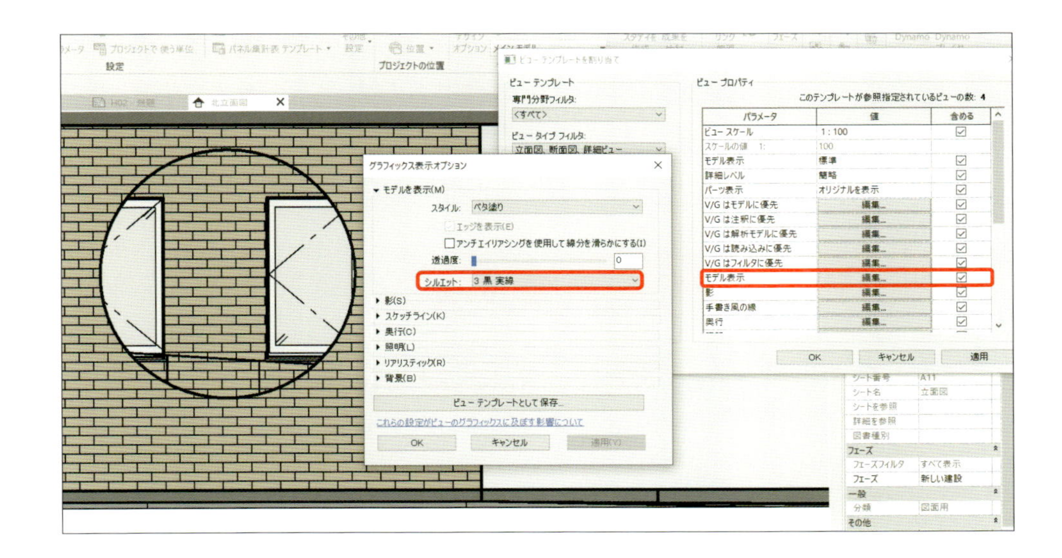

05 断面図を作成する

断面図の作成に入るために床と天井を作成します。サンプルファイル「Hb10-05.rvt」を使用します。

1 ［プロジェクトブラウザ］→＜シート＞→＜A10-平面図＞→＜平面図：1階平面図（着色2）＞ビューを開きます。＜建築＞タブ→＜床＞→＜床 意匠＞をクリックし、［プロパティパレット］の［タイプセレクタ］から「床 Hb_1F床」を選択します。［描画］の＜壁を選択＞をクリックし、外壁を順にクリックします。線が閉じるようにトリム処理をし、＜編集モードを終了＞をクリックします。

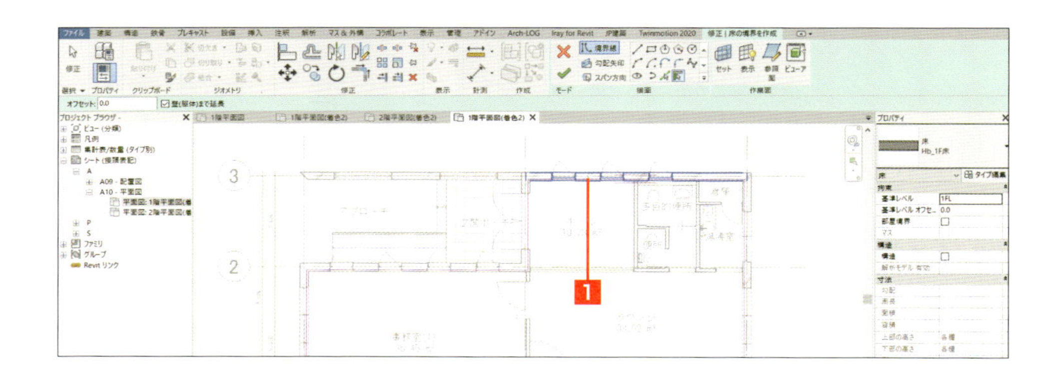

2 「壁をこの床の下端にアタッチしますか?」と出ますが、＜アタッチしない＞をクリックします。

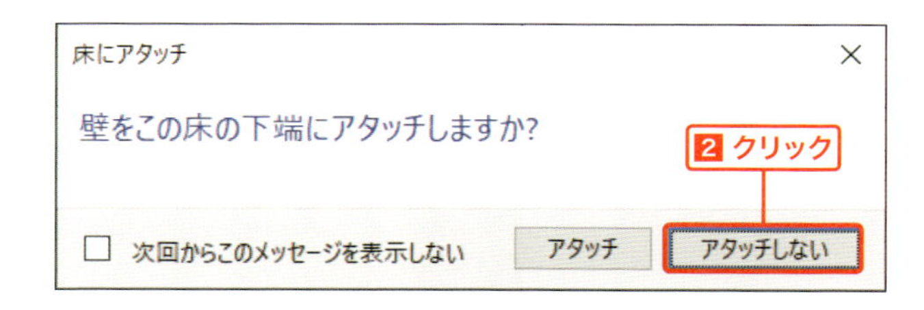

3 図のメッセージが出たら、<はい>をクリックします。

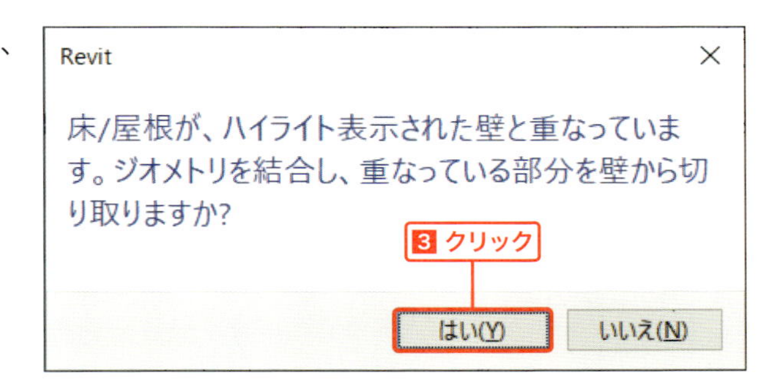

4 床の仕上が変わるところは、面を分割して異なるマテリアルを付与します。<修正>タブ→<面を分割>をクリックして、床を選択します。[描画]の<線>や<選択>を使って面を分け、<編集モードを終了>をクリックします。

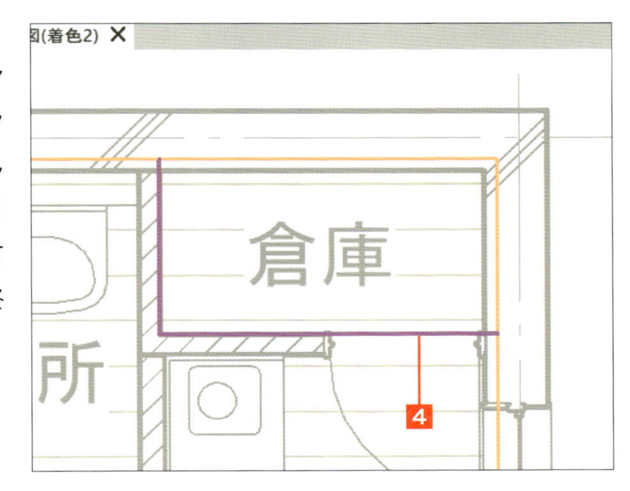

5 <修正>タブ→<ペイント>をクリックして、「Hb_ビニル床シート」を選択し、ウィンドウを開いたまま、倉庫の床をクリックするとマテリアルが変わります。
同じ要領で２階の床も作成します。

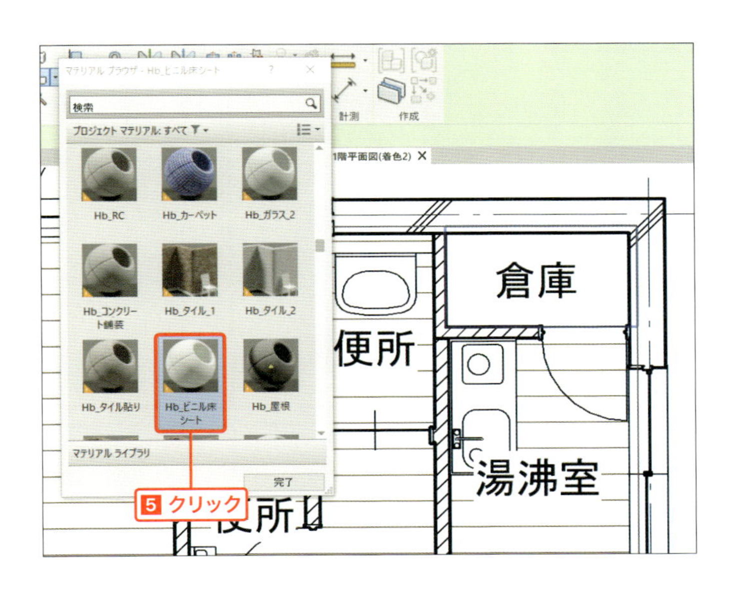

第10章 平面図以外の図面を作成する

6 次に天井を作成します。[プロジェクトブラウザ]→＜ビュー＞→＜天井伏図＞→＜作業用＞→＜1FL＞ビューをクリックして開きます。＜建築＞タブ→＜天井＞をクリックし、[プロパティパレット]の[タイプセレクタ]から＜GB12.5 + 岩綿吸音板12.0＞を選択します。

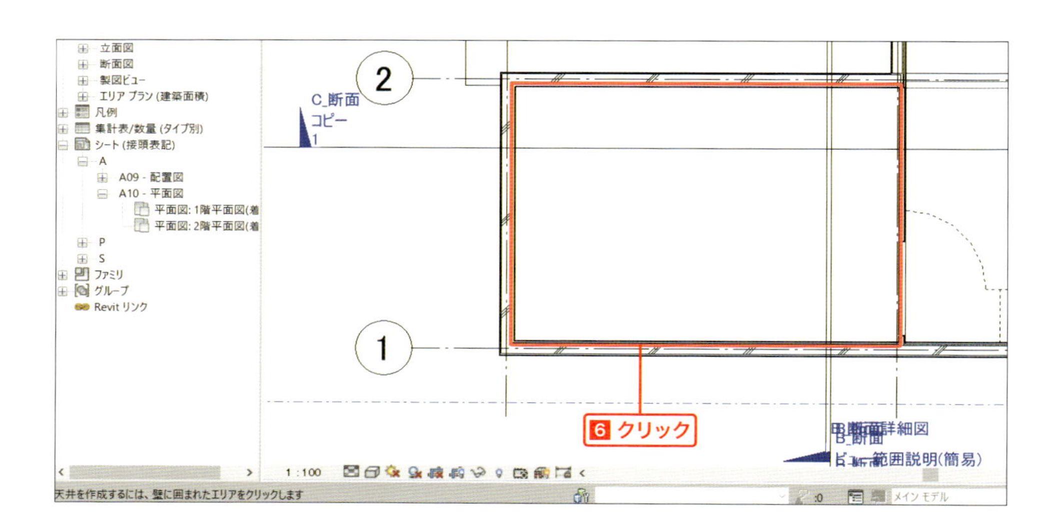

7 天井高さであるオフセット(基準レベル)を2500として、＜自動天井＞を選択して、事務室(1)の部分をクリックすると天井が作成されます。同じ要領で他の部屋の天井も作成します。

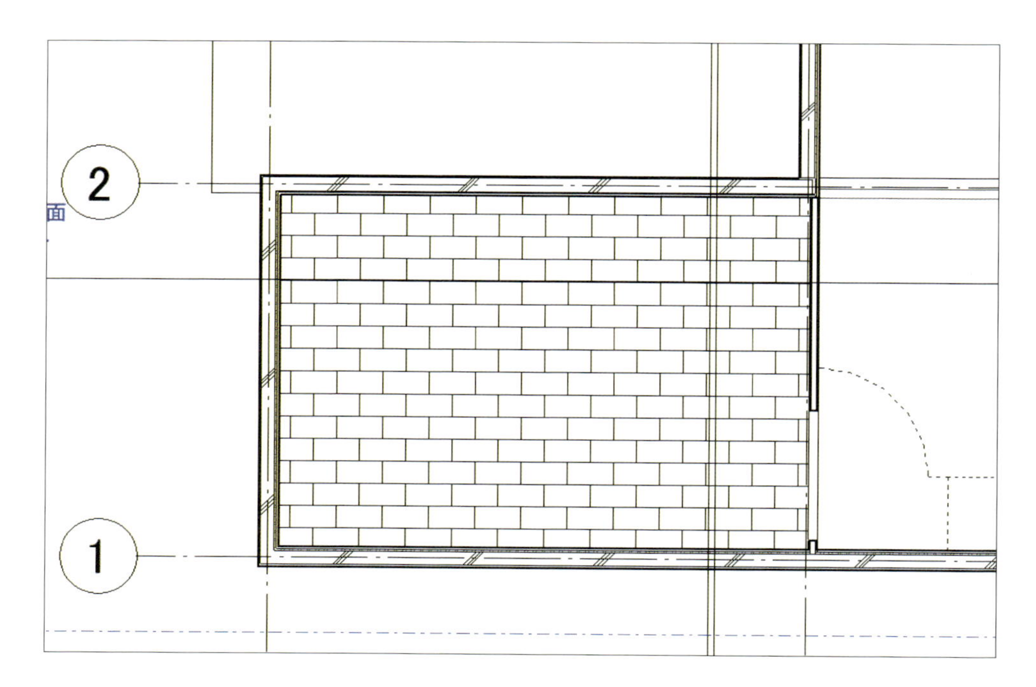

断面図を作成する

床と天井ができたので、図のような断面図を作成します。

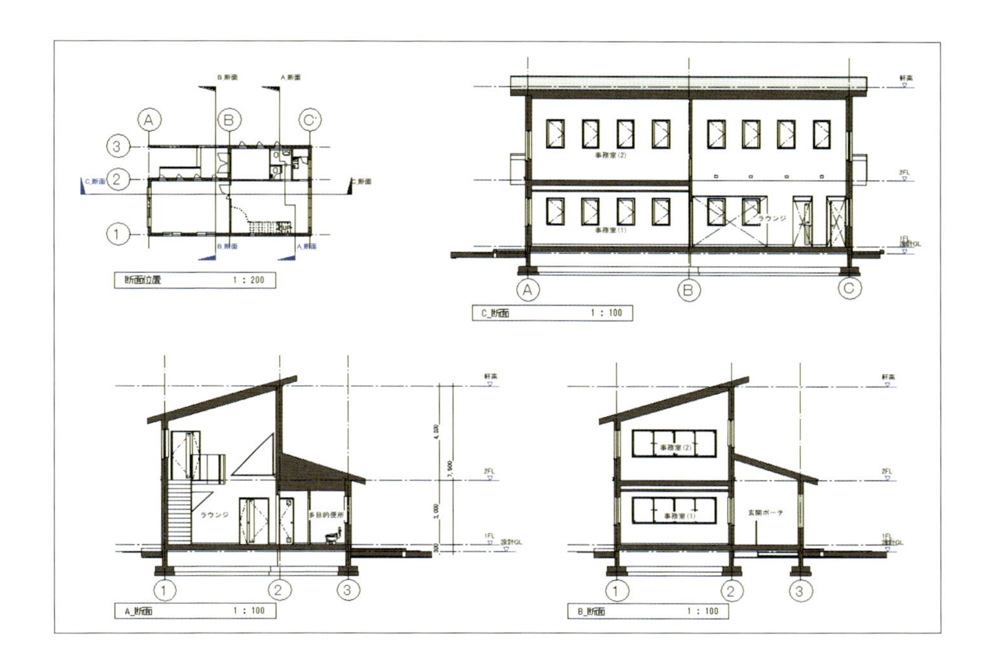

1 ［プロジェクトブラウザ］→＜ビュー＞→＜平面図＞→＜図面用＞→＜断面位置＞ビューを開きます。＜表示＞タブ→＜断面＞をクリックして、断面を切りたい位置の両端をクリックします。

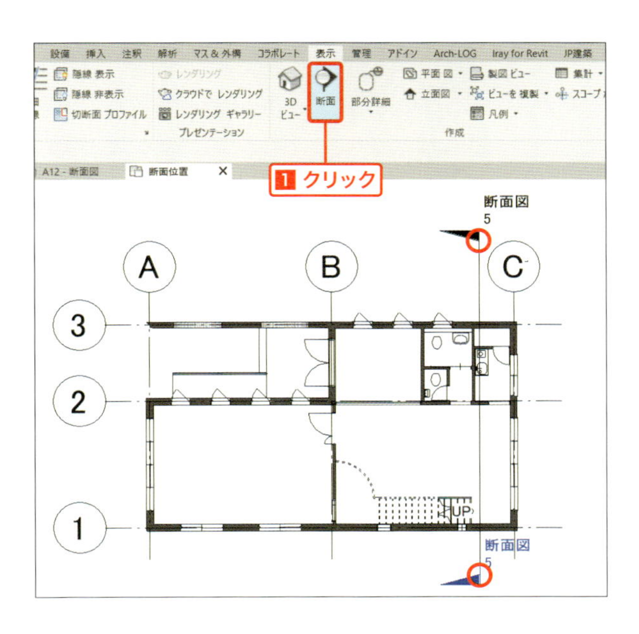

2 断面位置を途中で変えたいときには、作成した断面線を選択して、[断面] の<セグメントを分割>をクリックしてます。変えたい位置でセグメントを分割して図のようにします。[プロパティパレット] の [ビューの名前] を「A_断面図」とし、[分類] を「図面用」とします。

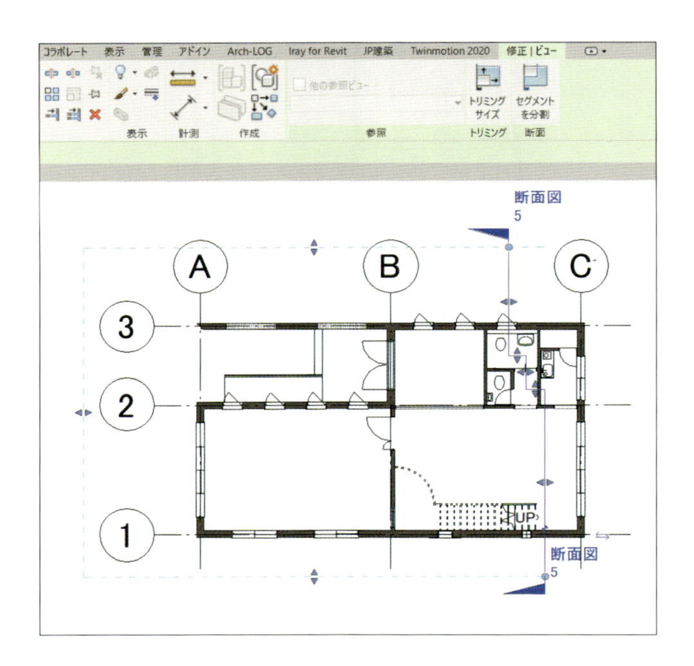

3 [プロジェクトブラウザ] →<ビュー>→<断面図>→<図面用>→<A_断面図>を開きます。

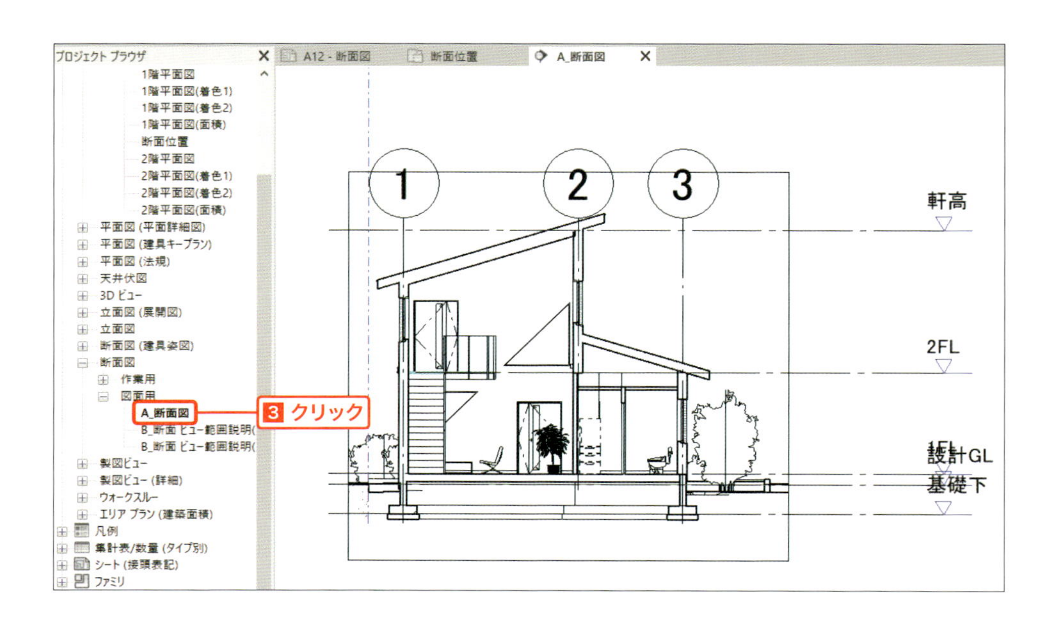

4 ［プロパティパレット］の［ビューテンプレート］の＜なし＞をクリックして、＜Hb_断面図＞ビューテンプレートを選択して＜OK＞をクリックすると図のようになります。このビューテンプレートには床や壁をグレーで塗り潰す表現が設定されていますが、必要に応じて表現を変えます。

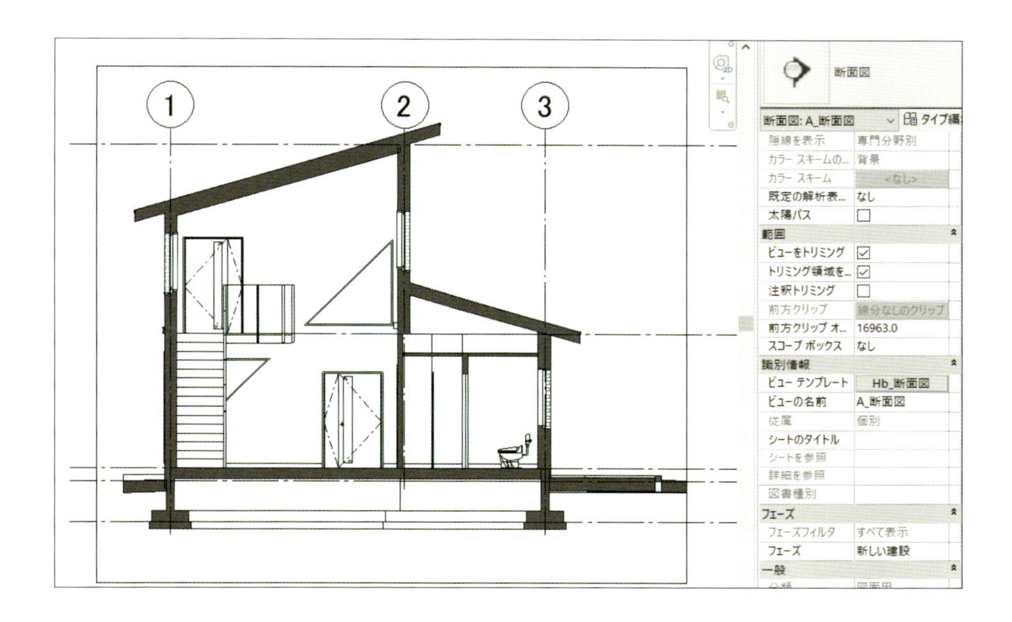

5 天井裏などを塗り潰したい場合には、＜注釈＞タブ→＜領域＞→＜塗潰領域＞で塗り潰します。室名は＜建築＞タブ→＜部屋タグ＞→＜部屋をタグ付け＞にて部屋をクリックして配置します。

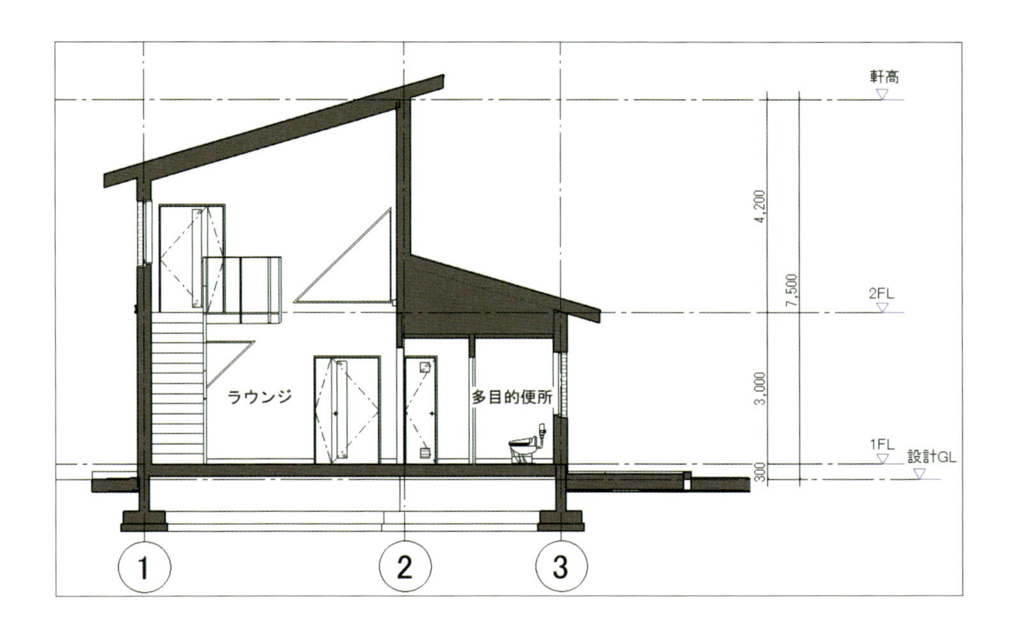

展開図を作成する

サンプルファイル「Hb10-06.rvt」を使用して、図のような展開図を作成します。

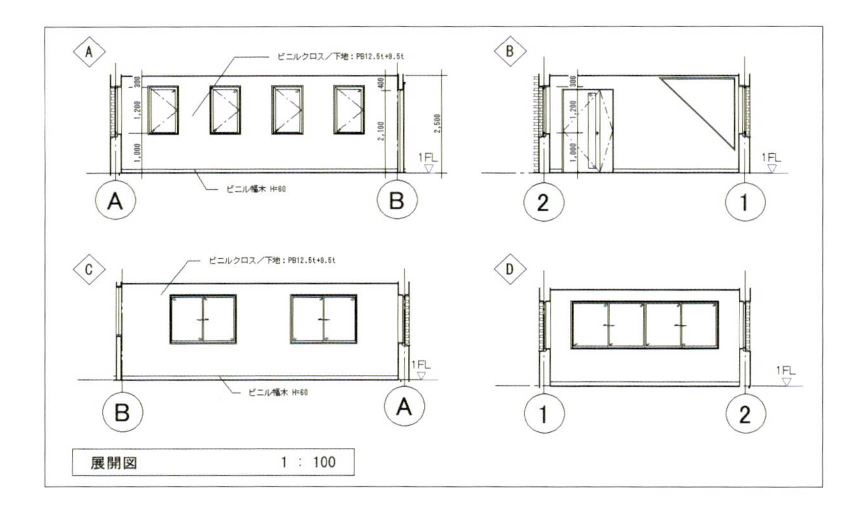

1 展開図のビューは<表示>タブ→<断面>でも作成できますが、断面位置の表示が煩雑になるので<立面図>を使用します。[プロジェクトブラウザ] →<ビュー>→<平面図>→<作業用>→<展開図位置>ビューを開きます。<表示>タブ→<立面図>をクリックして、ビュータイプを<立面図（展開図）>として、展開図を作成したい位置をクリックします。この時、近い壁がある方向に展開図が作成されます。

2 立面記号の円をクリックして、他の3面の□をクリックして展開図を作成します。立面の記号の△先端をそれぞれ選択して、図のように [ビューの名前] をそれぞれ「事務室（1）_A～D」、[ビューテンプレート] を「Hb_展開図」、[分類] を「図面用」とします。

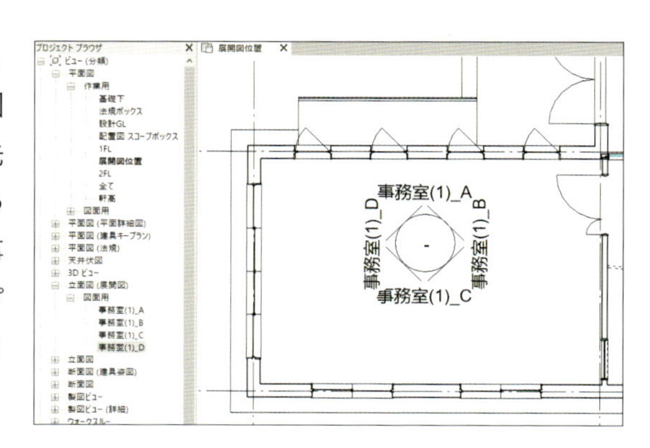

3 仕上を表記させるにはいくつか方法がありますが、ここでは部屋タグを使用します。<ファイル>→<新規作成>→<ファミリ>をクリックして、<注釈>フォルダーから「部屋タグ（メートル単位）.rft」を開きます。<作成>タブ→<ラベル>をクリックして、画面中央をクリックします。
[ラベルを編集] ダイアログボックスが開くので<パラメータを追加>をクリックして、<選択>をクリックします。サンプルファイル「Hb10-06.rvt」から始めている場合は、サンプルフォルダーの「Hb_共有パラメータ.txt」を開きます。サンプルファイル「Hb10-02.rvt」から続けている場合は、作成した「Hb_共有パラメータ.txt」を開きます。[共有パラメータ] ダイアログボックスで [パラメータグループ] <部屋>の中の<仕上表 仕上 壁>を選択して<OK>をクリックし、次の [パラメータプロパティ] ダイアログボックスでも<OK>をクリックします。

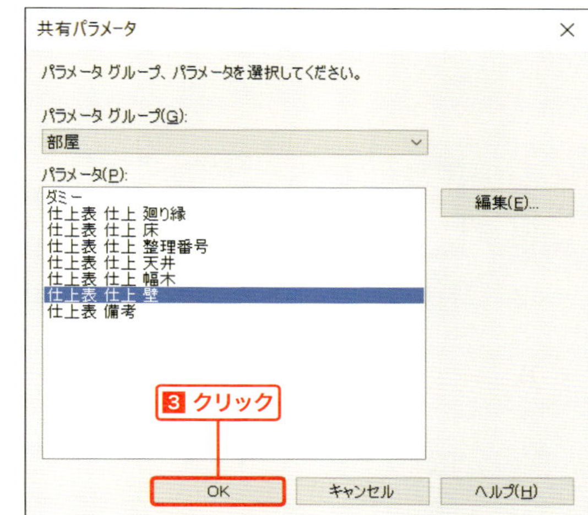

4 <仕上表 仕上 壁>を選択して<ラベルにパラメータを追加>をクリックし、<OK>をクリックします。ラベルの文字サイズを1.5mm、水平位置合わせを左にして、[名前を付けて保存] で名前を「Hb_部屋タグ_仕上_壁」とします。<プロジェクトにロード>をクリックします。

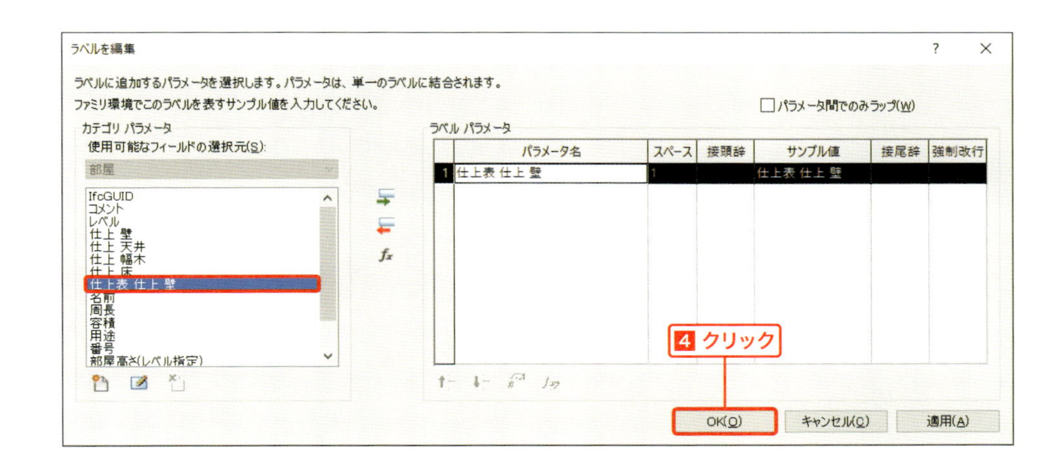

5 ［プロジェクトブラウザ］→<ビュー>→<図面用>→<事務室（1）_A>ビューを開き、展開図のトリミング領域を図のように広げます。<建築>タブ→<部屋タグ>→<部屋をタグ付け>をクリックして、［タイプセレクタ］から「Hb_部屋タグ_仕上_壁」を選択して、部屋をクリックします。［プロパティパレット］の［引出線］にチェックを付けて、タグの位置を調整します。同様の方法でBCD面の展開図も作成します。

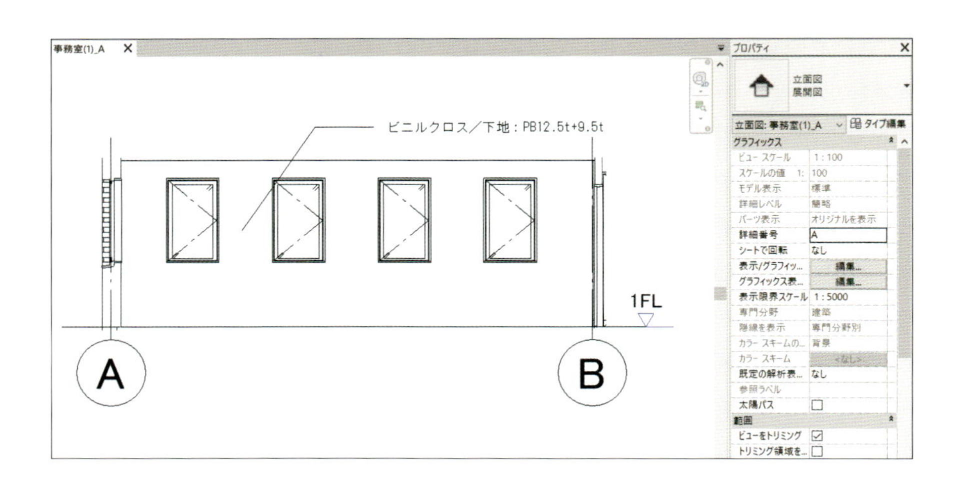

幅木と幕板を作成する

1 ［プロジェクトブラウザ］→<ビュー>→<立面図（展開図）>→<図面用>→<事務室（1）_A>ビューを開きます。<建築>タブ→<壁>→<壁 スイープ>をクリックします。

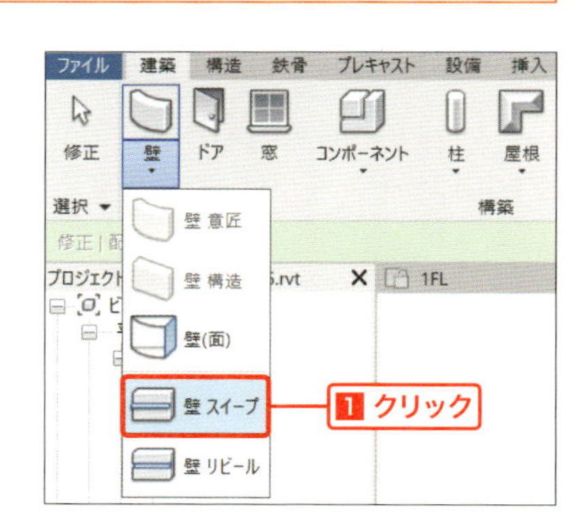

2 ［プロパティパレット］の［タイプセレクタ］から<壁の造作材 巾木>を選択します。

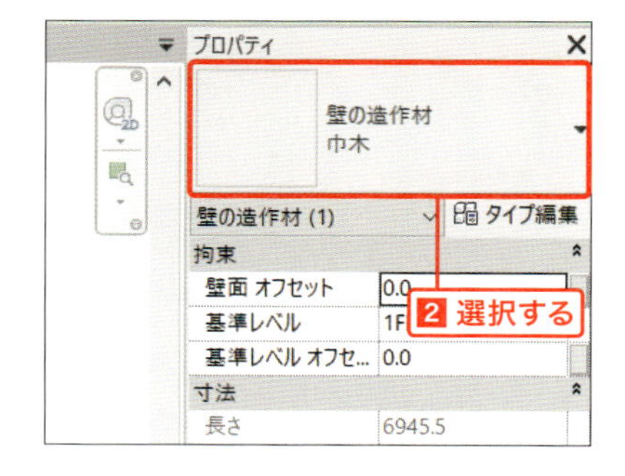

3 壁をクリックして巾木を配置します。同じ要領で他の３面と他の部屋にも巾木を配置します。

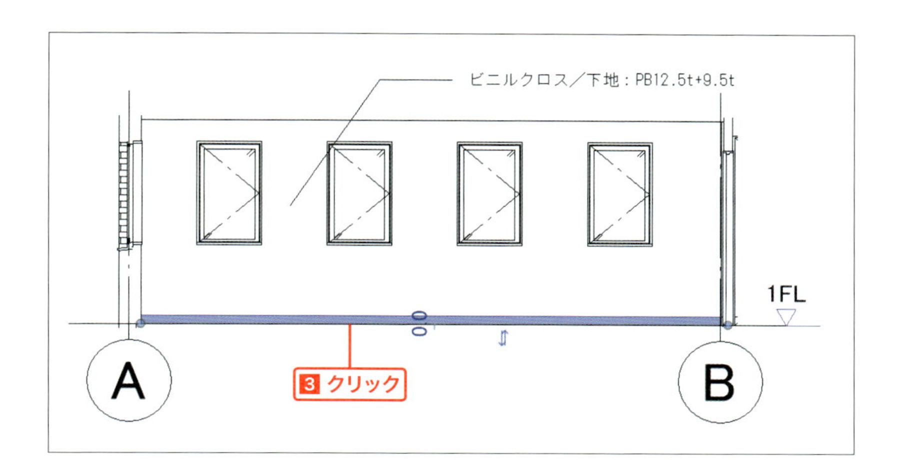

4 ［プロジェクトブラウザ］→＜ビュー＞→＜立面図＞→＜図面用＞→＜南立面図＞ビューを開きます。

5 ＜建築＞タブ→＜壁＞→＜壁 スイープ＞をクリックし、［プロパティパレット］の［タイププロパティ］から＜壁の造作材 幕板＞を選択します。

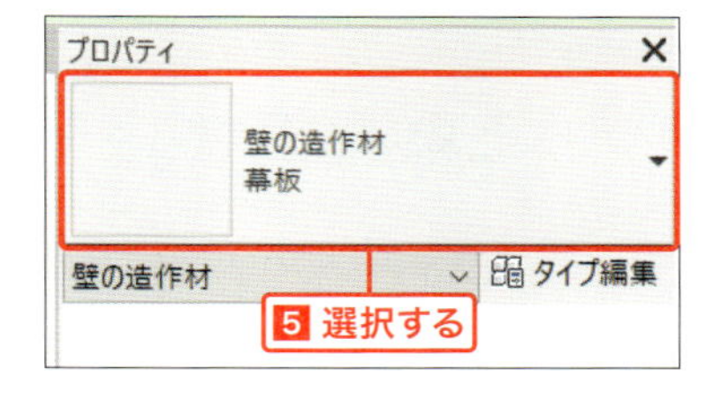

6 外壁をクリックして、幕板を配置します。同様の方法で各立面図ビューにて、「壁の造作材 幕板」を外壁に配置します。

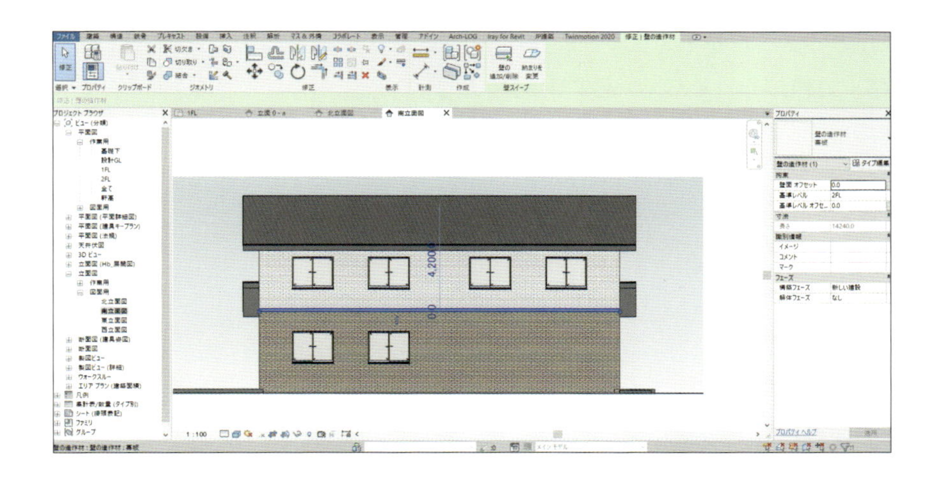

07 建具キープランを作成する

サンプルファイル「Hb10-07.rvt」を使用し、図のような建具キープランを作成します。

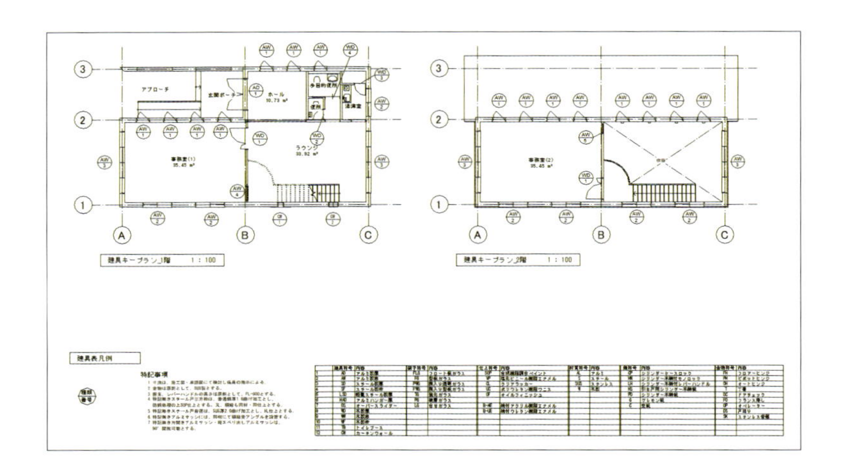

1 「建具 種類」と「建具 番号」という共有パラメータを作成します。＜管理＞タブ→＜プロジェクトパラメータ＞→＜追加＞をクリックして、［共有パラメータ］にチェックを付け、＜選択＞をクリックして［共有パラメータ］ダイアログボックスで＜編集＞をクリックします。［共有パラメータ］ダイアログボックスで［建具］グループを作成して、「建具 種類」パラメータを［パラメータ タイプ］を「文字」で作成し、＜OK＞をクリックします。次の画面及び更に次の画面で、作成した「建具 種類」パラメータを選択して＜OK＞をクリックします。

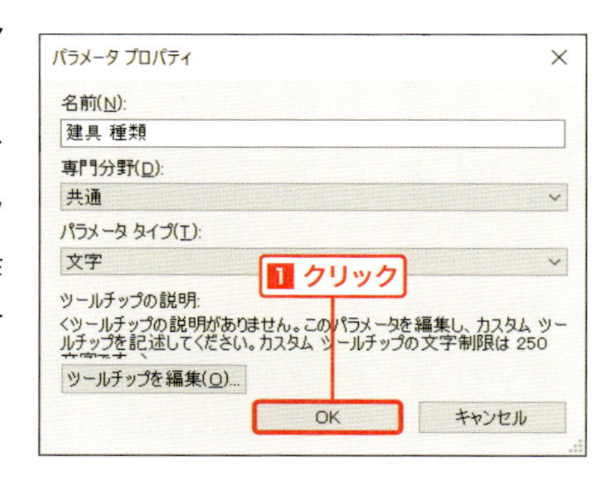

2 ［タイプ］にチェックを付け、［カテゴリ］は「ドア」と「壁」と「窓」にチェックを付け、＜OK＞をクリックします。同様の方法で「建具 番号」という共有パラメータを作成します。

3 ＜ファイル＞→＜新規作成＞→＜ファミリ＞をクリックします。「注釈」フォルダーから「ドアタグ（メートル単位）.rft」を開きます。＜作成＞タブ→＜線＞で半径4mmの円と水平の直径線を作成します。＜作成＞タブ→＜ラベル＞をクリックして、画面中央をクリックします。＜パラメータを追加＞をクリックして、先ほど作成した「建具 種類」共有パラメータを選択し、＜ラベルにパラメータを追加＞をクリックします。[サンプル値]を「AD」とし、＜OK＞をクリックします。ラベルの文字サイズは2mmにします。

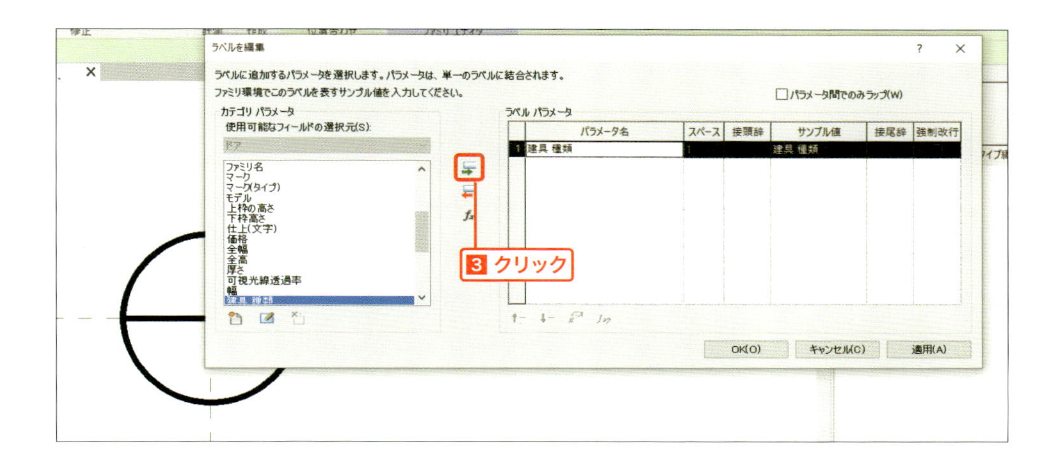

4 同様の方法で「建具 番号」共有パラメータを使ってラベルを配置します。

5 「Hb_ドアタグ」という名前で保存し、＜プロジェクトにロード＞をクリックします。[プロジェクトブラウザ]→＜ビュー＞→＜平面図（建具キープラン）＞→＜図面用＞→＜建具キープラン1階＞を開きます。＜注釈＞タブ→＜タグカテゴリ別＞をクリックして、「Hb_ドアタグ」をドアに配置します。ドアを選択して＜タイプ編集＞をクリックして、[タイププロパティ]ダイアログボックスの中の[建具 種類][建具 番号]に種類と番号を入力します。同様に他のドアにドアタグを配置します。さらに窓タグを作成し、窓にも配置します。

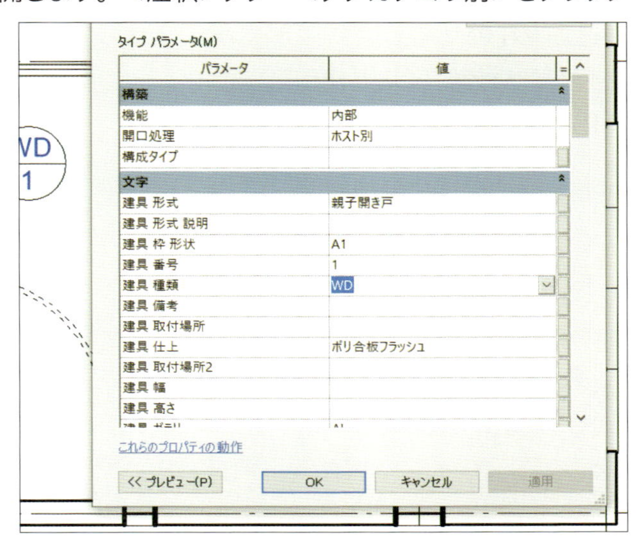

08 建具表を作成する

サンプルファイル「Hb10-08.rvt」を使用し、図のような建具表を作成します。

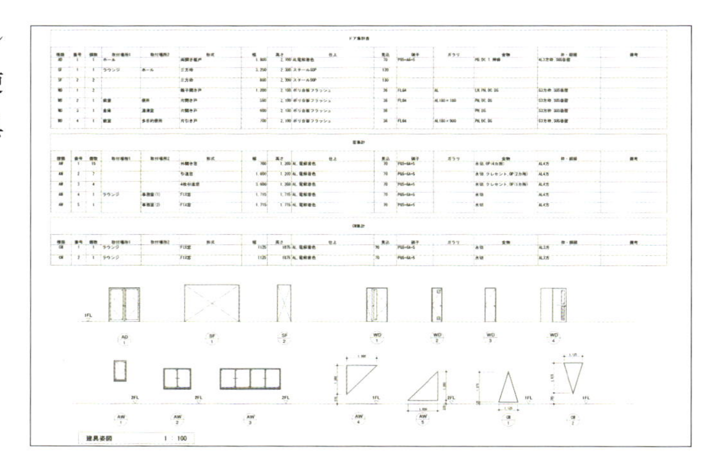

1 建具の情報として必要な項目を、前節の方法で共有パラメータとして作成しておきます。<表示>タブ→<集計>→<集計表/数量>をクリックして、カテゴリ<ドア>を選択して<OK>をクリックします。[使用可能なフィールド] から右図の項目を選択し、<パラメータを追加>をクリックします。[部屋から:名前] と [部屋へ:名前] は、「使用可能なフィールドを選択」から選択します。

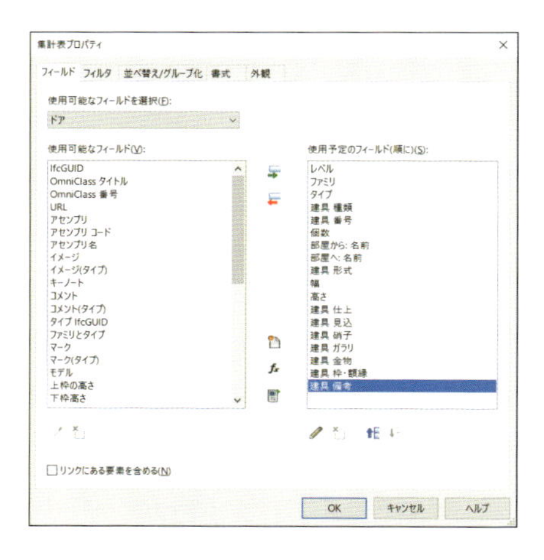

2 各建具に情報を入力します。

A16 - 建具表 | ドア集計表

<ドア集計表>

A	B	C	D	E	F	G	H	I	J	K	L	M	N	O
	種類	番号	個数	取付場所1	取付場所2	形式	幅	高さ	仕上	見込	硝子	ガラリ	金物	枠・額縁
·	AD	1	1	ホール		両開き框戸	1,800	2,100	AL電解着色	70	PG5+A6+5		PD,DC,T,押棒	AL3方枠,SUS沓摺
·	SF	1	1	ラウンジ	ホール	三方枠	3,250	2,300	スチールSOP	130				
·	SF	2	2			三方枠	800	2,300	スチールSOP	130				
·	WD	1	2			親子開き戸	1,200	2,100	ポリ合板フラッシュ	36	FLG4	AL	LH,PH,DC,DS	S3方枠,SUS沓摺
·	WD	2	1	前室	便所	片開き戸	550	2,100	ポリ合板フラッシュ	36	FLG4	AL180×180	PH,DC,DS	S3方枠,SUS沓摺
·	WD	3	1	倉庫	湯沸室	片開き戸	600	2,100	ポリ合板フラッシュ	36			PH,DS	S3方枠,SUS沓摺
·	WD	4	1	前室	多目的便所	片引き戸	700	2,100	ポリ合板フラッシュ	36	FLG4	AL180×900	PH,DC,DS	S3方枠,SUS沓摺

3 建具姿図の作成に凡例を使う方法もありますが、ここではAutodesk社提供のアドインソフト「Revit Extension for Architecture Japan 2021」を使用する方法を紹介します。右上の<Autodesk App Store>をクリックし、「Revit Extension for Architecture Japan 2021」を検索してインストールします。

4 <JP建築>→<建具>→<建具姿図作成・更新>をクリックし、次の［建具姿図作成］ダイアログボックスで<OK>をクリックします。

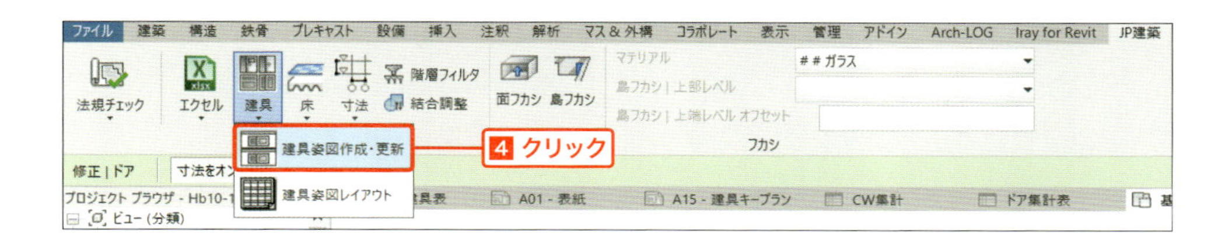

5 ［プロジェクトブラウザ］→<ビュー>→<断面図（建具姿図）>に各ドアと窓の姿図ビューが作成されていますので、必要に応じて寸法を書き込んだり、タグを付けたりしてシートに配置します。

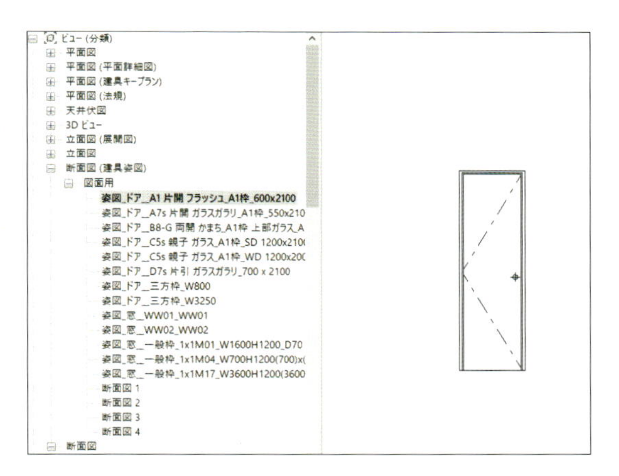

memo

仕上表や建具表などの集計表の入力は、<JP建築>→<エクセル>→<集計表エクスポート>でExcelに出力し、Excelでデータを入力して、それを<JP建築>→<エクセル>→<インポート>でRevitにインポートする方法が便利です。

配置図を作成する

配置図の作成に入るために舗装を作成します。サンプルファイル「Hb10-09.rvt」を使用します。

1 ［プロジェクトブラウザ］→＜ビュー＞→＜平面図＞→＜図面用＞→＜配置図＞ビューを開きます。＜建築＞タブ→＜床＞→＜床 意匠＞をクリックし、［プロパティパレット］の［タイプセレクタ］から＜床 Hb_コンクリート舗装＞を選択します。［描画］の＜線＞または＜選択＞をクリックして、舗装の境界線を作成します。

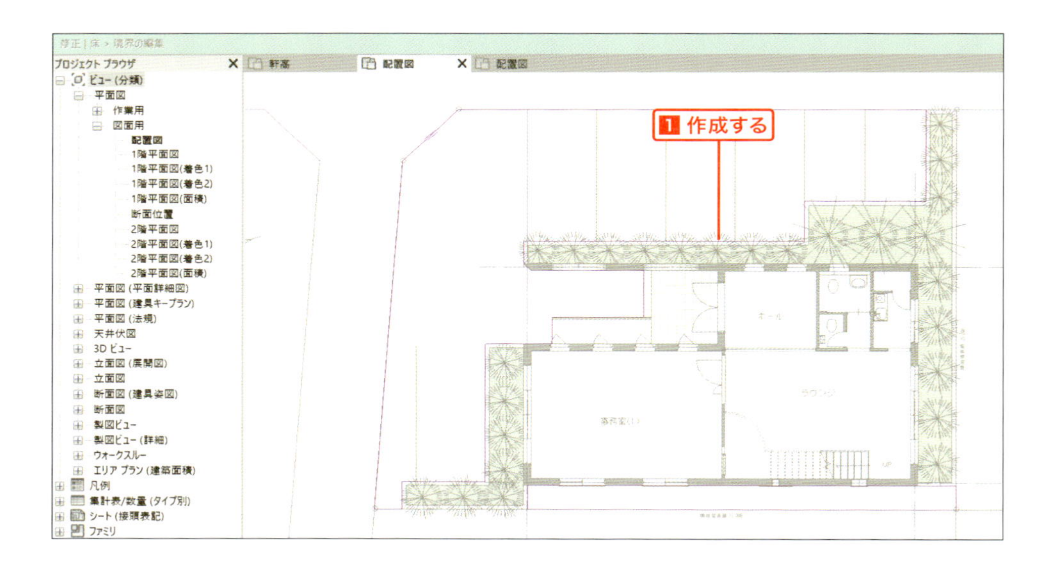

2 ＜編集モードを終了＞をクリックし、＜サブ要素を修正＞をクリックします。舗装の境界のポイントを選択し、設計GLからの高さを入力します（図の部分は「35」と入力しています）。ポイントが選択しにくいときは、ドラッグで範囲選択します。

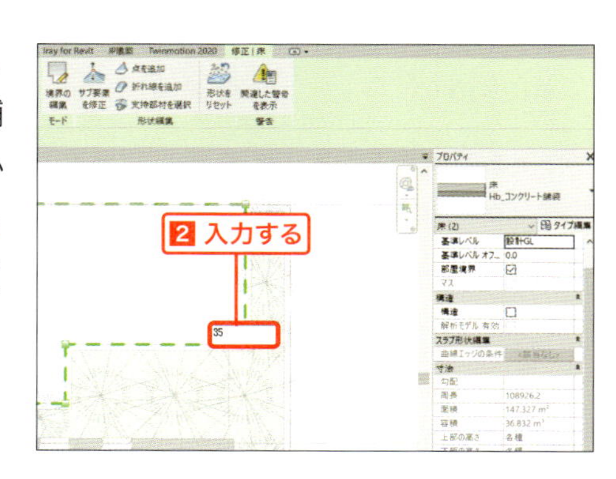

3 すべて入力したら、＜修正＞をクリックします。

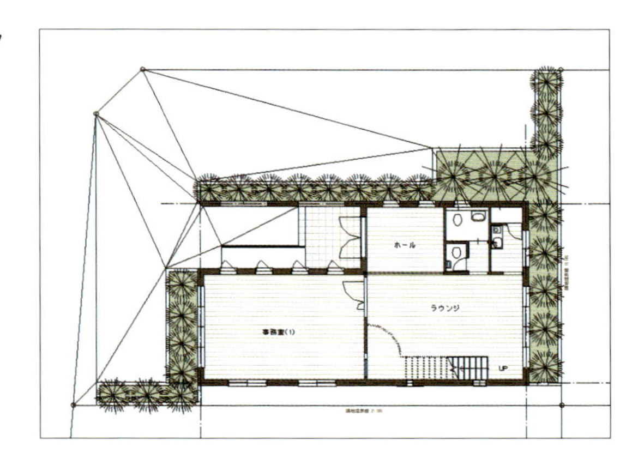

4 稜線を非表示にします。［プロパティパレット］の［表示/グラフィックスの上書き］の＜編集＞をクリックし、［表示/グラフィックスの上書き］ダイアログボックスの床カテゴリを開き、［内部エッジ］のチェックを外します。

5 駐車スペースを舗装の上に配置できるファミリにします。［プロジェクトブラウザ］→＜ファミリ＞→＜駐車場＞→＜Hb_駐車スペース＞の上で右クリックして、＜編集＞をクリックし、「Hb_駐車スペース」ファミリの編集モードに入ります。［プロパティパレット］の［常に垂直］のチェックを外し、［作業面ベース］にチェックを付け、＜プロジェクトにロード＞をクリックします。

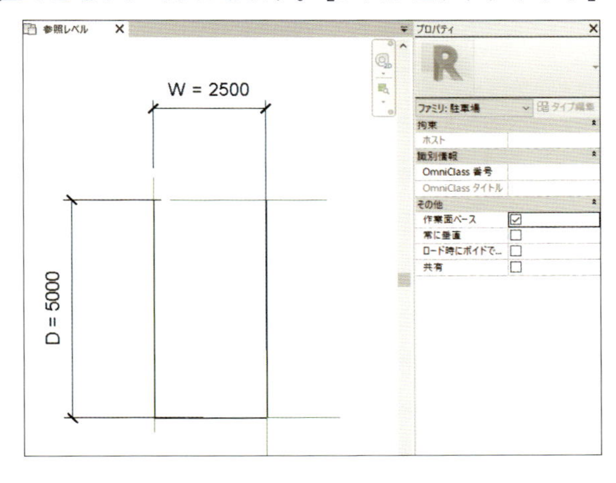

6 ＜表示スタイル＞を＜ワイヤフレーム＞に変更し、「駐車スペースファミリ」を選択します。［作業面］→＜新規選択＞をクリックし、［配置］→＜面＞をクリックします。次に配置したい面「Hb_コンクリート舗装」をクリックします。レイアウトを整えて舗装の完成です。

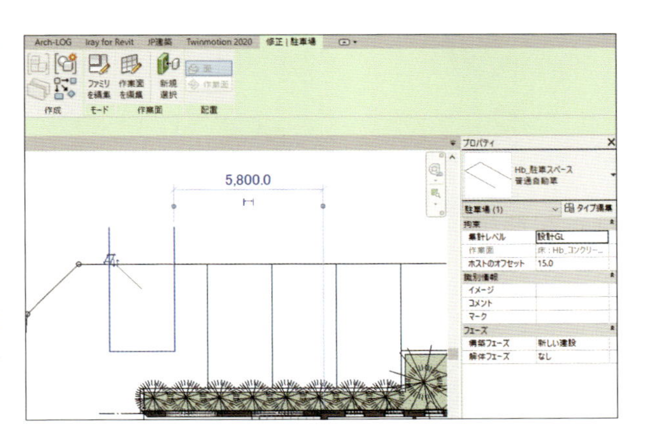

敷地周辺の道路や建物、公園を作成する

1 ［プロジェクトブラウザ］→<ビュー>→<平面図>→<図面用>→<配置図＋周辺>ビューを開きます。［プロパティパレット］の［向き］を<真北>にします。<挿入>タブ→<イメージを読み込み>をクリックし、「附近見取図.bmp」を開きます。

2 <注釈>タブ→<詳細線分>で、長さ50mの線分を画像の起点に合わせて作成します。

3 画像を選択し、<修正>タブ→<スケール>をクリックし、A：50左端の起点、B：画像の50m右端、C：線分の右端の順にクリックして、画像のスケールを合わせます。［プロパティパレット］の［向き］を<プロジェクトの北>に戻します。

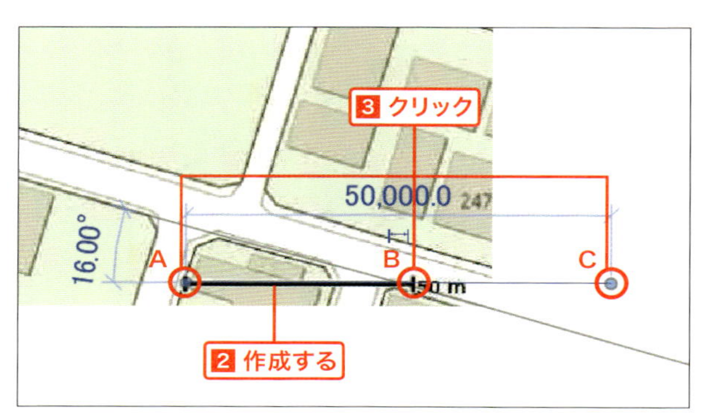

4 ＜建築＞タブ→＜コンポーネント＞→＜インプレイスを作成＞をクリックして、[カテゴリ] は「外構」を選択し、[名前] は「周辺道路：線」とします。＜作成＞→＜モデル線分＞をクリックして、＜線＞にて画像を下敷きにして道路の線を作成します (図では多少デフォルメしています)。[インプレイスエディタ] の＜モデルを終了＞をクリックします。

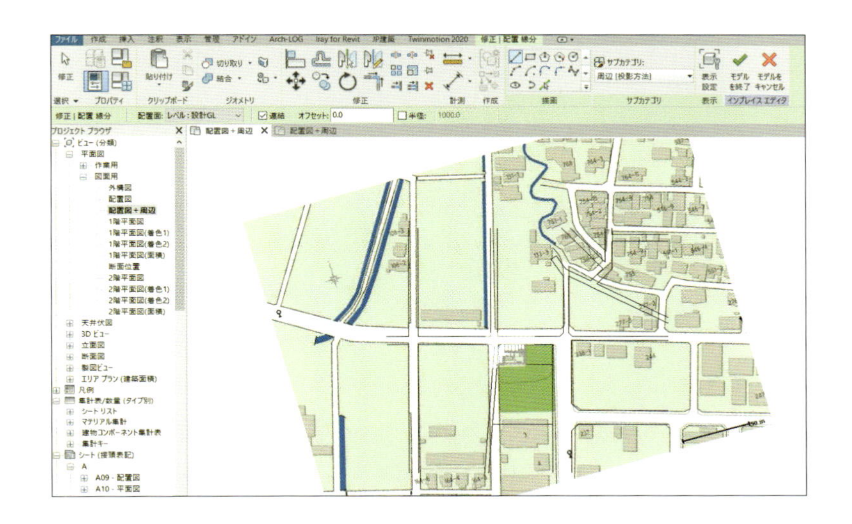

5 ＜建築＞タブ→＜コンポーネント＞→＜インプレイスを作成＞をクリックして、[カテゴリ] は「外構」を選択し、[名前] は「周辺道路：面」とします。
＜作成＞タブ→＜押し出し＞をクリックして、先ほど作成した線を下敷きにして道路を面として作成します。道路を床で作成する方法もありますが、カテゴリを外構とした方が扱いやすいです。＜編集モードを終了＞をクリックし、[インプレイスエディタ] の＜モデルを終了＞をクリックします。

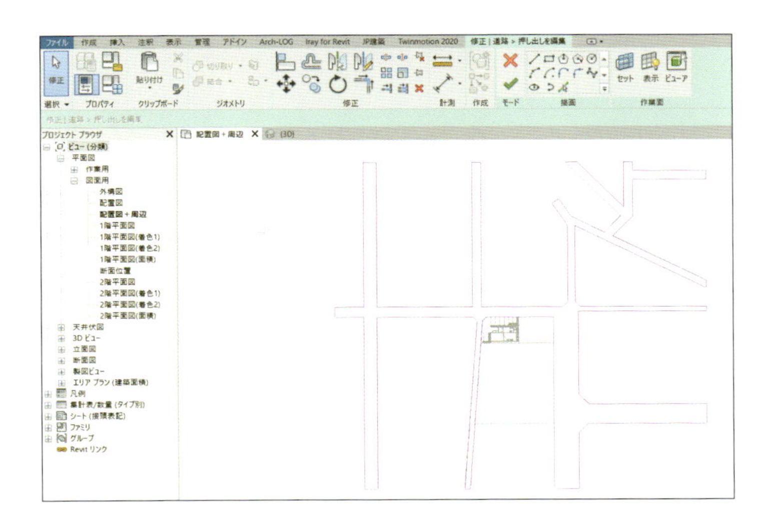

6 公園の地形は＜マス&外構＞タブ→＜地形＞を使用します。［ツール］→＜点を配置＞で高さを適宜入力して、クリックしていくと地形ができます。

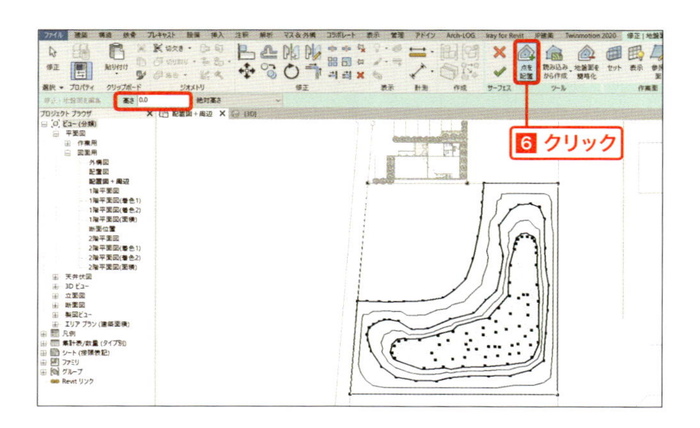

memo

周辺のデータが重くて本体のファイルと分けたい場合や、周辺を別の人が作業したい時などは周辺を別のRevitファイルで作成し、＜挿入＞→＜Revitリンク＞で合体させる方法があります。

配置図を作成する

1 ［プロジェクトブラウザ］→＜ビュー＞→＜平面図＞→＜図面用＞→＜配置図＞ビューを開きます。

2 ＜注釈＞タブ→＜平行寸法＞を使って道路の幅に寸法を入れます。その寸法を選択して数値部分をクリックし、［接頭辞］に「前面道路幅員」と入力します。

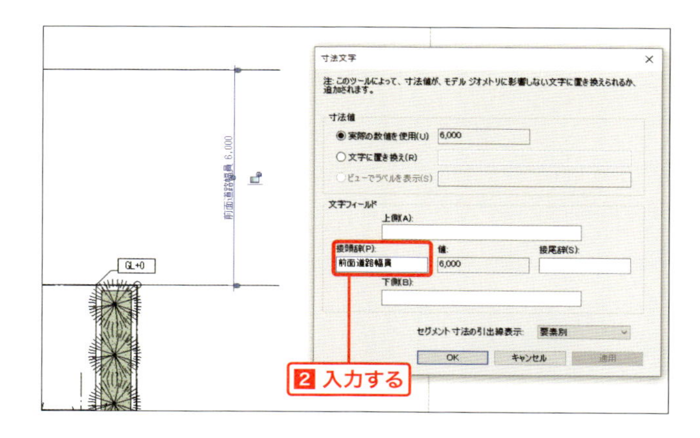

3 ＜注釈＞タブ→＜タグカテゴリ別＞をクリックして、敷地境界線上に「Hb_敷地境界タグ」を配置します。

4 配置したタグを選択して、タイプを「道路長さ」に変更します。

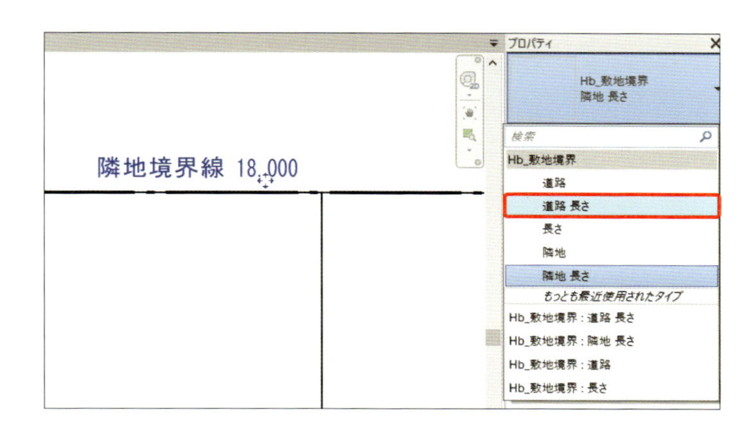

5 ＜注釈＞タブ→＜指定点高さ＞をクリックして、「外構高さ」タイプを使って計画高さを配置していきます。

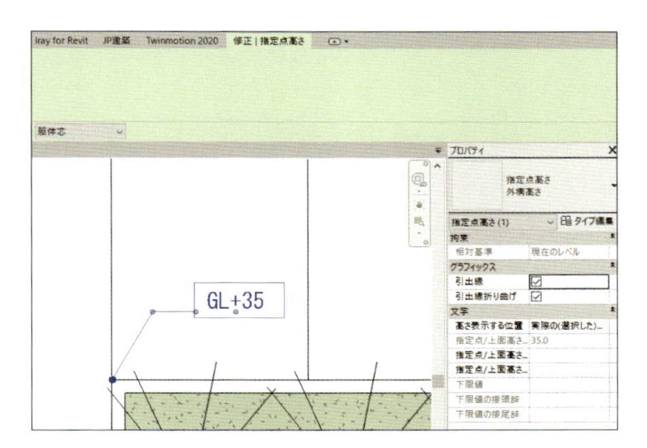

6 ＜注釈＞タブ→＜キーノート＞→＜要素キーノート＞をクリックして、「Hb_キーノートタグ 番号+□」を外構の仕上部分に配置します。

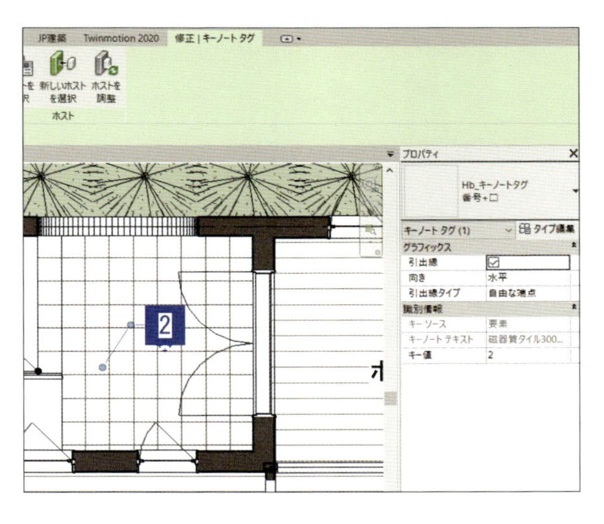

10 法規チェック図を作成する

サンプルファイル「Hb10-10.rvt」を使用し、図のような道路斜線と隣地斜線チェック用のモデルを作成します。

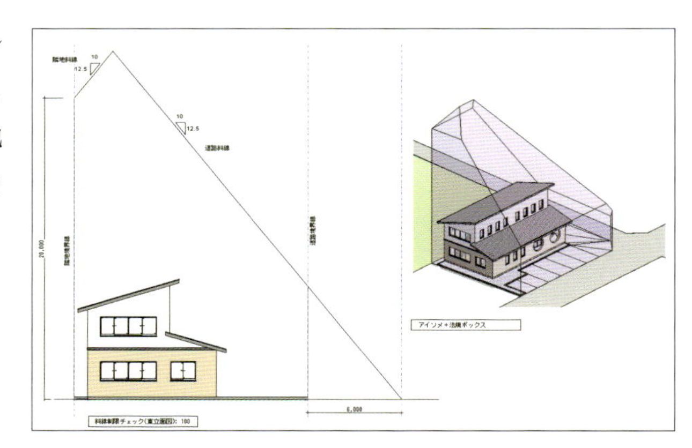

1 設計GLビューにて［表示/グラフィックスの上書き］にてマスの表示にチェックを付け、道路境界線と敷地境界線上に参照面を作成します。
＜マス&外構＞→＜インプレイスマス＞をクリックして、名前を「法規ボックス」とし、敷地境界線上に［描画］の＜線＞にて敷地一周の線を作成し、その線を選択した状態で＜フォームを作成＞→＜ソリッド作成＞をクリックします。サブカテゴリは＜法規ボックス＞投影方法とします。

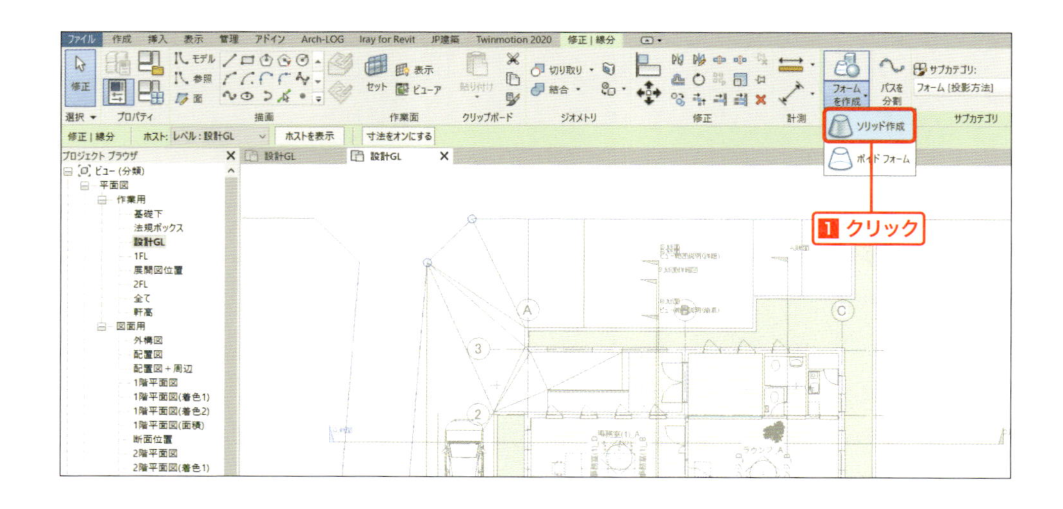

2 3Dビューを開き、作成したボックスの高さを「50,000」mmとします。マスを終了します。

3 ［プロジェクトブラウザ］→＜ビュー＞→＜立面図＞→＜作業用＞→＜東＞ビューを開きます。［表示/グラフィックスの上書き］で［マス］にチェックを付けます。［描画］の＜線＞にて切り取る部分を作成し、作業面は［名前］の＜通芯：A＞とします。線を選択し＜フォームを作成＞→＜ボイドフォーム＞をクリックして、道路斜線の勾配を作成します。

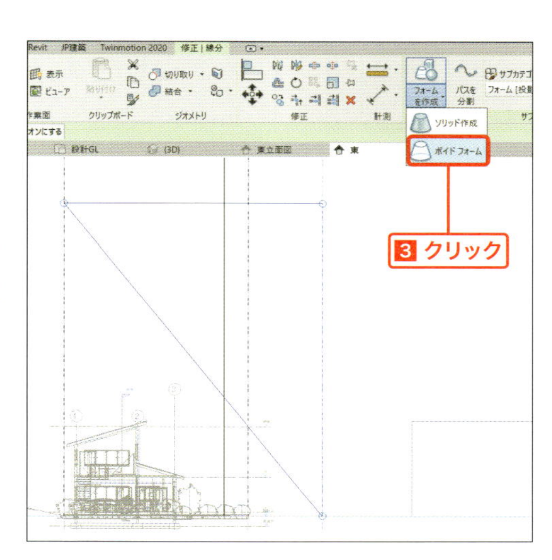

4 3Dビューを表示して図の面を選択します。

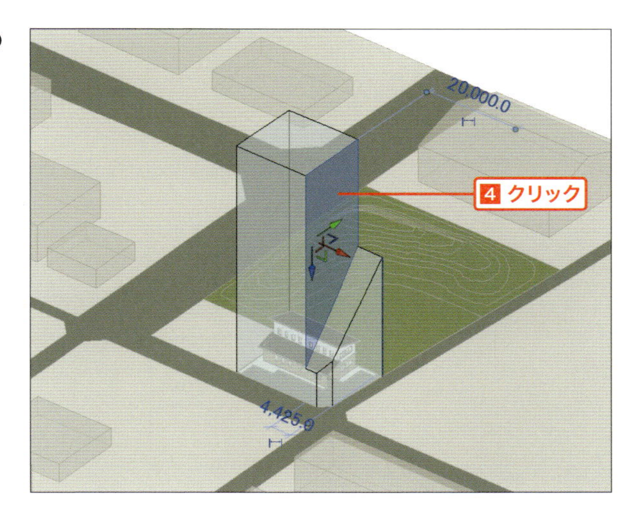

5 赤矢印をドラッグで端まで移動させ切り取ります。同様の方法で、西側道路の道路斜線を作成します。東側および南側の隣地斜線をボイドにて作成すると法規ボックスが完成します。作成された法規ボックスの色は＜管理＞→＜オブジェクトスタイル＞→＜マス＞→＜法規ボックス＞のマテリアル欄にて調整します。

6 延焼ラインや防火区画は詳細線分で作成します。防火戸の符号はドアタグを使用します。法規チェックは＜JP建築＞→＜法規チェック＞→＜採光チェック＞、＜排煙チェック＞、＜換気チェック＞を使うとよいでしょう。日影や天空率の計算は生活産業研究所株式会社の「ADS-BT for Revit」などが提供しています。

11 詳細図を作成する

サンプルファイル「Hb10-11.rvt」を使用し、詳細図を作成します。

1 ［プロジェクトブラウザ］→＜ビュー＞→＜平面図＞→＜図面用＞→＜1階平面図＞ビューを［詳細を含めて複製］し、ビューの名前を「1階平面詳細図」とします。［プロパティパレット］からビューテンプレートを＜なし＞に選択し、スケールを「1:50」、詳細レベルを「詳細」とします。床の仕上は展開図のときの壁の仕上と同じ方法で部屋タグを使用して表記します。

2 図のように断熱材の範囲が途中で止まる場合など、壁のレイヤ構成が変わるときには、躯体の壁と仕上の壁を別に作成します。

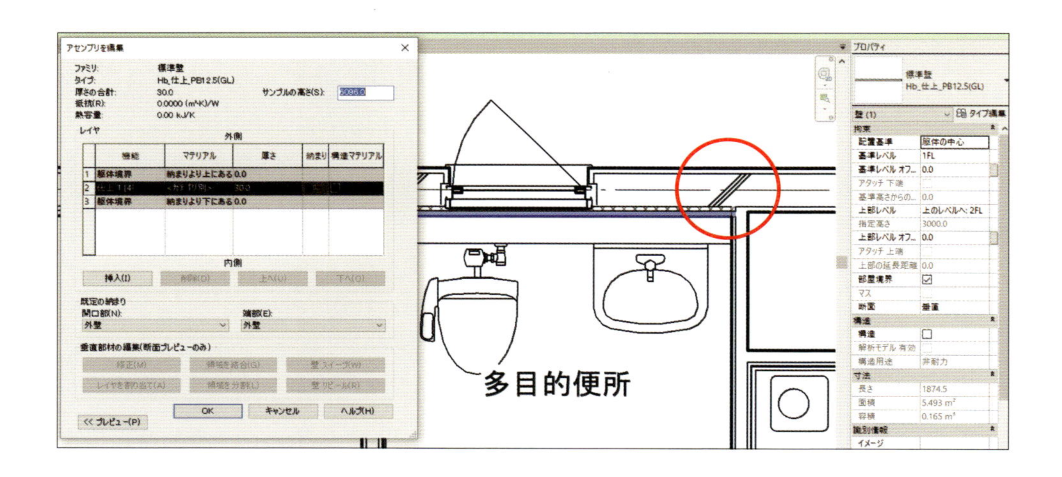

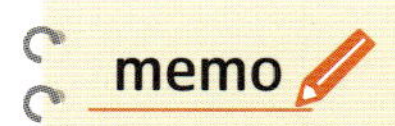

memo

外壁の構成として、外壁材・躯体・断熱材・LGS・ボードなどがありますが、これらすべてをべつべつの壁で作るのは非効率的なので、一般的には（外壁材＋躯体）／（断熱材）／（LGS＋ボード）の3つの壁で作成することが多いようです。

3 仕上の壁が建具部分で穴が開かないときは、ファミリの作成方法によって異なりますが、次のような方法で穴を開けます。

A：<修正>タブ→<結合>→<ジオメトリを結合>で躯体壁と仕上壁を結合させる。

B：図のようにファミリのオフセット値を変える。

C：ファミリの中にボイドを仕込む。

D：仕上壁を壁開口部で開ける。

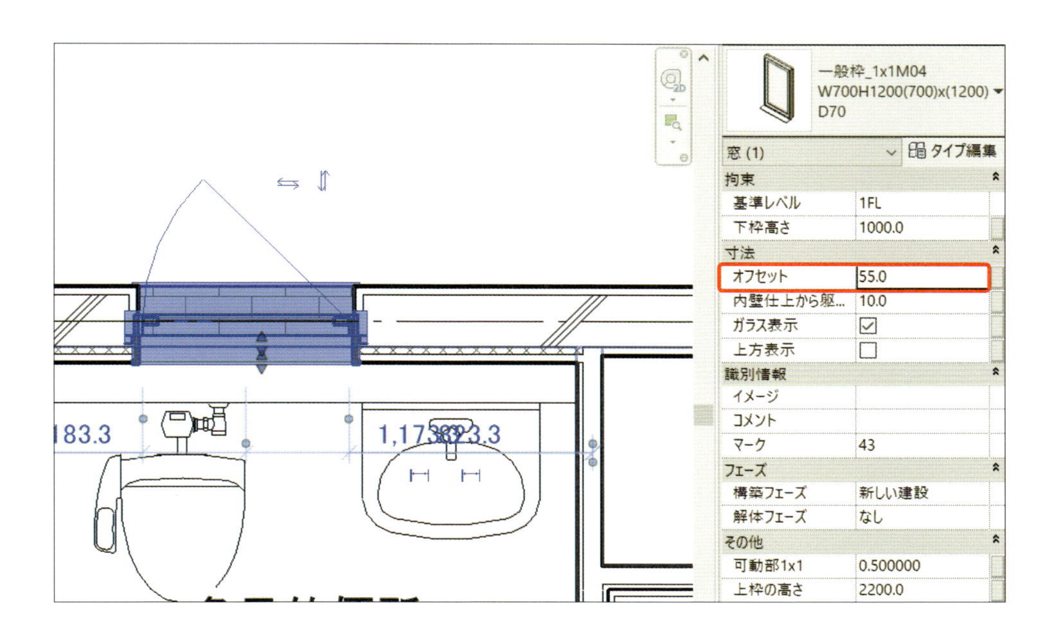

4 断面詳細図は<塗潰領域>や<詳細線分>、<詳細コンポーネント>などを使って表現を追加し、<平行寸法>や<キーノートタグ>などを使って書き込みをします。

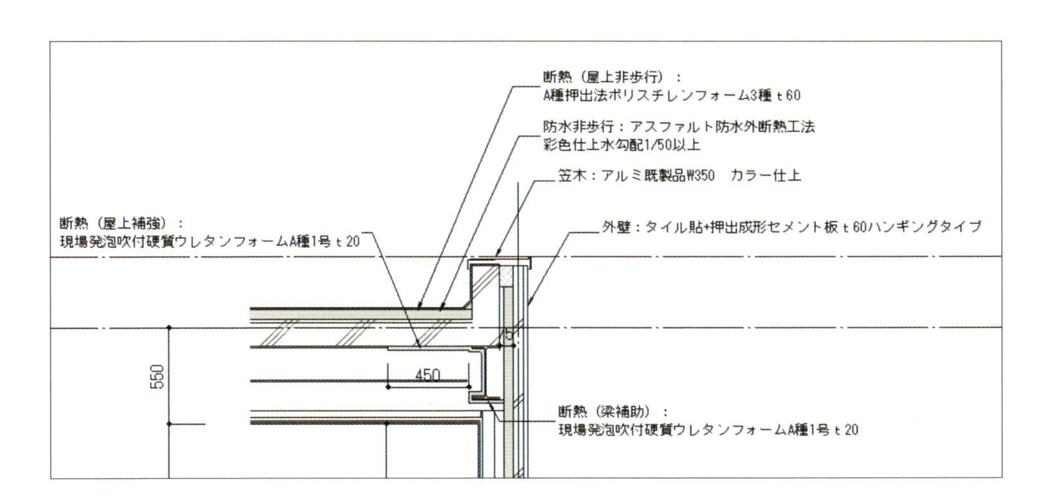

5 部分詳細図は製図ビューを使うとよいでしょう。

12 表紙、図面リスト、設計概要書、特記仕様書を作成する

1 表紙は図面枠を作成するのと同じ要領で、図面枠用のファミリテンプレートを使い、プロジェクト名などのパラメータをラベルで配置します。

2 図面リストは、<表示>タブ→<集計>→<シート一覧>でリストを作成後、図のようにフィルタを使って意匠と構造などを分けます。

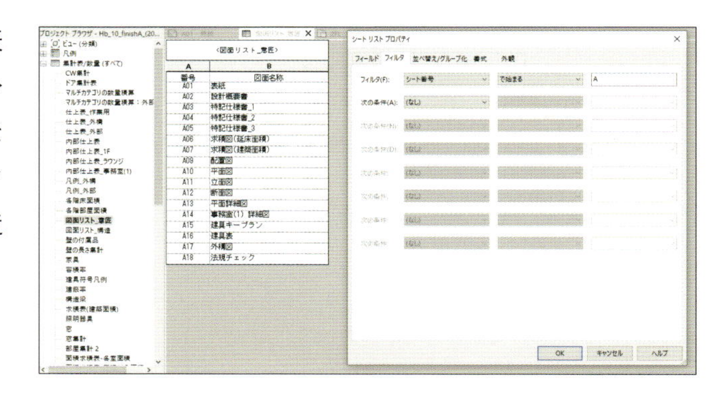

3 作成した表紙ファミリと図面リストなどをシートに貼り付けて表紙を完成させます。図面リストに空欄が必要な場合は、シート上にて詳細線分で線を引きます。

4 設計概要書は製図ビューを使う方法もありますが、プロジェクト名などのパラメータを使いたいときには、図面枠のファミリにラベルや文字で作成します。2D CADで既にデータがある場合には、2D CADを読み込んで作成することもできます。
作成した設計概要書用の図面枠をシートに取り込み、附近見取図などを配置して設計概要書を完成させます。

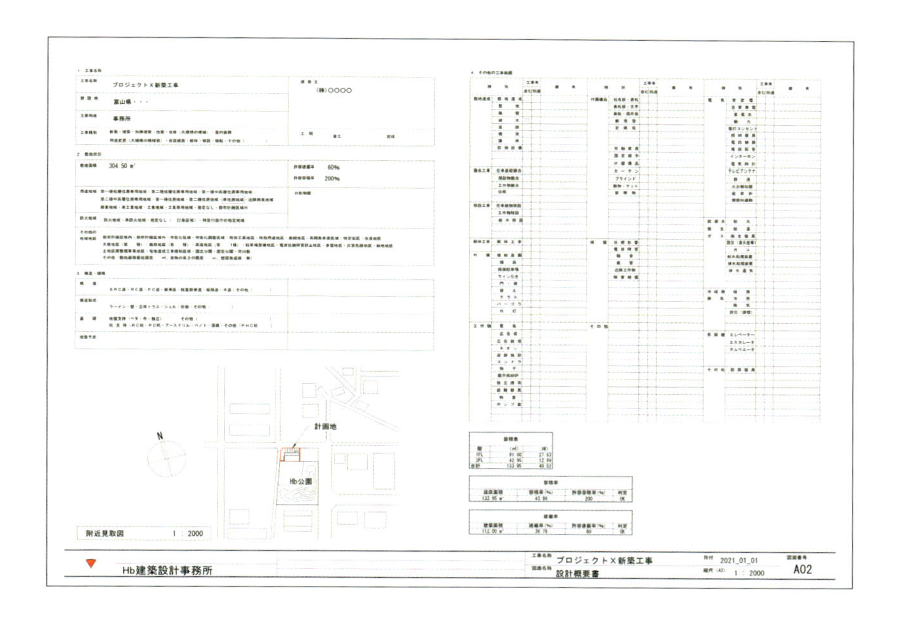

5 特記仕様書は製図ビューを使うとよいでしょう。

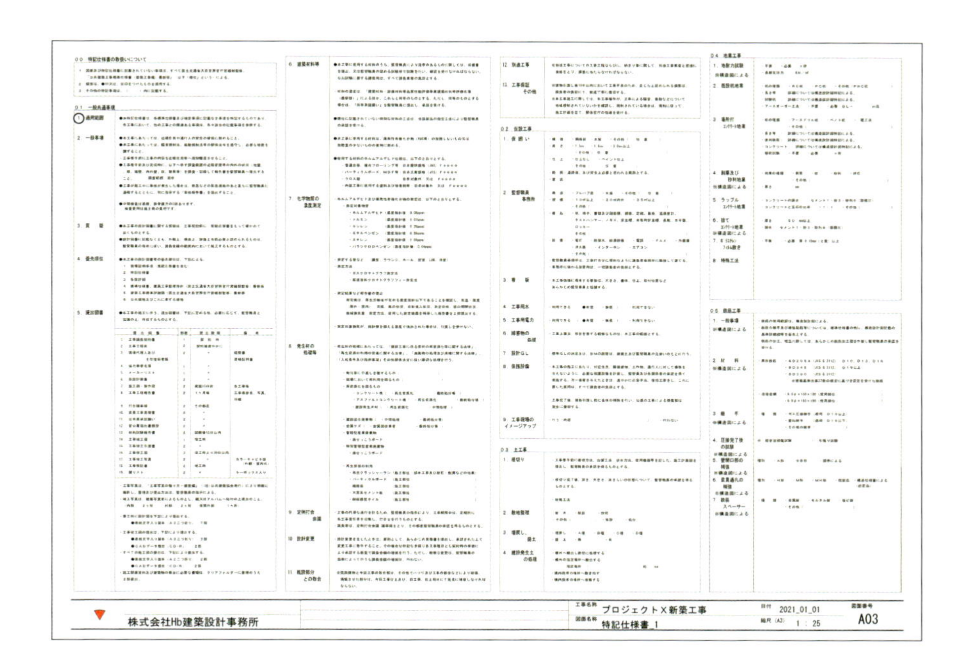

●Revitリンクファイルを制御する

Revitファイルをリンクで挿入したときに、リンクファイルを各ビューでどのように、見せるか。ホスト（親）ファイルの設定かリンク（子）ファイルの設定か。

これを各ビューの［表示/グラフィックスの上書き］の中の＜Revitリンク＞タブの［表示設定］にて制御でき、［ホストビュー別］・［リンクビュー別］・［カスタム］の選択肢があります。

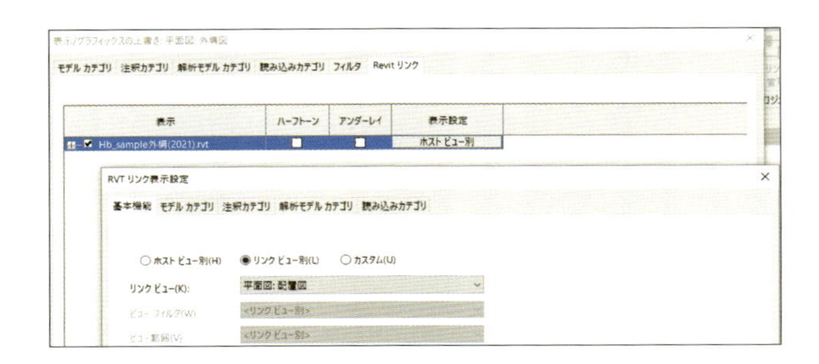

この詳細は下図の通りです。

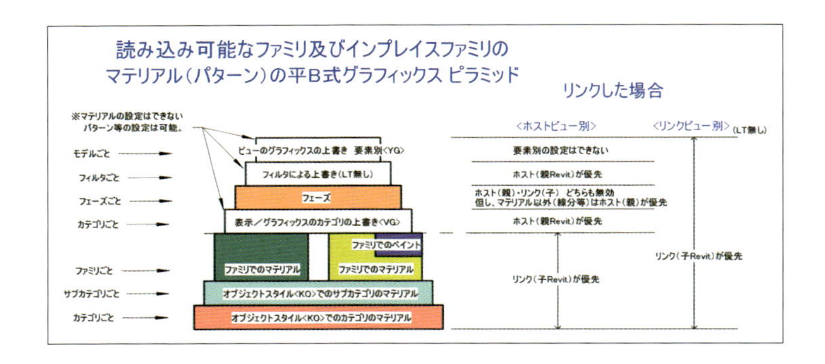

リンク（子）ファイルが更にリンク（孫）ファイルを持っていた場合にその孫ファイルをロードするかしないかという設定ができます。

＜管理＞タブ→＜リンク管理＞→＜Revit＞タブの［参照タイプ］にて、［オーバーレイ］（ロードしない）か［アタッチ］（ロードする）を選ぶことができます。

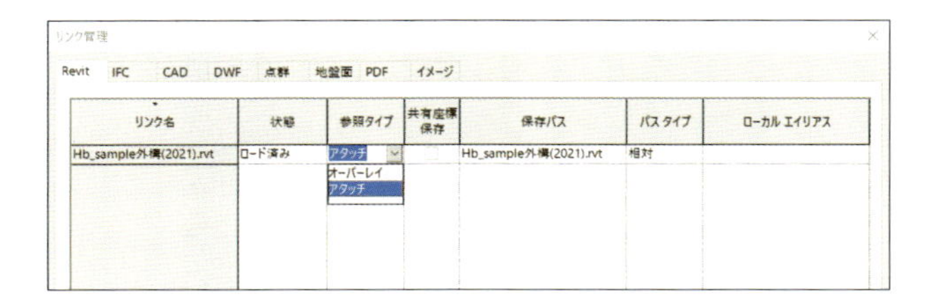

付録

付録

01 グループ

サンプルファイル「Hb11-01.rvt」を使用します。このサンプル物件は2階建てですが、高層ビルで基準階がある場合などはグループ機能を使うと便利です。

1 ＜1階平面詳細図＞ビューを開いて、全て選択して、＜フィルタ＞でドア、壁、床、窓、部屋、部屋タグにチェックを付けて＜OK＞をクリックします。

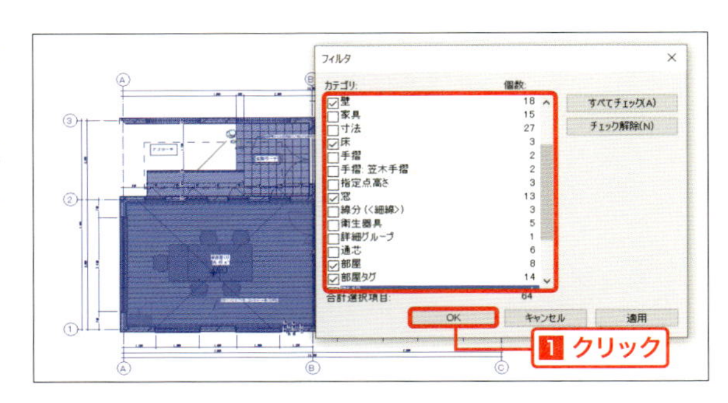

2 ＜グループを作成＞をクリックすると、図のようにモデルと詳細が混じっている場合にはそれぞれがグループになり、詳細グループがモデルグループにアタッチされます。＜OK＞をクリックします。

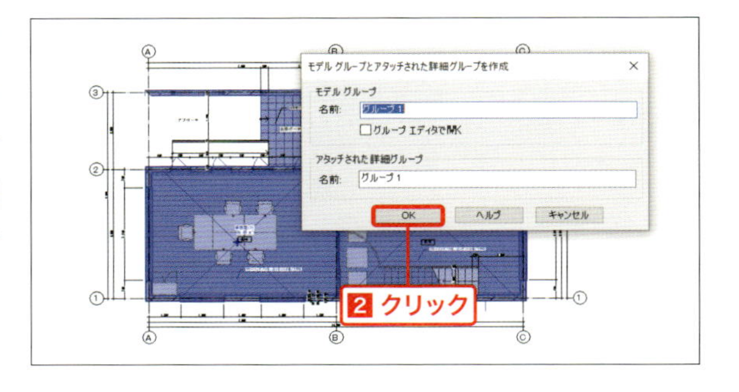

3 作成されたモデルグループを選択して、＜コピー＞コマンドを使って右横にコピーすると詳細グループは表示されません。コピーされたモデルグループを選択して＜アタッチされた詳細グループ＞をクリックし、アタッチされた詳細グループの[平面図：グループ1]にチェックを付けて＜OK＞をクリックすると詳細グループが表示されます。

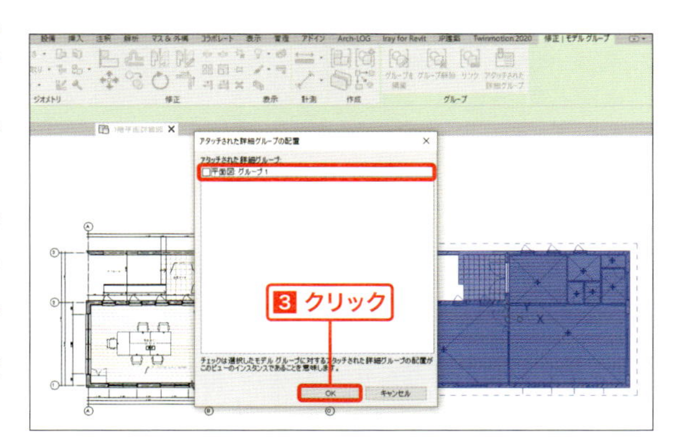

4 コピーされたモデルグループをダブルクリックして編集モードに入り、玄関ドアを削除し、<終了>をクリックします。

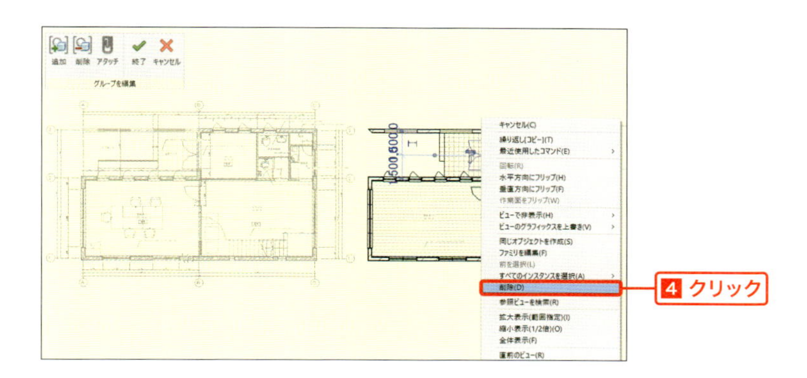

5 今度はグループに入らずに Tab キーを押して事務室のドアを選択して、右クリックメニューから<除外>をクリックします。

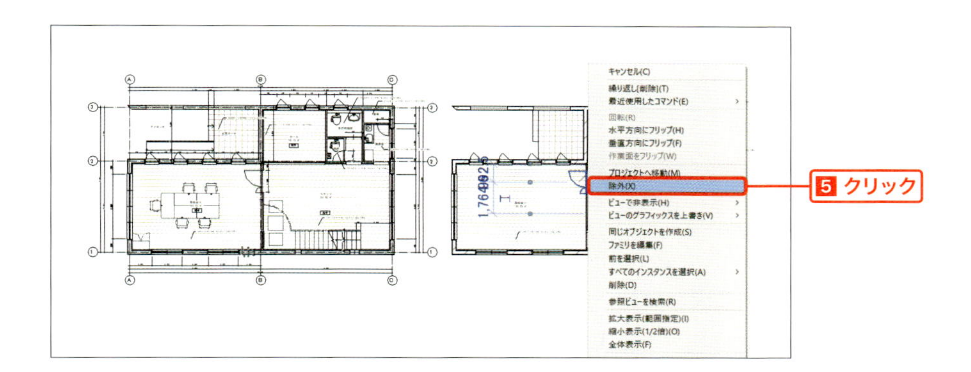

6 グループに入って削除した場合は、他のグループも同様に削除されますが、グループの外から除外した場合は、他のグループに影響はありません。間違いやすいので注意が必要です。

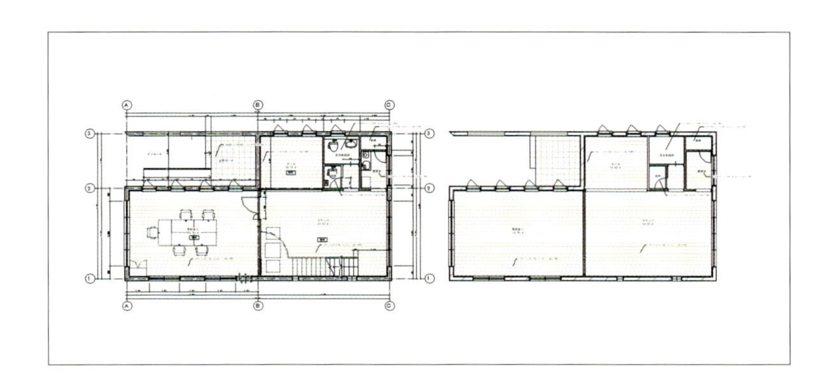

02 数量積算に活用する

Revitでは長さや面積、体積、個数を数量積算することができます。モデルをそのまま拾いますので、小さな開口は拾わないなどの積算基準には適合しない部分もあり、注意が必要です。ここでは壁の長さを集計します。

1 <表示>タブ→<集計>→<集計表/数量>をクリックして、カテゴリ壁を選択して<OK>をクリックします。[使用可能なフィールド]から「ファミリとタイプ」と「長さ」を選択して<パラメータを追加>をクリックします。

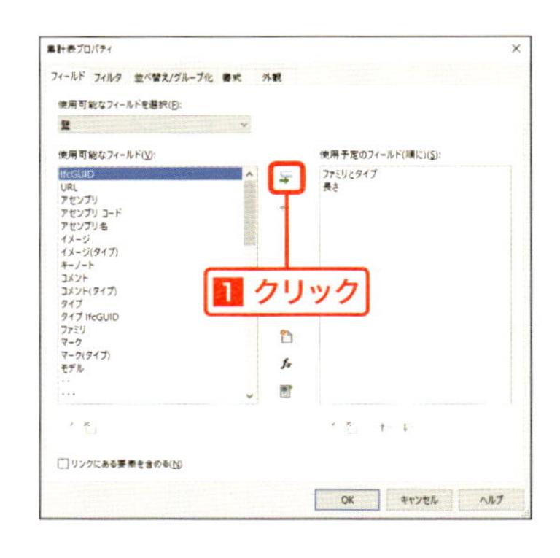

2 <並べ替え/グループ化>タグで<ファミリとタイプ>を選択し、[各インスタンスの内訳]のチェックを外します。<書式>で[長さ]を「合計を計算」として<OK>をクリックします。

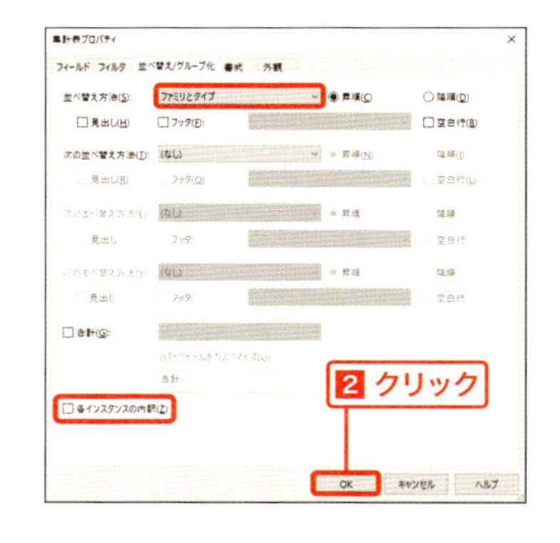

3 タイプごとに壁の長さが集計されます。

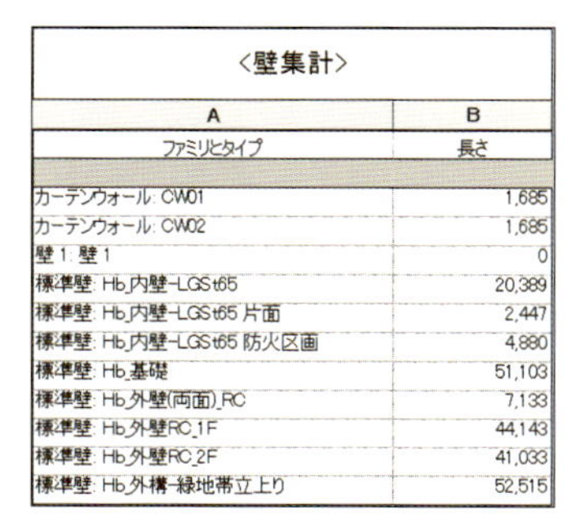

<壁集計>

A	B
ファミリとタイプ	長さ
カーテンウォール: CW01	1,685
カーテンウォール: CW02	1,685
壁 1: 壁 1	0
標準壁: Hb_内壁-LGSt65	20,389
標準壁: Hb_内壁-LGSt65 片面	2,447
標準壁: Hb_内壁-LGSt65 防火区画	4,880
標準壁: Hb_基礎	51,103
標準壁: Hb_外壁(両面)_RC	7,133
標準壁: Hb_外壁RC_1F	44,143
標準壁: Hb_外壁RC_2F	41,033
標準壁: Hb_外構-緑地帯立上り	52,515

Revitによる数量積算の基本

容積、体積（m^3）：コンクリートなど

①マテリアルを付ける。

②集計表/数量での「容積」、またはマテリアル集計での「容積」か「マテリアルの体積」でマテリアルごとに拾う。

重量（t）：鉄骨など

①マテリアルを付ける。

②マテリアル集計にて体積（m^3）を拾う。

③それに「計算されたパラメータ」で比重t／m^3をかける。

重量（t）：鉄筋

①マテリアルを付ける。

②集計表／数量にて長さ（m）を拾う。

③それに「計算されたパラメータ」でt／mをかける。

面積（m^2）：耐火壁などの床、壁、天井のタイプごとの面積

①床、壁、天井のタイプに名前を付ける。

②集計表/数量でタイプの面積を拾う。

面積（m^2）：LGSやボードなどの床、壁、天井のレイヤごとの面積

①床、壁、天井のレイヤにマテリアルを付ける。

②マテリアル集計にてマテリアルで拾う。

面積（m^2）：ビニールクロスやペンキ仕上、型枠など

①マテリアルを作成する。

②ペイントする。

③マテリアル集計にて「マテリアル：ペイントとして」で拾う。

長さ（m）：手摺やフェンスなど

①集計表で長さを拾う。

長さ（m）：巾木など

①壁のスイープ（造作材）で作成する。

②集計表/数量での「壁の造作材」で拾う。

付録

03 マテリアルを付与する

マテリアルとは、コンクリート、木材、ガラスなどの［材料］［原料］［物質］を表します。マテリアルが持っている［シェーディング］［サーフェスパターン］［外観］は、表示スタイルで次のように表現されます。

	マテリアル		
表示スタイル	シェーディング	サーフェスパターン	外観
ワイヤーフレーム	×	○	×
隠線処理	×	○	×
シェーディング	○	○	×
ベタ塗り	○	○	×
リアリスティック	×	×	○

シェーディングとベタ塗りの違いは、グラフィックス表示オプションの日照の太陽光と周囲の照明が、シェーディングでは有効になり、ベタ塗りでは無効になる点です。

読込可能なファミリとインプレイスのマテリアルは、下図のような構成で制御されていて、ピラミッドの上の方が優先されます。

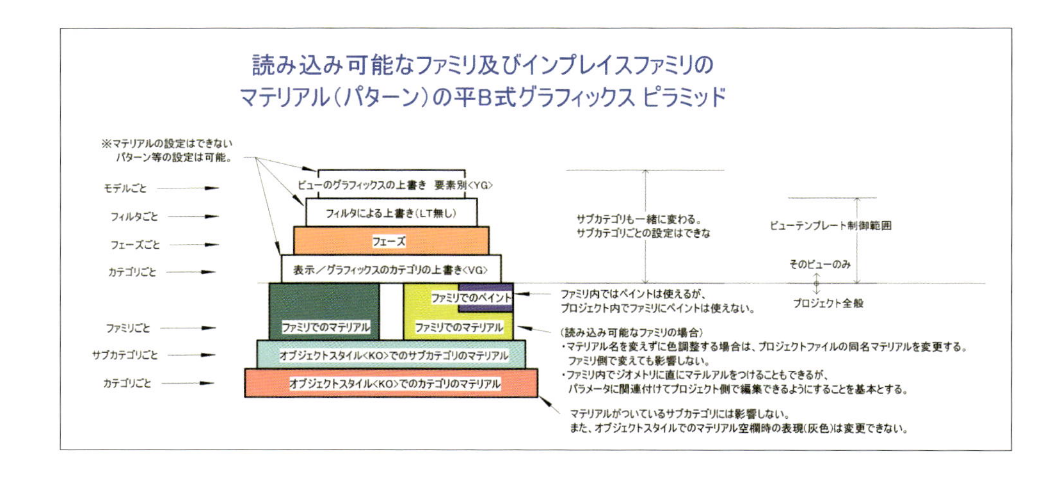

ファミリにマテリアルを設定する場合、主に以下の3つの方法があります。

1. ファミリの中でオブジェクトに直接マテリアルを付ける。
2. マテリアルパラメータに関連付けて、プロジェクト側で個別にマテリアルを付ける。
3. ファミリファイルでサブカテゴリにオブジェクトを設定し、プロジェクトファイルのオブジェクトスタイルにてマテリアルを設定する。

ここでは3の方法でガラスにマテリアルを付与する方法を紹介します。

1 ファミリ側でガラスのオブジェクトをサブカテゴリ「ガラス」に割り当て、さらにマテリアルパラメータを関連付けます。

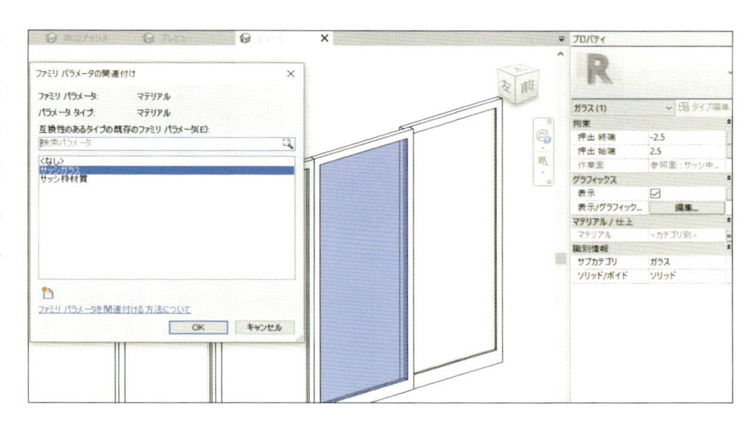

2 プロジェクト側ではファミリにマテルアルは付けず、<カテゴリ別>にしておきます。

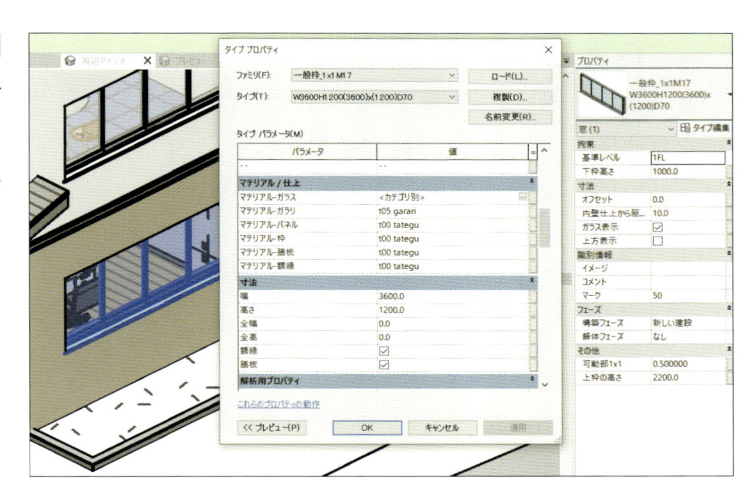

3 <オブジェクトスタイル>のサブカテゴリ「ガラス」にマテルアルを付けます。この方法だとプロジェクト内の窓ガラスのマテリアルを1ヶ所で制御できます。

付録

リアルなパースを作成する

Revitにもレンダリング機能はありますが、ここでは建築建材総合検索サイトArch-LOG（https://www.arch-log.com/）を使用し、図のようなパースを作成する方法を紹介します。

1 同サイトにてユーザーアカウントを取得し（無料）、Revit用の二つのプラグイン（Arch-LOGとRendering）をインストールします。

2 インストールされるとメニューが図のようになります。

3 ＜Arch-LOG＞→＜Arch-LOG Browser＞をクリックして、プロジェクト登録をしてマテリアルやファミリを検索します。図は「一般家具」で検索した結果です。

4 マテリアルやファミリをプロジェクトに追加してダウンロードします。

5 開いているプロジェクトファイルにマテリアルやファミリがダウンロードされるので、マテリアルは各オブジェクトに割り当て、ファミリはモデル内に配置します。特に、ガラスとシーンで大きな面積を占めるマテリアルはArch-LOGのマテリアルに置き換えます。Revitの［日照設定］を夜の時間帯にして、室内に十分な光量を得ることができるようにライティングします。配置するライトはすべてArch-LOGの照明器具ファミリである必要があります。

6 ＜Iray for Revit＞ → ＜Settings＞ → ＜Account＞ で、UsernameとPasswordを設定します。
＜Iray for Revit＞ → ＜Render Settings＞ → ＜Camera＞ にある［White Balance］や［EV］値を設定することで、シーンの色味や明るさを調整できます。
＜Iray for Revit＞→＜Render＞をクリックするとレンダリングが開始されます。Revitの［背景］は［Iray for Revit］では使用できません。＜Iray for Revit＞の背景は＜Render Settings＞→＜HDRI＞より設定します。その場合は、Revitの［日照設定］は無効になります。図は、背景に［HDRI］を使用した例です。

HDRI（High Dynamic Range Image）とは、RGB輝度を持つ画像フォーマットで、Webサイト（www.HDRihaven.comなど）から入手できます。

付録

05 キーボードショートカットを使う

キーボードショートカットは半角アルファベットを2文字入力することで、コマンドを選ぶことができる機能です。Revitに初期登録されているものもありますが、本書では2文字の最初の1文字が機能のグループを表すように系統だてて整理された平B式ショートカットキーを提供します。たとえば、最初の文字がZの場合は注釈機能を表し、以下のようになっています。

ZA：文字
ZS：平行寸法
ZZ：詳細線分

このキーボードショートカットを使用しない場合、または初期登録されているキーボードショートカットを使用する場合は、以下の設定は不要です。

1 ＜表示＞タブ→＜ユーザインタフェース＞→＜キーボードショートカット＞をクリックします。

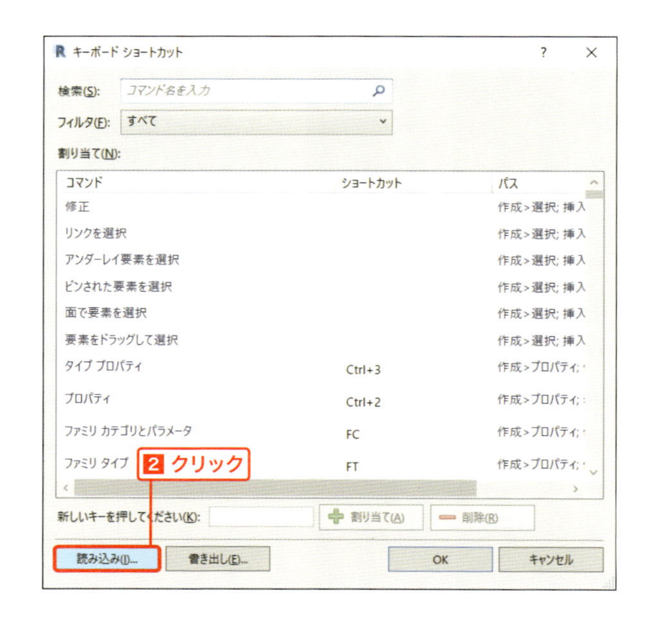

2 ［キーボードショートカット］ダイアログボックスで＜読み込み＞クリックします。キーボードショートカットを元に戻す必要があるときは、次の読み込みをする前に初期設定を書き出しておきます。

3 「Hb_KeyboardShortcuts.xml」を選択して＜開く＞をクリックします。

4 ［キーボードショートカットファイルの読み込み］ダイアログボックスが表示されるので、＜既存のショートカット設定を上書きする＞をクリックします。［キーボードショートカット］ダイアログボックスに戻るので、＜OK＞をクリックします。

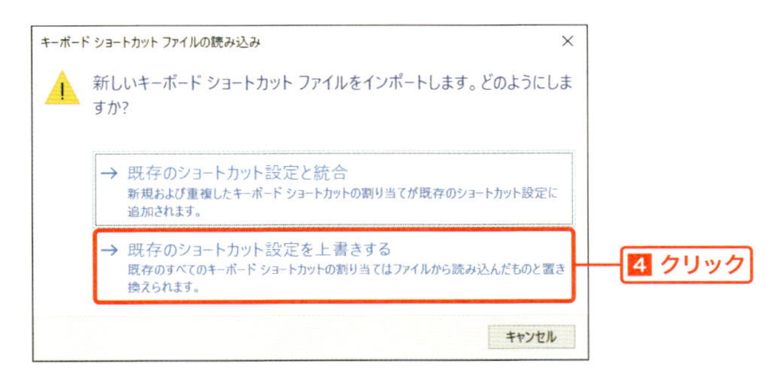

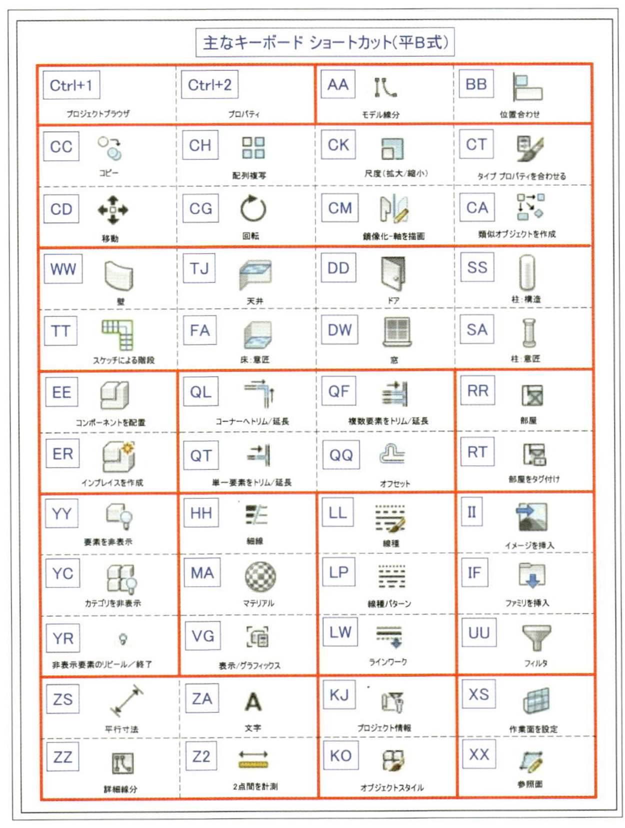

索引

■ 記号・英数字

■ ア行

■ カ行

■ サ行

■ タ行

■ ナ行

■ ハ行

■ マ行

■ ヤ行

■ ラ行

■ ワ行

■著者略歴

山形 雄次郎（やまがた ゆうじろう）

・1958年福井県生まれ
・大阪大学工学部建築工学科卒業
・一級建築士
・株式会社ヤマガタ設計 代表
・日本BIM普及センター 代表
・2009年にBIM（Revit）導入
・東京都キャリアアップ講習 Revit講師
・YouTubeチャンネル「山形雄次郎のRevitワンポイント講座」
・著書
「SketchUpベストテクニック120」
「AutodeskRevitではじめるBIM実践入門」
「作って覚えるSketchUpの一番わかりやすい本」 他

■執筆協力

BTN（Bim Teleworker Network）
石橋 紋子
伊藤 加奈
小林 衣織
千葉 恵
西口 雅子
野田 真由美
（五十音順）

●装丁：菊池　祐（ライラック）
●DTP・本文デザイン：リンクアップ
●編集：渡邉　健多

■お問い合わせについて

本書の内容に関するご質問は、下記の宛先までFAXまたは書面にてお送りください。お電話によるご質問、および本書に記載されている内容以外のご質問には、一切お答えできません。あらかじめご了承ください。

宛先：〒162-0846　東京都新宿区市谷左内町21-13　株式会社　技術評論社　書籍編集部
『Autodesk Revitではじめる BIM実践入門　Autodesk Revit & Revit LT 2022/2021対応版』質問係
FAX：03-3513-6167
https://book.gihyo.jp/116

なお、ご質問の際に記載いただいた個人情報は質問の返答以外の目的には使用いたしません。また、質問の返答後は速やかに削除させていただきます。

Autodesk RevitではじめるBIM実践入門
Autodesk Revit & Revit LT 2022/2021対応版

2021年　7月17日　　初　版　第1刷発行
2024年　5月16日　　初　版　第2刷発行

著　者　山形　雄次郎
発行者　片岡　巌
発行所　株式会社技術評論社
東京都新宿区市谷左内町21-13
電話　03-3513-6150　販売促進部
03-3513-6160　書籍編集部
印刷／製本　株式会社加藤文明社

定価はカバーに表示してあります

ISBN978-4-297-12134-1 C3055
Printed In Japan